EL VILLANCICO

BIBLIOTECA ROMÁNICA HISPÁNICA

Dirigida por Dámaso Alonso

II. ESTUDIOS Y ENSAYOS

ANTONIO SÁNCHEZ ROMERALO

EL VILLANCICO

(ESTUDIOS SOBRE LA LÍRICA POPULAR
EN LOS SIGLOS XV Y XVI)

BIBLIOTECA ROMÁNICA HISPÁNICA

EDITORIAL GREDOS, S. A.

MADRID

Depósito Legal: M. 13516 - 1969.

Gráficas Cóndor, S. A., Sánchez Pacheco, 83, Madrid, 1969. — 3233.

*A la memoria del
Instituto-Escuela
de Madrid*

PRÓLOGO

Para la sensibilidad de sus colectores, la poesía de tradición popular ha solido ir unida a la idea de flor: flor, rosa, ramillete, vergel, floresta, primavera y flor de canciones. Para quien la estudia, sin embargo, la bella flor popular está erizada de espinas, y el que se aventura en la floresta siente que camina por un tremedal y que la tierra que pisa no se ofrece segura a la pisada. Digámoslo más popularmente: al escribir sobre la "poesía popular" hay que andar siempre con tiento.

Los problemas (las espinas) del tema se comprenden, cuando el mismo tema es en sí problemático, y hay que empezar —cosa que nosotros haremos constantemente en el libro, y especialmente en el capítulo II— por defender su existencia y su nombre: la lírica popular *existe*, y el nombre *lírica popular* es legítimo [1].

Por otra parte, la inseguridad de la historia de la tradición lírica popular —no olvidemos que se trata de una tradición fundamentalmente oral, no escrita— nos obliga a servirnos, más veces de lo que fuera deseable, de la conjetura y la suposición. Finalmente, hay aspectos del villancico que no están aún maduros, y necesitarán todavía de estudios monográficos antes de ser tratados con suficientes probabilidades de acierto. (Las ciencias cuentan con el error, y de él se sirven para llegar a la verdad; por cada verdad, cada éxito alcanzado

---

[1] Como, por otra parte, lo es el de *lírica tradicional* o de *tradición popular*, y otros que también podrán usarse, porque lo importante no es tanto el nombre en sí como entender cuál es la realidad que con el nombre pretendemos mentar.

en los laboratorios, ¿cuántos experimentos no acaban en fracaso? En
la crítica y la historia literarias, somos inmisericordes con el error.)
    Una parte considerable del libro se dedica al estudio del estilo
del villancico. Siempre que decimos de un villancico que *es* popular
o *no es* popular (o tradicional o no tradicional) hacemos un juicio estilístico; y para este juicio nos basamos sobre todo en la *lengua* del
villancico (reflejo a su vez, claro está, de un espíritu). He creído, por
ello, necesario estudiar detenidamente la lengua del villancico, tomando en consideración todos aquellos aspectos que pudieran ser significativos desde el punto de vista del estilo. Pero, al mismo tiempo,
me pareció que los datos que se obtuvieran había que contrastarlos
con otros, tomados de diferentes muestras de poesía "popularizante", o sea de canciones de tono popularista pero no pertenecientes a
la tradición popular. (Por supuesto, estos conceptos quedarán más
claros a lo largo del libro, que, en buena parte, tiene por cometido
el aclararlos.) Me decidí, pues, a utilizar dos cuerpos de poesía: popular (tradicional) el uno, y popularizante el otro [2]. Pero formar este
segundo cuerpo de canciones (el popularizante) presentaba un problema: ¿no correría yo el peligro, al hacer la selección, de escoger
los ejemplos más alejados del estilo popular, exagerando así las diferencias? He tratado de salvar esta dificultad recurriendo a piezas ya
previamente antologizadas: las canciones de la *Antología popularizante I* son piezas ya incluidas por Aurelio Roncaglia en su antología
*Poesie d'amore spagnole d'ispirazione melica popolaresca (Dalle 'Kar-
ge' mozarabiche a Lope de Vega)*, Modena, 1953; las canciones de
la *Antología popularizante II* fueron ya utilizadas por Dámaso Alonso
y José Manuel Blecua en su *Antología de la poesía española. Poesía
de tipo tradicional*, Madrid, Gredos, 1956. (Una diferencia doctrinal
separa a los autores de una y otra antología. Aurelio Roncaglia no
cree en el concepto de *poesía tradicional*. Así, todas las piezas que
aparecen en su libro aparecen como muestras de "poesía popularizante", sin hacer distinción entre una canción de Villasandino, En-

───

[2] El primero (*Antología popular*) comprende unas diez mil palabras
(10.017); el segundo, dividido a su vez en dos grupos (*Antología popularizante I* y *Antología popularizante II*), tiene aproximadamente la mitad del
volumen de aquél: 2.511 y 2.502, respectivamente, o sea 5.013 palabras en
total.

cina o Lope y un villancico de la tradición popular. Enfrente, D. Alonso y J. M. Blecua parten del concepto de *poesía tradicional*, y el título de su antología (*Poesía de tipo tradicional* o *Lírica de tipo tradicional*, que es como reza la 2.ª edición, Madrid, 1964) es un reconocimiento expreso de la ambigüedad del corpus antologizado [3].

Nuestra antología, la que me he atrevido a llamar *popular*, obedece, pues, a un esfuerzo por delimitar, por precisar aún más lo popular, lo tradicional. ¿Quiere esto decir que las canciones incluidas en la *Antología popular* han vivido todas en la tradición popular? Evidentemente, no. Por una parte, no creo en la "pureza" popular, mucho menos en la posibilidad de detectar con seguridad las piezas auténticamente (?) populares frente a sus imitaciones (las buenas imitaciones, se entiende). En cambio, sí creo en un *estilo popular*, auténticamente popular, y en la posibilidad y necesidad de detectarlo y explicarlo. Las canciones de nuestra *Antología popular*, de procedencia diversa, presentan una homogeneidad estilística esencial; su estilo sí *es popular*, hecho en y por la tradición popular. En las páginas que siguen me esfuerzo en explicar cómo debe entenderse esta afirmación, y en qué consiste el *estilo popular* (definiendo sus caracteres dominantes, y señalando al tiempo qué rasgos *no son* o no pueden ser populares).

Gracias a la *Graduate School* de la Universidad de Wisconsin he podido contar con la ayuda de los servicios del *Computing Center* de esta Universidad, lo que, al tiempo que me permitió un análisis muy completo (por veces, exhaustivo) que jamás hubiera emprendido sin el auxilio y el aliciente de los computadores electrónicos, me ha proporcionado una experiencia interesantísima en un campo que ofrece

---

[3] Los autores comienzan por advertir: "Rogamos al lector tenga presente el título que hemos puesto a este volumen: POESÍA [LÍRICA en la 2.ª edición] DE TIPO TRADICIONAL. Con esto queremos indicar que no todos los poemas escogidos son estrictamente tradicionales, aunque sí obedecen a una evidente tradicionalidad. Algunos son "glosas" cultas a canciones viejas. Pero al glosar Camoens a Lope una cancioncilla, no hacen más que continuar una fórmula muy española. Hemos pensado que el Cancionero quedaría incompleto prescindiendo de esas manifestaciones cultas o seudotradicionales" (página LXXXV). Es precisamente con algunas de estas canciones o fragmentos cultos o seudotradicionales con los que hemos formado nuestra *Antología popularizante II*.

grandes esperanzas a la investigación crítica literaria y lingüística. Los datos más significativos aparecen con todo detalle en el libro, para uso y comprobación del lector; y resulta grato declarar que, casi siempre, los datos ofrecidos por las máquinas respondieron a lo que por simple intuición de lector esperábamos.

Deseo, pues, expresar mi agradecimiento a la Escuela Graduada de la Universidad de Wisconsin, y a su *Research Committee,* por su asistencia en tiempo y facilidades de todo tipo, especialmente a los Profesores Karl Kroeber y J. Thomas Shaw. Mi gratitud también al Departamento de Español y Portugués, y de modo muy especial, a sus Profesores J. Homer Herriott y Edward R. Mulvihill. Por último, quiero agradecer a Mr. Bruce G. Stiehm, estudiante graduado de la Universidad de Wisconsin, su inteligente ayuda y su valiosa labor de enlace con el muy interesante mundo de los computadores.

CAPÍTULO I

INTRODUCCIÓN AL VILLANCICO

I. INTRODUCCIÓN AL ESTUDIO DEL VILLANCICO

Hacia mediados del siglo xv ocurre un fenómeno nuevo e inusitado en el campo de la literatura castellana: unos hombres comienzan a formar grandes colecciones de poesía. El fenómeno es nuevo, repito. Antes, en el siglo xiii, siglo guiado por una idea de universalidad, se había coleccionado el saber humano en historia, ciencias, leyes... La poesía quedó al margen de esta empresa coleccionadora y codificadora, y Alfonso el Sabio, el gran empresario, se limitará a reunir un florilegio —espléndido— de cantigas marianas. Ahora, sin embargo, en el xv, las colecciones son más ambiciosas. Su intento va guiado por un propósito antológico, más o menos logrado, más o menos generoso: ofrecer un panorama de la poesía de su tiempo.

O quizás fuera mejor decir de su corte. Porque estas colecciones —he aquí uno de sus caracteres más señalados— son eminentemente cortesanas. A lo largo del siglo xv, siglo de trasformaciones políticas y sociales, asistimos a un proceso creciente de vigorización del poder modelador de la Corte, y esto con independencia del vigor efectivo del poder real. El mundo de la poesía no escapa a esta ley, y así el primer cancionero conocido, el de Juan Alfonso de Baena, dedicado al rey don Juan II hacia 1445, es una colección cortesana en su propósito, en su contenido y en el criterio seguido para formarla.

Ahora bien, en varios cancioneros de la segunda mitad de ese mismo siglo, comienzan ya a aparecer unas misteriosas cancioncillas, que en estilo y lengua están muy lejos de la poesía cortesana de la época. Son unas cancioncillas breves y sencillas.

Las primeras en aparecer (de todas las conocidas) son las cuatro de la famosa canción atribuida en unos textos al marqués de Santillana, y en otros a Suero de Ribera. Los dos textos que la atribuyen a Santillana (el pliego suelto de Praga y el *Espejo de enamorados,* ambos del XVI) dan a la canción el nombre de *villancico:* "Villancico que hizo el marqués de Santillana a unas tres hijas suyas". El poeta, sea quien fuere, sorprende a tres gentiles damas en recuesta de amores. Escondido entre la verdura, les oye cantar tres deliciosos cantarcillos:

> Aguardan a mí.
> Nunca tales guardas vi.
>
> La ninya que los amores ha,
> ¿cómo dormirá solá?
>
> Dexaldo al villano y pene;
> vengar m'ha Dios delle.

El encubierto se presenta ahora ante las damas, pero éstas le hacen ver que no es por él por quien cantan; y resignado, canta, a su vez el despedido, poniendo fin a la aventura:

> Sospirando va la ninya,
> e non por mí,
> que yo bien se lo entendí.

Ninguno de los cantarcillos es del autor de la composición, sea este autor Santillana o Suero de Ribera: podemos estar seguros de ello. El último cantar es, además, calificado, en la estrofa que le precede, de "antiguo" [1].

---

[1] La estrofa completa dice:

> Ellas dixeron: "Amigo,
> non sois vos el que buscamos,
> mas cantad, pues que cantamos".

Poco después, en un cancionero fechado hacia 1463, el *Cancionero de Herberay des Essarts* [2], volvemos a encontrar otras cancioncillas, tan alejadas en estilo del de la época como próximas a las cuatro ya conocidas. Una, la número XVI, nos habla de un encuentro en la nieve; pero no se trata aquí del cortesano encuentro de la hermosa serrana y el caballero; los protagonistas son ahora una "mozuela de vil semejar" y un mozo de la aldea:

> Si d'ésta escapo
> sabré qué contar;
> non partiré dell'aldea
> mientras viere nevar.
>
> Una mozuela de vil semejar
> fízome adama de comigo folgar;
> non partiré dell'aldea
> mientras viere nevar.   (13) [3]

Nuevas cancioncillas aparecen en otros dos cancioneros de la última mitad del siglo xv: el *Cancionero del Museo Británico* y el *Cancionero de la Biblioteca Colombina* de Sevilla (que perteneció a don Fernando Colón).

De aquél son dos canciones que se harían famosas:

> Recordad, mis ojuelos verdes,
> ca la mañana dormiredes.   (5)
>
> Aquel caballero, madre,
> tres besicos le mandé;
> creceré y dárselos he.   (9)

> Dixe este cantar antiguo:
> "Sospirando va la ninya,
> e non por mí,
> que yo bien se lo entendí".

[2] Editado por Charles V. Aubrun, Burdeos, 1951.
[3] Corresponde este número 13 al número de la canción en nuestra *Antología popular* que figura al final del presente libro. En adelante, siempre que una canción aparezca señalada por un número, sin especificar la fuente, deberá entenderse que corresponde al número de orden en esa antología.

Del *Cancionero de la Biblioteca Colombina* es esta canción, que
comienza por un refrán y se continúa en estrofas de repetición paralelística:

> Niña y viña, peral y habar,
> malo es de guardar.
>
> Levantéme, oh madre,
> mañanica frida;
> fui a cortar la rosa,
> [la rosa] florida.
> Malo es de guardar.
>
> Levantéme, oh madre,
> mañanica clara;
> fui cortar la rosa,
> la rosa granada.
> Malo es de guardar.
>
> Viñadero malo
> prenda me pedía;
> dile yo un cordone,
> dile yo mi cinta.
> Malo es de guardar.
>
> Viñadero malo
> prenda me demanda,
> dile yo un [cordone,
> dile yo una banda.
> Malo es de guardar.]   (16)

Hay en todas estas canciones algo que las une; un estilo común.
En el siglo XV, ¿quién haría estas canciones? Durante el reinado de
los Reyes Católicos comprobamos que se han puesto de moda en la
corte. Poetas cultos, como Encina, Álvarez Gato, Fray Ambrosio Montesino o Fray Íñigo de Mendoza, hacen versos en torno a ellas. Algunos llegan a utilizarlas para fines religiosos. Fray Íñigo de Mendoza,
por ejemplo, escoge una de ellas, bastante maliciosa, que decía:

Eres niña y has amor,
¿qué harás cuando mayor? [4].

Y, con ella, Fray Íñigo hace un cantar al niño Jesús, que comienza:

Eres niño y has amor,
¿qué harás cuando mayor?

En el *Cancionero* de Fray Ambrosio Montesino (Toledo, 1508), un cantarcillo dice:

Desterrado parte el niño,
y llora.
Díjole su madre así,
y llora:
"Callad, mi señor, agora".

El cual endereza a lo espiritual una cancioncilla que contenía el *Cancionero Musical de Palacio* entre sus hojas perdidas, y del que, gracias al índice, conocemos el primer verso:

A la puerta está Pelayo...

De este importantísimo cancionero vamos a hablar en seguida. Digamos ahora que la canción de Pelayo debió de seguir manteniendo su popularidad a lo largo del siglo XVI, porque en un manuscrito que se conserva en la Biblioteca Nacional de Madrid, el Ms. 3915, aparece convertida así:

A puertas de Menga Gil
está Pelaíto y llora,
y dícele Menga Gil:
"¿Qué quieres, Pelaíto, agora?" [5].

---

4 Así la recogerá después el *Romancero de la Biblioteca Brancacciana* (siglo XVII). Aparece también en otras fuentes. Véase Dámaso Alonso, *Poesía española. Ensayo de métodos y límites estilísticos*, Madrid, Gredos, 1952, página 231.
5 La publicó R. Foulché-Delbosc, en "Séguedilles anciennes", en *Revue Hispanique*, VIII (1901), p. 330.

Juan Álvarez Gato será uno de los más interesantes iniciadores de esta vía a lo divino, tan frecuentada después. Él endereza "a lo espiritual, y al daño que del mundo viene", un cantar que decía:

> Quita allá, que no quiero,
> falso enemigo,
> quita allá, que no quiero
> que huelgues comigo.

Para hacerle decir, conservando el ritmo de la precoz seguidilla:

> Quita allá, que no quiero,
> mundo enemigo,
> quita allá, que no quiero
> que huelgues comigo [6].

Y un cantar, que "traen los vulgares", "es endereçado al Nuestro Señor" por el poeta, haciéndole decir:

> —¿Quién te truxo, rey de gloria,
> por este valle tan triste?
> —¡Ay, hombre, tú me truxiste! [7].

Donde el cantar originario, recogido en el *Cancionero Musical de Palacio*, decía:

> —¿Quién te trajo, caballero,
> por esta montaña escura?
> —¡Ay, pastor, que mi ventura!   (28)

Pero la mejor evidencia de la boga que en los medios cortesanos han llegado a alcanzar estas canciones nos la da el ya varias veces aludido *Cancionero Musical de Palacio*, cuya importancia es también

---

[6] *Cancionero castellano del siglo XV* (ordenado por R. Foulché-Delbosc), *NBAE*, Madrid, 1912, tomo I, p. 253. En el *Cancionero Musical de Palacio* el cantar original viene bajo la forma: "Tir'allá, que non quiero, — mozuelo Rodrigo..."; y en *El Cortesano*, de Luis de Milán (Valencia, 1561): "Tirte allá, que no quiero, — mozuelo Rodrigo...". (Una reimpresión de esta obra, en la Colección de Libros Españoles Raros y Curiosos, Madrid, 1872, volumen VII.)

[7] *Cancionero castellano del siglo XV*, tomo I, p. 253.

excepcional como documento ilustrativo de las tendencias musicales de la corte castellana durante los años 1460 a 1504, aproximadamente. Descubierto en 1870 en la Biblioteca del Palacio Real de Madrid, donde sigue conservándose, fue Francisco Asenjo Barbieri quien por primera vez transcribió su música y lo dio a conocer en su edición de 1890 [8]. Más modernamente, Higinio Anglés ha hecho una nueva transcripción en una edición excelente [9].

En este cancionero, nuestras cancioncillas aparecen ya en abundancia. Hasta sesenta y seis hemos recogido en la antología que va al final de este trabajo. Y el nombre que el *CMP* emplea para designarlas es el de *villancico*, nombre que, en adelante, usaremos nosotros, y cuya historia —la del nombre— intentaremos trazar más adelante.

Pero el nombre de *villancico* no queda reservado exclusivamente para nuestras canciones. Otras, escritas en el estilo conceptuoso y alambicado de la poesía amatoria de la época, reciben también el nombre de *villancicos;* y, además de villancicos, hay algunos romances, y unas, muy pocas, "frottole", forma italiana, que en el *CMP* recibe el nombre de *estrambote*.

Hay que advertir, sin embargo, que todas estas denominaciones —villancicos, romances y estrambotes— se deben al índice, y el índice fue copiado y añadido a comienzos del siglo xvi [10]. Las cifras to-

---

[8] *Cancionero musical de los siglos XV y XVI*, Madrid, 1890. Reeditado posteriormente por la Editorial Schapire, Buenos Aires, 1945. Nos referiremos frecuentemente a este cancionero con la abreviatura *CMP*. Salvo indicación en contrario, citaremos por la edición argentina de 1945.

[9] Barcelona, 1947 y 1951.

[10] Dice Higinio Anglés: "...se ve que ni siquiera el copista tenía una idea clara de cada una de las formas. Basta señalar el caso que él clasifica como *villancico*, obras que son simples *canciones*, sin que tengan ninguna de las características del villancico. Las *frottole* que figuran en nuestro *Cancionero* fueron todas añadidas más tarde; el copista clasifica tales *frottole* simplemente como *estrambotes*", *ob. cit.*, vol. II, p. 15. Es de señalar que cuando habla H. Anglés de *canciones* no lo hace con ningún sentido preciso, sino con el puramente negativo de que faltan en esas composiciones los caracteres típicos del villancico. Por eso llama *canciones* a composiciones muy dispares. Éstas, en todo caso se reducen a once, y una es dada como dudosa; son las composiciones 247, 257, 258, 269, 311, 317, 322 (la dudosa), 324, 328, 358, 447, 454 (en la numeración de Anglés) (en la numeración de Barbieri: 430, 166, 436, 175, 438, 337, 386, 338, 208, 444, 457, 271).

tales que da el índice (*Tabula per ordinem alphabeticum*) son: villancicos, 389; estrambotes, 14; romances, 44, y villancicos *omnium sanctorum*, 29. Pero, por pérdida de cincuenta y cuatro folios, el número total de composiciones conservadas queda reducido a 458 [11]. Otra cosa hay que señalar, y es que, entre las composiciones recogidas hay unas declaradas como anónimas, mientras que otras vienen encabezadas por un nombre. ¿El nombre del poeta? Ya Barbieri desechaba esta posibilidad, al menos como regla:

> Sobre muchas de las obras de este *Cancionero* se halla escrito un nombre propio: éste se entiende ser el del compositor porque es constante que cuando se escribía la letra de una canción se encabezaba con el nombre solo del poeta, y cuando se escribía la música, sola o junta con la letra, se encabezaba con el nombre del músico, omitiendo el del poeta. De esta antigua costumbre o regla general se exceptúan los villancicos eclesiásticos de Nochebuena, Reyes, etc., que empezaron a imprimirse en pliegos sueltos desde el siglo XVII en adelante, en los cuales casi nunca se hace mención sino del Maestro de Capilla que los puso en música. Aparte esto, se hallan en nuestro *Cancionero* bastantes obras en las cuales el autor de la música lo es también de la letra, así como en los otros *Cancioneros*, exclusivamente literarios, hay algunas canciones cuyo poeta nombrado puede asegurarse que también las puso en música; porque la mayoría de los poetas de aquellos tiempos, a fuer de verdaderos trovadores, cantaban sus poesías líricas acompañándose con el laúd, la vihuela o la guitarra [12].

Para Barbieri, lo normal es, pues, que el nombre propio que encabeza muchas de las canciones del *Cancionero* corresponda al compositor de la música, no al autor de los versos; lo cual se hace evidente en seguida: así, por ejemplo, el villancico que dice:

---

[11] Véase H. Anglés, en su ed. del *CMP*, *ob. cit.*, vol. I, p. 17, y vol. II, pp. 5-9 y 14. La lista de las composiciones desaparecidas (algunas de las cuales, aunque pocas, conocemos por otros cancioneros) puede verse en Anglés, vol. I, pp. 35-36. Son unas 92. La imprecisión y aparente contradicción en las cifras dadas se debe a que hay casos de textos iguales con músicas distintas, y, por otra parte, de textos sin música (probablemente porque utilizarían la música de la canción precedente). Vide ed. Anglés, volumen II, p. 14.

[12] *Ibid.*, p. 9.

> Enemiga le soy, madre,
> a aquel caballero yo.
> ¡Mal enemiga le soy!   (20)

viene encabezado por el nombre de Juan de Espinosa en el folio iij
y, en cambio, como anónimo en el folio ij vuelto. En un pliego suelto
de 1572 (impreso en Valladolid por Diego Fernández de Córdoba),
aparece como de Juan del Encina. En el folio ccxvij vuelto del *Cancionero Musical de Palacio*, volvemos a encontrarlo en una "ensalada" de Peñalosa. Por otra parte, a lo largo de los siglos xv y xvi, sigue apareciendo en una serie de colecciones, sin que en ninguna de
ellas se aluda a autor alguno; es más, lo encontramos recogido, a
veces, por su carácter antiguo y anónimo; lo encontramos, así, en
Luis de Milán (*El Cortesano*, Valencia, 1561); en Juan Fernández de
Heredia (que publica sus obras en Valencia, 1562); en Juan de Linares (*Cancionero Flor de enamorados*, Barcelona, 1562, 1608, 1645,
1647 y 1681). Lo encontramos también vuelto a lo divino en los
Villancicos de Navidad de Lope de Sosa (1603), ahora en esta forma:

> Muy amiga le soy, madre,
> a aquel Jesús que nació:
> más que a mí le quiero yo [13].

Es de advertir que, salvo en esta versión contrahecha a lo divino, el
cantarcillo aparece siempre sin variación alguna en sus tres versos [14],
lo cual no ocurre con las estrofas que a veces lo acompañan. En el
CMP, por ejemplo, va seguido de una estrofa que dice:

> En mí contempla y adora,
> como a Dios que l'es testigo;
> él me tiene por señora,
> yo a él por enemigo;
> dos mil veces le maldigo,
> por lo cual no mereció:
> ¡mal enemiga le soy!

---

[13] *Ibid.*, p. 9.
[14] Excepto las diferencias ortográficas, por supuesto.

En Juan Fernández de Heredia no aparece esta estrofa, sino otra:

En quererme es él de sí
tan enemigo cruel,
como yo enemiga dél,
por ser amiga de mí.
Nunca en cosa pidió sí
que no le dijese no,
tan enemiga le só.

En la versión de Juan de Linares se encuentran cuatro estrofas, ninguna de las cuales coincide con las dos ya transcritas. La versión a lo divino de Lope de Sosa va, por su parte, seguida de sus propias estrofas. En cambio, en *El Cortesano* de Milán, y en el pliego suelto de Valladolid de 1572, aparece el cantar solo, sin estrofas[15]. De todo lo cual se deduce: 1.º) Que hay que suponer, con grandes posibilidades de acierto, que ni Encina, ni Peñalosa, ni Juan de Espinosa, ni por supuesto Milán, Fernández de Heredia o Juan de Linares, son los autores de la cancioncilla, y que, cuando, por primera vez que se sepa, es recogida en el *CMP*, se la recoge ya como anónima. 2.º) Que Juan de Espinosa, que aparece encabezando la canción en este mismo *Cancionero*, al no ser el autor de la letra, será el autor de la música. 3.º) Que cuando aparece entre las obras de Juan Fernández de Heredia, no es porque Heredia fuese el autor del cantarcillo, sino por ser suya la estrofa que lo continúa[16].

Además ocurre que el estilo "personalísimo" de estas cancioncillas, que en nada se parece al estilo de Santillana o Mena o al de los poetas del *Cancionero de Baena*, que resulta inidentificable con el estilo de ningún poeta de la época, es, sin embargo, un estilo hecho, maduro, seguro de sus medios expresivos. Frente al villancico, las estrofas cultas añadidas, y en general casi toda la poesía del siglo, salvo los grandes aciertos de los poetas mayores, resulta una poesía

---

[15] Véanse las notas de Barbieri en su ed. del *CMP*, pp. 64-65.
[16] En otros cancioneros, con obra de poetas conocidos, esto resulta perfectamente claro. Así es como en el libro de Miguel de Fuenllana (*Libro de música para vihuela, intitulado Orphénica lyra...*, Sevilla, 1554), puede aparecer como "villancico a quatro de Guerrero" el conocido madrigal de Cetina: "Ojos claros, serenos...".

vacilante, de tanteos; se nos hace en seguida evidente el esfuerzo, la lucha del poeta por dominar la lengua y adaptarla a las exigencias expresivas de la lírica. En otras palabras, al leer estas cancioncillas, tan sencillas pero tan perfectas en su estilo, y al compararlas con la poesía y aun con la prosa literaria de la época, intuimos que no pueden ser un género naciente, que debe haber tras ellas una larga tradición que les sirva de base y fundamento, un largo proceso de creación. Pero, precisamente, esta tradición, los eslabones de esta cadena creativa ¿dónde encontrarlos? Ningún poeta conocido de los siglos anteriores nos ha dejado muestras de este género. Y nos vemos obligados a pensar: o bien, que esas muestras anteriores se han perdido, o que la tradición que adivinamos tras ellas no fue una tradición escrita, sino una tradición oral, que vivió aparte de las corrientes por donde discurrió el caudal de la poesía culta.

Fue esta la gran intuición de don Ramón Menéndez Pidal. En su famosa conferencia del Ateneo, de 1919, apoyándose en primitivas referencias de las crónicas y en el carácter mismo de estas cancioncillas, que empiezan a aparecer documentadas en el siglo xv, para triunfar y ponerse de moda en el siglo xvi, Menéndez Pidal defendió la necesidad de postular una tradición que correría a lo largo de la Edad Media hasta aflorar en los cancioneros renacentistas. Ciertas afinidades temáticas, de personajes, formales y expresivas del villancico con las cantigas de amigo galaico-portuguesas (cuya máxima floración ocurre en el siglo xiii y primera mitad del xiv) venían a apoyar esta tesis.

El villancico y la cantiga coinciden sobre todo en ser, gran número de aquéllos y de éstas, canciones puestas en boca de una doncella que confía a la madre sus cuitas de amor. Así, los villancicos:

Las mis penas, madre,
de amores son.

No puedo apartarme
de los amores, madre,
no puedo apartarme [17].

---

[17] Del *Cancionero Musical de Palacio*, ed. Barbieri, núms. 48 y 234.

Así, las cantigas:

> Madre, passou per aqui un cavaleiro
> e leixou-me namorada e com marteiro.
> Ai, madre, os seus amores ei, etc.
>
> Non chegou, madre, o meu amigo,
> e oje est o prazo saido!
> Ai, madre, moiro d'amor! [18].

Y hay algo más en común: el uso que un número importante de villancicos hace de la técnica del paralelismo y del encadenamiento, procedimientos éstos consustanciados con la *cantiga de amigo*. Ya transcribimos la linda canción paralelística del *Cancionero de la Biblioteca Colombina*. En el *Cancionero Musical de Palacio*, los villancicos desarrollados en estrofas paralelísticas y (o) encadenadas forman un interesante conjunto. En el siglo XVI, las muestras más importantes de paralelismo proceden del llamado *Cancionero de galanes* [19], al que pertenece la canción que copiamos a continuación:

> Encima del puerto
> vide una serrana;
> sin duda es galana.
>
> Encima del puerto,
> allá cerca el río,
> vide una serrana
> del cuerpo garrido;
> sin duda es galana.
>
> Encima del puerto,
> allá cerca el vado,
> vide una serrana
> del cuerpo lozano;
> sin duda es galana.   (211)

---

[18] La primera es de Fernão Rodrigues Calheiros (*Cancioneiro da Biblioteca Vaticana*, núm. 233; *Cancioneiro da Biblioteca Nacional de Lisboa*, número 568). La segunda es de don Denis (*C. Vaticana*, núm. 169; *C. Biblioteca Nacional*, núm. 556).

[19] Valencia, Castalia, 1952. La edición va precedida de un excelente prólogo de Margit Frenk Alatorre.

En el *Cancionero Musical de Palacio,* su más bella canción paralelística está muy cerca de las cantigas gallegas y portuguesas:

> Al alba venid, buen amigo;
> al alba venid.
>
> Amigo el que yo más quería,
> venid al alba del día.
>
> Amigo el que yo más amaba,
> venid a la luz del alba.
>
> Venid a la luz del día;
> non trayáis compañía.
>
> Venid a la luz del alba;
> non traigáis gran compaña.

Y ocurre que el paralelismo, en la poesía culta conocida del siglo XIV o del siglo XV, es prácticamente desconocido. Sólo ha quedado, para dar testimonio de su cultivo, el famoso "cosante" (cosaute) de don Diego Hurtado de Mendoza. Y esta muestra aislada, provenzalizante, sólo sirve para reforzar la impresión de que el paralelismo del villancico tradicional procede de distintas fuentes y viene por distintas vías: las vías misteriosas de la tradición oral.

Un descubrimiento inesperado vino a afianzar la tesis de Menéndez Pidal. En 1948, Samuel Miklos Stern daba a conocer veinte cancioncillas en lengua mozárabe o andalusí, la más antigua de las cuales se remontaba a los comienzos del siglo XI; anterior, pues, a los comienzos de la poesía provenzal. Con ellas pareció haberse hallado el más viejo eslabón de la cadena. Porque esas cancioncillas, jarchas que servían de remate a moaxajas hebreas [20], presentaban singulares puntos de contacto con el *villancico* y la *cantiga.* Dámaso Alonso y Menéndez Pidal, y en seguida otros, se apresuraron a divulgar el descubrimiento y a señalar su significación, insistiendo en la tesis de que los villancicos castellanos, las cantigas de amigo galaico-portuguesas

---

[20] Después se descubrirían también moaxajas árabes con jarchas romances, y sería Emilio García Gómez el autor de los descubrimientos más importantes.

y las cancioncillas mozárabes eran tres ramas de un tronco común: el tronco de la lírica tradicional peninsular.

Con ello, también volvían a cobrar actualidad las viejas tesis, defendidas por Jeanroy y Gaston Paris, sobre la importancia del *Frauenlied* —la canción de mujer— en el origen de la lírica europea. La polémica suscitada en torno a las jarchas hará revivir el misterio del *Frauenlied*. Porque hoy el *Frauenlied* románico más antiguo es una jarcha que un poeta hebreo, Joseph el Escriba, insertó en una moaxaja de la primera mitad del siglo xi:

> Tant' amắre, tant' amắre,
>   habīb, tant' amắre,
> enfermĭron welyoš nĭdioš
>   e dŏlen tan mắlē [21].

("De tanto amar, de tanto amar, — amigo, de tanto amar, — enfermaron ojos antes sanos, — ¡y duelen tan mal!")

II. EL VILLANCICO Y SU GLOSA

En las fuentes del siglo xv y de la primera mitad del xvi, el villancico suele ir acompañado de un desenvolvimiento estrófico, de carácter culto o popular. Ya hemos aludido a esta práctica y hemos hablado de uno de los desenvolvimientos de mayor interés: el paralelístico. Como veremos más tarde, el nombre de villancico se da unas veces a la composición entera; otras (por ejemplo, en el *Cancionero* de Juan del Encina), el nombre se reserva para la cancioncilla inicial. Cuando se hace distinción entre cantarcillo inicial y estrofa o estrofas continuadoras, éstas reciben frecuentemente el nombre de "glosa"; pero no siempre: se usan también otros nombres: *coplas, pies* y *vueltas*. Todos estos *nombres* (¿hará falta decirlo?) son de creación culta y proceden del arte culto.

---

[21] Transcripción de E. García Gómez, *Las jarchas romances de la serie árabe en su marco,* Madrid, Sociedad de Estudios y Publicaciones, 1965, página 390.

A finales del siglo XVI la "glosa" va perdiendo terreno; se va abandonando la práctica del desenvolvimiento estrófico de la cancioncilla, y ésta se queda sola. La seguidilla nueva, que se pone de moda a fines del XVI, y la copla o cuarteta octosilábica, que constituye la forma más característica de la lírica popular moderna, son el resultado final de esta tendencia.

Sin embargo, el villancico (la cancioncilla desprendida o nunca prendida) aparece ya solo en las primeras fuentes. No olvidemos que en el "Villancico" atribuido a Santillana, los cuatro villancicos que se cantan son cancioncillas sin glosa. La composición 438 del *Cancionero Musical de Palacio* (numeración de la edición Barbieri) consiste en cuatro villancicos aislados, sin estrofas que los glosen; en esta forma:

> Por las sierras de Madrid
> tengo d'ir,
> que mal miedo he de morir.
> Soy chequita y ...
>
> Enemiga le soy, madre,
> a aquel caballero yo.
> ¡Mal enemiga le soy!
>
> Aquel pastorcico, madre,
> que no viene,
> algo tiene en el campo
> que le duele.
>
> Vuestros son mis ojos,
> Isabel,
> vuestros son mis ojos,
> y mi corazón también.

Estos cuatro villancicos (más una quinta canción, incompleta, en latín, que cierra la composición) se cantaban a un tiempo, según nos informa Barbieri[22].

---

[22] "...cuatro de los cuales son villancicos con su música propia, cuyas melodías combinó Peñalosa, añadiéndoles el discante o contrapunto que hace el tiple, y el contrabajo que lleva la letra latina, composiciones suyas para completar la armonía del conjunto" (*ob. cit.*, p. 227).

En cierto modo, los glosadores cultos contemplan también al villancico (o cancioncilla suelta) como un todo, como una unidad lírica independiente, cuando elaboran su poesía a partir de él, con olvido de la glosa; la cual, si existe, se desatiende y es sustituida por una nueva, la del poeta.

El descubrimiento de las jarchas, cancioncillas sueltas, sin desenvolvimiento estrófico, ha venido a plantear el problema de la antigüedad de la glosa. ¿Es ésta inseparable del villancico? En otras palabras, ¿cuál es la forma originaria de la primitiva lírica castellana: un villancico glosado, o, simplemente, un villancico? Y si es esta última la forma primitiva, ¿cuándo nace la glosa?

En 1949, recién descubiertas las jarchas, decía Dámaso Alonso: "...el centro del interés debe desplazarse del zéjel al villancico. Estos ejemplos de villancicos mozárabes del siglo xi, puestos al lado de toda la tradición castellana tardía, prueban perfectamente que el núcleo lírico popular en la tradición hispánica es una breve y sencilla estrofa: un villancico. En él está la esencia lírica intensificada: él es la materia preciosa... la glosa es el metal del engaste. El villancico es la piedra preciosa, que por su concentradísima brevedad necesita ser engastada" [23].

Podría añadirse que probablemente la necesidad del engaste no ha sido siempre sentida; no, evidentemente, desde que la lírica popular se concentra en la seguidilla y en la copla, ya desde fines del siglo xvi, aunque en el xvii la glosa no está enteramente olvidada.

En el siglo xv y en el xvi, el engaste —la glosa— es, sin embargo, la moda. ¿Desde cuándo? Es imposible contestar, ni siquiera con conjeturas, a la pregunta, puesto que la lírica popular medieval castellana se nos ha perdido. Cuando el villancico comienza a aparecer en los cancioneros del siglo xv, la práctica de la glosa era, desde luego, antigua. Y, sin embargo, por los ejemplos citados de uso del villancico suelto, ejemplos que más tarde irán en aumento, más y más, nos sentimos llevados a pensar que, a lo largo de la Edad Media, y también en el siglo xv, al lado de la canción desenvuelta en estrofas, se cantaría también la cancioncilla sola, el villancico desnudo. Y tam-

---

[23] "Cancioncillas 'de amigo' mozárabes", en *Revista de Filología Española*, tomo XXXIII (1949), pp. 333-334.

bién que, como hoy se hace con las seguidillas y las coplas de nuestros días, se dirían sin cantarlas, prestándoles el tono sentencioso del refrán. Con razón decía el maestro Correas, ya en 1626: "De refranes se han fundado muchos cantares, i al contrario, de cantares han quedado muchos refranes..." [24].

Lo que ocurriría, podemos conjeturar, es que a fines del siglo XV, estando de moda en el campo de la poesía culta la "glosa" como forma de desenvolvimiento estrófico de una canción inicial [25], los cancioneros de la época fijaron su atención en los villancicos desenvueltos en estrofas; las cancioncillas no desenvueltas en estrofas no se recogían, o sólo se recogían después de añadirles una glosa.

En las fuentes del Renacimiento, la mayor parte de las glosas que acompañan a los villancicos son cultas. Los poetas y músicos escogían un villancico popular, y sobre él componían su propia glosa. Era ésta práctica corriente. Sin embargo, también nos han quedado glosas de la tradición popular. No son muchas pero sí las suficientes para hacernos una idea de su estilo y estructura. Hasta ciento sesenta y cuatro utilizó Margit Frenk Alatorre en su estudio "Glosas de tipo popular en la antigua lírica" [26], el más importante, y casi el único sobre el tema. En él examinó la autora magistralmente el problema de la relación textual entre glosa y villancico; distinguía a este respecto dos grandes tipos: 1) glosas que son una versión ampliada del villancico; 2) glosas que constituyen una entidad aparte del villancico. Las primeras, decía, surgen "por un crecimiento orgánico del cantar-núcleo" (el villancico), pudiendo consistir en un *despliegue* de éste ("cuyos elementos se repiten y amplían, uno tras otro"), o en un *des-*

---

[24] Gonzalo Correas, *Arte grande de la lengua castellana,* ed. del Conde de la Viñaza, Madrid, 1903, p. 258. ¿Veía, sin embargo, Correas estos refranes procedentes de cantares como restos conservados de un cantar más extenso? En la página 258 parece entenderlo así, al decir que los refranes "todos son estribillos de villanzicos i cantarzillos viejos". Sin embargo, en la página 271, al tratar del verso de cinco sílabas, habla de "coplillas sueltas". Por otra parte, su afirmación de que "de refranes se han fundado muchos cantares" implica la existencia de esas "coplillas sueltas", cantarcillos sueltos, sentidos primero como refranes y luego como cantares.

[25] Y, por supuesto, hay que tener siempre presentes las corrientes polifónicas en la canción.

[26] En *Nueva Revista de Filología Hispánica,* XII (1958), pp. 301-334.

arrollo ("que parte por lo general del primer verso del villancico").
Las glosas constituyen una entidad aparte "cuando se rompe el cordón
umbilical, o sea la dependencia textual"; en cuyo caso, la glosa se
coloca en el mismo nivel del villancico y lo *complementa* (prolongán-
dolo o dialogando con él), o lo *explica* por medio de una narración.
La glosa la definía Rengifo, a fines del siglo XVI, como "un género de coplas, en que se va explicando alguna breve sentencia con
muchas palabras y versos" [27]. Es evidente que la definición cuadra
mejor a la glosa culta que a la popular; y es que, en realidad, lo que
cuadra mal, en la casi totalidad de los casos, es el nombre de "glosa"
aplicado al desenvolvimiento estrófico popular tradicional. La glosa
popular, en realidad, pocas veces "glosa" al villancico. Sin embargo,
el término está consagrado por una larga tradición, y, no teniendo
otro mejor con que sustituirlo, hemos de seguir usándolo.

Desde el punto de vista estrófico la diversidad es grande; los desenvolvimientos que presentan mayor interés para la historia de la lírica hispánica son el paralelístico y el zejelesco. Ambos han sido estudiados, aunque el secreto de su entronque con el villancico persista,
y sea difícil llegar a conclusiones definitivas sobre la base de los textos
conservados. Ya hemos aludido al problema del paralelismo castellano, y hemos de volver sobre él al estudiar el origen de la lírica peninsular [28].

El zéjel ha recibido aún mayor atención, desde los estudios iniciales de don Julián Ribera. Menéndez Pidal, en varios trabajos y
sobre todo en "Poesía árabe y poesía europea" [29], ha mostrado su arraigo en la lírica castellana, tanto en la culta como en la popular. Torner
en su "Índice de analogías" [30] sólo podía señalar un caso de pervi-

---

[27] *Arte poética española*, Salamanca, 1592, cap. XXXVI, 41.

[28] Los trabajos más completos con que contamos son: el magnífico
estudio de Eugenio Asensio, *Poética y realidad en el cancionero peninsular
de la Edad Media*, Madrid, Gredos, 1957; y tres artículos de José Romeu
Figueras: "El cantar paralelístico en Cataluña", en *Anuario Musical*, IX
(1954); "El cosante en la lírica de los cancioneros musicales españoles de
los siglos XV y XVI", en *Anuario Musical*, V (1950); "La poesía popular en
los cancioneros musicales españoles", en *Anuario Musical*, IV (1949).

[29] En *Bulletin Hispanique*, XL, 1938, pp. 337-423.

[30] "Índice de analogías entre la lírica española antigua y la moderna",
en *Symposium*, núms. I-IV (1946-49).

vencia popular de zejelismo en la tradición oral actual, atribuyendo el hecho al carácter culto y artificioso del sistema zejelesco, que habría impedido su persistencia en el pueblo. Es cierto que casi todas las glosas de tipo zejelesco conservadas (con su precisión consonántica) son de elaboración culta, pero no faltan las populares tradicionales.

El mayor ataque contra el zejelismo popular castellano ha venido de un paladín del paralelismo, José Romeu Figueras, en su ya citado artículo sobre "El cosante en la lírica de los cancioneros musicales españoles". Allí, entre otras, hace la restauración paralelística de la canción de las "Tres morillas", presentada hasta ahora como un ejemplo de zejelismo tradicional castellano. En el núm. 22 de nuestra antología puede ver el lector la versión del *CMP* según la transcripción de Barbieri. Señala Romeu que Barbieri alteró un tanto en su transcripción las dos primeras estrofas, que constituyen una sola en la versión auténtica del *CMP;* la diferencia sería ésta:

<table>
<tr><td align="center">BARBIERI</td><td align="center">*CMP* (ROMEU)</td></tr>
<tr><td>

Tres morillas tan garridas
iban a coger olivas;
y hallábanlas cogidas
en Jaén:
Axa y Fátima y Marién.

Y hallábanlas cogidas,
y tornaban desmaídas,
y las colores perdidas,
en Jaén:
Axa y Fátima y Marién.
</td><td>

Tres morillas tan garridas
iban a coger olivas;
y hallábanlas cogidas,
y tornaban desmaídas,
y las colores perdidas,
en Jaén:
Axa y Fátima y Marién.
</td></tr>
</table>

La tercera estrofa coincide en Barbieri y Romeu:

Tres moricas tan lozanas,
tres moricas tan lozanas,
iban a coger manzanas
a Jaén:
Axa y Fátima y Marién.

Ante la extraña repetición de los dos primeros versos de esta estrofa, Menéndez Pidal realizó una restauración zejelesca, nada violenta:

> Tres morillas tan lozanas
> iban a coger manzanas
> y cogidas las fallaban [31].

Romeu Figueras, desde el campo paralelístico, hace una restauración enteramente diferente, convirtiendo la canción en una cantiga de amigo paralelística (tipo "dístico con refrán") del más puro paralelismo galaico-portugués, no obstante el origen del tema, que Menéndez Pidal hace remontar a una canción oriental antiquísima, del siglo XI [32]. La canción queda transformada así:

> Tres morillas tan garridas
> iban a coger olivas,
> en Jaén:
> Axa y Fátima y Marién.

> Tres moricas tan lozanas
> iban a coger manzanas,
> en Jaén:
> Axa y Fátima y Marién.

> Iban a coger olivas
> y hallábanlas cogidas,
> en Jaén:
> Axa y Fátima y Marién.

> Iban a coger manzanas
> [y hallábanlas cortadas],
> en Jaén:
> Axa y Fátima y Marién.

> Y hallábanlas cogidas
> y tornaban desmaídas
> a Jaén:
> Axa y Fátima y Marién.

---

[31] "Poesía árabe y poesía europea"; cito por *España y su historia*, Madrid, 1957, t. I, p. 541.
[32] *Ibid.*, p. 540.

[Y hallábanlas cortadas
y tornaban desmayadas]
a Jaén:
Axa y Fátima y Marién.

Y tornaban desmaídas
y las colores perdidas
a Jaén:
Axa y Fátima y Marién.

[Y tornaban desmayadas
y las colores mudadas]
a Jaén:
Axa y Fátima y Marién.

Lo mismo hace con otros villancicos de desenvolvimiento claramente zejelesco, como la canción: "Y la mi cinta dorada..." (93) y la de "Allá se me ponga el sol..." (59). En estos dos ejemplos, la reducción al paralelismo montado sobre parejas de versos resulta aún menos explicable porque los textos están claros y no dejan lugar a dudas.

Naturalmente, esto no quiere decir que esas canciones no sean paralelísticas. Lo son, del mismo modo que son zejelescas. Ocurre, en efecto, que estamos ante tres casos clarísimos de una amalgama de dos fórmulas líricas distintas, que a pesar de sus orígenes divergentes, llegaron a unirse en una fórmula ecléctica, dando con ello lugar a un sistema estrófico nuevo y originalísimo que podríamos llamar de zejelismo paralelístico o de paralelismo zejelesco.

Las canciones citadas nacerían ya probablemente bajo esta fórmula mixta. Resulta muy difícil pensar que una versión como la de Romeu para las "Tres moricas" pudiera llegar a hacerse zejelesca. Más fácil sería el proceso contrario: que una estrofa zejelesca diera nacimiento a otra en que el paralelismo se cumpliera; así, en el caso del número 59 de nuestra antología:

Allá se me pusiese
do mis amores viese,
antes que me muriese
con este dolor,

es una estrofa zejelesca que no "necesita" de un complemento paralelístico. No ocurre lo mismo con la canción de las "Tres moricas",
en la cual la tradición paralelística del adjetivo "garridas" hace pensar en un paralelismo "ab initio", surgido con la primera estrofa.
Es interesante notar también cómo los casos de desenvolvimiento
zejelesco de tipo popular tradicional presentan casi siempre y al mismo tiempo estructura paralelística y rima asonante.

III. EL NOMBRE "VILLANCICO"

En este capítulo introductorio debemos plantearnos uno de los
problemas previos que presenta el villancico: el de su nombre. Por
la *Tabula* general que aparece al comienzo del *Cancionero Musical
de Palacio,* copiada a principios del siglo XVI [33], vemos que el nombre
era ya entonces término usual, término consagrado. ¿Desde hacía mucho tiempo?

A. APARICIÓN DEL NOMBRE

Nada sabemos positivamente sobre la antigüedad del nombre. Sabemos, sí, que en el *Cancionero de Baena* no aparece todavía. Tampoco el marqués de Santillana usa el término en su *Prohemio* al condestable de Portugal, fechado entre 1445 y 1449 [34], aun cuando tantas
noticias da en él sobre formas y técnicas poéticas. Sin embargo, hemos
visto que en fecha no precisada, pero posterior a 1445, aparece el
marqués de Santillana como presunto autor de una composición llegada hasta nosotros con el nombre de *villancico* ("villancico que hizo
el marqués de Santillana a unas tres hijas suyas") [35], composición que,
por otra parte, no presenta ninguna de las estructuras formales características del *villancico.*

---

[33] Véase ed. de Higinio Anglés, vol. II, pp. 14-15.
[34] 1445 es el año de la estancia del Condestable en Castilla, y 1449 el
año de la muerte de su padre el Príncipe don Pedro de Portugal, a quien
se alude en el *Prohemio* como viviendo. Véase R. Lapesa, *ob. cit.,* p. 248,
nota 13.
[35] Así, en la versión del *Espejo de enamorados,* reimpresión de Antonio
Rodríguez-Moñino, Valencia, Castalia, 1951, p. 61.

Le Gentil se pregunta si sería Santillana el autor del término [36]. La atribución presenta dos problemas: de un lado, es discutible la misma atribución del poema, debida, como sabemos, al *Espejo de enamorados* y a un pliego suelto de romances, obras ambas impresas en el siglo XVI. Recordemos que otras dos fuentes anteriores lo atribuyen a Suero de Ribera, y en ellas no se emplea la palabra "villancico". De otro lado, aun admitiendo que Santillana fuese el autor de la obra, seguiríamos en la duda de saber si fue el mismo Santillana quien la bautizó llamándola villancico, o si tal bautizo fue cosa posterior, del siglo XVI, debida al colector del *Espejo de enamorados,* o a algún manuscrito intermedio que sirviera de modelo a éste [37].

De admitir que fuera Santillana quien llamó *villancico* a la composición, tendría razón Le Gentil en suponer que, para el marqués, "*villancico* devait... désigner un poème empruntant un refrain roustique ou traitant un thème roustique" [38]. Lo cierto es, sin embargo, que, aun admitiendo la paternidad de Santillana sobre la composición, paternidad dudosa, resulta poco probable que fuera él mismo quien la bautizara como *villancico.* El hecho de que el *Cancionero de Palacio* (de hacia 1465), y el *Cancionerillo de la Biblioteca Nacional* (que copia un código del siglo XV), al atribuírselo a Suero de Ribera, no lo llamen así, añade peso a la duda. Lo más probable es que los colectores del siglo XVI, cuando ya el término *villancico* era moda y estaba consagrado, lo usaran para encabezar una composición que antes no recibiría ese nombre [39].

---

[36] Pierre Le Gentil, *La poésie lyrique espagnole et portugaise à la fin du Moyen Âge,* Rennes, 1949, II, p. 247. En *Le virelai et le villancico. Le problème des origines arabes,* Paris, 1954, p. 7, insiste: "Le terme *villancico...* date du XVe siècle et paraît bien être une création du Marquis de Santillane".

[37] Véase R. Lapesa, *La obra literaria del Marqués de Santillana,* p. 66. Véase también Leo Spitzer, *Lingüística e historia literaria,* Madrid, Gredos, 1955, p. 89. No olvidemos lo que acabamos de decir: que Santillana no usa el término *villancico* en su *Prohemio* al Condestable de Portugal.

[38] *La poésie lyrique espagnole et portugaise à la fin du Moyen Âge,* II, página 246.

[39] En el *Cancionero de Palacio* se le llama: "Otro dezir de Suero de Ribera".

Dejando aparte el poema de Santillana, los primeros textos conocidos que usan, no precisamente el nombre de *villancico*, pero sí un término análogo, son el *Cancionero de Herberay des Essarts* y el *Cancionero de Stúñiga*, y los dos, una sola vez. En el *Cancionero de Herberay*, que su editor, Charles V. Aubrun, fecha entre 1461 y 1464, aparece una composición anónima (la número XXXVII) encabezada con el nombre de "villancillo". Dice así:

> La niña gritillos dar
> no es de maravillar.
>
> Mucho grita la cuitada
> con la voz desmesurada
> por se ver asalteada:
> non es de maravillar.
>
> Amor puro la venció
> que a muchas engañó.
> Si por él se descibió
> no es de maravillar.
>
> Temprano quiso saber
> el trabajo e placer
> qu'el amor nos faz haber:
> non es de maravillar.
>
> A los diez años complidos
> fueron d'ella conocidos
> todos sus cinco sentidos:
> non es de maravillar.
>
> A los quince, ¿qué fará?
> Esto notar se debrá
> por quien la praticará:
> non es de maravillar.

Se trata, como vemos, de una composición de estructura zejelesca, aunque *sin verso de vuelta tras los tercetos monorrimos*, a no ser que consideremos como tal el verso repetido del estribillo (tras el cual podría repetirse el estribillo completo, el dístico inicial). El consonantismo, y el tono y la lengua, descubren claramente que no se trata

de una canción tradicional o popular, pero el tema sí lo es (el tema
de la niña precoz), porque aparece en varias cancioncillas populares.
Se trata, pues, de una canción zejelesca popularizante; es decir, se
trata ya de un remedo de la lírica popular.
En el *Cancionero de Stúñiga,* compilado probablemente en Nápoles y con posterioridad a la muerte de Alfonso V (muerto en 1458),
aparece otra composición, ésta con el nombre de *villançete,* debida a
Carvajales:

> Saliendo de un olivar,
> más fermosa que arreada,
> vi serrana que tornar
> me fizo de mi jornada.

> Tornéme en su compañía
> por faldas de una montaña,
> suplicando sil placía
> de mostrarme su cabaña;
> dixo: "Non podéis librar,
> señor, aquesta vegada,
> que superfluo es demandar
> a quien non suele dar nada".

> Si lealtat non me acordara
> de la más linda figura,
> del todo me enamorara:
> tanta vi su fermosura;
> dixe: "¿Qué queréis mandar,
> señora, pues sois casada?
> Que vos non quiero enojar,
> ni ofender mi enamorada".

> Replicó: "Id en buen hora,
> non curés de amar villana:
> pues servís a tal señora,
> non troqués seda por lana;
> ni queráis de mí burlar,
> pues sabéis que só enajenada".
> Vi serrana que tornar
> me fizo de mi jornada.

Se da ahora el nombre de *villançete* a una serranilla, tan exquisi-
tamente culta (tan poco "popular") como otras de las que por entonces se escriben. En cuanto a la forma métrica, la composición presenta una de las formas típicas de la canción trovadoresca: estrofas
de versos octosílabos y rima consonante, según esta disposición:
ABAB CDCD: ABAB EFEF: ABAB GHGH: ABAB.
Nada hay, pues, en este *villançete* de Carvajales que explique la
novedad de su nombre, salvo la voluntad de su autor. Pero, obviamente, el nombre y su autor responden a la llamada de una moda,
moda que hemos de suponer incipiente. Hemos de suponer, en efecto, que el nombre era aún novedad por los años de los *Cancioneros
de Stúñiga* y *de Herberay:* 1) porque, en su tiempo, que nosotros se-
pamos, son los únicos que lo usan; 2) porque el nombre no aparece
fijado, ya que uno usa la forma "villançete", y el otro la de "villancillo", ninguna de las cuales prosperará en el ámbito castellano, venci-
das por la definitiva de "villancico" [39 bis]; 3) porque en ambos cancioneros sólo se da el nombre en cuestión a *una* composición, aun cuando existen en uno y otro composiciones que podrían haber recibido
el nombre con los mismos derechos que las así bautizadas. En el
Cancionero de Herberay existen otras canciones de tono popularizante, como el "villancillo", pero que no reciben ese nombre. Una de
ellas, la número XIX, es también un dístico consonántico, glosado por
una estrofa zejelesca consonántica, ésta con verso de vuelta:

> Siempre m'avéis querido;
> maldita sea si os olvido.
>
> Mi señor, no arréys de nada,
> vos a mí tener pagada,
> y segunt vuestra embaxada
> avréys mi cuerpo garrido.

Sin embargo, a ésta se le llama *canción*. A la composición número IX se le llama "malmaridada". Es una canción de tono popularizante, con ocho estrofas zejelescas de desenvolvimiento (la segunda
con una irregularidad, indudablemente debida al copista). El tema es,

---

[39 bis] "Villançete" o "vilançete" serán las formas usadas en Portugal y
Cataluña (catalán moderno, "villançet").

efectivamente, el tema de la "malmaridada", de raigambre popular y popularizante y larga historia. La copla inicial dice:

> Soy garridilla e pierdo sazón
> por mal maridada;
> tengo marido en mi corazón
> que a mí agrada [40].

Por último, a la composición número X, que es una auténtica cancioncilla vieja de la tradición popular, no se le da el nombre de *villancico*, sino el de *desfecha* [41]. Es la ya conocida que dice:

> Si d'ésta escapo
> sabré qué contar;
> non partiré dell'aldea
> mientras viere nevar.

> Una mozuela de vil semejar
> fízome adama de comigo folgar;
> non partiré dell'aldea
> mientras viere nevar. (13)

---

[40] La coplilla no pertenece a la tradición popular, según muestra claramente la rima: consonántica y en ABAB. Las estrofas zejelescas son también de rima consonante (salvando la irregularidad, ya aludida, de la segunda estrofa), y el consonantismo no es popular.

[41] La *desfecha, dessecha* o *deshecha* era una canción que solía ir como remate (al modo de una finida), o intercalada en una composición más larga, con la que guardaba una relación temática. No es éste el caso de la *desfecha* del *Cancionero de Herberay,* que aparece sola. Navarro Tomás (*Métrica española,* Syracuse, New York, 1956, p. 141) dice que: "La unidad métrica de la desfecha dio lugar a que algunas de estas composiciones adquirieran vida independiente"; y cita como ejemplo "cantiga por desfecha" de Garci Fernández de Jerena (*Cancionero de Baena,* número 560): "Virgen, flor d'espina, — siempre te serví, — Santa cosa e digna, — ruega a Dios por mí" (que va seguida de dos estrofas continuadoras). La hipótesis parece razonable. En el *Cancionero General* aparecen canciones sirviendo de *dessecha* a algunos romances, y es de señalar que unas veces se presentan bajo ese nombre (núms. 472, 474, 480), y otras, a pesar de cumplir la misma función, con el entonces más genérico de "villancico" (núms. 475, 477, 478, 479). (Nótese que el 474 ("dessecha") y el 475 ("villancico") son los dos de Quirós.) En el *Cancionero General,* "villancico" alude sin duda al tipo de canción; "dessecha" es un villancico que cumple la función de *dessecha.* Por eso, encontramos también en este cancionero la expresión: "villancico por dessecha" (núm. 435).

Todo parece, pues, indicar que en esta época el término *villancico* aún no estaba consagrado.

Su consagración, sin embargo, está ya ampliamente documentada a fines del siglo XV y comienzos del XVI. Podemos comprobarlo en el *Cancionero Musical de Palacio,* como decíamos antes, y también en el *Cancionero del British Museum* (de finales del XV) y en el *Cancionero General de Hernando del Castillo,* de 1511. Ya vimos que en el *CMP* el *villancico* es el género dominante (reciben ese nombre unas 400 composiciones, de un total de 458). Sin embargo, la mayoría de estos villancicos no son cancioncillas populares. Entre las que no lo son, las hay de tono popularizante, y las hay de tono cortés o trovadoresco. En el *Cancionero del British Museum* y en el *Cancionero General* casi todos los *villancicos* son también de tono cortés o trovadoresco. En aquél, el más antiguo de los dos, fechado por Rennert, su editor, entre 1471 y el fin del siglo, encontramos *veintinueve* composiciones bajo el nombre de *villancico* [42]; pero, de ellas, sólo tres parecen pertenecer a la tradición popular: las núms. 21, 230 y 119 [43]. De las restantes, una (la 169b), del comendador Ludueña, parodia un tema popular (el de la niña que quiere entrar en religión por cuitas de amor):

> Pues por mi desaventura
> ya no me queredes ver,
> fraile me quiero meter.

(La canción va seguida de cuatro estrofas glosadoras.) Hay otra más cuya copla inicial se inspira en la lírica popular, la 209, de don Pedro de Castilla:

---

[42] El cancionero contiene 355 composiciones en la ed. de Rennert, pero el editor ha contado a veces como separadas piezas que van dentro de una composición y formando parte de ella. Vide "Der Spanische Cancionero des Brit. Mus. (ms. Add. 10431)", *Romanische Forschungen,* X (1895), pp. 1-76. Citaré siempre por la tirada aparte, Erlangen, Junge, 1895.

[43] Las 230 y 119 son las núms. 7 y 9 de nuestra antología. La 21 es el famoso villancico, que parece un comienzo de romance: "¡Oh castillo de Montanges, — por mi mal te conocí! — ¡Mesquina de la mi madre — que no tiene más de a mí!". Aparece con cuatro estrofas glosadoras de Garci Sánchez. Con distintas glosas aparece también el villancico en el *CMP* y en el *Cancionero de Juan del Encina.*

> Aquella señora mía,
> de quien yo me enamoré,
> no me quiere: ¿qué haré?

Por último, hay un "villancico a Nuestra Señora", religioso, de Lope de Cayas (el 117), que comienza:

> Tú sola, por quien se alcança
> perdón y gracia complida,
> quedaste virgen parida.

Los otros veintitrés son todos "villancicos" cultos de tipo cortés [44], como en estos dos ejemplos, el primero, de Garci Sánchez, y el segundo, de Carasa [45]:

> El día del alegría
> al muy triste
> de mayor dolor le viste.

> En el día de plazer
> acordándose [d]el dolor,
> házesele muy mayor
> que es, ni fue, ni pudo ser,
> y dóblasele el querer
> con pena de verse triste,
> [de mayor dolor le viste].

> No se pueden apagar
> estas çentellas,
> sin el mismo fuego dellas.

---

[44] Son los núms. 22 y 23 (de Garci Sánchez), 41 (de Carasa), 45 y 47 (Puerto Carrero), 88 (don Juan de Mendoza), 133 (Núñez), 158 (Guevara), 171, 173, 174 y 177 (Cartagena), 211 y 214 (don Pedro de Castilla), 221 y 222 (don Rodrigo Manrique), 282 (Tapia), 310, 311 y 312 (don Juan Manuel), y 345, 346 y 347 (vizconde de Altamira).

[45] Núms. 23 y 41 del *Cancionero del British Museum*.

No quiso que se asolbiese
de dolores y de pena,
sino que sienpre sufriese
hasta que contenta fuese
la causa que se le ordena.

La çera que allí quemó
fue (de) los males que siente,
y la ofrenda que ofreçió
fue mil sospiros que dio
en verse de vos absente.

Sobre la base de estos tres cancioneros podemos llegar a dos conclusiones:

1) Los villancicos del *CMP* de tema, lengua y estilo populares reciben su nombre precisamente por su carácter popular. Resulta lógico suponer que el nombre *villancico* debió acuñarse originariamente para aludir a composiciones de este tipo. *Villancico* equivaldría entonces a canción popular, designaría a las canciones de la tradición popular, cantadas por los *villanos*.

2) Por extensión o derivación, llegarían a designar una canción compuesta según determinada forma estrófica. Por los cancioneros de fines del siglo xv y comienzos del xvi vemos, en efecto, que reciben ahora ese nombre canciones no populares, sino cultas, de fraseología y tema cortés, y es obvio que el nombre de *villancico* tiene entonces una connotación formal, estrófica [46]. ¿Habrá algo en la forma que nos explique la denominación?

B.   EL VILLANCICO CULTO Y LA POSIBLE
RAZÓN DE SU NOMBRE. ¿REFLEJO DEL VILLAN-
CICO POPULAR EN EL VILLANCICO CULTO?

El *Cancionero Musical de Palacio* es el que presenta mayor variedad formal en las composiciones recogidas. La diferencia más importante con respecto al *Cancionero del British Museum* y al *Cancionero General* es la existencia en él de numerosas composiciones de estrofis-

---

[46] El fenómeno pudo ser posterior, pero pudo también desarrollarse paralelamente en el tiempo.

mo zejelesco. Pero también recoge abundantemente los tipos estróficos que constituyen la pauta de los otros dos cancioneros.

Ésta está constituida por composiciones que presentan una estrofilla inicial de tres versos octosílabos, que riman característicamente ABB. Muy frecuentemente, el segundo verso es un verso quebrado de cuatro sílabas. En el *Cancionero General*, la estrofilla inicial con verso quebrado es especialmente característica. Siguen una o varias estrofas de versos octosílabos y ordenación diversa, conforme a estos esquemas, u otros parecidos [47]:

ABB CDDC:CBB...   *CMP:* 82, 89, 109, 112, 129, 130, 133; *C. British Museum:* 22, 119, 209, 222, 311; *C. General:* 649, 650, 654, 659, 660, 665.

ABB CDCD:DBB...   *CMP:* 4, 44, 51, 92, 101, 110, 116, 128, 135, 150; *C. British Museum:* 169b, 346; *C. General:* 637, 642, 648, 658, 664.

AbB CDDC:CBB...   *CMP:* 136, 148, 179, 186, 193, 195; *C. British Museum:* 23, 47, 133, 158, 310 [48]; *C. General:* 640, 646, 647, 653, 656, 657 [49].

AbB CDCD:ABB...   *CMP:* 137, 198, 212; *C. British Museum:* 45, 171; *C. General:* 643, 644, 655 [50].

---

[47] Transcribimos ABB cuando se trata de versos de 8/8/8 sílabas; AbB, cuando los versos son de 8/4/8 sílabas.

[48] Los villancicos 133 y 310 son de 8/5/8 sílabas.

[49] El villancico 657 es de 8/5/8 sílabas.

[50] El último de los esquemas está influido, como vemos, por la *canción* del período precedente. Otros esquemas son:

1. En el *Cancionero del British Museum:* ABB CDDC:ABB (282); ABB CDCD:ABB (117, 173); AbB CDDC:EBB (312); AA CDCD:AA (347) [pero en la última estrofa: CDCD:DAA]; Aa CDCD:DCAA [el verso "a" de la estrofa inicial, de 5 sílabas] (88, 211); ABAB CDCD:ABAB (345); AAA BBB:AA (214); ABB CCC:BB (221). Los dos últimos ejemplos son, como vemos, de estructura zejelesca. Resulta así que en todas las composiciones de este cancionero que reciben el nombre de *villancico*, la coplilla inicial es de tres versos, salvo en cuatro casos: los números 88, 211, 347 (de dos versos) y el número 345 (de cuatro).

2. En el *Cancionero General*, tomando sólo en cuenta la sección entera de villancicos constituida por los números 635 a 685 (ed. Sociedad de

Comparando ahora el *villancico*, en estas sus formas más características, con las formas líricas de la tradición precedente, la del *Cancionero de Baena*, vemos en qué consisten las novedades:

a) Por lo que hace a la estrofilla inicial (tema, cabeza), la forma característica en el *Cancionero de Baena* es la de cuatro versos, en forma ABBA o ABAB. La de tres versos es rarísima: aparece en la forma ABA sólo en los núms. 31b (ABA CDCD:CBA) y 251c (ABA CDCD:CDA). Otros dos casos más, los núms. 7b y 8, son casos de zejelismo: ABA CCCBA. Pero el único caso de estructura ABB es el número 9 (ABB CDCD:CDB), y es una "cantiga" del infatigable Villasandino, buscador de formas; la que empieza:

> Quando yo vos vi donsella,
> de vos mucho me pagué:
> ya dueña, vos loaré [51].

Bibliófilos Españoles, tomo I), encontramos otras variaciones: ABB CDDC: EBB (639); ABB CDDC:EEBB (662); ABB CDDC:AABB (663); AbB CDCD:DBB (637, 648, 658, 664); AbB CdCd:EbB (641); abb cdcd:dbb (652) [todos, versos hexasílabos]; AA CDDC:CAA (645); AA CDDC: EAEA (651). En toda la sección, la coplilla inicial es siempre de tres versos, salvo en dos casos (645 y 651) en que está constituida por un dístico. En una sección anterior, de "Romances con glosas y sin ellas" (núms. 433-480), es frecuente que el romance lleve un villancico a manera de *dessecha*. En muchos casos, la piececilla lleva el título expreso de *villancico;* en otros, el de *dessecha;* en un caso (435), el de *villancico por dessecha.* Hay algún caso de villancico sin estrofas de desarrollo, pero en la mayoría llevan una o más estrofas continuadoras. Por lo que hace a la coplilla inicial, todas (salvo tres excepciones) son de tres versos. Presentan la forma ABB los números: 435 *(villancico por dessecha);* 454, 457 *(dessecha);* 475, 477, 478 *(villancico).* Presentan la forma AbB los números: 449, 452, 472, 474, 480 *(dessecha);* 448, 450, 451 *(villancico).* En cuanto a las excepciones, dos de ellas tienen forma AbAb: 456 *(dessecha)* y 479 *(villancico);* la otra excepción, que recibe el nombre de *villancico* (447), es un pareado: "Todos duermen, coraçón; — todos duermen y vos non". Es, entre todos, el único villancico que podría pertenecer a la tradición popular.

3.   Ya dijimos que el *CMP* presenta en los villancicos mucha mayor variedad formal.

[51]   Por lo que hace a la estrofilla de dos versos, aparece sólo en casos de zejelismo: núms. 2, 51, 141, 196, 203, 218, 251b, 315, 500.

Las formas ABB y AbB propias del *villancico* se nos aparecen, por tanto, a fines del siglo xv, como una novedad dentro de la tradición de las formas líricas corteses.

b) Lo que hay de característico y de nuevo en las estrofas continuadoras propias del *villancico* cortés de fines del siglo es la forma de ligarse los versos propios de la vuelta con la mudanza y con el tema o cabeza de la composición. La estrofa (pero esto ya venía haciéndose desde las *Cantigas de Santa María,* y también en el *Cancionero de Baena)* se divide en dos partes: la primera, generalmente, es una cuarteta o redondilla, y sus rimas son diferentes a las del tema inicial; es decir, constituyen la *mudanza.* La segunda parte de la estrofa comprende el mismo número de versos que el tema o cabeza, sirviendo unos de *enlace* (con la mudanza), y otros de *vuelta* (vuelta a la rima o los versos del tema o cabeza).

Lo que caracteriza al villancico de fines del siglo XV es la ordenación especial de esta segunda parte, que, en sus casos más característicos, como hemos visto, dedica el primer verso (de los tres de que consta) a servir de *enlace* con la *mudanza,* y los dos restantes a servir de *vuelta* a la cabeza o estrofilla inicial.

ABB CDDC:CBB
ABB CDCD:DBB

Hay, como ya también vimos, otras variaciones, y en casi todas, aunque el verso de enlace puede desaparecer, los dos versos de vuelta persisten [52].

---

[52] Esto resulta una novedad con respecto a las *Cantigas de Santa María* y al *Cancionero de Baena.* En los tres casos ya reseñados del *C. Baena* con tema inicial ABA o ABB, el esquema completo es: ABA CDCD:CBA (31b); ABA CDCD:CDA (251c), ABB CDCD:CDB (9). En los casos, más numerosos, de tema inicial con cuatro versos, la solución es también siempre diferente:

ABAB CDCD:DEEB (314).
ABAB CDCD:CDCB (44). (Ésta es la ordenación más frecuente en las *Cantigas de Santa María,* ed. Real Academia, 1889; núms. 40, 68, 70, 73, 74, 76, 78, etc.)
ABAB CDCD:CDDB (560).
ABAB CDCD:DAAB (313).

Existen, pues, novedades formales en el *villancico* culto, tanto en el *tema* inicial como en las estrofas glosadoras, aunque estas novedades se insertan sin violencia dentro del marco que ofrece el conjunto de formas de la tradición precedente.

¿Cuál de estas novedades responde y puede explicarse desde las corrientes popularistas del siglo xv? La única que puede explicarse así, y que al mismo tiempo nos daría una explicación del porqué de la nueva denominación, es el *tema,* la estrofilla inicial. Podemos conjeturar que el proceso fue éste: al ponerse de moda lo popular y volver los ojos los poetas cortesanos a las cancioncillas populares, bauti-

ABAB CDCD:EDAB (27).
ABBA CDCD:ABBA (15a). (Forma característica de la *canción.*)
ABBA CDCD:DBBD (308).
ABBA CDCD:DEEA (24, 25, 33).
ABBA CDCD:DEEB (499).
ABBA CDCD:EEEA (18).
ABBA CDDC:ABBA (43). (Forma característica de la *canción.*)
ABBA CDDC:CBBA (5, 317, 318, 49).
ABBA CDDC:CEEA (26).
ABBA CDDC:CEEC (230).

(Véase H. R. Lang, "Las formas estróficas y términos métricos del *Cancionero de Baena*", en *Estudios eruditos in memoriam de Adolfo Bonilla y San Martín*, 1927, pp. 485-523.)

Otra de las variedades posibles dentro del género tenido por *villancico* a fines del siglo xv está visiblemente influida por la forma característica de la canción, que ya aparece en las *Cantigas de Santa María*, abunda en el *Cancionero de Baena* y persiste en los cancioneros de finales del siglo, en los cuales recibe generalmente el nombre de canción, pero a veces también el de villancico. Me refiero al caso en que la segunda parte de la estrofa de desarrollo repite enteramente la rima de la cabeza o tema (y sin verso de enlace, por consiguiente):

ABB CDCD:ABB

La diferencia en estos casos sigue estando en la forma característica de la coplilla inicial (que aquí pasa también a la *vuelta); es* decir, en los tres versos de rima ABB o AbB. La *canción* tanto en las *Cantigas* como en el *Cancionero de Baena* y en los cancioneros posteriores suele constar de un tema inicial de cuatro versos, repetida su disposición en la vuelta:

ABBA CDCD:ABBA (*Baena*, núm. 15a),
ABBA CDDC:ABBA (*Baena*, núm. 43).

zadas con el nombre de *villancico*, éstas se les aparecen bajo formas graciosamente irregulares, que llaman su atención. Lo que llama su atención sobre todo es la cancioncilla corta de dos y tres versos (unas veces seguidas de glosa, pero otras, hemos de pensar, sueltas y solas). Frente al paradigma de la cuarteta octosilábica y aconsonantada de la tradición lírica cortés, la cancioncilla popular irregular de dos y tres versos traía un sabor agreste y popular. Debieron nuestros poetas y músicos gustar especialmente de la graciosa irregularidad del verso cojo y quebrado, que ellos remedarían de algún modo, después de regularizarlo muy cultamente: 8/4/8. Sus villancicos (AB, ABB, AbB) deben de ser, tienen que ser, en su forma, remedo de cancioncillas populares como muchas que recoge el *Cancionero Musical de Palacio* en sus folios:

> El amor que me bien quiere
> agora viene.

> Las mis penas, madre,
> de amores son.

> Mano a mano los dos amores,
> mano a mano.

> Si lo dicen, digan,
> alma mía,
> si lo dicen, digan.

> Aquel caballero, madre,
> si morirá,
> con tanta mala vida como ha.

> Estas noches atán largas
> para mí,
> no solían ser ansí.

> Enemiga le soy, madre,
> a aquel caballero yo.
> ¡Mal enemiga le so(y)! [53].

---

[53] *CMP*, núms. 98, 48, 53, 127, 227, 258, 4. Las tres últimas con la rima AbB o ABB, que va a triunfar en el villancico cortés.

Surge así el villancico cortés: AA (8/8), ABB (8/8/8) y AbB (8/4/8). La irregularidad y la cojera (de un verso suelto sin rima en los villancicos de tres), frente a la estructura redondeada y cerrada de la cuarteta persiste (= y △ frente a ▢), pero la irregularidad se ha *regularizado* silábicamente. Nuestros poetas han ajardinado el monte:

> ¡Oh, bendita sea la hora
> en que yo os miré, señora!
>
> No quiero que nadie sienta
> el dolor que me atormenta.
>
> Pues que vuestro desamor
> no es dolor para sofrir,
> gran remedio es el morir.
>
> Sospiros, no me dejéis,
> puesto que seáis mortales,
> que sois descanso a mis males.
>
> En no me querer la vida
> nin la muerte,
> queda perdida mi suerte.
>
> Creció tanto mi cuidado
> cuando os vi,
> que no se aparta de mí [54].

Según esto, en la nueva forma poética, en el *villancico* culto, es precisamente la estrofilla inicial lo que constituye, en un sentido estricto, el villancico. Este *villancico* se desenvuelve normalmente en una o más estrofas glosadoras, conforme a los cánones imperantes, ya de larga tradición. Y los cancioneros llaman *villancico* a toda esta composición; toda la composición lo es, pero lo es *por su* estrofilla inicial.

Por eso, a veces, se distingue entre el *villancico* y las *coplas* continuadoras, y así, leemos en el *Cancionero General* de Hernando del Castillo [55]: núm. 645: "Otro villancico... Las coplas son de Nicolás

---

[54] *CMP*, núms. 86, 205, 224, 225, 137 y 148.
[55] Cito por la ed. de Bibliófilos Españoles, Madrid, 1882.

Núñez"; núm. 672-3: "Otro villancico de Grauiel... Las coplas son de Quirós" (en el núm. 674-5 vuelve a repetirse el mismo caso: coplas de Quirós a otro villancico de Gabriel); en el núm. 141 del Apéndice: "Coplas del comendador Escrivá a un villancico viejo que dice: 'Los cabellos de mi amiga — d'oro son; — para mí lançadas son' " [56]. En el *Cancionero* de Juan del Encina (folio XC recto) se lee: "Coplas por Juan del Enzina a este ageno villancico: Razón que fuerça no quiere — me forçó — a ser vuestro como só"; y en el vuelto del mismo folio, otra vez: "Coplas por Juan del Enzina a este ageno villancico: Dos terribles pensamientos — tienen discorde mi fe: — no sé quál me tomaré" [57]. En el *Cancionero* de Juan de Molina (1527) seguimos viendo: "Villancico con su glosa nueva conforme al nombre del autor"; "Glosa de otro villancico a una desagradecida" [58]. En el *Espejo de enamorados* (Sevilla, 1535): "Coplas a un villancico que dize"; "Coplas a otro villancico que dize", etc. [59].

Este es el sentido que tiene el término *villancico* para Encina, tanto en el caso del villancico culto como en el caso de los villancicos viejos de la tradición popular, a los que sin duda se refiere cuando habla de los villancicos "del tiempo antiguo" en su *Arte de poesía castellana* (1496). *Villancico* es, para Encina, una composición de dos o tres versos. He aquí el texto de Encina:

> Muchas vezes vemos que algunos hazen sólo un pie y aqu*é*l ni es verso ni copla por qu*e* avían de ser pies y no sólo un pie ni ay allí consona*n*te pues que no tiene compañero. Y aqu*e*l tal suele se llamar mote. Y si tiene dos pies llamamos le tan bien mote o villa*n*cico, o letra de alguna invención por la mayor parte. Si tiene tres pies enteros o el vno quebrado ta*n* bien será villan-

---

[56] Un villancico por desecha (composición núm. 472) aparece en el *Cancionero General* sin estrofa ninguna que lo acompañe.

[57] En el fol. LIV vᵒ del *Cancionero* de Juan del Encina, otra composición lleva por título: "Juan del Enzina a vn su amigo gran poeta que le rogó le glosasse vn villancico que avía hecho: y él juntamente con la glosa embióle estas coplas". Y siguen ocho coplas de nueve versos octosílabos, cada una con rima ABBAACACA.

[58] Reimpresión de Eugenio Asensio, Valencia, Castalia, 1952, pp. 49-50.

[59] Reimpresión de A. Rodríguez-Moñino, Valencia, Castalia, 1951, páginas 80 y 82.

cico o letra de invención. Y entonces el vn pie ha de quedar sin
consonante según más común uso y algunos ay del tienpo antiguo
de dos pies y de tres que no van en consonante por que entonces no guardavan tan estrechamente las osservaciones del trobar.
Y si es de cuatro pies puede ser canción y ya se puede llamar
copla... [60].

Recapitulando, podemos imaginar así la historia del *villancico*, de
su nombre y su aceptación en los medios poéticos y musicales cortesanos: A mediados del siglo xv, se despierta en las cortes de Aragón,
Navarra y Castilla el interés por las canciones populares. Es muy posible que el impulso, como tantos otros impulsos renacentistas, parta
de Italia. Por ello, es también posible que sea la Corte de Alfonso V
en Nápoles la primera en gustar y disfrutar la nueva moda. Vendría
en apoyo de esta suposición el hecho de que el primer ejemplo que
nos ha quedado del uso del nombre *villancico* sea, posiblemente, el
villançete de Carvajales, poeta de esa corte (a quien se deben también, recordémoslo, los dos más antiguos romances de nombre conocido). De ser Suero de Ribera el autor del villancico tradicionalmente
atribuido a Santillana (autor, quiero decir, de la composición, no de
la denominación), tendríamos otro ejemplo del interés temprano por
lo popular en la corte napolitana de Alfonso V de Aragón, donde
vivió largo tiempo Suero de Ribera.

Esta afición por la canción popular (por las canciones que cantaban los villanos) pasaría pronto a Castilla. Aquí es donde se consa-
gra, en fecha que no podemos precisar, el nombre de *villancico* con
que se va a designar a las canciones. Pero, paralelamente, el gusto
por la canción popular se manifiesta en tres direcciones:

a) De un lado surge una lírica popularizante. Los músicos y
poetas hacen canciones imitando, de cerca o de lejos, los temas y la
lengua de la canción popular. Éstos son los *pastiches* que encontramos
en el *Cancionero Musical de Palacio,* al lado de las auténticas cancioncillas tradicionales, de las cuales aquéllos son el remedo estilizado.
Juan del Encina es uno de los poetas más afortunados dentro de esta

---

[60] *Cancionero de Juan del Encina,* ed. en facsímile de la Real Academia
Española, Madrid, 1928, cap. VII: "De los versos y coplas y de su diversidad", fol. V rº.

corriente popularizante, cultivada en formas distintas y siguiendo diversa inspiración. De Encina es el villancico que transcribimos:

> ¡Ay, triste, que vengo
> vencido d'amor,
> maguera pastor!
>
> Más sano me fuera
> no ir al mercado,
> que no que viniera
> tan aquerenciado;
> que vengo, cuitado,
> vencido d'amor,
> maguera pastor.
>
> Di jueves en villa
> viera una doñata;
> quise requerilla,
> y aballó la pata:
> aquélla me mata
> vencido d'amor,
> maguera pastor.
>
> Con vista halaguera
> miréla y miróme;
> yo no sé quién era,
> mas ella agradóme,
> y fuese y dejóme
> vencido d'amor,
> maguera pastor.
>
> De ver su presencia
> quedé cariñoso,
> quedé sin hemencia,
> quedé sin reposo,
> quedé muy cuidoso,
> vencido d'amor,
> maguera pastor.
>
> Ahotas que creo
> ser poca mi vida,

según que ya veo
que voy de caída,
mi muerte es venida,
vencido d'amor,
maguera pastor.

F I N

Sin dar yo tras ella
no cuido ser vivo,
pues que por querella
de mí soy esquivo,
y estoy muy cativo
vencido d'amor,
maguera pastor [61].

b) Pero el popularismo se manifiesta también en otra dirección. Siguiendo una corriente que tiene manifestaciones paralelas dentro de la lírica cortés (su gusto por el *mote* o la *letra* como empresa o incitación poética) y de acuerdo con prácticas poéticas de larga tradición, los poetas se sirven de una cancioncilla suelta, o que ellos separan de sus estrofas continuadoras, para, partiendo de ella, tejer sus propias estrofas. En el *Cancionero Musical de Palacio* hay muestras abundantes de esta práctica: una cancioncilla tradicional seguida de una glosa culta cortés o popularizante; así, por ejemplo, la canción de las tres morillas o moricas aparece dos veces en el *CMP* (números 17 y 18): una con su glosa antigua, tradicional; otra, con una glosa nueva, culta y cortesana [62]:

Tres morillas me enamoran   Tres moricas m'enamoran
en Jaén: en Jaén:
Axa y Fátima y Marién.   Axa y Fátima y Marién.

---

[61] *CMP*, núm. 378.

[62] De la música de esta última, decía Barbieri (p. 69): "aunque conserva como base la melodía de aquél [el primero, el tradicional], tiene más pretensiones artísticas. Creo, pues, que la composición primitiva y más popular no es esta de Do. Fernández, sino la anónima anterior". Vide *CMP*, números 17 y 18.

Tres morillas tan garridas
iban a coger olivas,
y hallábanlas cogidas
en Jaén:
Axa y Fátima y Marién.

Y hallábanlas cogidas,
y tornaban desmaídas
y las colores perdidas,
en Jaén:
Axa y Fátima y Marién.

Tres moricas tan lozanas,
tres moricas tan lozanas,
iban a coger manzanas
a Jaén:
Axa y Fátima y Marién.

Díjeles: "¿quién sois, señoras,
de mi vida robadoras?".
"Cristianas qu'éramos moras
de Jaén,
Axa y Fátima y Marién."

Con su grande hermosura,
crianza, seso y cordura,
cautivaron mi ventura
y mi bien
Axa y Fátima y Marién.

Tres moritas muy lozanas,
de muy lindo continente,
van por agua a la fuente;
más lindas que toledanas
parecién
Axa y Fátima y Marién.

Díjeles: "Decid, hermosas,
por merced sepa sus nombres
pues sois dinas a los hombres
de dadles penas penosas".
Con respuestas muy graciosas
me dicién
Axa y Fátima y Marién.

"Yo vos juro all alcorán
en quien, señoras, creés,
que la una y todas tres
me habéis puesto en grande afán;
do mis ojos penarán
pues tal verén
Axa y Fátima y Marién."

"Caballero, bien repuna
vuestra condición y fama;
mas quien tres amigas ama
no es amado de ninguna;
una a uno y uno a una
se quieren bien
Axa y Fátima y Marién."

c) Al lado de estas dos prácticas poéticas hay que colocar la tercera, que consiste en la creación de un género nuevo, o más bien de una forma poética nueva: el *villancico cortés.* Los poetas se han inspirado ahora evidentemente en la cancioncilla corta, suelta o separable de su continuación. Para ellos, esa cancioncilla va a ser el *villancico,* y sobre ella, sobre su extraña forma irregular, componen una forma nueva, después de regularizarla, sin embargo, silábicamente. Esta forma poética, que alcanza gran éxito y un exquisito cultivo, es el *villancico cortés* (el culto, el consonántico), el cual, siguiendo las prácticas usuales dentro de la lírica culta cancioneril, suele acompañarse de una o de varias coplas glosadoras según hemos ya visto [63].

----

[63]   Podríamos ahora concluir diciendo que desde el punto de vista de las formas poéticas, las razones de más peso contra los que, como Le Gentil, hablan de *pastiches* popularizantes amañados por los poetas y músicos de la corte son:

1)   La irregularidad o variabilidad formal de la cancioncilla nuclear, algo ajeno enteramente a las modas poéticas imperantes en la época. Los poetas cultos cuando las remedan, lo primero que hacen es regularizarlas de acuerdo con los cánones poéticos de la lírica culta. De ahí salen los villancicos métricamente regulares, y de rima consonante, y sobre todo, el esquema ABB de tres versos octosílabos o con el verso intermedio quebrado, que se alza como paradigma más representativo del villancico culto.

El villancico irregular y asonante es algo ajeno y preexistente, no obra de esos poetas, un tipo de canción antiguo para ellos (como lo dicen Encina y el villancico atribuido a Santillana). Su origen concreto es un misterio, pero esas cancioncillas son en todo caso ya viejas cuando los poetas y músicos cortesanos vuelven a ellas los ojos, y cuando, por su carácter popular (en cuanto canciones que cantan los villanos), las bautizan con el nombre de *villancicos.*

2)   Las formas paralelísticas que presentan muchas de las estrofas continuadoras, ya en el *Cancionero Musical de Palacio.* El paralelismo no es fruto de la época; los poetas cultos no lo usan; allá quedó, como prueba de que se había usado, el *cossaute* paralelístico de don Diego Hurtado de Mendoza; pero en el siglo xv el paralelismo es ya forma pasada y abandonada (entre esos poetas cultos).

El paralelismo nos está indicando claramente que los villancicos del *CMP* son antiguos, no *pastiches* de la época; y que los que pudieran haber sido creados entonces reciben su impulso, no de la tradición culta, sino de una tradición popular aferrada a unas formas (las paralelísticas) ya sin vigor en el ámbito de la creación poética culta.

IV. LA TRADICIÓN EN LOS TEMAS LÍRICOS POPULARES
(EL TEMA DEL AMOR EN EL VILLANCICO)

A lo largo de este estudio vamos a comprobar repetidas veces que la creación lírica "popular" es una creación eminentemente "tradicional"; esto es, la creación se apoya siempre en la tradición. La huella persistente de esta tradición se descubre en un repertorio de formas y maneras a que el cantar se ajusta cuando crea o recrea poéticamente, y también en un legado tradicional de *temas* y *motivos* líricos sobre los cuales el cantor levanta su poesía.

Los intentos de clasificación en la lírica popular tradicional, que desde la trascendental conferencia de Menéndez Pidal se han hecho, se basan sobre todo en esa temática. Don Ramón Menéndez Pidal fue el primero en poner orden en el revuelto mundo del villancico [64]. En 1949, José Romeu Figueras clasificó un importante número de canciones atendiendo a sus temas [65]. Margit Frenk Alatorre [66], José Manuel Blecua [67] y otros autores han presentado nuevas clasificaciones.

Por supuesto, el tema más universal del villancico es el amoroso, con sus mil variaciones y motivos; tema que puede estar visto desde el sentimiento de la niña (que aparece como el personaje que habla), o desde el varón. En realidad, pocos villancicos caen fuera de este tema; pero en unos aparece como tema primero o exclusivo, y en otros aparece sólo en un segundo plano (sólo subentendido o quizás levemente insinuado). Tradicionalmente, las clasificaciones suelen distinguir junto a los villancicos amorosos (de quejas, insomnio, de malcasada, etc.), los temas de fiestas como los Mayos y el día de San

---

[64] *Estudios literarios*, en especial pp. 280-331.
[65] "La poesía popular en los cancioneros musicales españoles", en *Anuario Musical*, IV (1949).
[66] *La lírica popular en los siglos de Oro*, México, 1946. Ya redactado este capítulo, llega a mis manos la hermosa antología de Margit Frenk Alatorre, *Lírica hispánica de tipo popular*, México, Universidad Nacional Autónoma de México, 1966. En ella, la autora divide las canciones antologizadas en: "Cantares de amor"; "La naturaleza"; "Cantares de trabajo"; "Cantares de fiesta y juego"; "Cantares humorísticos y satíricos".
[67] D. Alonso y J. M. Blecua, *Antología de la poesía española. Poesía de tipo tradicional*, Madrid, Gredos, 1956.

Juan, los de bodas y bautizos, los de viaje, de trabajo (espigadoras, segadoras, vareadoras, de molineras y panaderas, etc.), los pregones... De todos estos temas hay muestras en nuestra antología, y aún de otros que no se dejan bien clasificar o que aparecen escasas veces y resultaría excesivamente prolijo enumerar.

Aquí, sólo vamos a fijar nuestra atención en los villancicos amorosos, ordenándolos conforme a los temas, subtemas o motivos líricos más repetidos y característicos: con ello entraremos de una vez en el mundo sentimental (y en el juego) del villancico [67 bis].

A.   SOBRE LA NIÑA

1. *El tema de la morenica*

El tema de la morenica, uno de los más frecuentes, puede inducir a confusión sobre cuál es el ideal popular de la belleza femenina. En un gran número de canciones la morena se nos presenta a la defensiva, defendiendo el serlo:

> Aunque me vedes
> morenica en el agua,
> no seré yo fraila.   (212)

> Aunque soy morenica y prieta,
> ¿a mí qué se me da?,
> que amor tengo que me servirá.   (170)

[67 bis]   En el campo del Romancero, en el que tan a fondo ha trabajado la escuela de Menéndez Pidal para estudiar el mecanismo de la trasmisión tradicional (véanse, por ejemplo, Diego Catalán, "El 'motivo' y la 'variación' en la trasmisión tradicional del Romancero", en *Bulletin Hispanique*, LXI, abril-septiembre, 1959, pp. 149-182; y R. Menéndez Pidal, Diego Catalán y Álvaro Galmés, *Cómo vive un romance (Dos ensayos sobre tradicionalidad)*, anejo LX de la R. F. E., Madrid, 1954), se ha llegado a dar un sentido muy preciso a términos que aquí uso yo con grande, quizás excesiva, latitud: me refiero a los términos: tema, motivo lírico, variaciones temáticas, subtemas... Con ellos no pretendo otra cosa que aludir de algún modo a la existencia de una diversidad temática (de contenido) en el villancico y al hecho de que entre estos temas (o aspectos temáticos) pueden establecerse relaciones significativas; esa temática es, pues, susceptible de una ordenación que nos facilite su estudio, y eso es lo que aquí he hecho.

Vanse mis amores;
quiérenme dejar;
aunque soy morena
no soy de olvidar.   (331)

Aunque soy morenita un poco
no se me da nada,
que con agua del alcanfor
me lavo la cara.   (326)

Aunque soy morenita un poco
no me doy nada;
con el agua del almendruco
me lavo la cara [68].   (543)

¿Quiere esto decir que el ideal femenino era la mujer rubia y de ojos claros? Henríquez Ureña distingue entre el ideal culto y el popular: "mientras la poesía culta del siglo XVI, secuaz de la moda de Italia, hacía rubias a las damas y les atribuía ojos azules, la poesía popular hacía el elogio o la defensa de las morenas, ofreciendo la excusa del sol, como en el *Cantar de los Cantares*" [69]. Otros han señalado los ojos verdes como el ideal de los siglos XV y XVI, ofreciendo el ejemplo fascinador de Melibea. Daniel Devoto explica la actitud de la morena, y sus frecuentes autoelogios, diciendo que "hace de necesidad virtud" [70].

Sin embargo, en multitud de canciones se alaba a la morena sin reservas o se la requiebra: "La niña, cuerpo garrido, — morenica, cuerpo garrido..." (160); "Morenica, ¿por qué no me vales, — que me matan a tus umbrales?" (257). Y la niña afirma a veces su orgullo de morena: "Yo me soy la morenica, — yo me soy la morená" (243).

Lo que ocurre es que hay que distinguir el color de los ojos y el pelo, del color de la piel. Creo que los gustos populares castellanos no han variado desde el siglo XV hasta nuestros días a este respecto:

---

[68] Daniel Devoto compara este cantar con uno moderno recogido por Rodríguez Marín (III, 141, 4157): "Déjame pasar, que voy — por agua a la mar serena, — para lavarme la cara, — que dicen que soy morena" (*Cancionero llamado Flor de la rosa*, Buenos Aires, 1950, p. 126).

[69] Cit. por Devoto, *ob. cit.*, pp. 126-127.

[70] *Ibid.*, p. 129.

el ideal de belleza femenina en Castilla es la mujer morena (de ojos negros y pelo negro) pero de piel blanca. Por ello hay muchos más elogios a los ojos morenos que a los ojos claros. Estos últimos no faltan, por supuesto: "Recordad, mis ojuelos verdes..." (5); "Mis ojuelos, madre, — tanto son de claros..." (207); "Lindos ojos ha la garza, — y no los alza" (305); "Ojos garzos ha la niña..." (142). Pero los ojos morenos están en gran mayoría: "Ojos morenicos, — irm'he yo a querellar, — que me queredes matar" (44); "Perdíme por conoceros, — ojos morenos, — perdíme por conoceros" (521); "Ojos morenos, — ¿cuándo nos veremos?" (123). Del mismo modo, se alaba la piel blanca; la "blanca niña" de tantos romances no es más que esto: una niña de piel blanca, a la que también nos encontramos en la lírica: "Madre mía, el galán, — y no de aquesta villa, — paseaba en la plaza — por la branca niña" (518). Los refranes de Correas revelan igual gusto; aunque alguno salga en defensa de la piel morena ("Si la morena tiene gracia — más vale que la blanca" [71]), es más común pensar que "la mujer blanca — encubre ciento y una falta [72]".

Esta actitud defensiva de la morena es, pues, a causa del color de la piel; y más que del color natural, del moreno curtido por el aire y el sol, como cuadra a una poesía rural [73]. Por ello, las morenicas curtidas suelen aludir a un pasado "blanco": "Crìéme en aldea, — hìceme morena; — si en villa me criara — más bonica fuera" (222); "Con el aire de la sierra — hìceme morena" (270); "Aunque soy morena, — yo blanca nací; — a guardar ganado — mi color perdí" (325); "Hadas malas — me hicieron negra, — que yo blanca era" (465).

El gusto por los ojos y el pelo negro y la piel blanca se pone de manifiesto en este proverbio de Correas:

---

[71] Gonzalo Correas, *Vocabulario de refranes y frases proverbiales*, ed. Real Acad. Española, Madrid, 1906, p. 253. Hay 2.ª ed. de 1924, con distinta paginación. Las citas de este capítulo van generalmente por la ed. de 1906. Otro refrán alega un argumento "conformista": "Debajo de la manta, — tanto vale la prieta como la blanca" (p. 281).

[72] *Ibid.*, p. 188.

[73] Hoy, las campesinas castellanas siguen resguardando cuidadosamente la piel contra el sol y el aire siempre que van a lavar o a trabajar en el campo. Las cosas no han cambiado.

> La mujer, para ser hermosa,
> ha de tener cinco veces tres cosas;
> ser blanca en tres, colorada en tres, negra en tres,
> ancha en tres, larga en tres:
> blanca en cara, manos y garganta;
> colorada en labios, mejillas y barba;
> negra en cabellos, pestañas y cejas;
> ancha en caderas, hombros y muñecas;
> larga en talle, manos y garganta [74].

Aunque hay gustos para todos (y así el villancico 197 dice: "Morenica me llaman, madre, — desde el día en que nací, — y al galán que me ronda la puerta — blanca y rubia le parecí"), lo frecuente —con tal frecuencia que nos revela el ideal popular femenino— es la alabanza a los ojos morenos (la belleza morena) y a la blancura de la piel. Claro es que, por otra parte, lo cariñoso del juego en torno a la piel morena no revela, en el fondo, desagrado por las niñas morenicas.

2. *El juego de los ojos*

Los ojos son, con mucho, el rasgo femenino más cantado. En el villancico "Niña, erguídeme los ojos, — que a mí enamorado m'han" (25), se dice expresamente que son ellos los que han enamorado al cantor. Las niñas conocían el valor de sus ojos: "Mis ojuelos, madre, — valen una ciudad...", canta una de ellas (207). "Ojos morenicos, — irm'he yo a querellar, — que me queredes matar" (44), se queja un enamorado, dando testimonio del poder que pueden llegar a tener tales ojos.

Ya hemos dicho que son los ojos morenos los más requebrados en el villancico. Pero, además del color, lo que más se ensalza en ellos es la *gracia;* la gracia, una de las palabras castellanas más complejas y de más difícil traducción, es cantada frecuentemente en los ojos y en el mirar: "ojos graciosos" y "ojuelos graciosos" son epítetos tradicionales.

---

[74] *Vocab.*, p. 189. Aunque aquí se elogia a la mujer alta, son mucho más abundantes las que Correas llama "opiniones en loor de las pequeñas": "La mujer menudita, — siempre pollita" (p. 189); "La mujer y la sardina, pequeñina" (p. 493).

Pero hay, además, en los ojos, un motivo persistente: el juego de los ojos, el alzar y abajar de los ojos. "¡Tenedme los ojos quedos, — que me matáis con ellos!" (87); "No oso alzar los ojos — a mirar aquel galán, — porque me lo entenderán" (88); "Abaja los ojos, casada; — no mates a quien te miraba" (100); "Por una vez que mis ojos alcé, — dicen que yo lo maté..." (144); "Mis ojuelos, madre [...], cada vez que los alzo — merescen ducados [...], cada vez que los alzo — merescen dineros..." (207); "No paséis, el caballero, — tantas veces por aquí; — si no, bajaré mis ojos, — juraré que nunca os vi" (258); "¡Ay, que non oso — mirar ni hacer del ojo! — ¡Ay, que no puedo — deciros lo que quiero!" (112).

3. *Los cabellos*

No es raro que los castellanos cantaran tanto a los cabellos de la amiga, dada su significación. El cabello largo, tendido, era en la Edad Media símbolo de la virginidad. La niña en cabellos de nuestros villancicos es, pues, la moza doncella. Menéndez Pidal recuerda a este respecto aquella cantiga de Juan Zorro: "— Cabelos, los meus cabelos, — el-rei m'enviou por elos..." [75]. Pedir los cabellos era tanto como pedir la virginidad de la doncella [76].

La *niña en cabellos* es protagonista frecuente en la lírica popular: "Riberas de un río — vi moza virgo. — Niña en cabello, — vos me habéis muerto..." (116); "...Agora que soy niña, — niña en cabello..." (129). No era la única denominación: "en trenza y en cabello", se lee en el *Quijote* [77]. Y Correas recoge un refrán que dice: "Más vale vieja con dineros que moza con cabellos" [78].

De aquí el cuidado de la doncella en lavar y peinar sus cabellos: "Peinadita trayo mi greña; — peinadita la trayo y buena" (530); "Pues que me sacan a desposar, — quiérome peinar" (398); "Puse mis cabellos — en almoneda; — como no están peinados — no hay quien los quiera" (260); cuidado que era ya tema de las cantigas de amigo. Una de Pero Meogo dice: "Levou-se a louçana, — levou-se

[75] *Cancioneiro da Vaticana*, 756; *C. da Biblioteca Nacional*, 566.
[76] *Estudios literarios*, pp. 319-320.
[77] Cit. por Devoto, *ob. cit.*, p. 124.
[78] *Vocab.*, p. 455.

a velida; — vai lavar cabelos — na fontana fria" [79]. Peinarse para
alguien tenía, así, el carácter de una promesa amorosa: "Caballero,
andá con Dios, — que sois falso enamorado: — no me peino para
vos — ni tengo de vos cuidado" [80]; "Por un pajecillo — del corregidor, — peiné yo, mi madre, — mis cabellos hoy" (495). "No tengo
cabellos, madre, — mas tengo bonico donaire...", se defiende una
doncella tal vez demasiado joven (145). Pero quizás en ningún otro
villancico se descubre mejor el amoroso sentido de los cabellos que
en aquel que dice:

> A sombra de mis cabellos
> se adurmió:
> ¿si le recordaré yo?   (72)

B. SOBRE EL ENCUENTRO AMOROSO

1. *La espera*

El tema tradicional de la espera ha sido tan comentado que no
cabe sino repetir lo que otros han dicho. La causa de la atención des-
pertada por el tema hay que buscarla, sin duda, en la mágica atrac-
ción del cantarcillo que canta Melibea en el acto diecinueve de *La Celestina* mientras espera a Calisto: "La media noche es pasada, — y
no viene; — sabedme si hay otra amada — que le detiene".
Barbieri, en su edición del *CMP*, lo puso ya en relación con el
villancico que aparece en dicho cancionero en una ensalada con música de Peñalosa: "Aquel pastorcico, madre, — que no viene, — algo
tiene en el campo — que le duele" (82). Y en una nota añadía:

> De todos los villancicos que aquí se armonizan uno de los más
> celebrados y populares debió ser el que empieza *Aquel pastorcico,*
> *madre,* puesto que en el *Cancionero de Fray Ambrosio Montesino*
> (Toledo, 1508) se halla de tres maneras vuelto a lo divino: la una
> por mandato de la reina Isabel, a San Juan Evangelista; la otra
> a la Natividad de la Virgen, por orden de la condesa de Osorno,

---

[79] *C. Vaticana*, 793; *C. Bibl. Nacional*, 1183.
[80] Cejador, *La verdadera poesía castellana*, Madrid, 1921, tomo IV, páginas 240-1. La cita también Devoto, *ob. cit.*, p. 125.

doña Teresa de Toledo; y la otra en loor de la Virgen, a petición de doña Mariana de Guevara [81].

Henríquez Ureña persiguió el rastro de la cancioncilla en otras versiones [82]: Vélez de Guevara en *La luna de la sierra;* el *Cancionero de Upsala;* Diego Pisador; Santa Rosa de Lima; Quiñones de Benavente en *La puente segoviana;* acabando por citar una seguidilla andaluza recogida por Rodríguez Marín: "Las ánimas han dado, — mi amor no viene; — alguna picarona — me lo entretiene". Torner llamó la atención sobre la versión del *Cancionero de Sablonara,* y sobre una canción asturiana recogida por él: "Aquí la estoy aguardando — por ver si viene o no viene; — por ver si venía sola — o un galán me la entretiene" [83]. Por último, José Manuel Blecua se refiere a la versión anónima a lo divino del *Cancionero de Nuestra Señora* (Barcelona, 1591), a una seguidilla de Lope de Rueda en el *Coloquio de Timbria,* y cita dos recuerdos literarios: uno de Diego de Fuente y otro de Lope de Vega en *La Dorotea* ("Estar triste Dorotea y no ir a los toros..., algo tiene en el campo que le duele") [84]. Añadamos que también aparece, en forma ligeramente distinta y con un comienzo de glosa, perdida, en un ms. del siglo XVI de la Sección de Música de la Biblioteca Central de Barcelona, descrito por Pedrell en su *Catàlech:*

> Aquel pastorcico, madre,
> que no viene,
> algo tenía del campo
> que le duele.
>
> Segaba la mañana
> ....   (184)

---

[81] *Ob. cit.,* p. 227.
[82] *Ob. cit.,* pp. 101-104. Tomando, en parte, datos allegados por Mitjana, Rodríguez Marín, Ventura García Calderón, Carolina Michaëlis y Menéndez Pidal en distintas obras. (V. la nota 1 a la p. 102.)
[83] *Ob. cit.,* núm. 29.
[84] Las referencias de J. M. Blecua son las más completas y están perfectamente ordenadas. (Véase D. Alonso y J. M. Blecua, *Antología,* páginas LIII-LIV.) Recuerda, por último, el artículo de E. Mele, "Un villancico della *Celestina* popolare in Italia nel Cinquecento", en *Giornale Stor. della Letter. Ital.,* CVI (1935), pp. 288-291.

Y, para terminar, digamos también que en un villancico del *CMP* asistimos al emocionado momento en que la llegada del galán pone fin a la espera: "El amor que me bien quiere — agora viene" (31) [85].

2. El alba

"Ya viene el alba, niña, — ya viene el día", se canta en un auto editado por Rouanet [86]. "¿Cuándo saliréis, alba galana, — cuándo saliréis, el alba?" (199), pregunta un impaciente. "Ya viene el día con el alegría", anuncia, por fin, gozoso, un refrán o cantar de Correas. El alba tiene una especial significación erótica. Puede ser la hora escogida por el amigo para cantar a la amada (una ronda de amanecida): "Recordedes, niña, — con el albore, — oiredes el canto — del ruiseñore" [87]. Puede ser la hora para una cita de amor: "Al alba venid, buen amigo; — al alba venid" (21) [88]. Puede ser, por último, la hora pesarosa —de larga tradición culta y popular— en que los amantes se despiden: "Ya cantan los gallos, — buen amor, y vete: — cata que amanece" (73). Este villancico fue muy repetido con ligeras variantes en canciones que denuncian un mismo origen: "Vete, amor, vete: — mira que amanece" [89]; "Ora vete, amor, y vete: — cata que amanece..." [90]; "Ya cantan los gallos, — amor mío, y vete: — cata que amanece" [91]. E. M. Wilson tiene un pequeño estudio sobre el tema de la separación de los amantes por la llegada del día, tema que encuentra con bastante frecuencia en la poesía y el teatro español

---

[85] La espera aparece también en otras situaciones que estudiaremos bajo el tema del olvido: núms. 138, 124, 502, 143.

[86] *Colección de autos, farsas y coloquios del siglo XVI*, Biblioteca Hispánica, Madrid, 1901, tomo II, p. 223.

[87] *Romancero general*, 1001.

[88] "Si venís de madrugada, — hallaréisme en alcandora" (en camisa), dicen unos versos citados por Covarrubias en su *Tesoro* (s. v. "Alcandora").

[89] En el *Romancero* de Durán, II, p. 506.

[90] R. Menéndez Pidal, "Cartapacios literarios salmantinos del siglo XVI", en *Boletín de la Real Academia Española*, I, 1914, p. 303.

[91] *O Cancioneiro musical e poético da Biblioteca Públia Hortênsia*, ed. M. Joaquim, Coimbra, 1950, p. 89.

a partir de fines del siglo XV. Wilson cita ejemplos de la poesía popular antigua y actual, y también de *La Celestina*, Lope y Góngora [92].

3. *Ir a la fuente o a lavar al río*

El tema tiene una larga tradición y abunda, como es sabido, en las cantigas galaico-portuguesas: "—Digades, filha, mia filha velida: porque tardastes na fontana fria..." [93]; "Fui eu, madre, lavar meus cabelos — a la fonte, e paguei-me eu d'elos..." [94]; "Levantou-se a velida, — levantou-se alva, — e vai lavar camisas..." [95]. El tema tiene, por supuesto, una significación erótica, y muchas veces supone el encuentro con el amigo. Lo mismo ocurre en la tradición castellana: "Mañana iré, conde, — a lavar al río; — allá me tenéis, conde, — a vuestro servicio" (99); "Enviárame mi madre — por agua a la fonte fría: — vengo del amor ferida" (177); la misma significación que peinarse los cabellos para el enamorado tendría lavar la camisa del amigo: "Cervatica tan garrida, — no enturbies el agua fría, — que he de lavar la camisa — de aquel a quien di mi fe" (529). En el bello *Cancionero de Upsala* encontramos a tres mozuelas lavando sus camisas: "Madre, tres mozuelas, — non de aquesta villa, — en aguas corrientes — lavan sus camisas, — sus camisas, madre" (240); en Correas, volvemos a encontrarlas (¿o serán otras?): "Las tres Maricas de allende, — cómo lavan y cómo tuercen, — y tienden tan bonitamente" (365). La canción popular actual, es bien sabido, está llena de niñas que van por agua a la fuente o a lavar al río.

La fuente y el río adquieren un nuevo sentido cuando sus aguas sirven a los baños del amor.

4. *Los baños del amor*

Dice un villancico de nuestra antología (núm. 32):

---

92   En *Estudios dedicados a Menéndez Pidal*, tomo V, C. S. I. C., Madrid, 1954, pp. 335-348.
93   Pedro Meogo (*Vaticana*, 798; *Biblioteca Nacional*, 1192).
94   João Soares Coelho (*ibid.*, 291 y 689).
95   D. Denis (*ibid.*, 172 y 569).

A los baños del amor
sola m'iré,
y en ellos me bañaré.

Los famosos baños del amor estaban tradicionalmente ligados con las fiestas de San Juan. "Bañarse, coger hierbas y enramar las puertas la mañana de San Juan", dice Correas en su *Vocabulario* [96]. De aquí, la glosa del villancico 122, que dice:

¡Oh, qué mañanica, mañana,
la mañana de San Juan,
cuando la niña y el caballero
ambos se iban a bañar!

El tema vuelve a aparecer en otros villancicos: en el 24: "El galán y la galana, — ambos vuelven el agua clara, — mano a mano"; y en el 148: "En la fuente del rosel — lavan la niña y el doncel...". Otros cantarcillos en que aparecen los baños podrían tener este mismo sentido erótico: "Si te vas a bañar, Juanilla, — dime a cuáles baños vas..." (242), etc. El tema perdura en la tradición actual. Torner recuerda la canción "¿Quién quiere entrar conmigo en el río, — quién quiere entrar conmigo a nadar? — Yo que no sé nadar, morenita, — yo que no sé nadar entraré" [97]. Y en la colección de Larrea Palacín aparece esta bella canción sefardí:

Fuérame a bañar a orillas del río;
allí encontré, madre, a mi lindo amigo;
él me dio un abrazo y yo le di cinco [98].

5. *La romería, ocasión del encuentro*

Es tema antiguo, con abundantes ejemplos en las cantigas galaicoportuguesas: "Quando eu a San Servando — fui un dia d'aquí...";

---

[96] *Ob. cit.*, p. 586.
[97] Relacionada con la canción infantil tan conocida: "¿Quién quiere entrar en el barco, barquito, — quién quiere entrar en el barco a nadar?".
[98] *Canciones rituales hispano-judías*, Madrid, 1954, p. 48.

"A San Servando foi meu amigo..." [99]; "Fui eu, fremosa, fazer ora-
çón..." [100]; "Non vou eu a San Clemenço..." [101]; "Pois nossas madres van a San Simón" [102]. Ya se refería al tema Menéndez Pidal en
su estudio sobre "La primitiva lírica española", y hacía mención de
la bella canción del *CMP:* "So el encina, encina, — so el encina"
(67) [103]. El tema aparece también, con sus implicaciones eróticas, en
el refranero, mostrándonos que no se trata simplemente de un tema
literario. Todavía persisten estos refranes: "A romerías y a bodas —
van las locas todas"; "Si vas a la romería, vente en buena compañía:
ni moza temprana, ni vieja pasada" [104]. Recordemos, para terminar,
el bello villancico de Juan Vásquez:

> Perdida traigo la color:
> todos me dicen que lo he de amor.
>
> Viniendo de romería
> encontré a mi buen amor:
> pidiérame tres besicos,
> luego perdí mi color.
> Dicen a mí que lo he de amor... [105].   (101)

C. LAS PENAS DE AMOR

1. *El insomnio*

El insomnio de los enamorados, y sobre todo de la amiga, es
(¿cómo no?) tema común a la tradición culta y a la popular, desde

[99] Ambas de João Servando (*Vaticana,* 734 y 737; y *Bibl. Nacional,*
1142 y 1155, respectivamente).

[100] Alfonso Lopes de Baiao (*ibid.,* 339 y 738).

[101] Nuño Peres (o Fernandes) (*ibid.,* 807 y 1202).

[102] Pero Viviaez (*ibid.,* 336 y 735).

[103] *Estudios literarios,* p. 325.

[104] Recogidos por Rodríguez Marín y García-Lomas, respectivamente.
Vide Luis Martínez Kleiser, *Refranero general ideológico español,* Madrid,
1953, p. 645.

[105] La romería aparece en la famosa canción de Gil Vicente en el *Triunfo do Inverno* (ed. 1834, vol. II, 452): "El mozo y la moza — van en romería: — tómales la noche — naquella montina...".

la más remota antigüedad. El *CMP* nos ofrece tres bonitos villancicos de insomnio:

Todos duermen, corazón,
todos duermen y vos non.   (34)

Estas noches atán largas
para mí,
no solían ser ansí [106].   (58)

No pueden dormir mis ojos,
no pueden dormir [107].   (71)

Ya, una de las doncellas en el *Villancico* del marqués de Santillana se lamentaba: "La ninya que los amores ha, — ¿cómo dormirá solá?" (2). Y antes, en la cantiga de Arias Nunes: "Quien amores ha — como dorm'oray — bella flol" [108]. Las citas podrían multiplicarse: "Quiero dormir y no puedo, — qu'el amor me quita el sueño" (115 y ligeramente variada en 526); "Quien amores tiene de la casada, — ¿cómo duerme la noche ni el alba?" (131) (ambas canciones unidas por tradición particularizada: insomnio del amante varón por la amiga casada). Torner cita un villancico del *Inventario* de Villegas (1565):

---

[106] Cf. la cantiga de Julião Bolseiro (siglo XIII):

Aquestas noites tan largas
que Deus fez en grave dia
por mi, porque as no dormo,
e porque as non fazia
no tempo que meu amigo
soia falar comigo?

[107] Cf. la égloga *Crisfal* de Cristoval Falcão:

Como dormirão meus olhos?
Não sei como dormirão,
pois que vela o coração.

(Vide *Líricas portuguesas 1.ª serie*, ed. de José Regio, 3.ª ed., Lisboa, 1959, p. 134.)
[108] La analogía de la última cancioncilla con la cantiga de Nunes fue señalada por Menéndez Pidal (*Estudios literarios*, p. 319). El primer verso de Nunes coincide con el primer verso del villancico 131 de la antología; "Quien amores tiene, ¿cómo duerme?".

"En la peña, sobre la peña, — duerme la niña y sueña" [109], otra del *Romancero* de Durán: "No duermen mis ojos, — madre, ¿qué harán? — Amor los desvela: — ¡Si se morirán!", y varias de la tradición actual [110]. Una de estas últimas la encontramos, casi idéntica, en el *Romancero General:* "Pensamientos me quitan — el sueño, madre, — desvelada me dexan, — vuelan y vanse" (288). El tema del insomnio se une al de la espera (y al de la infidelidad) en el villancico 138: "Anoche, amor, — os estuve aguardando, — la puerta abierta, — candelas quemando; — y vos, buen amor, — con otra holgando...".

2. *La ausencia*

> Si te vas y me dejas,
> ¿a quién contaré mis quejas?   (366)
>
> Pues te vas y me dejas,
> ¿a quién daré yo mis quejas?

Estos cantarcillos, convertidos en refranes y recogidos por Correas, nos traen inmediatamente a la memoria los famosos versos del marqués de Astorga: "¿...a quién contaré mis quejas — si a ti no?"; aquellos que Menéndez Pidal señaló como tradicionales por encontrarse en ciertos cartapacios literarios salmantinos, del siglo XVI, y en el libro de música de Salinas con algunas variantes: "¿A quién contaré yo mis quexas, — mi lindo amor; — a quién contaré yo mis quexas — si a vos no?" (165) [111]. El tema de la ausencia lo encontramos repetidas veces en el villancico:

---

[109] Antonio de Villegas lo llama "villancico viejo". Véase, con las coplas de Villegas, en Dámaso Alonso, *Poesía de la Edad Media y Poesía de tipo tradicional,* Buenos Aires, Losada, 1942, p. 373.

[110] *Ob. cit.,* núms. 147 y 44.

[111] *Estudios literarios,* p. 259. Repárese en las analogías que presenta la pregunta "¿A quién contaré yo mis quexas — si a vos no?" con el siguiente *refrain* francés (Jeanroy, *Refrains,* XII, 5):

> A qui les donrai je donc
> Mes amoretes, s'a vos non?

Sobre el *refrain* francés se volverá a hablar en el capítulo que trata del problema de los orígenes de la lírica peninsular.

Pastorcilla mía,
pues de mí te vas,
dime cuándo volverás.   (407)

Los mis amoritos,
que a galeras van,
si ellos me quieren,
acá volverán.   (445)

Vaisos, amores, de aqueste lugar;
¡tristes de mis ojos, y cuándo os verán!   (259)

¡En cuántos y cuántos villancicos late el dolor de la ausencia!

Dos ánades, madre,
que van por aquí,
mal penan a mí.   (35)

La que tiene el marido pastor,
grave es su dolor.   (569)

Estas noches atán largas
para mí,
no solían ser ansí.   (58)

3. *El olvido y la infidelidad; y la imposibilidad de olvidar el amor*

Resultado de la ausencia es muchas veces el olvido; por eso decía un refrán de tiempos de Correas: "Ausencia, enemiga de amor, — tan lejos de ojos, cuan lejos de corazón" [112]. El enamorado, la enamorada, se resisten a la separación: "Vaisos, amores, de aqueste lugar; — ¡tristes de mis ojos, y cuándo os verán!" (259, 576); sus consecuencias no se les ocultan: "Un amigo que yo había — dexóme y fuese a Castilla, — para no me querer" (121). La separación puede traer consigo el olvido y la infidelidad; un enamorado se lamenta: "Vengo de tan lexos, — vida, por os ver; — hallo vos casada; — quiérome volver" (216). El olvido o la infidelidad son lamentados o

---

[112] *Vocabulario*, p. 29.

execrados: "Solíades venir, amor; — agora no venides, non" (12); "Míos fueron, mi corazón, — los vuestros ojos morenos: —¿quién los hizo ser ajenos?" (37); "Vida de mi vida, — no me maltratéis; — que muy claro veo — que otro amor tenéis" (559); "Por mi vida, madre, — amores no m'engañen" (137); "Mal haya quien a vos casó, — la de Pedro Borreguero" (114).

El tema del amigo (ga) o casado (da) infieles también aparece. Asimismo, el del amigo casado... con otra (y el de la amiga casada con otro):

> Buscad, buen amor,
> con qué me falaguedes,
> que mal enojada me tenedes.

> Anoche, amor,
> os estuve aguardando,
> la puerta abierta,
> candelas quemando;
> y vos, buen amor,
> con otra holgando.
> Que mal enojada me tenedes [113].   (138)

> Puse mis amores
> en Fernandino:
> ¡ay, que era casado;
> mal me ha mentido! [114].   (102)

El conocido romancillo de corro infantil que comienza "Me casó mi madre — chiquita y bonita — con un muchachito — que yo no quería" es prolongación tradicional de un villancico que recoge Salinas en 1577: "Pensó el mal villano — que yo me dormía; — tomó espada en mano; — fuese a andar por villa"; el mismo que inserta el poeta Reyes Mejía de la Cerda en la *Comedia de la Zarzuela y elección del Maestre de Santiago,* en una bella versión paralelística, más completa (véase en nuestra *Antología,* núm. 515) [115].

---

[113] Véanse también 124, 143, 502 (claramente ligado con el 124).

[114] Véanse también 115, 131 y 523.

[115] Señala ya la conexión Eduardo M. Torner en "Índice de analogías...", *ob. cit.,* núm. 110. Existen distintas versiones del romance; una, de Santander, puede verse en J. M. de Cossío y T. Maza Solano, *Romancero popular de la Montaña,* Santander, 1933, p. 61.

Pero junto a los villancicos de olvido e infidelidad, hay muchos que afirman la fidelidad y la imposibilidad de olvidar el amor:

> Siempre m'habéis querido;
> maldita sea si os olvido. (15)

> Decilde al caballero
> que non se quexe,
> que yo le doy mi fe
> que non le dexe. (244)

> Díceme mi madre que olvide el amor;
> acábelo ella con el corazón [116]. (458)

4. *Las penas de amor. Las penas de amor y el mar*

Las penas que el amor produce —suspiros, desvelos, o un sentirse morir— son cantadas en muchos villancicos:

> Sospirando va la ninya,
> e non por mí,
> que yo bien gelo entendí. (4)

> Las mis penas, madre,
> de amores son. (23)

> ¿Con qué la lavaré
> la flor de la mi cara?
> ¿Con qué la lavaré,
> que vivo mal penada? (117)

> Amores me matan, madre;
> ¿qué será, triste de mí,
> que nunca tan mal me vi? (584)

En un grupo de villancicos, el enamorado, la enamorada, ven en el mar un reflejo de sus cuitas. Gran popularidad alcanzó en los siglos XVI y XVII un bello villancico que nos muestra a la malcasada contemplando la inmensidad del mar y su propia tristeza: "Miraba la

---

[116] Véanse también 36, 52, 151, 362, 363, 466.

mar — la mal casada; — que miraba la mar — cómo es ancha y larga" (570). Una melancólica armonía encuentran los penados de amor con el mar. En una poesía tan desnuda de metáforas e imágenes, destaca la complacencia en esta comparación: las penas del amor, de un lado; y del otro, el mar inmenso con el vaivén interminable de sus olas:

> Mis penas son como ondas del mar,
> que unas se vienen y otras se van:
> de día y de noche guerra me dan.   (157)

> Que mis penas parecen olas de la mar,
> porque unas vienen cuando otras se van.   (192)

La imagen se repite: "Van y vienen las olas, — las olas, madre, — a las orillas del mar, — mi pena con las que vienen — mi bien con las que se van", insiste una canción, más elaborada, del siglo XVII [117]. La persistencia de la imagen viene corroborada por Torner [118] con dos canciones, una tomada de Rodríguez Marín, y otra de J. A. Carrizo; la primera, española, dice: "Las penitas que yo siento — son cual las olas del mar: — unas penitas se vienen — y otras penitas se van"; la segunda, argentina, dice a su vez: "Mis dichas y mis desdichas — son cual las olas del mar: — unas penitas se vienen — y otras penitas se van". Todavía, en el mismo Rodríguez Marín (*Cantos*, III, p. 470, nota 57) leo:

> Mis penas y mis fatigas
> ya no se pueden contar;
> unas se van y otras vienen,
> como las olas del mar.

5. La malcasada

Encontramos a veces el miedo a malcasar. "Para mal maridar, — más vale nunca casar", dice un refrán del *Vocabulario* de Correas [119].

---

[117] "Chansonniers Musicaux Espagnols du XVIIᵉ siècle", *Bulletin Hispanique*, LII (1950).

[118] *Ibidem*, núm. 100.

[119] *Ob. cit.*, p. 385.

En un villancico de una ensalada de Flecha afirma una niña: "De iglesia en iglesia — me quiero yo andar — por no mal maridar" (181). Y Salinas (*De Musica libri septem,* Salamanca, 1577) recoge una canción próxima a la de Flecha: "Monjica en religión — me quiero entrar, — por no mal maridar" (173). Una amarga definición del matrimonio nos da una madre, otra vez en el *Vocabulario* del maestro Correas: "Madre, ¿qué cosa es casar? — Hija: hilar, parir y llorar" [120].

El tema de la malcasada o malmaridada, clásico en la lírica románica, aparece en varios villancicos. De todas las canciones de malcasada, la que más popularidad encontró, la más repetidamente glosada, evocada, parodiada (desde Gil Vicente a Lope y sus seguidores) fue la que ya aparece en el *Cancionero del British Museum* (del siglo XV), y en el *Cancionero Musical de Palacio,* de los siglos XV y XVI:

> La bella mal maridada,
> de las más lindas que yo vi,
> acuérdate cuando amada,
> señora, fueste de mí. (7)

Es ésta la versión del primero de los cancioneros citados. La versión del *CMP* ofrece una ligera variante; en ella, el verso tercero reza: "miémbresete cuán amada". Barbieri, al editar el cancionero, afirmaba en su documentada nota sobre la canción: "No ya una nota, sino un libro podría escribirse sobre el tema".

No es ésta la única canción de malcasada en el *CMP.* Otras dos de este mismo cancionero incluimos en nuestra antología; son las números 40 y 43. La primera de ellas dice:

> De ser mal casada
> no lo niego yo:
> cativo se vea
> quien me cativó.

Otros dos breves cantarcillos de malcasada queremos aún citar, del inagotable *Vocabulario* de Correas: "A la mal casada — déla Dios placer, — que la bien casada — no lo ha menester" (472); y ésta, una sentencia proverbial: "A la mal casada, — miralda a la cara".

---

[120] *Ibid.,* p. 458.

Pero, de todos los villancicos de malmaridada, ninguno tan bello y conmovido como aquel que ya comentamos:

> Miraba la mar
> la mal casada;
> que miraba la mar
> cómo es ancha y larga.   (570)

I.   *La niña precoz*

No todo son penas en el villancico; no todo es siquiera cantar el lado serio del amor: hay también en él juego y desenfado. Pocos motivos sobrepasan en gracia y malicia al de "la niña precoz". Tal vez la canción más delicada de este grupo es una muy glosada que aparece ya en el siglo xv, en el *Cancionero del British Museum,* y de cuya popularidad entre las mujeres nos habla todavía Alcaudete:

> Aquel caballero, madre,
> tres besicos le mandé;
> creceré y dárselos he.   (9)

Sin embargo, existe otra derivación más picaresca del tema; me refiero a la canción, ya vuelta a lo divino por Fray Íñigo de Mendoza, que dice:

> Eres niña y has amor,
> ¿qué harás cuando mayor?   (494)

La gracia maliciosa de esta canción la predisponía al éxito entre los cortesanos, y así ocurrió que se multiplicó en los cancioneros, con glosas a cuál más picante. También en el *Cancionero de Herberay,* en una glosa culta al villancico (obra del autor de la glosa, en mi opinión) que dice: "La niña gritillos dar — no es de maravillar", volvemos a comprobar la afición cortesana por las implicaciones maliciosas del tema de la niña precoz:

> A los diez años complidos
> fueron d'ella conocidos
> todos sus cinco sentidos:
> non es de maravillar.
>
> A los quince, ¿qué fará?
> Esto notar se debrá
> por quien la praticará... [121].

Otro caso de niña precoz es, probablemente, el del villancico 145, ya conocido de nosotros:

> No tengo cabellos, madre,
> mas tengo bonico donaire [122].

2. *"Collige, virgo, rosas"*

En el *Vocabulario* de Correas hay un dístico de sabor manriqueño: "Cuando la vejez sale a la cara, — la tez, ¡cuál se para!". La reacción de algunas niñas del villancico ante ese pensamiento parece haber sido ponerse a vivir y a holgar: "Ahora que soy moza — quiérome holgar, — que cuando sea vieja — todo es tosejar" (359); "Agora que soy niña — quiero alegría, — que no se sirve Dios — de mi monjía" (129). Hay otro dístico en Correas, que expresa una filosofía infrecuente en el refranero popular, pero que nos recuerda el desenfado de las églogas de Encina: "Riamos un poco, riamos, — que no ha de faltar una hora en que muramos" [123].

3. *La guarda*

"Aguardan a mí; — nunca tales guardas vi", se quejaba ya una de las niñas del villancico de Santillana (1). "Madre, la mi madre, —

---

[121] Véase en *Antología popularizante I*, núm. 8.
[122] Otro (cortesano), en *Romancero general* (núm. 540): "Niña de quince años — que cautiva y prende, — ¿qué hará, Dios mío, — cuando tenga veinte?".
[123] *Ibid.*, p. 480.

guardas me ponéis, — que si yo no me guardo, — mal me guardaréis" (328), protesta una niña rebelde en un villancico repetidísimo [124].
Una casada advierte a su marido: "Ya florecen los árboles, Juan;
— ¡mala seré de guardar!" (130). Y un villancico del *Cancionero de
la Biblioteca Colombina,* de tono y probable origen proverbial, sentencia: "Niña y viña, peral y habar, — malo es de guardar" (16),
villancico incluido también por Correas en su *Vocabulario.* De la verdad de lo que en él se afirma (las dificultades de la guarda) da testimonio la glosa de este villancico del *Cancionero de galanes:*

> Una madre
> que a mí me crió
> mucho me quiso
> y mal me guardó;
> a los pies de mi cama
> los canes ató;
> atólos ella,
> desatélos yo;
> metiera, madre,
> al mi lindo amor;
> no seré yo fraila [125].   (212)

---

[124] "Refrán que salió de cantar" lo llama Correas, quien lo incluye en
su *Arte grande* (p. 280) y en *Vocabulario* (p. 458). Debió de ser popularísimo
en los siglos XVI y XVII, por la cantidad de veces que nos lo encontramos:
Cervantes, en *El celoso extremeño* y *La entretenida;* Lope, en *El aldehuela,
Los melindres de Belisa, Entremés de daca mi mujer* y *El mayor imposible;*
Calderón, en *Céfalo y Procris.* También lo recogieron el *Cancionero de Turín*
y el *Parnaso español de Madrigales* de Pedro Rimonte, ambos con música.
Vide P. Henríquez Ureña, *ob. cit.,* p. 132, y E. M. Torner, *ob. cit.,* número 89, quien cita una copla actual que deriva claramente del villancico:
"Guárdeme mi padre, — guárdeme mi madre; — si yo no me guardo, —
no me guarda nadie". Añadamos que también el *Romancero de la Biblioteca
Brancacciana* incluye la cancioncilla (núm. 59). Diremos, por último, que un
proverbio de Correas toma el punto de vista del varón (como casi siempre
los refranes): "A la que quiere ser mala, — por demás es guardarla" (*Vocab.,* p. 4).

[125] Es explicable la popularidad del tema. Lo cierto es que el villancico, por bajo de sus juegos y convenciones, refleja frecuentemente ideas y
sentimientos populares. Y una de las ideas ancladas en el hondón de la
conciencia popular castellana era entonces —en buena parte, lo es todavía—

4. *La niña que no quiere ser monja*

Es uno de los temas más simpáticos del villancico este de la rebeldía de la niña a entrar en un monasterio. El *Cancionero Musical de Palacio* incluye ya un villancico con este tema:

> No quiero ser monja, no,
> que niña namoradica so. (63)

Después, encontraremos dos —con evidente relación entre sí— en la *Recopilación de sonetos y villancicos* de Juan Vásquez (Sevilla, 1560). Dice uno:

> ¿Agora que sé d'amor me metéis monja?
> ¡Ay, Dios, qué grave cosa!
>
> Agora que sé d'amor de caballero,
> agora me metéis monja en el monesterio.
> ¡Ay, Dios, qué grave cosa! (119)

Y el otro repite, con igual rebeldía y mayor desenfado:

> Agora que soy niña
> quiero alegría,
> que no se sirve Dios
> de mi monjía.

---

la "guarda" de la mujer, como refleja el Refranero con una insistencia más que probatoria: "Mal ganado es de guardar — doncellas locas y por casar"; "La mujer en casa y la pierna quebrada"; "La mujer casada y honrada, — la pierna quebrada y en casa; — y la doncella pierna y media"; "Sufrir hija golosa y albendera, — mas no ventanera"; "La mujer que a la ventana — se pone de rato en rato, — venderse quiere barato"; "Al gato goloso — y a la moza ventanera, — tapallos la gatera"; "La mujer y la gallina, — por andar se pierde aína"; "Jesu, mana, como sois andeja, — que no vo por rua que no vos veja"; "Bien parece la moza lozana, — cabe la barba cana" (Correas, *Vocabulario*, pp. 443, 187, 188, 267, 184, 34, 187, 273 y 310).

> Agora que soy niña,
> niña en cabello,
> me queréis meter monja
> en el monesterio.
> Que no se sirve Dios
> de mi monjía.
>
> Agora que soy niña
> quiero alegría,
> que no se sirve Dios
> de mi monjía.   (129)

Recordemos también el desafío de una morenica en el baño: "Aunque me vedes — morenica en el agua, — no seré yo fraila" (212). Y este diálogo entre un padre (o madre) y una niña rebelde: "Meteros quiero monja, — hija mía de mi corazón. — Que no quiero yo ser monja, non" (163). Correas recoge dos variantes de interés. En una de ellas, le dice la hija al padre: "Cuando vos seréis fraile, — seré yo monja". En la otra, es *el hijo* quien no quiere entrar en el convento: "Cuando vos fuéredes monja, madre, — seré yo fraile" [126]. Se trata, probablemente, de una parodia del tema.

E. LAS FIESTAS DEL AMOR

1. *Las fiestas de San Juan*

El *Vocabulario* de Correas es un almacén inapreciable de datos para conocer la celebración de las fiestas de San Juan, la fiesta del amor, en el solsticio de verano (24 de junio). Tres costumbres destacaban en esta celebración; alude a ellas el maestro Correas: "Bañarse, coger hierbas y enramar las puertas la mañana de San Juan" [127]. Hablamos ya de los *baños del amor* en páginas anteriores. Detengámonos en los restantes aspectos de la fiesta.

---

[126] *Vocabulario*, ob. cit., pp. 372 y 373, también: "Casada y arrepentida, — y no monja metida" (p. 326); decisión inversa a la que llega otra niña en un villancico ya conocido: "Monjica en religión — me quiero entrar, — por no malmaridar" (173).

[127] *Ob. cit.*, p. 586.

De todas las hierbas que en ese día se recogían, la más característica era sin duda el trébol. En los estribillos de San Juan abundan las referencias al trébol.

> ¡Trébol, florido trébol,
> trébol florido!   (249)

> Trebolé, ¡ay, Jesús, cómo huele!
> Trebolé, ¡ay, Jesús, qué olor!   (200)

Un villancico del *Romancero general* arenga:

> A coger el trébol, damas,
> la mañana de San Juan;
> a coger el trébol, damas,
> que después no habrá lugar.   (296)

Pero no era el trébol la única hierba buscada —¡por algo era San Juan, *el Verde!* [128]—. Los villancicos hacen referencia a estas hierbas, de extrañas propiedades algunas; otras, sólo símbolos del día festejado y de su alegría [129].

> Alta estaba la peña;
> nace la malva en ella.

> Alta estaba la peña,
> riberas del río;
> nace la malva en ella
> y el trébol florido.   (237)

---

[128] "San Juan el Verde no es cada mese"; "¿San Juan el Verde pasó por aquí? — Más ha de un año que nunca lo vi", se lee en Correas. Y en Gil Vicente: "San Iu verde pasó por aquí, — cuán garridico lo vi venir".

[129] "Con la yerbalán y la ruda — no se muere criatura", dice un refrán, y aclara Correas: "Porque están seguras de brujas, según opinión de mujeres, si las cogen la mañana de San Juan". "Yerbalán —agrega— parece decir yerba de San Juan, corruptamente" (*Vocabulario*, p. 125). De la *salvia*, dice Covarrubias en su *Tesoro*, apoyándose en Laguna —"assí lo dize Laguna sobre Dioscórides"—, que: "Tiénese por averiguado que si la muger casada, después de aver dormido quatro días sin compañía, bebiesse una emina del çumo de la salvia con un poco de sal y se juntare luego con su marido, concibirá sin falta".

> Que no cogeré yo verbena
> la mañana de sant Juan,
> pues mis amores se van.   (204)

> Que si verde era la verbena,
> séalo en horabuena.   (446)

El *Cancionero llamado Dança de Galanes,* impreso en Barcelona
en 1625 [130], contiene varios cantarcillos de San Juan; uno de ellos insiste en el tema:

> Vamos a coger verbena,
> poleo con yerba buena [131].

También encontramos en los villancicos alusiones a la costumbre
de enramar las puertas de las enamoradas el día de San Juan. Uno,
muy citado en textos del siglo XVII, es el tan conocido que dice:

> Si queréis que os enrame la puerta,
> vida mía de mi corazón,
> si queréis que os enrame la puerta,
> vuestros amores míos son.   (552)

Schindler lo recogió vivo de la tradición popular actual en Logroño,
y, en versión portuguesa, en Miranda do Douro [132] (núms. 438 y 943
de su colección). Torner lo había ya encontrado en Asturias, y publicado en su *Cancionero musical de la lírica popular asturiana* (Madrid,
1920) con el núm. 64:

---

[130] Edición facsímil de Archer M. Huntington, De Vinne Press, 1903.
(Sin numeración de páginas, ni foliación.) Nueva ed., de A. Rodríguez-Moñino, Valencia, 1949.

[131] Otros del mismo *Cancionero:* "Ya no me porné guirnalda — la mañana de San Juan, — pues mis amores se van"; "Este día de San Juan, —
¡ay de mí!, — que no solía ser ansí". Son réplica, respectivamente, del
villancico 204 (recién citado) y del villancico 58 de la *Antología.*

[132] Kurt Schindler, *Folk Music and Poetry of Spain and Portugal,* New
York, 1941.

Si quieres que enrame tu puerta,
hermosa galana,
ponte a la ventana:
verás cómo crece la caña de olor
hasta que la rama llegue a tu balcón.
Prenda de mi corazón,
mis amores tuyos son.

Los textos del siglo XVII que hacen mención de esta canción son numerosos, y el maestro Torner recogió una buena selección de referencias en su admirable y tantas veces citado estudio [133].
Pero el tema de San Juan aparece ya en una *jarcha,* contenida en una moaxaja árabe, del gran poeta Al Tutilí, el Ciego de Tudela, muerto en 1126. La dio a conocer Emilio García Gómez en su artículo "Dos nuevas jarŷas romances (XXV y XXVI) en muwassahas árabes (ms. G. S. Colin)", en *Al-Andalus,* XIX, 1954, pp. 369-391. Dice la jarcha, según interpretación y traducción de García Gómez:

¡Albo día este día,
día de la 'Ansara [sanjuanada] en verdad!
Vestiré mi [jubón] brochado
y quebraremos la lanza [134].

He aquí, pues, el día de San Juan, celebrado en la España musulmana por una cancioncilla del siglo XII.

---

[133] *Ob. cit.,* núm. 163. Véase ahora, en la versión refundida de su estudio, *Lírica hispánica. Relaciones entre lo popular y lo culto,* Madrid, Castalia, 1966, núm. 220. Cita Torner las siguientes referencias: Gonzalo Correas, *Arte grande de la lengua castellana,* ed. Conde de la Viñaza, Madrid, 1903, p. 333; *Romancero espiritual,* de José de Valdivielso (Toledo, 1612); en el entremés *Los órganos y sacristanes,* de Quiñones de Benavente; en el *Baile de los Moriscos* (siglo XVII), publicado por Cotarelo y Mori, *Colección de entremeses, loas, bailes, jácaras y mojigangas,* NBAE, 18, Madrid, 1911, página 484; Lope de Vega, en el *Auto de los Cantares;* Luis de Briceño, en su *Método de guitarra. Método muy facilísimo para aprender a tañer la guitarra a lo español,* Paris, 1626. (La canción aparece aquí con música.) Se encuentra también en el *Laberinto amoroso,* de Juan de Chen (Barcelona, 1618).
[134] Copio de E. García Gómez, *Las jarchas romances de la serie árabe en su marco,* Madrid, Sociedad de Estudios y Publicaciones, 1965, pp. 244-5.

2. Las fiestas de Mayo

Las fiestas de Mayo, antiquísimas y todavía vivas, supervivencia de las fiestas florales de Venus, han estado siempre unidas al canto. En ellas, en esas fiestas precisamente, situó Gaston Paris (en un artículo famoso [135]) los orígenes de la lírica romance. La deliciosa descripción del *Libro de Alexandre*, al hablarnos de flores, amores y canciones, nos trae ya el espíritu de estas fiestas:

> Sedie el mes de mayo coronado de flores,
> afeitando los campos de diversas colores,
> organeando las mayas e cantando d'amores,
> espigando las mieses que sembran labradores.

Ángel González Palencia y Eugenio Mele reunieron un libro (*La Maya. Notas para su estudio en España*, Madrid, C. S. I. C., 1944) con datos distintos sobre el origen y la celebración de estas fiestas en España hasta nuestros días.

En nuestra antología quedan incluidos bastantes villancicos relacionados con las fiestas de mayo. Ya en el *Cancionero Musical de Palacio* se recoge un villancico que saluda la llegada del mes:

> Entra mayo y sale abril.
> ¡Tan garridico le vi venir!   (26)

Este villancico aparece en otros textos a lo largo del siglo XVI y del XVII [136]. Algunos cantarcillos se refieren específicamente a la fiesta de La Maya. Covarrubias, en su *Tesoro*, la describe diciendo que "es una manera de representación que hazen los muchachos y las donzellas, poniendo en un tálamo un niño y una niña, que significan el matrimonio; y está tomado de la antigüedad...". Más completa es la descripción que da de la fiesta Rodrigo Caro, en su famosa obra *Días geniales o lúdricos* (1626) [137]:

---

[135] "Les origines de la poésie lyrique en France au Moyen Âge", *Journal des Savants*, 1891 (noviembre y diciembre) y 1892 (marzo y julio).
[136] Véase Devoto, *ob. cit.*, p. 118.
[137] Ed. Bibliófilos Andaluces, Sevilla, 1884.

Júntanse las muchachas en un barrio o calle y de entre sí eligen a la más hermosa y agraciada para que sea la Maya, aderezándola con ricos vestidos y tocados, coronándola con flores o con piezas de oro y plata como reina, pónenle un vaso de agua de olor en la mano, súbenla en un tálamo o tronco, donde se sienta con mucha gracia y majestad, fingiendo la chicuela mucha mesura; las demás le acompañan, sirven y obedecen como a reina, entreteniéndola con cantares y bailes y suélenla llevar al corro. A los que pasan por donde la Maya está piden para hacer rica a la Maya...

Covarrubias (*Tesoro,* voz "cara") dice a este respecto que: "Las donzellas que piden para hacer rica la maya, dizen este cantar:

> Echá mano a la bolsa, cara de rosa;
> echá mano al esquero, cavallero".

Este mismo cantar, junto a otros alusivos a la fiesta, se encuentra en el anónimo *Baile de la Maya,* de fines del siglo XVI [138]. Todos ellos son conocidos además por otros textos:

> Esta Maya se lleva la flor,
> que las otras no. (506)

> Entra mayo y sale abril;
> ¡cuán garridico le vi venir! (507)

> Den para la Maya,
> que es bonita y galana;
> echad mano a la bolsa,
> cara de rosa;
> echad mano al esquero,
> el caballero. (508)

> Pase, pase el pelado,
> que no lleva blanca ni cornado. (509)

---

[138] Editado por Emilio Cotarelo y Mori en *Colección de entremeses, loas, bailes, jácaras y mojigangas,* ob. cit., pp. 489 y ss.

Lo último se cantaba, naturalmente, al que no daba nada para la Maya [139]. Estos cantarcillos, y otros parecidos, aparecerán multitud de veces en el teatro del siglo XVII [140].

V. POPULARIDAD Y FORTUNA DEL VILLANCICO EN EL SIGLO XVI [141]

Digamos ahora, para acabar este capítulo introductorio, qué suerte corrió el villancico. Si hacia atrás el villancico nos conduce (al menos, problemáticamente) hasta los mismos orígenes de la lírica europea, hacia adelante nos lleva hasta nuestros días: porque, efectivamente, el villancico se continúa en las coplas y las seguidillas populares de nuestros tiempos.

Los poetas y músicos del XV encontraron al villancico en poder del pueblo. Pero, pronto, del pueblo subirá a la corte, haciéndose "popular" en un nuevo sentido: en un sentido nacional. El villancico —junto con el romance— se convierte en el género poético más cantado y repetido por todos los españoles, villanos y no villanos, letrados e iletrados. Y este reinado del villancico dura hasta fines del siglo XVI. De ello nos da claro testimonio una multitud de fuentes: cancioneros, pliegos sueltos, que proliferan a lo largo de esos años, tratados poéticos, libros de música, colecciones de refranes, obras dramáticas y líricas de autores conocidos [142].

---

[139] Rodrigo Caro (*ob. cit.*) escribe que a éstos les decían: "Barba de perro, — que no tiene dinero", y "otros oprobios a ese tono".

[140] Véase A. González Palencia y E. Mele, *La Maya*, pp. 47-61.

[141] Para un excelente bosquejo de la historia del villancico en la literatura española del Siglo de Oro, véase el importante trabajo de Margit Frenk Alatorre, "Dignificación de la lírica popular en el Siglo de Oro", *Anuario de Letras*, México, año II (1962).

[142] En la antología encontrará el lector las fuentes más importantes, con lo que nos excusamos de reproducirlas aquí. Hagamos únicamente mención de los poetas líricos y dramáticos que más se distinguieron en el cultivo de la lírica popularizante. En nuestra antología no hemos incluido más que composiciones anónimas, pero bastantes de los villancicos glosados y firmados por estos poetas pudieran ser realmente populares y tradicionales. Estos autores son: Juan Álvarez Gato, Garci Sánchez de Badajoz, Fray Íñigo de Mendoza, Fray Ambrosio Montesino, Juan del Encina, Lucas Fernández, Gil

Como consecuencia de ello, al lado de la tradición popular oral que había perpetuado esas canciones y las había hecho llegar a las esferas cultas y cortesanas, se desarrolla una tradición escrita que se transmite por medio de los cancioneros y los pliegos sueltos, que circulan con éxito extraordinario, sobre todo, claro está, en los medios ciudadanos.

Otra cosa hay que señalar: el estilo del villancico se mantiene sin cambios esenciales hasta la segunda mitad del siglo XVI: entre los villancicos del *Cancionero del British Museum* (siglo XV) y los recogidos por Juan Vásquez (hacia 1560) no hay sensibles diferencias. Lo que sí cambia, y mucho, es el estilo de las glosas que los poetas cultos hacen en torno a ellos; lo que sí cambia, en suma, es el estilo de la poesía culta. De un poeta cortés de mediados del siglo XV a un Encina o a un Álvarez Gato hay un gran salto. También hay grandes diferencias entre éstos y Cervantes, Góngora, Lope o Valdivielso.

El villancico popular tradicional —el legítimo o el imitado—, sin embargo, mantiene su estilo, un estilo que trataremos de explicar más tarde, y que ya aparece formado en el siglo XV; resulta difícil, claro está, decir si esa fidelidad estilística se debe a que los villancicos que nos llegan son "antiguos", pertenecen a la tradición del XV, o a que los nuevos que se crean nacen aún dentro de esa tradición, una tradición que sigue manteniendo su vigencia. Lo más probable es esto último, ya que las fuentes están unánimes en no acusar ningún cambio y los poetas cultos que imitan los villancicos siguen haciéndolo igualmente dentro de ese estilo.

Vicente, Diego Sánchez de Badajoz, Cristóbal de Castillejo, Sebastián de Horozco, Francisco Sá de Miranda, Lope de Rueda, Baltasar del Alcázar, J. Fernández de Heredia, Alonso de Alcaudete, Eugenio de Salazar, Diego de Negueruela, Bartolomé Palau, Luis de Camoens, Pedro de Andrade Caminha, Jorge de Montemayor, Álvarez Pereira, Antonio de Villegas, Jerónimo de Arbolanche, Gregorio Silvestre, Santa Teresa de Jesús, Fray Pedro de Padilla, Francisco de Ocaña, Francisco de Ávila, Alonso de Ledesma, Francisco de Velasco, López de Sosa, Cervantes, Valdivielso, Lope de Vega, Tirso de Molina, Góngora, Cosme Tejada de los Reyes, Pedro de Quirós, Juan de Salinas, Antonio Hurtado de Mendoza, Gaspar de Aguilar, Príncipe de Esquilache, Francisco de Trillo y Figueroa, Andrés de Claramonte, Salas Barbadillo, Vélez de Guevara, Quiñones de Benavente, Rojas Zorrilla, Agustín Moreto, Diego de Silva y Mendoza, etc.

Sin embargo, a lo largo del siglo XVI asistimos a un fenómeno recíproco de interacción de ambas poesías: la culta y la popular tradicional. De un lado, la poesía culta, que encontramos italianizante y aristocrática a comienzos del XVI, se va nutriendo de elementos populares, de elementos de la tradición popular: es el proceso que explica la diferencia que va de un Garcilaso a un Lope. Lope, sin dejar de tener su herencia aristocrática e italianizante (garcilasiana), se hace a la par popular y nacional. El paso se debe en gran medida a la influencia de la tradición lírica popular; no lo olvidemos, para darnos cuenta de la importancia que la poesía que vamos a estudiar tiene en el desarrollo de la poesía lírica española, sobre todo si pensamos también en la huella de Lope en toda la poesía posterior. Ahora bien, si la tradición lírica popular influye y hasta pudiéramos decir, creo que sin exageración, que determina en parte el rumbo de la poesía culta, también ésta influye a su vez en el desarrollo de aquélla. ¿Cómo no? Resultaría inimaginable que un poeta tan *nacional,* tan de todo el pueblo nacional, como lo fue Lope, que caló tan hondo en los gustos de sus contemporáneos y fascinó a todos por igual, no hubiese dejado su huella en la lírica popular tradicional. Sí lo hizo; a él y a sus contemporáneos se debe ese cambio de estilo que vemos comenzar a dibujarse en la segunda mitad del siglo XVI, y que se hace evidente en el tránsito del siglo, hacia 1600.

Por esos años, el villancico —el noble, bueno y rústico villancico— va dejando paso a un nuevo género popular que se alzará dueño de la tradición, un género que ha nacido de él —que es, en cierto modo, él mismo transformado—: nos referimos a la copla, y sobre todo a la seguidilla: "Son las seguidillas poesía mui antigua, i tan manual i fázil, qe las compone la jente vulgar, i las canta...", dice el maestro Gonzalo Correas, catedrático de Salamanca, en su *Arte grande de la lengua castellana* (1626) [143]. Y así era en verdad, porque seguidillas hay ya en el *Cancionero de Herberay,* lo que equivale a decir que dentro de la variedad estrófica del villancico cabía también la seguidilla, y de ello quedan ejemplos [144]. "Mas desde el año de 1600 a esta parte

---

[143] Ed. del conde de la Viñaza, Madrid, 1903, p. 273.
[144] El villancico "Ojos de la mi señora, — ¿y vos qué habedes?, — ¿por qué vos abaxades — cuando me vedes?" (14) es una auténtica seguidi-

—sigue diciendo el maestro Correas— han revivido i han sido tan usadas, i se han hecho con tanta eleganzia i primor que eszeden a los epigramas i dísticos en dezir en dos versillos (en dos las escriben muchos) una mui graziosa i aguda sentenzia; i se les ha dado tanta perfezión, siguiendo siempre una conformidad, que pareze poesía nueva" [145]. Tenía razón el maestro Correas: la cancioncilla característica del siglo xvii era antigua y parecía poesía nueva: era antigua en cuanto derivaba y seguía alimentándose de una tradición que no se interrumpe con el cambio de siglo y que en buena medida dura hasta nuestros días; era nueva porque decía las cosas de otra manera y hasta tenía otros gustos; era nueva porque se había transformado siguiendo viva; se había remozado (y ésta será quizás la gran diferencia que separa a la tradición lírica popular de la romancística).

Hacia 1600, la cancioncilla popular, tanto en su estructura formal como en sus elementos expresivos, se ha hecho más ligera, más alada, parece que ha perdido peso y consistencia. Pensemos en lo que ocurre al arte medieval en su tránsito del románico al gótico; algo así ha pasado con la canción lírica popular: el villancico ha perdido masa y volumen y se ha adelgazado y estilizado, abriendo brechas en la ingenua y honesta sencillez del villancico.

Basta poner juntos unos al lado de los otros los villancicos y las seguidillas que comienzan a aparecer en las colecciones de fines del xvi. Podemos hacer la prueba sirviéndonos del mismo *Arte grande* de Correas, porque ofrece a un tiempo en sus páginas ejemplos del villancico que se va y de la seguidilla "nueva" que llega a sustituirle. Los villancicos nos hablan todavía así:

---

lla. Hay que advertir que la regularidad métrica 7 + 5 no existe todavía en tiempos de Correas. Vide *ob. cit.*, pp. 273-4.

[145] Desde la publicación de los pliegos poéticos de Munich por A. Rodríguez-Moñino (*Las series valencianas del Romancero nuevo y los Cancionerillos de Munich* (1589-1602), Valencia, 1963), es posible precisar mejor la fecha de este cambio. Margit Frenk Alatorre, en su ponencia al II Congreso de la Asociación Internacional de Hispanistas (Nimega, Países Bajos, 20 a 25 de agosto de 1965), fija la fecha en los años inmediatamente anteriores a 1597. (El trabajo fue publicado, con el nombre de "De la seguidilla antigua a la moderna", en *Collected Studies in honour of Américo Castro's Eightieth Year*, Oxford, 1965, pp. 97-107.)

Por el montecico sola,
¿cómo iré,
que me fatigaba la sed?   (268)

Envíame mi madre
por agua sola;
¡mirad a qué hora!   (310)

Pajarillo que vas a la fuente,
bebe y vente.   (312)

¡Qué tomillejo,
qué tomillar,
qué tomillejo
tan malo de arrancar!   (311)

Aunque soy morena,
yo blanca nací:
a guardar ganado
mi color perdí.   (325)

Madre, la mi madre,
guardas me ponéis;
que si yo no me guardo,
mal me guardaréis [146].   (328)

Cuando acudimos a lo que Correas llama "seguidillas modernas" para diferenciarlas de las antiguas [147], que efectivamente son diferentes, comprobamos que esto es ya otra cosa, tan bello muchas veces como lo anterior, pero ya otra cosa. Y comprobamos también algo que dijimos antes: que en este nuevo estilo, en este adelgazamiento de la expresión, en este nuevo gusto por la gracia alada e ingeniosa (que hoy siguen caracterizando sobre todo a la seguidilla y a la copla del sur), han intervenido los poetas popularistas del Siglo de Oro, y Lope más que nadie. He aquí unas cuantas seguidillas y coplas del *Arte* de Correas:

---

146 *Ob. cit.*, pp. 271 y 280.
147 *Ibid.*, p. 276.

¡Paso, bravos ojuelos,
valor del mundo!
No echen mano voacedes
de todo el suyo.

Unos ojos negros
me han cautivado.
¡Quién dijera que negros
cautivan blancos!

¡Viento del Sotillo,
luna del Prado,
agua de Leganitos,
vino del Santo!

Alamitos del Prado,
si tenéis lengua,
no digáis de mi vida
lo que hay en ella [148].

---

[148] *Ibid.*, pp. 276, 277, 278. En nuestra antología van incluidas algunas seguidillas y coplas que acusan ya la influencia del estilo nuevo; aunque sólo hemos recogido las que ofrecen puntos de contacto interesantes (temáticos o estilísticos) con la tradición inmediatamente anterior.

Capítulo II

EL VILLANCICO ANTE EL PROBLEMA
DE LA POESÍA POPULAR

Cuando Sebastián de Covarrubias publica su *Tesoro de la lengua castellana,* en 1611, recoge en él la voz *villanescas,* a las que define como "canciones que suelen cantar los villanos cuando están en solaz" [1]. Covarrubias no se plantea el problema de quién hizo esas canciones, aunque pudiera parecer que las tiene, implícitamente, por obra de los mismos villanos que las cantan cuando añade algo que quiero subrayar: "Pero los cortesanos, *remedándolas,* han compuesto a este modo y mensura cantarcillos alegres". Para Covarrubias, en todo caso, los villancicos o villanescas *son* del pueblo, y los cortesanos han dado en imitarlos.

Poco después, en 1626, Gonzalo Correas publica su *Arte grande de la lengua castellana,* en Salamanca, y, al hablar de las seguidillas,

---

[1] Covarrubias usa evidentemente la voz *villanesca* en el sentido general de *villancico,* no en el italianizante de *villanella* o *napoletana,* sentido que también poseyó. Para este tipo de canción italianizante, véanse los estudios fundamentales de Francesco Novati, "Contributo alla storia della lirica musicale italiana popolare e popolareggiante dei secoli xv, xvi, xvii", en *Scritti varii di erudizione e di critica in onore di Rodolfo Renier,* Torino, 1912, páginas 899-981, y A. Einstein, *The Italian Madrigal,* Princeton, 1949. Para el cultivo de la villanesca en España véase la introducción de Miguel Querol a la edición de Francisco Guerrero, *Opera Omnia,* vol. I, *Canciones y villanescas espirituales* (Venecia, 1589), transcripción por Vicente García, introducción y estudio por Miguel Querol Gavaldá, Barcelona, 1955.

dice —como ya indicamos— que "son poesía mui antigua, i tan manual y fázil, que las compone la jente vulgar, i las canta..." [2]. El maestro Correas no se limita a decir que esas cancioncillas las canta la gente del pueblo; dice también que "las compone". No ve nada extraordinario en ello, ya que se trata de poesía sumamente manejable y fácil.

Hoy ya no podemos hablar con esta candidez. No podemos decir, sin más, que las gentes del pueblo componen canciones. El mismo término "popular", que tan libremente hemos venido usando hasta ahora, ha venido a ser término espinosísimo porque ha perdido su inocencia; y debe ser explicado, justificado. La pérdida de la inocencia comienza en el Romanticismo, y se prolonga e intensifica, polémicamente, con la reacción antirromántica.

A. TEORÍAS EN TORNO AL PROBLEMA DE LA POESÍA POPULAR

1. *Los románticos. El pueblo poeta*

Cuando Covarrubias o Correas hablan de los villanos y de la gente vulgar piensan, por supuesto, en hombres, en seres individuales. Pero para los románticos, el *pueblo poetizante* (el "selbstdichtende Volk", de Jacob Grimm) no es ya una simple suma de individuos, sino un ente abstracto que trasciende la suma de sus componentes. Es, en realidad, una abstracción, una metáfora poética, que se utiliza, sin embargo, para construir una teoría, una doctrina. La poesía popular aparece ahora como obra inconsciente y espontánea de este misterioso ente colectivo, desconociéndose con ello el impulso individual que está siempre en la base del fenómeno colectivo.

Credo romántico es que esta poesía, poesía popular, poesía de la Naturaleza (como la llama Herder), es superior a la poesía de Arte. Sabido es que la distinción entre ambas poesías parte de Herder, quien verá en aquélla "als eine lebendige Stimme der Völker, ja der Menschheit selbst", y en el Arte, el enemigo de la Naturaleza.

---

[2] V. ed. del Conde de la Viñaza, Madrid, 1903, p. 273.

La idea flotaba, en realidad, en el firmamento prerromántico, hastiado de reglas, por el que pacían los corderos de María Antonieta y brillaba la bondad incontaminada del "bon sauvage". Simon Pelloutier (1694-1757) había dicho por entonces que "la ignorancia y el desprecio de las letras son el verdadero origen de la poesía" [3].

Si, teóricamente, el pendulazo romántico —reacción antineoclásica— fue una exageración y una falsedad, en su aplicación práctica añadió la falacia de equiparar "lo popular" con "lo antiguo". Así es como vinieron a ser "populares" la *Divina Comedia* y los romances de Góngora.

2. Los antirrománticos. *"Le peuple ne crée pas"*

Penetrando por esta doble brecha que los románticos habían dejado abierta en su endeble construcción crítica, no les había de ser difícil a los antirrománticos mostrar la falsedad de aquella teoría. La nueva reacción fue, sobre todo, obra de Bédier. La reacción era necesaria, por supuesto, pero había de acabar, a su vez, en un nuevo pendulazo, en una nueva exageración. Si para los románticos todo lo antiguo o primitivo corría el peligro de ser tenido por popular, para Bédier nada va a ser, en realidad, popular: la creación popular no existe, "le peuple ne crée pas".

En un artículo de 1906 ("Les plus anciennes dances françaises", en la *Revue des Deux Mondes*, p. 424), se pregunta con escepticismo: "Chants ou mélodies, contes, légendes ou croyances, le 'peuple' a-t-il jamais créé? Et qu'y-a-t-il de populaire dans la poésie populaire?". La pregunta implicaba una negación que va después a formularse con toda precisión. Uno de sus discípulos, Piguet, recoge el pensamiento del maestro, expuesto en el curso universitario de 1924-25, en estas palabras: "La poésie populaire est un myte. Le peuple n'a jamais rien créé. Il ne fait que reprendre et imiter ce que créent les centres de civilisation. Ainsi les pretendues chansons populaires sont des imitations plus ou moins altérées de thèmes et de formes litté-

---

[3] Cit. por E. R. Curtius, *Literatura europea y Edad Media Latina*, México, Fondo de Cultura Económica, 1955, vol. II, p. 564.

raires; on retrouve les modèles de la plupart d'entre elles dans la littérature du Moyen-Âge" [4].

Al lado de esta afirmación, origen culto y literario de toda poesía, hay que colocar otra: el origen individual de toda creación poética. Como dice Sergio Baldi, muy pronto se comprendió la imposibilidad de materializar el concepto romántico del pueblo poeta y se vio su carácter de abstracción. Por ello, desde muy pronto y a todo lo largo del siglo XIX hay afirmaciones individualistas [5], de las que es buen exponente la famosa frase de Jules Tiersot: "Un canto, popular o no, tiene siempre una fecha, un autor, una patria".

Ya tenemos aquí los tres principios fundamentales, el credo de la crítica individualista post-romántica: toda creación es creación individual; el pueblo no crea; la llamada poesía popular es siempre de origen culto.

Especial acogida y desarrollo reciben estas ideas en Italia, donde, en mayor o menor medida, y con planteamientos diversos, están presentes en la obra de Novati, Zingarelli, Pasquali, Vidossi, De Bartholomaeis, Santoli, Chini, y en el mismo Croce, y se continúan hasta nuestros días [6].

3. *Benedetto Croce: "Poesia popolare e poesia d'arte"*

El libro de Benedetto Croce: *Poesia popolare e poesia d'arte* (Bari, 1933), sobre todo, ha ejercido una influencia considerable.

---

[4] Piguet, *L'évolution de la pastourelle*, Bâle, 1927, p. 175. En este libro, la tesis de Bédier es aplicada a la *pastourelle*.

[5] Vide Sergio Baldi, *Studi sulla poesia popolare d'Inghilterra e di Scozia*, Roma, 1949, p. 44. Entre los autores de afirmaciones individualistas, A. W. Schlegel, J. Meier, T. N. Henderson, etc.

[6] Véase especialmente, G. Pasquali, "Congresso e crisi del folklore", *Pegaso*, I, 1924, pp. 750 y ss.; B. Croce, *Poesia popolare e poesia d'arte*, Bari, 1933; N. Zingarelli, *Scritti di varia letteratura*, Milano, 1935, pp. 571 y ss.; G. Vidossi, "Nuovi orientamenti nello studio delle tradizioni popolari", *Atti del II Congresso internazionale dei linguisti*, Firenze, Ariani, 1935; V. Santoli, "Problemi di poesia popolare", *Annali della Scuola Normale di Pisa*, Let. e Fil., Serie II, vol. IV, 1935, pp. 93 y ss.; A. Viscardi, *Posizioni vecchie e nuove della storia letteraria romanza*, Milano, ed. Univ. Cisalpino, 1944.

Para Croce, la diferencia de calificación entre la poesía popular y la poesía de arte no puede ser nunca absoluta o de esencia, "porque la poesía no admite categoría de ninguna clase, y, cuando es poesía, es únicamente poesía..." [7]. ¿Cuál es entonces la diferencia entre una y otra poesía? Todos los caracteres que se han venido señalando para hacer la contraposición son accidentales o inconsistentes, porque no siempre acompañan a la una o faltan a la otra; así, la anonimia, improvisación, origen o difusión colectiva, transmisión por tradición oral, continuo proceso de transformación, etc. Aunque todas o algunas de estas determinaciones fuesen consistentes, serían en todo caso extrínsecas, y, por tanto, ineficaces para definir una poesía. Esa definición no puede ser filológica, no puede basarse en circunstancias externas; la definición debe ser "psicológica o interna" [8].

Para Croce, esta diferencia presenta analogías con otras similares en esferas distintas de la vida espiritual; en la esfera intelectual, la distinción entre el sentido común (el "buon senso") y el pensamiento crítico o sistemático; en la esfera moral la distinción entre la bondad natural o candor ("candidezza") y la bondad consciente o reflexiva y conquistada. La poesía popular es, en la esfera estética, lo que el sentido común en la intelectual, y el candor o inocencia en la moral [9].

La poesía popular —dice Croce— expresa movimientos espirituales que no encierran, como precedentes inmediatos, grandes trabajos del pensamiento y de la pasión; expresa sentimientos simples en forma simple. La alta poesía mueve y remueve en nosotros grandes masas de recuerdos, de experiencias, de pensamientos, de múltiples sentimientos y gradaciones y matices de sentimientos. La poesía popular consigue su objeto "por vía breve y expedita", en vez de alargarse "en amplios giros y volutas" [10]. Se trata —dice Croce— de una diferencia en el "tono" del sentimiento y de la expresión [11].

Naturalmente, poesía popular y poesía del pueblo no son ya conceptos equiparables. La poesía popular puede darse entre hombres no pertenecientes al "pueblo", y en ambientes no populares ("uomini non

---

[7] *Ibid.*, p. 3. (Cito por ed. Bari, 1946.)
[8] *Ibid.*, pp. 2, 3 y 4.
[9] *Ibid.*, pp. 4 y 5.
[10] *Ibid.*, p. 5.
[11] *Ibid.*, p. 12.

popolani e in ambienti non popolari"). Detrás del concepto de poesía popular está ahora, no el pueblo, sino el hombre, todo hombre, un hombre cualquiera. Del sentido de poesía nadie está desprovisto del todo, como nadie está enteramente desprovisto del sentido común. Y Croce piensa que el autor de esta poesía es, gran parte de las veces, un literato o semiliterato (y bastante pocas, un hombre del pueblo, ignorante) que ha permanecido frente a la vida o ciertos aspectos de la vida en aquella simplicidad e ingenuidad de sentimientos, o retorna a ellas en ciertos momentos [12]. Croce piensa siempre en una poesía individual, obra individual de un autor individual, lo mismo que en el caso de la "poesía de arte". El continuo proceso de transformación, que la trasmisión por tradición oral lleva a cabo, es comparado al incesante imitar, retocar y rehacer que existe también en la poesía de arte por parte del autor y de los amanuenses, editores, intérpretes y demás trasmisores [13].

4. *La crítica individualista italiana*

El enfoque individualista de Croce en torno al concepto de poesía popular se relaciona íntimamente con su crítica de los *géneros* artísticos y literarios [14]. Sus ideas van a pesar fuertemente en Italia. Podemos comprobarlo en la colección de ensayos recogida por Antonio Viscardi con el nombre de *Preistoria e storia degli studi romanzi*, Cisalpino, Milano, 1955. El volumen recoge colaboraciones del propio Viscardi y de Mauricio Vitale, Ermanno Mozzali y Carla Cremonesi, y es una crítica de las doctrinas románticas y positivistas (deterministas) —y de otras a ellas asimiladas por los autores— y una exposición de los principios básicos de su propia escuela en el terreno filológico y literario. Su actitud frente al problema de la poesía popular viene determinada por esos mismos principios.

---

[12] *Poesia popolare e poesia d'arte*, p. 12.
[13] *Ibid.*, p. 2.
[14] Vide *Estética come scienza dell'espressione e linguistica generale*, 4.ª edición, Bari, 1912, pp. 42 y ss. Véase también *La Poesía, Introducción a la crítica e historia de la poesía y de la literatura*, trad. española, Buenos Aires, 1954, pp. 180-181.

1. Se rechaza el concepto de la lengua o de la literatura como *entidades, organismos o sistemas,* con un desarrollo sujeto a leyes; el objeto de la investigación no es ya el *sistema,* sino el *hecho singular,* el *individuo,* literario o lingüístico; no el *género* literario, sino la *obra de arte* individual y concreta[15].

2. La *lengua común* de las comunidades nacionales o estatales tiene un origen literario; es la *lengua literaria vulgarizada.*

3. Igualmente, la poesía popular, la cual, como toda la literatura popular, tiene siempre, lo mismo que la *lengua común,* un origen literario. La poesía popular es poesía de creación individual, de origen culto, descendida al pueblo, divulgada y tradicionalizada. El pueblo no da, recibe[16].

5. *Ramón Menéndez Pidal. La teoría tradicionalista*

No han faltado a lo largo de nuestro siglo intentos de hallar una vía intermedia entre lo que Baldi[17] llama "l'esasperato 'collettivismo' romantico e positivista e l'altrettanto esasperato e polemico 'individualismo' idealista".

El más importante es el llevado a cabo por Ramón Menéndez Pidal, expuesto en multitud de estudios, desde *Poesía popular y Roman-*

---

[15] Antonio Viscardi, en *ob. cit.,* p. 387. Por eso dice Viscardi en otro lugar (p. 342): "No existe el problema de los orígenes y de la historia de la *epopeya francesa,* de la *lírica trovadoresca* o de la *novelística,* porque el presupuesto de tal problema no tiene fundamento, esto es, la noción positivista de los géneros como entidades u organismos, que tras una fase embrionaria nacen y se desarrollan... En los comienzos de la historia del género se encuentra una obra maestra creada por un gran poeta y acogida en determinado *milieu* cultural y social...", la cual, al ser imitada, da lugar a eso que se llama el género. Por eso —dice Viscardi— el llamado problema de los *orígenes* no es el del nacimiento de un género, sino de un *individuo;* de la obra de arte individual de la que procede la tradición que va a cristalizar en el *género.* Tampoco el problema se resuelve investigando los *factores o las causas* que determinaron la producción de aquella obra de arte ejemplar; sino sólo "indagando el proceso de la formación espiritual, la cultura del poeta que ha creado la obra".

[16] *Ibid.,* pp. 387 y ss.

[17] *Studi sulla poesia popolare d'Inghilterra e di Scozia,* p. 50.

cero (1914-1916). Menéndez Pidal supera el colectivismo romántico o positivista, pero sin caer en el individualismo idealista, al considerar la poesía "popular" (término que él desecha, por considerarlo equívoco, sustituyéndolo por el de "tradicional") como poesía individual y, al mismo tiempo, como poesía colectiva: es *individual* por ser en su origen primero la obra de un individuo, y porque la reelaboración es igualmente obra de múltiples individuos (creaciones *individuales* múltiples que se cruzan y se entrecruzan); pero es también poesía *colectiva* por ser obra de múltiples colaboradores (por eso su autor no puede tener un nombre, su nombre es legión) [18].

Para Menéndez Pidal, pues, el carácter "tradicional" (o popular) de la canción tradicional está, no en el origen, sino en la reelaboración del canto, reelaboración que Menéndez Pidal gusta de llamar *colectiva* porque en ella intervienen o pueden intervenir no sólo las clases populares, sino lo que él llama el pueblo-nación, la entera colectividad nacional [19].

Así, explica el estilo tradicional del romance como un producto de la colaboración de un creador original (el juglar) con el pueblo-nación. El juglar (en sentido amplio, por supuesto) es el creador, y el pueblo (también en sentido amplio), el recreador colectivo y anónimo, mediante la transmisión y reelaboración de cada pieza concreta (tradición).

En la teoría tradicionalista, el término "popular" pasa ahora a designar simplemente un primer estadio en el proceso de divulgación de un canto. Esta divulgación pasa, o puede pasar, por dos grados muy diversos. Uno es el meramente "popular", en el cual la divulgación es todavía reciente, la difusión de escasa densidad, y la repetición en boca del pueblo, bastante fiel, siendo escasas las variantes [20]. El segundo grado es el *tradicional*. "El canto es considerado como patrimonio común... Su difusión es extensa, pues ha llegado a arraigar en las clases rurales... Asimilado por el pueblo, mirado como patrimonio cultural de todos, cada uno se siente dueño de él por he-

---

[18] R. Menéndez Pidal, *El Romancero*, Madrid, 1928, p. 37.

[19] "La balada tradicional —decía en *El Romancero*, p. 44— no excluye la cultura literaria, sino que, al contrario, su florecimiento presupone la colaboración de artífices cultos".

[20] R. Menéndez Pidal, *Romancero hispánico*, Madrid, 1953, t. I, p. 44.

rencia, lo repite como suyo, con autoridad de coautor; al repetirlo, lo ajusta y amolda espontáneamente a su más natural manera de expresión..." [21]. "Toda poesía tradicional —dice Menéndez Pidal— fue en sus comienzos mera poesía popular. Entre una y otra categoría hay, pues, una diferencia cuantitativa, porque la tradición supone una popularidad continua, prolongada y más extensa; pero hay también una diferencia cualitativa, pues la obra tradicional, al ser asimilada por el pueblo-nación, es reelaborada en su trasmisión y adquiere por ello un estilo propio de la tradicionalidad" [22].

Pero la canción queda siempre explicada a partir de un pasado no popular. "El pueblo es autor, pero no autor inicial", dice Menéndez Pidal [23]. "Si... lográsemos reconstruir el texto tal como lo emitió el primer autor de una canción popular, dejaríamos ésta convertida en muy otra cosa; reconstruiríamos una canción juglaresca, trovadoresca o literaria de cualquier clase" [24]. Por ello, en cada canción, en cada pieza concreta, hay que suponer tres fases distintas (respaldadas por una realidad estilística también diferente): 1) canción juglaresca, trovadoresca o literaria de cualquier clase; 2) canción meramente popular; 3) canción tradicional.

Menéndez Pidal ha insistido en este punto en multitud de ocasiones: el estilo "tradicional" de una obra supone la reelaboración colectiva de esta obra a través de varias generaciones. En "Cantos románicos andalusíes" [25], refiriéndose ya, no al Romancero, sino específicamente a la canción lírica, insiste: "El estilo anónimo o colectivo es resultado natural de la transmisión de una obra a través de varias generaciones, refundida por los varios propagadores de ella, los cuales en sus refundiciones y variantes van despojando el estilo del primer autor, o autores sucesivos, de todo aquello que no conviene al gusto colectivo más corriente, y así van puliendo el estilo personal, como el agua del río pule y redondea las piedras que arrastra en su corrien-

[21] *Ibid.*, I, p. 45.
[22] *Ibid.*, I, p. 46.
[23] *Ibid.*, p. XV.
[24] *Ibid.*, p. 40.
[25] Artículo publicado en el *Boletín de la Real Academia Española*, XXXI, 1951, pp. 187-270; y después, en su libro *España, eslabón entre la Cristiandad y el Islam*, Col. Austral, Madrid, 1956. Citamos por este libro.

te" [26]. Y, más adelante, añade: "De aquí que cuando una canción presenta bien señalado ese estilo de simplicidad y esencialidad, podemos suponer que es tradicional, aunque no conozcamos de ella otros estados varios de diferente época, y esta suposición parecerá, al buen catador del estilo tradicional, más verosímil que la hipótesis opuesta, de que tal canción sea obra única de un solo poeta popular o popularizante" [27].

6. W. Schmidt. Proceso de estilización

El concepto de reelaboración colectiva se convierte en W. Schmidt [28] en un proceso de "estilización". Schmidt estudia esta "stilisierung" en las baladas populares angloescocesas, fijándose en diferentes aspectos literarios y lingüísticos, y llega a afirmar una ley de estilización: del grado de "estilización" de un canto es posible deducir su antigüedad, o sea la duración de su proceso de tradicionalización, o circulación entre el pueblo.

7. Sergio Baldi. Concepto de escuela popular

Otro intento de explicación del fenómeno literario popular, salvando a un tiempo lo que el fenómeno tiene de individual y de colectivo, procede de Sergio Baldi y su concepto de *escuela popular* [29].

---

[26] *Ibid.*, p. 65.

[27] *Ibid.*, p. 66.

[28] W. Schmidt, "Die Entwicklung der englisch-scottischen Volksballaden", *Anglia*, LVII (1933), pp. 1-77, 113-207 y 277-312.

[29] Sergio Baldi, "Sul concetto di poesia popolare", *Leonardo*, núm. 5, abril 1946; y *Studi sulla poesia popolare d'Inghilterra e di Scozia*, Roma, 1949, pp. 41-65. Citamos por esta obra. Baldi señala que el término "escuela popular" aparece usado por primera vez en J. R. Moore, "Omission of the Central Action in English Ballads", *MLR*, XI (1916), p. 391: "Setting aside the riddle-ballads, and one or two survivals of a very early choral dance [?] —dice el pasaje citado de Moore— we may say that ballads are the products of the individuals belonging to schools —not to the schools whose names appear in literary history, but anonymous schools of expression". Paolo To-

Señala Baldi cómo en el concepto de reelaboración o de tradición ha
de admitirse un elemento de "comunidad", que es lo que permite el
entrecruce de variantes sin que las variantes desentonen. Los románticos —dice Baldi— vieron este "qualcosa di comune" en el espíritu
nacional; el positivismo gummeriano [30], en la raza; Croce, en el "tono
de la expresión", etc. Aunque Baldi acepta el valor de las conclusiones de Croce y Menéndez Pidal, y se muestra en principio propicio
a amalgamar ambos criterios, el intrínseco o psicológico de Croce
("tono popular"), y el extrínseco o filológico de Menéndez Pidal ("reelaboración colectiva"), en una fórmula yuxtapuesta (la poesía popular
como "poesía de tono popular reelaborada por el pueblo"), acaba
proponiendo su sustitución por el concepto único de "escuela popular".

Refiriéndose al criterio psicológico de Croce como medio de determinación de la poesía popular, arguye Baldi que tal precisión sirve
para explicar las semejanzas entre cantos populares diversos y muy
distantes, a veces, en el espacio y en el tiempo; pero no para explicar, en cambio, las diferencias, las cuales existen no de poeta a poeta,
sino de área a área y de siglo a siglo. Pone como ejemplo el final lírico, muy extendido en la tradición popular de diversos países (y que
en España aparece en el romance del conde Olinos o conde Niños),
en el cual dos amantes son muertos por fidelidad a su amor, y de sus
tumbas nacen dos plantas que crecen y se abrazan y unen indisolu-

---

schi (*Fenomenologia del canto popolare*, Roma, 1947, pp. 85-86) señala que
el término fue ya usado por él en 1915 en un libro que, sin embargo, no
apareció hasta veinte años más tarde (*La poesia popolare religiosa in Italia*,
Florencia, 1935). En la página 122 de este libro dice Toschi: "Quel che si
può fare è di raggrupparle praticamente... in *scuole*, per usare un termine
ed un metodo presso a prestito della storia dell'arte, ma che può servire a
rendere il nostro pensiero". Sin embargo, Toschi en su *Fenomenologia...*
acaba rechazando el concepto de "escuela popular" (véase pp. 86-87). Tanto
en Toschi como en Moore el uso del término "escuela popular" es accidental. El desarrollo del concepto, como explicación del fenómeno literario popular, se debe a Sergio Baldi.

[30] Se refiere a F. B. Gummere y su escuela comunalista de Harvard.
Vide F. B. Gummere, *The Beginning of Poetry*, New York, 1901; y "Primitive Poetry and the Ballad", *Modern Philology*, I (1903-4), pp. 193-202,
217-34, 373-90.

blemente. El esquema y el espíritu —dice Baldi— son comunes en todas las tradiciones populares, pero, en cambio, las plantas vengadoras varían de área a área: en las baladas escocesas, se trata unas veces de un rosal y un espino albar, y otras, de un rosal y un abedul; en las escandinavas hallamos dos lirios; en las alemanas, lirios o claveles; en Portugal, un ciprés y un naranjo; en Italia, un ciprés y una vid, etc. (En el romance castellano del conde Olinos o Niños, al que no alude Baldi, serían un rosal blanco y un espino albar [31].) Estas diversidades locales, que no son tanto diversidades como semejanzas por grupos —dice Baldi—, traen al pensamiento el concepto de "tradición" no en el sentido etimológico de "transmisión", sino en el sentido de "desarrollo común", o, mejor, de "escuela", lo mismo que en la historia del arte se habla de escuela veneciana o bolonesa, etc. Baldi defiende el concepto de "escuela" como el más expresivo y apto para explicar esas semejanzas por grupos líricos, ese elemento común ("qualcosa di comune"). Y aún más que de *escuela popular,* propone que se hable de *escuelas populares* [32].

B. EL VILLANCICO ANTE EL PRO-
BLEMA DE LA POESÍA POPULAR

a. EXPOSICIÓN DEL PROBLEMA Y AFIRMACIONES PRELIMINARES

Frente a la tesis romántica (*todo* en la poesía popular es obra del pueblo) y frente a la tesis antirromántica (el pueblo no crea), el villancico nos está diciendo que la poesía popular es una poesía híbrida, que no puede explicarse del todo sin la colaboración de todos: letrados e iletrados. El villancico viene de no sabemos dónde; viene desde no sabemos bien cuándo. No conocemos apenas sus orígenes ni

---

[31] "De ella nació un rosal blanco, / de él nació un espino albar; / crece el uno, crece el otro, / los dos se van a juntar; / las ramitas que se alcanzan / fuertes abrazos se dan, / y las que no se alcanzaban / no dejan de suspirar." En el romance español, la reina manda cortar, llena de envidia, las plantas, y entonces: "Della naciera una garza, / dél un fuerte gavilán; / juntos vuelan por el cielo, / juntos vuelan par a par".

[32] *Ibid.,* pp. 52-54.

su historia. Todo es misterioso en torno a esta canción, a esta poesía. Pero es antigua; ha vivido largo tiempo en la memoria de las gentes; los padres se la han ido dejando a sus hijos, y así a lo largo de generaciones. Su *estilo* se ha ido formando en este largo e ignorado proceso de conservación, repetición, ajuste y recreación... Ya está ahí *el estilo* en marcha. *Ya está ahí la poesía popular*. ¿Por qué la llamamos *popular?* La llamamos popular porque ha sido la tradición popular quien la ha conservado, quien la ha trasmitido oralmente, y al trasmitirla le ha ido dando su unidad. La unidad, ¿en dónde está? Apresurémonos a contestar: *en el estilo*. La masa de canciones se trasmite, pero, de ellas, unas van olvidándose, muriendo. Otras se trasforman y renacen en canciones, que son ya —trasformadas— canciones nuevas. Por último, constantemente, van surgiendo canciones perfectamente nuevas, nunca antes oídas. Ahora bien, estas canciones —esto es muy importante— nacen apoyándose en ese andamiaje (formas, estructuras, fórmulas expresivas, vocabulario, sintaxis, temas, motivos líricos, personajes) que constituye el estilo.

¿Quién hace estas nuevas canciones? ¿Quiénes hicieron las viejas? Como se trata de poesía esencialmente anónima —ya veremos en qué sentido decimos que lo es— será siempre arriesgado, y con frecuencia de todo punto ilusorio, responder a la pregunta, si con ella nos referimos a una canción concreta. Ahora bien, si nos referimos a la canción popular *en bloque* (la antigua y la moderna), sí podemos responder que de todo ha debido haber en la viña y seguirá habiendo en ella: canciones creadas por poetas y por músicos (poseedores de una maestría poética culta); canciones debidas a los juglares, en la más amplia acepción del término (poseedores de una maestría de oficio semiculta-semipopular); y, finalmente, canciones debidas a *las gentes populares*, o sea, a ciertos hombres del pueblo, del urbano y sobre todo del rural, herederos de esta tradición lírica, hecha con materiales de procedencia tan diversa, y ellos mismos copartícipes en el colectivo proceso de creación, conservación, recreación y trasmisión.

Por eso, vuelvo a insistir en el carácter híbrido de la poesía popular, y en que se trata de un fenómeno que no puede explicarse sin la colaboración de todos: letrados e iletrados. En las páginas que siguen vamos a adentrarnos en el problema, tratando de explicar cómo nos imaginamos el mecanismo de esa colaboración. Hay que advertir que el problema de la poesía popular se ha convertido, en buena medida, en un problema de creencias. De aquí las diferencias irreductibles que separan, a veces, a las teorías; irreductibles, porque los supuestos de que parten unas y otras se excluyen mutuamente. También nosotros partimos de unas cuantas convicciones o postulados previos, en los que creemos. Por razones de lógica y método, me parece lo mejor empezar por exponerlos, consciente de que la validez de nuestras conclusiones dependerá, ante todo, de que aquéllos se acepten o se rechacen.

1. *Los hombres siempre han cantado*

Los hombres, de una manera o de otra, siempre han cantado, hemos de suponer que desde los tiempos más remotos, al igual que, desde los tiempos más remotos, pintaron, esculpieron y modelaron. Las canciones más antiguas que se nos han conservado son ya fruto de civilizaciones refinadas: unas canciones sumerias y egipcias, fechadas en el tercer milenio antes de Cristo [33]. Pero mucho antes, podemos estar seguros de ello, el hombre cantaba.

Un libro reciente del gran crítico inglés C. M. Bowra (*Primitive Song*) [34] se propone, nada menos, la fascinante aventura de imaginar lo que pudieron haber sido las canciones del hombre del Paleolítico (30.000 ó 15.000 años antes de Cristo) [35], a través del estudio de las canciones de pueblos primitivos actuales: de África, los pigmeos de las selvas ecuatoriales de Gabón e Ituri, los bosquimanos y los Dama (Damara) del S. O. africano; de Asia, los Semang de la jungla malaya, los Vedas de Ceilán, y los pueblos del archipiélago indio de Andaman; de Australia, una multitud de pueblos sin unidad de costumbres, lenguas o cantos; de América, en fin, los esquimales del norte

---

[33] J. B. Pritchard, *Ancient Near Eastern Texts*, Princeton, 1955.

[34] New York, Mentor Book, 1963.

[35] La última fase del Paleolítico superior propiamente dicho, la *magdaleniense,* la fechan los especialistas entre los años 15.000 a 10.000 antes de Cristo; o 50.000 a 10.000, según otros cálculos. Vide H. Obermaier, A. García y Bellido, L. Pericot, *El hombre prehistórico y los orígenes de la Humanidad,* 5.ª ed., Revista de Occidente, Madrid, 1955, p. 82.

del Atlántico, y los casi extinguidos Selk'nam (Ona) y Yamana (Yah-
gans) del extremo sur de la Tierra del Fuego. Estos pueblos, primitivos, aislados de la civilización moderna, en condiciones de vida
próximas a las del Paleolítico superior, pueden arrojar algo de luz
—cree Bowra— sobre la vida del hombre del Paleolítico, también en
lo que se refiere a la canción [36].

Que el hombre prehistórico del Paleolítico superior poseyó cierta
clase de música es algo que sabemos con certeza, y lo prueban los
frecuentes hallazgos de flautas de hueso en cuevas prehistóricas. Bowra recuerda el dibujo de la caverna de Trois-Frères —departamento
de Ariège, al sur de Francia— en el que un hombre, vestido de bi-
sonte, está tocando una especie de flauta [37]. También, las abundantes
escenas de danza que nos ha conservado el arte prehistórico: los ar-
queros danzantes de la Cueva del Civil (España), los danzantes en-
mascarados de la cueva francesa de Marsoulas, de la asturiana de Hor-
nos de la Peña y la santanderina de Altamira; la pintura rupestre
antropomorfa de la cueva de Trois-Frères, conocida con el nombre del
"Hechicero" (*le Sorcier*), el que aparece armado de cuernos de ciervo,
rostro de lechuza, patas de oso, cola de caballo y orejas de lobo, y
está bailando o brincando [38]. "La danza existía ciertamente —afirma
Bowra— y tenía en muchos casos un carácter mimético, ya que poseemos cincuenta y cinco retratos del arte de la época glaciar de seres
humanos vestidos de pieles, frecuentemente en actitud de danza. Incluso si algunas de estas pinturas no representan seres humanos, ni
siquiera brujos, no tenemos por qué inquietarnos: los dioses no podrían haber sido representados danzando si los hombres no danza-
ran" [39]. Y, como dice Bowra, donde hay danzas, hay ritmo y música,
y es de suponer que la canción no sería desconocida. "El problema
con el arte de las palabras (con la canción), a diferencia de lo que

---

[36] "La canción —piensa Bowra, *ob. cit.*, p. 16— viene determinada, en
último término, por las condiciones sociales y económicas en que nace, y
por las necesidades que éstas crean en el hombre."

[37] Puede verse reproducido en H. Obermaier, *El hombre prehistórico y
los orígenes de la Humanidad*, p. 115.

[38] Puede verse el dibujo en la obra de Obermaier ya citada, p. 96-lámi-
na VI, A.

[39] *Ob. cit.*, p. 14.

ocurre con las artes hermanas de la pintura y la escultura, es que, antes de la invención de la escritura, está condenada a desvanecerse en el aire" [40].

Por eso, viniendo ya a tiempos menos brumosos y más próximos a nuestro tema, el hecho de que las canciones románicas que se nos han conservado se remonten solamente al siglo xi —una cancioncilla mozárabe, anterior a 1040, es, como sabemos, la más antigua que nos queda— no tiene otro valor que el de probarnos textualmente la existencia de canciones en esa época y ofrecernos unas cuantas muestras de cómo eran. La existencia de canciones anteriores, en cualquier punto del ámbito románico (y fuera de él, por supuesto), es un postulado de razón. En el mundo románico, en la época de transición del latín al romance, el hombre siguió cantando. Del mismo modo que no dejó de hablar, en una lengua u otra, tampoco resulta imaginable que dejara de cantar, en una u otra lengua. Por ello, hablando de tiempos históricos, se podrá discutir la fecha del nacimiento de una canción determinada, de una estructura métrica precisa, de una tradición específica, pero no la existencia pura y simple de canciones. El hacer depender teóricamente la existencia de éstas de que se hayan recogido por escrito, y de que tales escritos se nos hayan conservado, además de ser un disparate teórico, supone un desconocimiento del espíritu humano.

Podríamos preguntarnos ahora: ¿Eran cultos o populares los pintores de Altamira y Lescaux, los de Trois-Frères y la cueva de la Pileta? ¿Fueron cultos o populares los creadores de las primeras canciones que sonaron en el mundo? ¿Son cultos o populares los bosquimanos o los lapones creadores de sus propias canciones? En sociedades primitivas, en el arte primitivo, la pregunta es ociosa, no tiene sentido. Puede decirse que el pintor de ciervos y bisontes rupestres es un "especialista", un profesional por el hecho de distinguirse entre sus compañeros por la técnica o arte que posee. Lo mismo, claro está, cabe decir del campesino siciliano o malagueño que sabe hacer coplas y canciones, porque es obvio aclarar que no todas las gentes populares (como no todas las gentes letradas) saben hacerlas, sino determinados individuos que alcanzan esa habilidad.

---

[40] *Ob. cit.*, p. 15.

2. *Existen canciones de creación popular*

La poesía popular, entendiendo el término por lo pronto en su sentido más radical (y más peligroso), como poesía creada por el pueblo [41] (o sea, por hombres del pueblo), existe y es una realidad constatable. Concretándonos a la realidad española, un elemental medio de comprobación se obtiene yendo a donde la canción se da, a los pueblos (viviendo en ellos o acudiendo a ellos en determinadas fiestas del año). Pero el hecho puede también comprobarse sin más que hojear cualquier cancionero moderno, de los que recogen las canciones que se cantan actualmente en los pueblos españoles. Pongamos como ejemplo dos muestras de un cancionero manchego, no de los más conocidos, publicado en 1929 (en Valdepeñas) por Eusebio Vasco [42]. En el tomo I, p. 24, leemos dos canciones recogidas en Alcolea de Calatrava, provincia de Ciudad Real, que dicen:

En la esquina de Canales
cantaba Paco el Herrero;
le acompañaba Chinitas
y Paco el Alpargatero.

En la esquina de Canales
se me perdió mi sombrero,
y se lo vino a encontrar
Francisco el Alpargatero.

Resulta difícil cohonestar el hecho de la existencia de estas dos canciones sobre Francisco o Paco el alpargatero, con la teoría del origen culto de toda canción popular. Por mi parte, no veo el medio de hacer entrar aquí para nada al poeta culto. Se dirá que son estas canciones dos casos extremos, que no merecen siquiera un puesto en

---

[41] Es obvio aclarar que por *pueblo* entiendo, no el misterioso ente colectivo de los románticos, creador en una especie de Pentecostés poético, sino hombres de carne y hueso, procedentes del pueblo. No pienso en *Fuenteovejunas* poéticos sino en *fuenteovejuneros*, creadores de poesía.

[42] Eusebio Vasco, *Treinta mil cantares populares*, Valdepeñas, 1929.

el Parnaso, ni aun en el popular. Así es: se trata, en efecto, de dos casos extremos para mostrar por vía rápida y reducción *ad absurdum* que, al menos, no todo lo que se canta en los pueblos viene de fuera y de arriba.

Menos extremos son otros ejemplos, tan abundantes en el folklore español, de canciones en que se elogia a un pueblo o a sus gentes, contraponiéndolas a las de pueblos vecinos, y miles de canciones por el estilo, donde no es nada raro hallar aciertos poéticos. Los cancioneros están llenos de ellas, y cualquier persona con raíces en cualquier pueblo de España recordará alguna. (En el *Vocabulario* de Correas, del siglo XVII, se encuentran ya frases proverbiales o cantarcillos de este tipo.)

> Alcolea, Alcolea,
> corral de vacas;
> más vale Piedrabuena
> con sus muchachas.

> En Alcolea está el pie,
> y en Picón está la hoja,
> y en Piedrabuena, señores,
> la flor de mozos y mozas.

> Piedrabuena, buenos mozos,
> tiradores a la barra,
> y en Alcolea tripones
> que no sirven para nada.

> En cuanto sopla el aire
> de Piedrabuena,
> aunque te estés muriendo
> te pones buena.

No es difícil localizar el origen [43] de estas canciones que tantas alabanzas prodigan a Piedrabuena, provincia de Ciudad Real. Lo di-

---

[43] Cuando hablo de *origen* me refiero al texto de la canción tal y como aquí aparece. Dada la característica trasmigración de la canción popular, es imposible localizar la canción originaria, la que sirvió de base a todas las que de ella proceden. De las 3.ª y 4.ª ahora citadas existen muchísimas ver-

fícil es, otra vez, defender la necesidad del poeta culto para explicar su existencia. Por unas razones u otras, hay miles de canciones en nuestros cancioneros que muestran de igual modo su origen popular. Imaginar que estas canciones son "poesía culta descendida" al pueblo es absolutamente ridículo [44].

Otro argumento en favor de una verdad tan evidente, y, sin embargo, tan negada, es la ya mencionada presencia de canciones en pueblos primitivos actuales, de las que el citado libro de C. M. Bowra trae abundantes ejemplos. Uno no se explica por qué los bosquimanos o los esquimales pueden hacer canciones y no pueden hacerlas los labradores de Castilla, de Normandía o de la Toscana.

---

siones, adaptadas cada una a una localidad distinta. En el cancionero de Eusebio Vasco se encuentran varias, manchegas:

En Infantes está el árbol,
en Villahermosa la rosa,
y en el pueblo de Montiel
la flor de mozos y mozas.

En Malagón buenos chicos,
y tiradores de barra,
en la Fuente barrigudos,
descoloridos de cara.

Manzanares es el árbol,
y la Membrilla la hoja,
y el pueblo de la Solana
la flor de mozos y mozas.

En Tirteafuera, valientes,
y tiradores de barra;
cabezarados, el Rollo,
y Abenójar, la guitarra.

En Terrinches está el árbol,
en Villanueva las hojas,
y en Albaladejo está
la flor de mozos y mozas.

Tomelloso, buenos mozos
y tiradores de barra;
lugarnueveros, tripudos,
descoloridos de cara.

[44] Los cancioneros antiguos son colecciones selectivas. Canciones como la de "Paco el alpargatero" existirían de seguro en el siglo XV y en el XVI, pero no se recogen. Los paremiólogos, como Correas, ya no son tan exigentes, y éstos sí recogen cancioncillas de poca monta, agudas o chistosas, porque ellos no van guiados por un sentido lírico, por un criterio artístico de selección. Los cancioneros que recogen los villancicos del XV o del XVI son colecciones hechas por músicos, por poetas, por hombres de exquisito gusto, y nos han recogido sólo los más bellos. En algunos casos, muy probablemente los habrán retocado. En otros casos, no. De estas canciones, unas tendrán un origen; otras, otro. Pero todas tienen en común, y *con ese criterio primordial las recogen los colectores,* su carácter villano o popular. (Más adelante hemos de precisar mejor en qué sentido lo tienen.)

Las teorías que pretenden reducir al pueblo a un estado de imbecilidad lírica viven de espaldas a la realidad. Nacieron como reacción, en su tiempo necesaria, frente a la exageración romántica, pero dieron en otra exageración igualmente falsa. A lo largo de nuestro siglo se han venido sosteniendo, alimentadas por una concepción aristocrática y antipopular de la cultura. Son, como fueron las tesis románticas, fruta del tiempo; y ya es hora de abandonarlas como cosa del pasado [45].

En el caso del villancico, hay que destacar también su similitud expresiva con el refrán y la frase proverbial de la época; también, en muchos casos, en lo que concierne a las dificultades de la operación creadora. No olvidemos que se trata en la canción y en el refrán, frecuentemente, de frases, de dichos, que sólo requieren un acierto expresivo para que haya canción o haya refrán, no ningún tipo especial de "cultura", no ningún conocimiento poético técnico específico: simplemente, posesión del idioma y de los recursos idiomáticos, y hacer buen uso de ellos [46]. Pero de las analogías entre villancicos y refranes hablaremos con más extensión en otro capítulo.

---

[45] En España también hicieron mella. En 1927 (el año del gongorismo) hablaba Ortega, en el *Espíritu de la letra*, de "la sobreestima de lo popular" en la crítica literaria española. En 1920, en las Notas al Prólogo y a la Dedicatoria ("A la minoría, siempre") de su *Segunda Antolojía poética*, decía Juan Ramón Jiménez: "No creo —dicho sea aquí sólo de paso— en un arte popular esquisito —sencillo y espontáneo—. Lo esquisito que se llama popular, es siempre, a mi juicio, imitación o tradición inconsciente de un arte refinado que se ha perdido. El pueblo, si piensa —la madre que cuenta cuentos—, amplifica. Si el trianero inculto que pinta los cacharros, o la mujer lagarterana que borda las telas, se ponen a inventar, estropean el exorno. Lo hacen bien, porque copian inconscientemente un modelo escojido. La sencillez sintética es un producto último —los primitivos, que, claro es, no son tales primitivos sino con relación a nuestra breve historia— de cultura refinada. No hay arte popular, sino imitación, tradición popular del arte".

[46] Hay casos en las líricas de otros países de cantos tenidos por populares, en los que me llama la atención la cantidad de "oficio" que revelan; dicho de otro modo, la dificultad "técnica" de composición. Juzgando desde bases españolas, desde la poesía popular española, esas composiciones no serían populares. Pero es difícil juzgar sobre la poesía popular ajena, porque lo primero que se requiere es un entendimiento del pueblo cuyas son las

3. *Importancia de lo colectivo y de la tradición*

La significación de *lo colectivo* en los campos lingüístico y literario es mucho mayor de lo que reconoce la crítica individualista. No intentamos disminuir la importancia del impulso individual. El reconocimiento de esta importancia, destacada sobre todo por Saussure en cuanto a la lengua y por Croce en el arte, ha producido una revitalización de los estudios fecunda y saludable. Lo que combatimos es la negación del elemento colectivo operante en la lengua y en la literatura.

Hay fenómenos lingüísticos, que aunque, por supuesto, tienen como sujetos a *individuos* parlantes, se producen de una manera colectiva, y no, como quiere la tesis individualista, por un impulso individual aceptado primero dentro de un círculo estrecho y después en la entera comunidad de hablantes de una lengua.

El hecho, por ejemplo, de que, dentro de la comunidad de hablantes de lengua española y en áreas separadas y dispersas (en España y América), se tienda a convertir el pronombre complemento indirecto femenino "le" en "la" es un fenómeno llevado a cabo por individuos, pero el fenómeno tiene carácter *colectivo,* en el sentido de que es *la lengua,* deficiencias del sistema pronominal castellano, lo que empuja a los individuos a ese uso, y no la innovación de un individuo o grupo de individuos (¡y mucho menos de las clases cultas o literarias!) ejerciendo su influencia sobre una masa que sigue sus dictados.

Igual explicación deben tener muchos de los cambios producidos en la historia de una lengua, fenómenos de signo colectivo, aunque ejecutados por los individuos usuarios de ella. Los cambios lingüísticos de base fonética, impulsados por hábitos prosódicos ancestrales, son un claro ejemplo.

Lo mismo acontece en el campo literario. Croce vino a recordar a la crítica literaria la unidad de la obra artística; vino a recordar

---

canciones, y de su lengua y posibilidades expresivas. Por eso me limito a opinar sobre lo que lingüística y espiritualmente conozco: la realidad popular española.

que, por bajo de los distingos y ordenaciones conceptuales de que la ciencia o la crítica se sirven para ordenar el quehacer artístico humano, cada obra es un individuo artístico, reflejo de una conciencia artística individual.

En manos de sus discípulos, sin embargo, este énfasis de lo individual ha venido a convertirse en una negación absoluta de lo colectivo. En lo que toca al fenómeno literario, el resultado ha sido la negación de los géneros y la tradición como conceptos que puedan ser aducidos para explicar los caracteres de las obras individuales, por entenderse que son éstas las únicas realidades existentes. Con ello, la crítica literaria viene a convertirse en un inventario de obras aisladas, entre las cuales está vedado establecer relaciones con valor realmente significante.

Esto, en el caso concreto de la canción popular, es especialmente peligroso. La crítica individualista dice que lo único que cabe hacer es estudiar la cultura del autor. ¿Cómo estudiar la cultura de los autores individuales, creadores y recreadores de canciones individuales anónimas? Hay que partir de la generalización; precisamente de lo genérico: de los esquemas, expresiones, fórmulas genéricas, que las canciones individualmente adoptan, para llegar a conocer a éstas; y el género supone la tradición. Ambos, la tradición y el género, tienen en la canción popular una importancia especial porque, como luego hemos de ver, la canción individual se apoya siempre al nacer en una tradición suministradora de estructuras, temas y fórmulas expresivas; de tal modo que el estudio del "estilo común", de lo que hay de común en el estilo, es necesario para comprender la operación creadora dentro de la canción popular.

4. *Ascenso y descenso en poesía*

Frente al mito romántico (ascenso), el mito antirromántico (descenso). Para la crítica individualista, la *lengua común* es lengua literaria vulgarizada; la *poesía popular*, a su vez, es siempre poesía de origen culto descendida y divulgada entre el pueblo.

Por lo que hace a la lengua, Leo Spitzer defendió la base popular de nuestras lenguas culturales, e insistió en que "son los *mots popu-*

laires y no los *mots savants* los que representan la textura esencial de nuestras lenguas" [47]. En cualquier caso, la historia de la lengua está llena de procesos descendentes y ascendentes. Sin salir del campo del léxico, y fijando la atención en tiempos actuales, es fácil encontrar ejemplos de ambos casos: de descenso, en vocablos impuestos por la prensa, la radio o la televisión; de ascenso, en vocablos y giros expresivos tomados del "argot", nacidos entre las clases populares de las grandes ciudades, y adoptados por la lengua coloquial común [48].

En realidad, para ser rigurosos, al hablar de trasvases lingüísticos o artísticos [49], tendríamos que trazar, como propone Paolo Toschi en el caso de la canción popular, una línea que midiera muy precisamente (con escala en centímetros o milímetros) los distintos niveles culturales. La observación, dice Toschi, mostraría que "el modo de propagación procede de cualquier punto de la escala y en todas direcciones" [50], y añade con razón que el descenso hasta los estratos populares no procede, por regla general, de las altas cimas [51].

[47]   *Lingüística e historia literaria*, Madrid, Gredos, 1955, p. 68.

[48]   Véase Rafael Lapesa, "La lengua desde hace cuarenta años", *Revista de Occidente*, nov.-diciembre, 1963.

[49]   El arte negro, primitivo o infantil en Picasso, o las "simientes de estilo" folklóricas en Falla, son otros tantos casos de "ascenso" artístico.

[50]   *Fenomenologia...*, ob. cit., p. 79. Persiguiendo su idea, en el campo de la canción popular, añade Toschi que la acción de la canción individual se ejerce sobre la colectividad en mayor o menor grado, dependiendo de la fuerza vital del canto mismo y de la predisposición receptiva del ambiente en el que el canto se propaga.

[51]   *Ibid.*, pp. 46, 52 y 62-63. Al hablar de la autoría de la canción popular, Toschi distingue cuatro posibilidades: 1) el hombre del pueblo, que crea una canción ocasionalmente; 2) el "popolano poeta", es decir, un hombre del pueblo que sabe hacer cantares, y al que se reconoce esta habilidad, y al que sus convecinos acuden en fiestas y ocasiones para que los haga; 3) el "cantastorie", el cantador ambulante, especie de juglar moderno, que hace del canto su profesión, y va de un lado a otro, de pueblo en pueblo, lo que ayuda a la difusión de los cantares; 4) por último, el poeta culto (en casos de "descenso"). Toschi llega (con bastante atrevimiento, aunque advirtiendo que lo hace sólo a título indicativo y aproximado) a dar cifras para las cuatro clases de autoría: 1) 20 %; 2) 30 %; 3) 30 %; 4) 20 %, respectivamente (p. 63). Incluyendo al cantor popular de profesión entre los autores *populares*, resulta, en los cálculos de Toschi, que un 80 % de las canciones populares tendría un origen popular de nacimiento.

b. HACIA UNA DEFINICIÓN DE LA POESÍA POPULAR

1. *Tono y estilo. Psicología, tradición y lengua. Delimitación del problema*

El concepto de *poesía popular* de Croce, basado en razones psicológicas, en actitudes espirituales, en la disposición del ánimo, en el tono del sentimiento, está dentro de la actitud espiritualista de su doctrina estética, que tan vivificadora ha resultado para los estudios estéticos y literarios. Croce insiste siempre en la unicidad de la obra de arte, creación individual por cima de toda otra consideración, y por cima, muy especialmente, de las superestructuras doctrinales que la crítica ha ido levantando al estudiar esas criaturas artísticas; superestructuras éstas (los géneros), que han llegado, entiende Croce, a cobrar mayor sustantividad que las mismas criaturas individuales, aunque en realidad sean éstas las únicas existentes, y aquéllas, meras abstracciones.

En el caso de la *poesía popular*, Croce la desarticula, rompe el ensamblado conjunto, para ponernos, una vez más, frente a criaturas artísticas individuales. En vez de poesía popular como un conjunto definido por una serie de caracteres comunales y externos, habrá *creaciones populares individuales*, cada una ligada a *su* creador; criatura y creador en su unicidad y en su dramático aislamiento. Y lo que caracterizará a la *poesía popular* será un elemento espiritual: un tono de expresión, expresión del espíritu, sencillo y "popular" del autor. Detrás de la poesía popular no está ya *el pueblo*, sino *el hombre* (todos y cualquiera), aquellos hombres que han permanecido, habitual u ocasionalmente, en el estado de inocencia artística que implica y requiere la creación poética popular.

Varios reparos se nos ocurren en seguida. En primer lugar, si el pueblo no interviene, no ha puesto nada suyo en esa poesía (como creador o recreador de canciones individuales, o del estilo al cual esas canciones individuales se conforman), ¿por qué entonces llamar a esa poesía, *poesía popular?* Al sentido común o a la bondad naturales no los llamamos *populares*. Sería, entonces, mejor abandonar definitivamente la expresión. La *poesía popular* de Croce es, claramente, *otra cosa;* no es la *poesía del pueblo,* no es lo que se ha venido siempre entendiendo por poesía popular, ya aceptemos, ya neguemos su existencia. El elemento interno, espiritual o psicológico, es muy importante pero es insuficiente para definir la *poesía popular.* Cuando formamos una antología de poesía popular, bien antigua a partir de lo escrito, bien moderna a partir de la voz humana, y queremos separar lo que consideramos auténtico, de las imitaciones, parodias o aproximaciones, atendemos al espíritu que se percibe tras la canción, pero también a la lengua y al estilo en que ese espíritu se expresa. (Y, así, una simple conjunción puede bastar para detectar al poeta culto en una canción popularizante.) El mismo Croce deja entrar *lo formal* en su definición psicológica cuando dice que la poesía popular expresa sentimientos simples "in correspondenti simplice forme" [52]. Señala bien Paolo Toschi, comentando esta frase, que los "sentimientos simples" entran en la esfera psicológica, pero las "correspondientes formas simples" escapan de esa esfera y entran en la esfera estética [53]; o, si se quiere, en el campo del "estilo". Y es que la consideración espiritualista e individualista de la canción popular es insuficiente para explicar y definir la poesía popular; la contemplación puramente espiritualista resulta insuficiente por disminuir o ignorar la importancia decisiva de *lo formal* (estrofa, metro, rima, fórmulas...) en la creación, y, luego, en la caracterización de la poesía popular; el enfoque individualista es inadecuado porque, al romper el elemento de ensamblaje de las distintas piezas, rompe el concepto de la *tradición popular,* que es un elemento esencial sin el cual el sentido de la creación popular queda desvirtuado. En otros casos, ese subrayar el aislamiento en que el creador se halla frente a la obra creada es una de las formas de contemplación más valiosas de la estética crociana; en el caso de la poesía popular, no; es, por el contrario, un error de enfoque; porque el creador popular no se halla nunca solo, sino siempre inmerso en el río de la tradición, en una forma y un alcance que nada tienen que ver con la relación que puede existir entre el creador culto y los creadores y las creaciones que le han precedido. La tradición (suministradora de formas, temas, estructuras, fórmulas expresivas...)

[52] *Poesia popolare e poesia d'arte,* p. 5.
[53] *Fenomenologia del canto popolare,* pp. 66 y ss.

está detrás de la creación individual en un sentido, hasta cierto punto, determinante. Por ello, el creador "inocente" crociano —el hombre capaz de simplicidad e ingenuidad de sentimientos— que hiciera una poesía *fuera de esa tradición popular* de formas y maneras *no haría una canción popular*. En cambio, el notario, o el médico, o el juez, aunque hayan leído a Virgilio y a Baudelaire, *pueden hacer* una canción popular (como pueden bailar muy bien la jota o tirar muy bien la barra) siempre que quieran y sepan hacerla, o sea, siempre que su canción se ajuste al estilo característico de la canción popular.

Afirmemos, pues, una vez más que *la tradición y el estilo* son dos elementos sin los cuales no es posible definir la poesía popular.

Una de las dificultades en torno al problema de esta poesía nace del hecho de que, al fijar sus límites, suelen manejarse, o es posible manejar, distintos criterios de delimitación. Es imposible abordar el problema con claridad si no conseguimos plantear claramente este problema previo. Al hablar de poesía popular, podemos, en efecto, hacerlo con diferentes sentidos:

1.º Podemos entender por poesía popular toda la masa de canciones que, de hecho, forman parte del caudal lírico popular. En este sentido, para que una canción sea popular (con independencia ahora de cualquier otra circunstancia determinante) necesita, como condición *sine qua non,* haber sido aceptada y conservada por la tradición popular; conservación que, en teoría, puede limitarse a una conservación pura y simple, inmodificada de la canción; o llevar consigo la transformación o recreación de esa canción. (La transformación será siempre necesaria, para que la canción entre y quede en el repertorio popular, si se trata de una canción estilísticamente "no popular" en su origen.) En este sentido, una canción *recién creada* no puede ser nunca popular; no podrá serlo hasta ser aceptada por el pueblo y tener entrada en el repertorio lírico popular.

2.º Atendiendo al estilo, una canción será popular cuando posea "estilo popular". (El problema de la fijación de ese "estilo" es un problema práctico; teóricamente, estilo popular es el estilo propio de la masa de canciones que integran el caudal lírico popular. Las deficiencias lógicas de esta definición no son tan graves como parecen: un olivo es un árbol que, desde las raíces hasta el fruto y las hojas, tiene la forma de un olivo.)

¿Será cierto, como quiere la teoría tradicionalista, que una canción no llega a poseer el *estilo* que ella llama tradicional (y nosotros, popular o tradicional) hasta haber vivido largo tiempo en el caudal de la tradición? En este caso, la canción recién creada nunca poseerá el estilo tradicional y el hombre de pueblo que improvisa una canción no hará nunca una canción "tradicional". Semánticamente, esto se explica si equiparamos canción tradicional a canción tradicionalizada (transmitida por tradición); no ocurre lo mismo si entendemos por canción tradicional, canción que posee el estilo tradicional. Desde el punto de vista del estilo, la canción será siempre popular (o tradicional) cuando posee el estilo popular o tradicional. (Podrá serlo originariamente o mediante transformación tradicional.)

Este criterio presenta un problema en el caso (sea conocido o hipotético) de una canción debida a un *poeta*, o sea, a un creador habitual de poesía culta, y si no hemos recogido la canción de la tradición viva sino de un cancionero (es decir, que ignoramos si ha llegado a vivir en la tradición popular). Es el problema que se presenta frecuentemente con Gil Vicente, Lope o Tirso: tal canción que aparece en uno de sus autos, en una de sus comedias, ¿es obra del autor del drama o la recogió de la tradición popular? Naturalmente, no tenemos solución para este problema, o mejor dicho, se nos ocurre, al igual que le ocurrirá al lector, que las soluciones pueden ser diversas y contradictorias, y ninguna satisface plenamente. Las soluciones, por supuesto, pueden oscilar entre recusar esa canción por razón de su autoría, o aceptarla, considerando que, mientras el oficio o las letras no le sequen al hombre —en este caso al poeta— su herencia lírica popular (de la cual todos podemos ser herederos, aunque no todos lo somos), es decir, mientras sea capaz de cantar con voz popular, no hay razón para tener por falsa una canción que, de ser otro su autor, habríamos tenido por buena [54].

---

[54] Es claro que ahora estamos atendiendo a un tercer criterio, el que hace referencia al autor. Yo comprendo perfectamente que se tenga reparo en tener por popular una poesía en que el pueblo no ha intervenido como agente físico (como creador o como recreador). Resulta comprensible que se prefiera ver en esta poesía un caso de *imitación* de un estilo, ejecutada por un creador no popular. Por otra parte, advirtamos que no es enteramente cierto que no haya nada de *popular* en esa poesía; hay, precisamente, el

De todos modos, el caso del poeta culto (con obra y estilo propios) que haga canciones dentro del "estilo popular", no será, probablemente, muy frecuente. Primero, porque cuando el poeta culto quiere cantar como pueblo, lo primero que tiene que hacer es huir de sus modos habituales de expresión, que, en cuanto al verso, son, precisamente los propios de la poesía culta (la tradición poética culta puede ser un obstáculo para la posesión activa de la tradición popular). Es como en el caso de la lengua: el letrado, el hombre de la ciudad, conocedor del estilo propio del lenguaje rural, podrá hablar como el pueblo rural, pero, ¡cuidado!, que al menor descuido dará a conocer su verdadera identidad. En segundo lugar, el caso no será frecuente —y ésta me parece la razón fundamental— porque cuando el poeta culto se acerca a lo popular lo que normalmente quiere es hacer poesía de tipo popular sin dejar de ser él, es decir, sin perder su personalidad artística. Ésta es la razón principal de que el estilo del Lope más "popular" resulte normalmente detectable como de Lope para un buen conocedor de su poesía. Lope estiliza la poesía popular. Crea "algo nuevo" y "algo suyo"; lopeveguiza la canción popular [55].

---

estilo, en cuya formación ha intervenido decisivamente el pueblo. (Pensando en la recreación tradicional, se hace Baldi esta aguda pregunta: ¿Quiénes pueden alterar a su capricho la canción divulgada y quiénes no pueden alterar una coma sin incurrir en falsedad o superchería?) Fijémonos, por último, en que todos los criterios que hemos venido aislando aparecen siempre entrecruzándose en la realidad: así, una canción no puede conservarse en el caudal lírico popular si no posee o adquiere el estilo popular; una canción tiene estilo popular cuando cumple las condiciones estilísticas que le permiten entrar en el caudal popular; una canción individual recién creada por un autor (popular o no popular) tiene que haber sido creada dentro del estilo popular para que se plantee siquiera el problema de si debemos considerar tal canción como popular.

[55] En tiempos modernos, ¿dónde están las *coplas populares* de Antonio Machado, de Lorca o de Alberti, poetas de tan hondas raíces populares? No conocemos su existencia, probablemente porque nunca las hicieron. Para mí, al igual que en el caso de Lope, no porque no pudieran, sino porque no fue su intención hacerlas. Un buen poeta de raíz popular, como un buen folklorista que no esté totalmente negado para el verso, podrá, siempre que quiera, hacer una canción perfectamente conforme con el estilo popular. En el caso de "poesía antigua" (por ejemplo, un romance viejo), la imitación presenta mayores dificultades. Se trata ahora de una lengua y un estilo que

La personalidad poética culta es esencialmente individual; la popular es una personalidad colectiva. Cuando el poeta crea, lo hace insertándose en los modos líricos expresivos propios del pueblo, y sabiendo, desde un principio, que el destino de lo que canta, si ha de ser un destino perdurable, es entrar a formar parte del común patrimonio poético popular.

Es éste el anonimato esencial, no accidental, de la poesía popular. La aceptación y pervivencia de la canción popular depende de su conformidad (o posibilidades de conformación, en el caso de la transformación por vía de la tradición) con el estilo común; como la lagarterana que quiere vender sus bordados de lagarta sabe que tiene que hacerlos como su madre y su abuela, es decir, tiene que hacer labor de lagartera. Es una diferencia esencial de actitudes la que separa al cantor popular del culto. El culto, aunque remede, aspira a dejar algo de su propio estilo, a no dejar de cantar enteramente como él mismo, y sabe que de ello depende el triunfo y la pervivencia de su poesía.

He aquí que lo que llamamos *autenticidad* en poesía, resulta cosa muy distinta en uno y otro caso. La autenticidad de la poesía culta consiste en que el poeta sea realmente él, y cuanto más sea él y menos los otros, mejor; la autenticidad de la poesía popular consiste precisamente en lo contrario: en cantar como los otros, en cantar como pueblo. Cuando esto es así, decimos de una canción popular que es auténtica, como lo decimos de un paño de lagartera o de un chorizo de la Rioja, porque lo que esperamos de la canción o del chorizo no es un sabor nuevo e inesperado, sino ese mismo sabor añejo y conocido que llamamos auténtico. El cantor popular no aspira a romper

---

no son ya *los nuestros*, los de la tradición viva. Como en el caso de una imitación de nuestros clásicos (pensemos en *Azorín* imitando el estilo de Quevedo), es lo más probable que conozcamos en seguida el remedo. En estos casos, sólo en estos casos, estamos de acuerdo con la observación de Menéndez Pidal: "El estilo de esas obras [tradicionales] es tan difícil de imitar por un poeta culto que cuando alguno, aunque sea de vena tan fácil como el mismo Lope de Vega, tan familiarizado con toda clase de romances, canciones y bailes populares, retoca por ejemplo un romance viejo, cualquier persona, habituada al estilo de éstos, distinguirá bien cuáles son de Lope y cuáles tradicionales" ("Poesía popular y poesía tradicional". Véase en *España y su historia,* p. 820).

moldes. Los moldes se rompen, pero, como la tierra, por la acción lenta y secular del tiempo [56].

2. El estilo como criterio determinante de la poesía popular

El *estilo* resulta ser así el elemento primordial para la determinación, de hecho, de la realidad poética popular frente a la que no lo es. Ahora bien, un estudio estilístico de la poesía popular no puede hacerse, si ha de hacerse con cierta precisión, sino por unidades que presenten cierta cohesión, delimitadas histórica y espacialmente: villancico castellano de los siglos XV y XVI, copla popular española de los siglos XIX y XX [57], y lo mismo con el *Strambotto* italiano, *doina* rumana, *Stev* noruegos, etc.

Aunque la existencia de un común denominador —lo popular— pueda posiblemente permitirnos hallar aspectos de validez general en todas estas masas de canciones, no hay que olvidar que "pueblo italiano", "pueblo ruso", o "pueblo español" no son entidades intercambiables ni tampoco lo "popular" respectivo en las distintas esferas espirituales: psicología, lengua, arte...; y también que el arte popular, como la lengua o la psicología, dentro de un mismo pueblo está sujeto a cambios.

En estas diferencias y semejanzas piensa Sergio Baldi cuando habla de escuelas populares de poesía. El nombre es expresivo y ha hecho fortuna. Yo me pregunto, sin embargo, si la creación —y la trasmisión— poética popular es en realidad un *quehacer de escuela.* ¿Hasta qué punto el término "escuela popular" esclarece el acto de la creación poética, o, por el contrario, lo desvirtúa? En mi opinión, el término "escuela popular" tiene el inconveniente de su matiz reflexivo, tanto si lo entendemos como trasmisión o como recepción reflexiva de un saber o una técnica. El término cuadra mejor a la

---

[56] El impulso arrollador de la seguidilla "nueva" a fines del siglo XVI fue como un terremoto, pero preparado por un largo proceso: fijación de determinados tipos estróficos, abandono de la glosa... Sobre estas bases, que están al término de una larga evolución, se destaca (o se crea) y se impone, con éxito fulminante, la seguidilla nueva, y comienza el olvido del villancico.

[57] Y en algunos aspectos, se impondrían las subdivisiones: canción andaluza, canción catalana, canción gallega...

poesía popularizante, de oficio. La tradición lírica popular tiene más de herencia y reproducción intuitiva de un estilo, que de aprendizaje consciente de una maestría. Es un poco como la trasmisión de la lengua, las costumbres y las tradiciones, fenómeno más hereditario que de escuela. (¿Hablaríamos de una escuela de hablar, de una escuela de refranes, de una escuela de costumbres?) Por otra parte, las diferencias entre las supuestas escuelas populares no son más que las naturales diferencias de *estilo* que encontramos al movernos en el tiempo y en el espacio, lo mismo en el arte que en la lengua o las costumbres. Igualmente, la aludida cohesión "por escuelas" se explica suficientemente con los conceptos de *estilo* y *tradición*.

3. *La tradición como proceso colectivo de creación de estilo*

Cumple ahora examinar el papel de la tradición en el proceso creador y en función del estilo. Ya hemos señalado nuestros puntos principales de fricción con la teoría tradicionalista: sobre todo la afirmación por parte de esta teoría de que *una* canción no adquiere el estilo tradicional sino a través de la tradición. Esto lleva a Menéndez Pidal a considerar que la obra del pueblo en la poesía tradicional es una obra de recreación, no de creación. Por eso dice Menéndez Pidal: "el pueblo es creador, pero no creador inicial". Nosotros creemos que es posible la creación inicial popular y creemos también que la canción puede poseer desde su creación el estilo popular (o tradicional) [58].

Debemos reconsiderar el concepto de tradición y su papel *en el campo de la canción lírica*.

Llama, por lo pronto, la atención el hecho de que la vinculación entre la tradición moderna y la antigua es mucho mayor en el caso del romance que en el caso de la canción lírica. La tradición moderna romancística es arcaizante, y está constituida en buena parte por romances que ya se cantaban en el siglo XVI. Enfrente, la canción lírica resulta mucho más innovadora, se renueva conforme van surgiendo

---

[58] Aun pensando en el romance, ¿es que una variante (dos, cuatro o más versos) ha de esperar a ser recreada, o sea a vivir largo tiempo en el caudal de la tradición, para adquirir el estilo tradicional? ¿No pueden esos versos poseer el estilo *tradicional* desde el principio?

canciones nuevas y se van olvidando las antiguas. Hay siempre un núcleo de elementos formales (tipos estróficos, esquemas, fórmulas expresivas) y de temas que pervive (los trabajos de Torner, muy especialmente, han venido a mostrarlo), pero no hay más que comparar un cancionero antiguo con otro moderno en ambos campos, el del romance y el de la canción lírica, para percibir la diferencia. ¿Por qué esta diferencia? Trataremos de apuntar una explicación que afecta al entendimiento de la tradición y de su dinámica en uno y otro campo.

Dice José Manuel Blecua que es "más fácil la transmisión de cincuenta versos de un romance con argumento, que el recuerdo de un villancico lleno de intimidad" [59]. Yo opino lo contrario: que es más difícil recordar un romance, sobre todo si es largo, de cincuenta, o de más de cien versos, como ocurre, por ejemplo, con el de "El Prior de San Juan" [59 bis], que recordar un villancico de dos, tres o cuatro versos (bastante más difícil para el pueblo y para cualquiera). Puedo asegurar también, por propia experiencia, que la capacidad del pueblo —de algunos hombres del pueblo— para almacenar coplas y refranes en la memoria es asombrosa [60].

Si lo que acabo de asegurar fuese verdad, sería posible añadir también que la variante en el romance puede llegar a tener un sentido diferente del que tiene en la canción lírica; porque el nacimiento de una variante en un romance podría deberse en muchos casos, más que a una voluntad consciente de recreación, a una involuntaria incapacidad de recordación [61]. Por el contrario, la modificación de un villancico podría implicar, más que en el caso del romance, una vo-

---

[59] Prólogo a la *Antología de la poesía española. Poesía de tipo tradicional* (de D. Alonso y J. M. Blecua), p. LXII, nota 56.

[59 bis] Me refiero al romance conocido como de "El Prior de San Juan y el rey don Pedro". Diego Catalán probó que el rey del romance era, en realidad, Alfonso XI (véase su trabajo "Un romance histórico de Alfonso XI", en *Estudios dedicados a Menéndez Pidal*, Madrid, C. S. I. C., 1956, tomo VI, pp. 259-285).

[60] "Pensaba mi compañero / que a coplas me iba a ganar: / tengo una tinaja llena / y un costal por desatar" (cantar manchego).

[61] Dejando aparte los numerosos casos en que tras la variante se adivina un esfuerzo por hacer comprensible un pasaje que ha dejado de tener sentido (un arcaísmo, un verso mal entendido, etc.).

luntad consciente recreadora; lo cual significaría que, en el caso de un romance modificado en la transmisión, la relación del autor de la variante con respecto al romance transmitido sería la de un cantor que trata de transmitir (por tradición) un romance —el mismo romance— recibido por tradición. Su actitud sería una actitud conservadora (tradicionalista). Por el contrario, cuando el cantor modifica voluntariamente una canción lírica —vamos a suponer que éste es el caso— ese cantor se siente a sí mismo como un innovador con respecto a la tradición; su actitud no sería conservadora, sino innovadora frente a la canción antigua.

Ahora bien, supongamos que la voluntad del cantor no juega ningún papel en la modificación de la canción. En el caso del romance, por su longitud y por su trabazón lógica temática, el cantor que modifica el romance recibido, aunque cambie en él muchas palabras y hasta versos enteros, se sentirá a sí mismo repitiendo un romance ya hecho, ajeno; el romance que canta es "aquel mismo romance", aunque modificado. En cambio, si el cantor modifica un villancico de dos, tres o cuatro versos, a poco que modifique, la versión nueva adquiere un carácter distinto. Más que cambio o modificación, más que creación continuada, nos encontramos ante una "nueva creación"; más que una nueva versión de una canción A —como en el caso del romance—, podemos decir que ha nacido una nueva canción B.

> Aquel caballero, madre,
> que de amores me fabló,
> más que a mí le quiero yo.
>
> Aquel caballero, madre,
> que de mí se enamoró,
> pena él y muero yo.
>
> Aquel caballero, madre,
> como a mí le quiero yo,
> y remedio no le do [62].

---

[62] La primera es una canción anónima del *CMP*, núm. 209; la segunda aparece en el *Libro de música de vihuela de mano intitulado El Maestro*, de Luis de Milán (Valencia, 1535); la tercera es de Castillejo. Otras muchas podrían encontrarse, parecidas; por ejemplo: "Ayer vino un caballero, / mi madre, a me enamorar: / no lo puedo yo olvidar". Se encuentra en el

Estamos aquí ante tres canciones distintas, por mucho que se parezcan y aunque puedan relacionarse entre sí. Dada la brevedad del villancico, con nada más que cambiar unos cuantos elementos surge la canción nueva.

Por ello, insisto en que la variante puede tener una significación distinta en el romance y en la canción lírica, lo que quiere decir que también la relación entre lo popular y lo tradicional puede tener distinto alcance en el romance y en la canción lírica. El papel del pueblo en el romance es cierto que va más allá de la mera aceptación de un canto; porque la tradición "lleva implícita —como ha enseñado Menéndez Pidal— la "asimilación" de ese canto por el pueblo; esto es, la acción continuada e ininterrumpida de las variantes (tradicionalidad)" [63].

Pero ahí acaba la labor creadora del pueblo con respecto al Romancero; no obstante esa asimilación, el pueblo no llegó a ser "autor inicial" de romances [64], y en toda versión tradicional de un romance hay que suponer un pasado juglaresco, trovadoresco o literario de cualquier clase [65]. Aparte de la mayor dificultad que probablemente entraña la creación de un romance —la tensión creadora ha de mantenerse a lo largo de muchos versos—, es posible que contribuyera a ello, en cierta medida, el hecho que acabamos de señalar; el que la actitud del pueblo frente al Romancero fue conservadora, tradicionalista, no creadora; porque siempre sintió que su papel se reducía a la alteración de versos o palabras de un canto anterior, ajeno. En cambio, en la canción lírica, el cantor popular, al alterar, se tenía y se tiene que sentir creador de algo nuevo, aun teniendo conciencia de que al crear lo nuevo partía o parte de otra canción distinta y anterior.

De aquí podríamos sacar una consecuencia: la tradición en el romance opera sobre cada pieza concreta; el romance transmitido no hace nacer un nuevo romance, sino que es siempre el romance ante-

---

Cancionero de Pedro Manuel de Urrea. (Lo tomo del Ms. 3763, B. Nac., Madrid, fol. 280 vº. El villancico es posiblemente de Urrea, como otros muchos que incluye y glosa en su *Cancionero*, pero tiene presente un villancico popular sin duda.)

[63] *Romancero hispánico*, I, p. 45.
[64] *Ibid.*, p. XV.
[65] *Ibid.*, p. 40.

rior el que se trasmite; es decir, la acción continuada e ininterrumpida de las variantes (tradicionalidad) se ejerce sobre el mismo romance, sobre cada pieza concreta, que se transmite ininterrumpidamente. En cambio, en la lírica, la canción transmitida y recreada se volatiliza en muchos casos, desaparece, dando paso a una nueva [66]. En las tres canciones antes transcritas, lo transmitido no es ya una canción sino un motivo lírico (tejido alrededor de un caballero enamorado de una niña, y de una niña que confiesa su amor por el caballero); algunos elementos formales como la invocación a la madre y la fórmula inicial "aquel caballero..."; la disposición de la frase: "que de amores me fabló" — "que de mí se enamoró", etc. Tradicionalidad en estos casos no significa acción continuada e ininterrumpida de las variantes sobre *una* canción, sino la transmisión de unos temas y unas fórmulas genéricas: la transmisión de *un estilo*, en suma.

Si supiéramos que esos elementos *tradicionales* daban siempre lugar a una canción temáticamente relacionada con otra anterior suministradora de esos elementos —como pudiera ser, por ejemplo, el caso de las tres canciones antes citadas— podría pensarse que, en el fondo, sentida como nueva o como vieja, cada canción tradicional vendría de otra canción anterior modificada. Sin embargo, hemos de advertir que esos elementos estilísticos que se transmiten, se transmiten también "aislados", como se transmiten las palabras o las metáforas en la poesía culta, en la literatura en general, o en la conversación, no en bloque con una canción, es decir, *no formando parte de una determinada canción*. (En los dos capítulos siguientes vamos a estudiar algunos de estos elementos del estilo.)

Tenemos que pensar que esto es así cuando nos encontramos con series de canciones temáticamente distintas que sólo coinciden en el uso de ciertas fórmulas genéricas casi rituales. La repetición, en unos casos, parece adquirir la significación de una fórmula; otras veces, por menos frecuente, pudiera reflejar un caso de recuerdo —vago o muy determinado, consciente o inconsciente— de una canción anterior. Tanto en un caso como en otro —repertorio de fórmulas genéricas, o acción de una canción específica— el rodar de las canciones

---

[66] Claro es que también caben las pequeñas variantes en un villancico de pocos versos, como todos sabemos; no me estoy refiriendo a esos casos, por supuesto.

va dando paso al nacimiento de *nuevas canciones*. (Sin que esto quiera decir que no se transmitan también las viejas, unas veces sin modificar, y otras, modificadas.)

La conclusión que podemos sacar de esto implica una diferencia entre el romance y la canción lírica que atañe al sentido de lo popular y lo tradicional en uno y otro caso: en el Romancero, *un romance* no adquiere el "estilo tradicional" hasta que no ha llegado a un último grado de divulgación, después de haber pasado por una primera fase "literaria", y otra intermedia de estilo "meramente popular" [67].

En cambio, el estilo tradicional de una canción lírica puede existir sin necesidad de haber llegado a una última fase de divulgación: puede existir *desde el momento mismo de su nacimiento*. Porque el papel de la tradición en la canción lírica consiste, por todo lo que llevamos dicho, más que en una labor de transformación de cada pieza concreta, en *un proceso colectivo de creación de estilo* [68]. La tradición crea el estilo; una vez creado, la canción puede salir "ya tradicional" —es decir, ya estilísticamente tradicional— de la boca de su autor. Y así, canción tradicional querrá decir no sólo canción transformada por la tradición, sino además canción creada dentro de una tradición estilística y temática.

Llamamos también "popular" al villancico porque creemos que el término le conviene tanto como el de "tradicional", porque en lo que llamamos "estilo tradicional" lo decisivo es, precisamente, *lo popular*. El villancico es la "canción popular" del Renacimiento, de origen e historia inciertos o ignorados, conservada por la tradición popular, y estilísticamente ajustada a los modos expresivos del pueblo. Así, cuando hablamos de *estilo popular*, entendemos no sólo el estilo propio de las canciones que constituyen el caudal lírico popular, sino también el *estilo propio del pueblo*.

De las dos tradiciones, la culta y la popular (la general y no la específicamente poética), habló Pedro Salinas [69] y las llamó tradición

---

[67] Estamos repitiendo otra vez la tesis de Menéndez Pidal (*Romancero hispánico*, I, pp. 40 y 44-47).

[68] Aunque, por supuesto, la tradición también transforme en "tradicionales" canciones que no nacieron estilísticamente tradicionales.

[69] *Jorge Manrique o Tradición y originalidad*, Buenos Aires, 1952, páginas 117-182.

de los letrados y tradición analfabeta. La primera, decía, se adquiere por actos de cultura y denodado trabajo; su adquisición da al hombre posibilidades de elección, y criterio para realizar esta operación de elegir, operación fatal y necesaria en que se encuentra todo artista en vísperas de creación, "porque la tradición es una suma tan enorme que no hay individuo capaz de usarla en toda su enormidad". Pero, frente a esta tradición, veía otra: la tradición sin letra. Esta tradición se transmite por herencia, de padres a hijos, por vía oral, como el lenguaje; se la "dejan" los padres a los hijos. "La preferencia popular por este verbo para designar el legado, la transmisión hereditaria —decía Salinas— es digna de atención; en ella se puede encontrar el carácter distintivo de la cultura iletrada. Es de todos, a nadie pertenece en rigurosa propiedad, ya que ninguno puede guardarla más allá de su memoria, que con él muere. Se la "dejan" los mayores a sus descendientes, no se la "dan" porque no es suya. La forma esencial de esa tradición está, pues, en ese ir *dejándosela* unos a otros, tipo de actividad inevitablemente hereditaria".

Ésta es la tradición de la poesía popular, una tradición capaz de recibir elementos procedentes de la tradición culta, pero siempre que se den estas dos circunstancias:

1.ª Que esos elementos resulten "asimilables" por la gran masa heredera y usuaria de la tradición popular; con lo cual sería posible llegar a decir que lo decisivo en esta tradición poética, desde el punto de vista del "carácter" y el estilo, no es ya el pueblo en su sentido más amplio, sino, sobre todo, las masas populares rurales, porque, precisamente por ser las más alejadas y menos permeables a la tradición culta, son ellas el índice determinante de las posibilidades de asimilación popular; casi diríamos, los "puristas" de la tradición popular y también de su tradición poética. Conviene añadir en este punto que el pueblo sólo puede convertir en popular tradicional algo que esté muy cerca ya de él. Por eso, una gran mayoría de las glosas y los villancicos cultos resultan de todo punto intradicionalizables. El pueblo podrá apropiarse de una canción de Lope, de Ruiz Aguilera o de García Lorca (escritas bajo la influencia de la tradición popular y en estilo próximo al de aquélla), pero claro está que no podrá tradicionalizar aquello de "ínclitas razas ubérrimas...".

2.ª Para que esta asimilación se realice, lo culto tiene que perder el propio estilo y hacerse estilísticamente popular; lo cual significa tanto como perder todo aquello que lo caracteriza como culto frente a lo popular (todo lo que el pueblo no diría de *ese modo);* es decir, lo culto tiene que dejar de ser culto y hacerse popular.

CAPÍTULO III

ESTRUCTURA Y FORMA EN EL VILLANCICO [1]

I. EL VERSO Y LA ESTROFA Y EL PROBLEMA DE LA FORMA
EN EL VILLANCICO

A. MULTIFORMIDAD, ELASTICI-
DAD E IMPRECISIÓN FORMAL

La diversidad formal del villancico popular —de la cancioncilla
inicial— es uno de los rasgos que primero saltan a la vista. Para definir estos villancicos desde el punto de vista de la forma, tenemos
que limitarnos a decir que se trata de cancioncillas cortas, que solemos encontrar trascritas en dos, tres o cuatro versos de longitud va-
riable.

Frente a la canción popular posterior, que comienza a ganar favor
a fines del siglo XVI y triunfa hasta nuestros días —a saber: la seguidilla regularizada de 7 + 5 + 7 + 5 sílabas y la copla o cuarteta
octosilábica—, el villancico se distingue característicamente por su variabilidad formal.

Y ocurre también que (en parte, como un efecto de esa variabilidad) la forma se nos presenta como dotada de elasticidad, de una

---

[1] Se refiere todo este capítulo al villancico propiamente dicho, o cancioncilla inicial (en los casos de desenvolvimiento estrófico); no a la glosa,
ni al conjunto formado por el villancico y su glosa.

maleable flexibilidad: los versos del villancico parecen poder acortarse o alargarse a voluntad, poniendo o quitando sílabas:

> La niña que los amores ha, [10]
> ¿cómo dormirá solá? [8]
>
> La niña que amores ha, [8]
> ¿cómo dormirá? [6]
>
> La que amores ha, [6]
> ¿cómo dormirá, triste y solá? [10]

Y así, etc. [2].

Y ocurre además otra cosa: la distribución (o delimitación) de esos versos resulta frecuentemente imprecisa: canciones trascritas en tres versos, podrían trascribirse en dos:

> Que bien me lo veo [6]
> y bien me lo sé, [6]
> que a tus manos moriré. [8]

¿Por qué no de esta otra forma?

> Que bien me lo veo y bien me lo sé, [12]
> que a tus manos moriré [3]. [8]

Canciones trascritas en dos versos podrían trascribirse en tres:

> Dexaldo al villano y pene; [8]
> vengar m'ha Dios d'ele. [6]

---

[2] Pedro Henríquez Ureña empleó, primero, la expresión "versificación irregular" para aludir a estos versos; después, habló de "versos fluctuantes", en la última versión de su famosa obra. Véanse *La versificación irregular en la poesía castellana*, Madrid, Publicaciones de la R. F. E., 1920; y *Estudios de versificación española*, Buenos Aires, Universidad de Buenos Aires, 1961.

[3] Como en el villancico 119, de la *Recopilación de sonetos y villancicos...* de Juan Vásquez:

> ¿Agora que sé d'amor me metéis monja? [12]
> ¡Ay, Dios, qué grave cosa! [7]

```
                    Dexaldo al villano                              [6]
                    y pene;                                         [3]
                    vengar m'ha Dios d'ele 4.                       [6]
```

Canciones trascritas en cuatro versos podrían trascribirse en tres:

```
            Si d'ésta escapo                                        [5]
            sabré qué contar;                                       [6]
            non partiré dell'aldea                                  [8]
            mientras viere nevar.                                   [7]

            Si d'ésta escapo sabré qué contar;                     [11]
            non partiré dell'aldea                                  [8]
            mientras viere nevar.                                   [7]
```

Canciones de cuatro podrían trascribirse en dos:

```
            De ser mal casada                                       [6]
            no lo niego yo:                                         [6]
            cativo se vea                                           [6]
            quien me cativó.                                        [6]

            De ser mal casada no lo niego yo:                      [12]
            cativo se vea quien me cativó.                         [12]
```

Canciones trascritas en dos versos podrían trascribirse en cuatro:

```
            Aquel pajecico de aquel plumaje,                       [11]
            aguilica sería quien le alcanzase.                     [12]

            Aquel pajecico                                          [6]
            de aquel plumaje,                                       [5]
            aguilica sería                                          [7]
            quien le alcanzase 5.                                   [5]
```

---

4 Forma cercana a la que presenta el villancico 38 de nuestra Antología (*CMP*, núm. 127):

```
                    Si lo dicen, digan,                             [6]
                    alma mía,                                       [4]
                    si lo dicen, digan.                             [6]
```

5 Se trata, como vemos, de una auténtica seguidilla, que aparece trascrita en dos versos en el *Romancero General*, ed. A. González Palencia, Ma-

Y así, etc.

Y comenzamos a preguntarnos si lo que llamamos forma en el villancico no es cosa distinta de lo que solemos entender por forma métrica en poesía.

B. EL SENTIDO DE LA
FORMA EN EL VILLANCICO

1. *Juan del Encina y sus observaciones sobre el villancico*

Cuando desde finales del siglo XV los teóricos del Arte Poética se acercan al villancico, tratan de encuadrarlo dentro de esquemas métricos. Volvamos a leer las observaciones de Juan del Encina en su *Arte de poesía castellana* (1496):

> Muchas vezes vemos que algunos hazen sólo un pie y aqu*él* ni es verso ni copla por qu*e* aví*an* de ser pies y no sólo un pie ni ay allí consonante pues que no tiene compañero. Y aqu*el* tal suele se llamar mote. Y si tiene dos pies llamamos le tan bien mote o villancico o letra de alguna invención por la mayor parte. Si tiene tres pies enteros o el vno quebrado tan bien será villancico o letra de invención. Y entonces el vn pie ha de quedar sin consonante seg*ún* más com*ún* uso y algunos ay del tie*n*po antiguo de dos pies y de tres qu*e* no va*n* en consonante por qu*e* entonces no guardavan tan estrechame*n*te las osservacio*n*es del trobar. Y si es de cuatro pies puede ser canción y ya se puede llamar copla... [6].

Las palabras de Encina reflejan la actitud del poeta culto, orgulloso poseedor de una ciencia del verso, que sabe contar por sílabas y rimar los versos por consonantes. Es una ciencia relativamente nueva en Castilla, donde medio siglo antes Juan Alfonso de Baena la había definido en términos platónicos, como "avida e rreçebida e alcançada

---

drid, 1947, núm. 670. En 1626, lo dice el maestro Correas (*Arte grande de la lengua castellana*), las seguidillas las escribían unos en dos versos y otros en cuatro.

[6] *Cancionero de Juan del Encina,* ed. en facsímile de la Real Academia Española, Madrid, 1928, cap. VII ("De los versos y coplas y de su diversidad), fol. V rº.

por graçia infusa del Señor Dios que la da e la enbýa e influye en aquel o aquellos que byen e sabya e sotyl e derechamente la saben fazer e ordenar e conponer e limar e escandir e medir por sus pies e pausas, e por sus consonantes e sýlabas e acentos, e por artes sotiles e de muy diversas e syngulares nombranças...".

Encina, al dar su definición del villancico, pensaba sobre todo en el villancico culto que por entonces se escribía, y que él mismo cultivaba con más acierto que ninguno; de aquí que insistiera en lo de la rima consonante. Los "del tienpo antiguo", es decir, los que la tradición oral popular había trasmitido, los que aquí nos interesan, éstos escapaban a las minuciosas y difíciles observaciones del trovar. No está absolutamente claro si Encina se refiere a villancicos antiguos con rima asonante o a villancicos carentes de rima (que también los había). En todo caso, ¿escapaban esos villancicos a las exigencias cultas de la rima solamente, o hay que pensar en diferencias más profundas? Es ésta una pregunta que hemos de hacernos porque afecta a la raíz misma de la creación lírica popular. El problema que está al fondo y que quiero tocar aquí es el del sentido de la *forma* en el villancico.

2.   *¿Es la forma anterior a la palabra poética o el resultado de ésta?*

Llevamos vividos muchos siglos de poesía escrita y de poesía estrófica. Estamos acostumbrados a leer, es decir a *ver* poesía, más que a oir poesía. Estamos también acostumbrados a *ver* la palabra poética ordenada en una forma precisa, de contornos delimitados, de tal modo que tenemos una visión física, casi espacial, de las formas poéticas.

Cuando se trata de la canción popular estamos habituados a verla encuadrada en las formas establecidas de la copla o la seguidilla.

Ante la variedad formal del villancico, la tradición estrófica nos lleva a ver en esa variedad una gama de formas estróficas establecidas, a las que el creador popular (sea éste quien fuere) puede ajustar su decir poético. Como Encina, vemos en el villancico una forma estrófica ordenada en versos, y vemos estos versos dispuestos y escandidos en un cierto número de sílabas.

Sin embargo, ¿cuál es el sentido de esa forma, su función y su papel en el proceso creador? En otras palabras, ¿es la forma anterior al movimiento poético, y, en este sentido, determinante en algún modo de la palabra poética, o es, simplemente, el resultado de ésta? Lo que llamamos forma poética puede ser, en efecto, una u otra cosa.

Dentro de la tradición estrófica, la forma es propiamente una horma que delimita *a priori*, físicamente, el contenido poético; la forma señala límites a la palabra poética, lo mismo que el molde al hierro líquido en la fundición. (Esta relación entre forma y contenido poético, la expresa perfectamente el poeta al decir: voy a hacer un soneto.)

La revolución poética que se lleva a cabo desde fines del siglo pasado, invierte los términos. La palabra poética reclama ahora el derecho a crear, conforme nace, su propia forma. La forma no es anterior a la aventura poética, sino el resultado de ésta. No existe una forma poética preexistente a la cual el poeta deba conformar su palabra. Sólo después de la creación, la forma *es*, en términos que el propio poeta no puede, ni intenta, ni quiere prever.

Y ocurre además que la forma externa, tal y como la estampa el poeta en el papel, es arbitraria. La distribución que el poeta hace del discurso poético en versos es así, pero podría ser otra, sin que el contenido poético variase. El poeta, caprichosa o, en todo caso, libremente, ordena sus versos, pensando en que su poesía ha de ser *vista;* y por razones que hay que ir a buscar en una supervivencia "formal" de una larga tradición estrófica, razones sin auténtica vigencia, como ritos de una creencia muerta [7].

---

[7] Llenas de interés me parecen unas palabras de Juan Ramón Jiménez que recoge Ricardo Gullón en sus *Conversaciones con Juan Ramón* (Madrid, Taurus, 1958, pp. 114-115):

—No hay prosa y verso —dice... [J. R. J.]—; lo que las diferencia es la rima. Si no la hay, todo es prosa, y ésta puede recortarse y escribirse en verso. Por eso estoy pensando, para sucesivas ediciones de mis obras, en dar el verso como prosa.

En ese momento, le interrumpe Gullón:

—¡No haga eso! —le pido. La exclamación ha salido espontánea, inevitable, precediendo a la reflexión—. No haga eso; a muchos lectores les produciría, inútilmente, gran confusión.

Ahora bien, el villancico, si nos remontamos a sus oscuros orígenes, es una poesía fundamentalmente oral, transmitida por la palabra y no por la escritura. Cuando los cancioneros comienzan a recogerla por escrito, el villancico está ya logrado; su estilo, maduro. Hemos de suponer que la comprensión visual o física de la forma no ha influido decisivamente en él.

Para tratar de ver claro en el problema que ahora nos ocupa —el significado de la forma poética—, hemos de situarnos en el lugar del cantor creador o recreador anónimo *en el momento de la creación o recreación,* no en el lugar de los poetas cultos del xv o del xvi, llenos los *ojos* de formas poéticas, y huyendo también de ver al villancico desde nuestro plano de herederos de una larguísima tradición estrófica culta y popular [8].

—¿Por qué no hacerlo? —replica—. Tome un poema y recítelo pensando que todos los oyentes son ciegos. Precisamente, la mayoría de los lectores se hacen cargo del poema, en primer término, por cómo lo ven. El verso libre es prosa y puede escribirse como tal. Si no fuera por la rima no habría verso, y no encuentro inconveniente en que el poema se escriba seguido. El romance se escribía primero en líneas extensas de dieciséis sílabas: sólo pasó al octosílabo cuando los juglares lo pusieron así al utilizarlo para copiarlo en papeles estrechos.

Y más adelante vuelve a insistir Juan Ramón: "la música y la poesía no son artes visuales, como algunos parecen creer" (*ibid.,* p. 115).

[8] Aunque pudiera pensarse que, en último término, el esquema determinante de la forma, el molde sobre el cual se configura la letra de la canción, es la música, hay que advertir que la interrelación de música y letra (piénsese en la canción popular moderna; por ejemplo: la jota o las sevillanas) no es absolutamente determinante. De hecho, la estrofa melódica y la estrofa poética son diferentes. La estrofa lírica (una cuarteta octosilábica en el caso de la copla, o una estrofa de 7 + 5 + 7 + 5 sílabas en el caso de la seguidilla) se ajusta a la horma melódica mediante reiteraciones que hacen de ella, en realidad, un tipo estrófico distinto de la cuarteta o la seguidilla:

Qué bien pareces,
qué bien pareces.

3. *Dos tendencias divergentes: isosilabismo y anisosilabismo*

Pero, primero, hay que preguntarse: ¿puede el problema abordarse tomando como campo de observación el villancico en bloque? ¿Es la forma *lo mismo* para todos ellos? El villancico, tal y como nosotros lo conocemos, preservado en cancioneros, en libros de música, en piezas teatrales, aparece como un tipo de canción relativamente homogéneo, con un estilo, una lengua, unos medios expresivos comunes. Es *la canción popular de una época* (la del Renacimiento). Pero el villancico es más que un género; cuando lo conocemos es ya el resultado y término de un proceso de creación y recreación, que adivinamos largo, en el que han debido converger tendencias y modalidades líricas dispares. Si pensamos en los desenvolvimientos estróficos, es evidente que tras una glosa parale-

> Qué bien pareces,
> ay, río de Sevilla,
> qué bien pareces..., etc.

Hoy, la copla (la cuarteta octosilábica) se adapta a melodías tan dispares como una jota, un fandanguillo o una muñeira. Y, para hacer el punto más evidente, hay melodías (por ejemplo, la cueca chilena) que requieren una reelaboración de la cuarteta, añadiendo palabras a algunos de sus versos, es decir alargándolos, para lograr la conjunción de música y letra, y rompiendo, por tanto, la estructura originaria, la de los cuatro versos octosílabos. Pensemos también en la flexibilidad que permiten a la letra tipos de canción como la asturiana o como el cante jondo. Finalmente, recordemos que en muchos casos la letra va por delante, cuando sabemos que todo se vuelve cantable: un refrán, una frase proverbial, o un dicho cualquiera. Por otra parte, no es posible estudiar el villancico en conexión con la música que lo hizo nacer, o junto a la cual nació (y cuanto más remoto imaginemos el origen de las estructuras formales del villancico, mayor se hace la imposibilidad); no es posible, porque desconocemos esa música. Lo único que cabe decir es que esa música hubo de ser tal que permitió la característica flexibilidad del villancico. Atengámonos, pues, al villancico poético, a la letra, es decir, a la poesía. Prescindiendo de la relación musical, contemplemos al villancico en lo que tiene de poesía, y tratemos de encontrar respuesta al problema de su forma.

lística, zejelesca o en romance, hay tres realidades líricas de origen e historia divergentes. Creo que también en el villancico hay que suponer una pluralidad de tendencias líricas.

Una de estas tendencias es la isosilábica, que puede tener detrás una voluntad de forma estrófica. No digo que siempre la tenga, porque el isosilabismo es una forma regularizada de recurrencia, que aparece también en ese hermano popular del villancico que es el refrán (sobre esto hemos de volver más tarde), sin ir acompañado de intencionalidad estrófica. Sin embargo, el isosilabismo en la lírica popular es un factor de metrificación; es uno de los factores generadores de las estructuras líricas populares de forma fija: la copla octosilábica y la seguidilla moderna. El otro elemento que conduce a ellas —muy importante— es la influencia de la lírica culta, especialmente de la lírica culta popularizante. (El proceso sería: la lírica culta popularizante imita la lírica popular pero regularizándola. Esta regularización acaba influyendo en la lírica popular, que en adelante se construirá sobre una base regular isosilábica, olvidando su antiguo anisosilabismo. No se crea que este fenómeno es tardío. A fines del XVI las tendencias isosilábicas conducen a la copla de ocho sílabas y a la seguidilla regularizada; pero mucho antes puede ya observarse la existencia de estas tendencias. Son ya patentes en el *Cancionero Musical de Palacio*.)

Sin embargo, hasta finales del XVI, la concepción no isosilábica es la que predomina en el villancico. Y esta "despreocupación" silábica va unida, en mi opinión, a una ausencia de voluntad de forma.

Examinemos esta doble afirmación tomando como base de examen los cien primeros villancicos de nuestra antología. Recojamos, para una primera impresión, el esquema silábico de estos villancicos, numerados del uno al cien, tal y como aparecen trascritos en los textos de donde los hemos tomado. Estos esquemas representan en muchos casos, vuelvo a repetir, la "voluntad de forma" del editor antiguo o moderno, o su propio entendimiento de la estructura del villancico. Es preciso insistir en que este entendimiento es, en bastantes casos, discutible; no por malo, sino porque cabría escoger en esos casos estructuras diferentes, igualmente buenas.

1...6/8	26...8/10	51...8/5/11	76...8/8
2...10/8	27...8/8	52...6/7/6	77...8/9
3...8/6	28...8/8/8	53...6/6	78...8/10
4...8/5/8	29...8/4/5	54...10/10	79...4/9
5...9/9	30...6/6/8	55...6/4/6/4	80...6/6/6/6
6...5/9	31...8/5	56...8/8/8	81...8/4/8/6
7...8/9/8/8	32...8/5/8	57...6/6	82...8/4/7/4
8...8/8/8	33...8/4	58...8/4/8	83...8/5
9...8/8/8	34...8/8	59...8/7	84...6/6
10...5/10	35...6/6/6	60...8/3	85...8/4
11...7/5/7/6	36...6/6/8	61...9/5/6	86...7/7
12...9/9	37...9/8/8	62...8/4/8	87...8/7
13...5/6/8/7	38...6/4/6	63...8/10	88...6/8/8
14...8/5/7/5	39...8/9	64...5/5/5/6	89...8/8/8
15...7/9	40...6/6/6/6	65...6/8/7/6	90...9/9
16...9/6	41...7/5	66...10/8	91...9/9
17...7/7	42...5/6	67...7/5	92...6/6/6
18...6/7	43...6/6/6/	68...8/8	93...8/7/6
19...6/7/7/8	44...6/7/8	69...6/5/3	94...6/7/7/6
20...8/8/8	45...5/6/8	70...9/7	95...6/6/7/5
21...9/6	46...8/4/8	71...8/6	96...7/7/6/7
22...8/4/8	47...8/8	72...8/4/8	97...9/4
23...6/5	48...8/8/8	73...6/6/6	98...6/6/6
24...9/4	49...8/8	74...7/6	99...5/6/7/6
25...7/8	50...8/8/8	75...6/4	100...9/9

A pesar de que, por su misma brevedad, el número de posibilidades en las combinaciones es limitado, resulta sorprendente la multiformidad del villancico. Basta con observar que, solamente entre *cien* villancicos, acabamos de encontrar *cincuenta y nueve* (!) esquemas diferentes. (Estamos bien lejos, en este sentido, de la copla y la seguidilla actuales.)

He aquí, ordenados, los distintos esquemas silábicos y los villancicos que los emplean:

a) *Dos versos* (51 villancicos; 28 esquemas):

SÍLABAS POR VERSO	NÚM. DEL VILLANCICO EN LA ANTOL.
4/9	79
5/6	42
5/9	6
5/10	10
6/4	75
6/5	23
6/6	53, 57, 84
6/7	18
6/8	1
7/5	41, 67
7/6	74
7/7	17, 86
7/8	25
7/9	15
8/3	60
8/4	33, 85
8/5	31, 83
8/6	3, 71
8/7	59, 87
8/8	27, 34, 47, 49, 68, 76
8/9	39, 77
8/10	26, 63, 78
9/4	24, 97
9/6	16, 21
9/7	70
9/9	5, 12, 90, 91, 100
10/8	2, 66
10/10	54

b) *Tres versos* (33 villancicos; 16 esquemas):

SÍLABAS POR VERSO	NÚM. DEL VILLANCICO EN LA ANTOL.
5/6/8	45
6/4/6	38
6/5/3	69
6/6/6	35, 43, 73, 92, 98
6/6/8	30, 36
6/7/6	52

SÍLABAS POR VERSO	NÚM. DEL VILLANCICO EN LA ANTOL.
6/7/8	44
6/8/8	88
8/4/5	29
8/4/8	22, 46, 58, 62, 72
8/5/8	4, 32
8/5/11	51
8/7/6	93
8/8/8	8, 9, 20, 28, 48, 50, 56, 89
9/5/6	61
9/8/8	37

c) *Cuatro versos* (16 villancicos; 15 esquemas):

SÍLABAS POR VERSO	NÚM. DEL VILLANCICO EN LA ANTOL.
5/5/5/6	64
5/6/7/6	99
5/6/8/7	13
6/4/6/4	55
6/6/6/6	40, 80
6/6/7/5	95
6/7/7/5	65
6/7/7/6	94
6/7/7/8	19
7/5/7/6	11
7/7/6/7	96
8/4/7/4	82
8/4/8/6	81
8/5/7/5	14
8/9/8/8	7

Tenemos, pues, 28 esquemas diferentes para 51 villancicos divisibles en dos versos; 16 esquemas para 33 villancicos de tres versos; 15 esquemas para 16 villancicos de cuatro versos.

Pero ya vemos que hay un pequeño número de esquemas que se repiten varias veces, mientras muchos no aparecen más que una o dos veces. Estos últimos se presentan como la regla general y aquéllos como la excepción a la regla. Debemos ocuparnos de la excepción (los que se repiten) antes de ocuparnos de la regla, el villancico de forma indeterminada.

Ordenemos los esquemas métricos por su frecuencia de aparición:

	en vill. de	2 versos	...... 14 esquemas	
1 vez	"	3 "	11 "	
	"	4 "	14 "	
	" "	" 2 "	10 "	
2 veces		" 3 "	2 "	
		" 4 "	1 "	
	" "	" 2 "	2 "	(6/6 y 8/10)
3 veces		" 3 "	0 "	
		" 4 "	0 "	
	" "	" 2 "	0 "	
4 veces		" 3 "	0 "	
		" 4 "	0 "	
	" "	" 2 "	1 "	(9/9)
5 veces		" 3 "	2 "	(6/6/6 y 8/4/8)
		" 4 "	0 "	
	" "	" 2 "	1 "	(8/8)
6 veces		" 3 "	0 "	
		" 4 "	0 "	
	" "	" 2 "	0 "	
7 veces		" 3 "	0 "	
		" 4 "	0 "	
	" "	" 2 "	0 "	
8 veces		" 3 "	1 "	(8/8/8)
		" 4 "	0 "	

9 o más veces......................................0

Como vemos, los únicos esquemas que aparecen más de dos veces son sólo siete:

6/6	(tres veces)
8/10	(tres veces)
9/9	(cinco veces)

6/6/6	(cinco veces)
8/4/8	(cinco veces)
8/8	(seis veces)
8/8/8	(ocho veces)

Es significativo que todos los esquemas que, por el hecho mismo de repetirse, revelan una voluntad de forma, son esquemas de estructura muy regular. Cinco de ellos son esquemas absolutamente isosilábicos (6/6; 8/8; 9/9; 6/6/6; 8/8/); el sexto esquema es semi-isosilábico (8/4/8) [9].

Es también significativo que en tres de ellos domina el verso del romance (el octosílabo); en otro (6/6/6), el verso del romancillo hexasilábico; los dos versos consagrados en la poesía épico-lírica tradicional.

Esta consagración tiene, como sabemos, una base lingüística en el caso del verso octosilábico, porque las unidades melódicas preponderantes en castellano son las de ocho y siete sílabas [10]. El hexasílabo, o bien por su cercanía al heptasílabo, o por virtudes específicamente rítmicas propias, es una unidad gustada por "lo popular".

Después de comer, — ni un sobre leer.	(6 + 6)
Del plato a la boca, — se enfría la sopa.	(6 + 6)
El que a buen árbol se arrima, — buena sombra le cobija.	(8 + 8)
Quien da pan a perro ajeno, — pierde el pan y pierde el perro.	(8 + 8)

---

[9] El séptimo esquema (de 8/10) se repite sólo tres veces (villancicos 26, 63 y 78). El primer verso es octosílabo y corrobora lo que decimos inmediatamente sobre el valor rítmico del octosílabo; el segundo (el de diez sílabas) rompe en cambio el ritmo acostumbrado del romance con un quiebro adornado (un alargamiento silábico), muy en consonancia con el estilo del villancico.

[10] "El sentimiento prosódico que hace sobresalir en la lengua las unidades melódicas de siete y ocho sílabas —dice T. Navarro Tomás— ha debido influir... en el hecho de que esas mismas unidades se hayan convertido en base métrica de la poesía popular. Lo extraño sería que en español o en cualquier otro idioma los metros propiamente populares aparecieren en desacuerdo con la medida básica de las unidades melódicas de la lengua respectiva" (*Manual de entonación española*), New York, Hispanic Institute in the United States, 1948, p. 47.

¿A quién no le resultan familiares estos dos ritmos del refranero?
Es, en especial, abundante el octosilábico:

> Abad sin ciencia y conciencia, — no le salva la inocencia.
> Abájanse los adarves — y álzanse los muladares.
> El ablano y el cabrón — en mayo tienen sazón.
> A boda ni a bautizado — no vayas sin ser llamado.

El isosilabismo es, pues, una fuerza que existe también en el refranero; corresponde a un cierto sentido del ritmo del decir (lírico o proverbial). Hoy, después de más de trescientos años de isosilabismo popular en la canción lírica, y de muchos más en el romance, sabemos bien que esto es verdad. En el villancico de los siglos xv y xvi, este sentido del ritmo isosilábico queda también de manifiesto.

Sin embargo, no hay que olvidar el otro elemento a que antes me refería: la influencia de la poesía culta con sus hábitos isosilábicos. Esta influencia ha podido ejercerse por distintas vías:

1) Los poetas, músicos y colectores del Renacimiento han podido gustar en especial de esas muestras populares ya isosilábicas y darles especial cabida en sus preferencias y en sus colecciones.

2) Han podido también ayudar ellos al isosilabismo, manipulando en las sílabas de canciones previamente no isosilábicas. Este fenómeno es, en realidad, un hecho comprobable. Así, por ejemplo, la canción que encontramos en diversas fuentes bajo la forma:

> Ojos garzos ha la niña,   (8)
> ¡quién se los enamoraría!   (9) [11]

aparece en Juan del Encina (en su *Égloga de Amor*, de 1497) regularizada silábicamente:

> Ojos garços ha la niña:
> ¡quién ge los namoraría!

---

[11] Aparece así en el *Cancionero de Upsala*, y en la *Comedia Selvagia*, de Alonso de Villegas Selvago (1554), además de en otras fuentes. Yo la tomo, para nuestra antología, de Juan Vásquez, *Recopilación de sonetos y villancicos a quatro y a cinco* (Sevilla, 1560). Para noticias, véase C. Michaëlis, *RFE*, V (1918), pp. 346-350.

El villancico núm. 6 de la *Antología,* que procede del *Cancionero del British Museum* (ed. Rennert, núm. 167), dice:

> ¡Hagádeslé   (5)
> monumento de amores, eh!   (9)

Pero en el *Cancionero General* de Hernando del Castillo *(Antología,* 91) aparece ya isosilábico:

> ¡Hagádesmé, hagádesmé
> monumento de amores, eh!

Los casos podrían multiplicarse. No hay que descartar la regularización por tradición (transmisión) popular, en virtud de esa fuerza isosilabizante que opera también dentro de lo popular. El caso del *Cancionero General* podría ser un ejemplo. Pero hay que suponer que la regularización se hizo muchas veces desde el campo culto. La versión de Encina estará probablemente en este caso. Muchos o algunos de los villancicos isosilábicos podrían ser también el resultado de esta reconfiguración.

3) Por último, y ello se ve claramente en el campo de la poesía popularizante, el poeta culto, cuando imita lo popular, suele usar estructuras regularizadas. Esto se observa ya en Encina y en el *CMP.* Esta corriente que afluye a la riada popular e influye en ella es un importante factor de regularización y va dando a la lírica popular un sentido de forma fija, que cristalizará en la copla octosilábica y en la seguidilla de 7/5/7/5.

4. *La indeterminación silábica y formal del villancico y su sentido*

En todo caso el isosilabismo, y, al lado, lo que estamos llamando voluntad de forma, son la excepción en el villancico durante los siglos XV y XVI. La regla es una indeterminación silábica y estrófica, que *tiene su propio sentido.* Podríamos hablar de un "amorfismo", que eso viene a ser su ausencia de "voluntad de forma". No que no tenga *forma* el villancico, *cada* villancico; es que el villancico no es una *forma poética* (como lo son la copla, la seguidilla moderna, el soneto o la octava real), ni es un contenido poético determinado por una forma poética que lo preconfigura. El villancico es un *decir poético,* cuya forma no solamente no es *fija,* pero muchas veces ni siquiera es *fijable.* (Puede ser, ya lo vimos, imprecisa y divisible de un modo o de otro. En estos casos, la forma del villancico recuerda al cuerpo de la foca, capaz de mil posturas; su forma es la del pañuelo, plegable en uno o mil dobleces.)

En todo caso, esta forma, cuando determinable, es el resultado del propio decir poético, no un continente previo en el que el decir poético viene a verterse obediente a límites previamente marcados.

Hay en este multimorfismo o amorfismo del villancico algo que lo relaciona con el refrán. En ambos casos, los estímulos "formales" —los que determinan la rima, y, en consecuencia, la forma— no son los tradicionales en poesía: las "formas poéticas".

En ambos casos, el decir va guiado por un cierto sentido de recurrencia, que lleva a la rima. Al igual que en el caso del refrán, sería erróneo pensar que el villancico nace al estímulo de esquemas silábicos prefigurados y configurantes. La idea que rige el proceso lírico es la vaga idea de que, en determinado momento, la palabra ha de volver sobre sus pasos, al encuentro de algo que queda dicho, cerrando una frase anterior, y casando con ella en algún modo. Se dirá que esto es escribir en versos. No hay ningún inconveniente en hablar de versos en el villancico y en el refrán (aunque estos versos no resulten siempre fijables a ciencia cierta), siempre que entendamos la naturaleza de este verso. Porque, efectivamente, es distinto este "decir", esta forma de avanzar que de trecho en trecho vuelve atrás, apoyándose en la palabra anterior, pero *sin la urgencia de hacerlo a momento fijo* (a sílaba contada).

Este sentido de recurrencia [12] forma parte de un concepto más amplio, muy importante en la poesía popular: la concepción "binaria" del movimiento poético. Pero, con esto, entramos en otro aspecto de la forma y estructura del villancico. Un aspecto que tiene en cuenta elementos que no son propiamente métricos, que no son la estrofa y

---

[12] La reiteración es otra forma de recurrencia, cuya función (cerrar la frase, casar con lo dicho antes) tiene analogías con la rima: "Mano a mano los dos amores, — mano a mano"; "Al alba venid, — buen amigo; — al alba venid", etc.

la sílaba, los elementos tradicionales de las formas poéticas. Podríamos, refiriéndonos a ellos, hablar de una *estructura interna* en el villancico.

II. ESTRUCTURA INTERNA

A. ESTRUCTURA BÁSICA BINARIA: "A" + "B"

Llamamos "estructura básica binaria" en el villancico a un cierto movimiento, a la vez conceptual y rítmico: un movimiento de *dos: A + B*. Con independencia del número de versos y de sílabas, el villancico aparece *predominantemente* [13] estructurado en un esquema básico binario: digo *A*, y añado *B*. (Vamos a ver en seguida que estos dos elementos básicos, que hemos llamado *A* y *B*, desde el punto de vista conceptual y gramatical varían. Lo que ahora interesa es el movimiento en sí.)

El villancico puede variar métricamente. La estructura *A + B* aparece por bajo.

1. Villancicos de *dos* versos:

(A)	Aguardan a mí;	[6 sílabas]
(B)	nunca tales guardas vi. (1)	[8 sílabas]

(A)	¿Agora que sé d'amor me metéis monja?	[12 sílabas]
(B)	¡Ay, Dios, qué grave cosa! (119)	[7 sílabas]

2. Villancicos de *tres* versos:

(A)	A los baños del amor	[8 sílabas]
	sola me iré,	[5 sílabas]
(B)	y en ellos me bañaré. (32)	[8 sílabas] [14]

---

[13] Se trata de una estructura predominante, aunque puedan señalarse excepciones.

[14] Considerando el elemento *A* como un solo verso, tendríamos un verso de 12 sílabas (porque ahora la palabra "amor" contaría como dos sílabas).

(A) No puedo apartarme   [6 sílabas]
     de los amores, madre;   [7 sílabas]
(B) no puedo apartarme.   (52)   [6 sílabas] [15]

3. Villancicos de *cuatro* versos:

(A) Dentro en el vergel   [6 sílabas]
     moriré.   [4 sílabas]
(B) Dentro en el rosal   [6 sílabas]
     matarm'han.   (55)   [4 sílabas] [16]

(A) Aquel pastorcico, madre,   [8 sílabas]
     que no viene,   [4 sílabas]
(B) algo tiene en el campo   [7 sílabas]
     que le duele.   (82)   [4 sílabas] [17]

Debemos señalar el hondo asiento que este movimiento binario
tiene en la creación popular:

1) Es el elemento básico y fundamental de donde parte todo el
movimiento rítmico del paralelismo. Apoyándonos en él, podríamos
continuar el último villancico trascrito, diciendo esto (o algo parecido):

> Aquel pastorcico, madre, que no viene,
> algo tiene en el campo que le duele.

> Aquel pastorcico, madre, que no venía,
> algo tiene en el campo que le dolía.

> Algo tiene en el campo que le duele:
> suspira por las noches y no duerme.

---

[15] Considerando el elemento *A* como un solo verso, contaría 13 sílabas.
Otras ordenaciones son posibles: v. g., "(A) No puedo apartarme de los
amores [11 sílabas]. — (B) Madre, no puedo apartarme [8 sílabas]". Aquí,
para completar el esquema binario, el villancico recurre a una reiteración.

[16] O dos versos de 9 + 9 (A + B). En este caso, la razón de la separación está en la asonancia *vergel* + *moriré*, y *rosal* + *matarm'han*.

[17] O dos versos de 12 + 11 (A + B). La razón que podía explicar la
división de los versos en el caso anterior, no rige aquí: no hay asonancia
entre *madre* y *viene*, ni entre *campo* y *duele*. *Madre*, y en general el vocativo, suelen ir a final de verso.

> Algo tiene en el campo que le dolía:
> suspiraba las noches y no dormía..., etc.

2) El verso del romance tradicional (doble octosílabo, o verso de dieciséis sílabas partido en dos hemistiquios) responde también a un movimiento binario:

> Villanos te maten, Alonso,
> villanos, que no hidalgos;
>
> de las Asturias de Oviedo,
> que no sean castellanos;
>
> caballeros vayan en yeguas,
> en yeguas, que no en caballos;
>
> las riendas traigan de cuerda,
> y no con frenos dorados;
>
> abarcas traigan calzadas,
> y no zapatos con lazos;
>
> las piernas traigan desnudas,
> no calzas de fino paño;
>
> traigan capas aguaderas,
> no capuces ni tabardos;
>
> con camisones de estopa,
> no de holanda ni labrados;
>
> mátente con aguijadas,
> no con lanzas ni con dardos;
>
> con cuchillos cachicuernos,
> no con puñales dorados..., etc.

3) La copla y la seguidilla tienen asimismo una estructura fundamentalmente binaria. Por eso, sólo riman los versos 2.º y 4.º, o sea, los terminales de las tiradas *A* y *B*. Las formas ABAB y ABBA no son populares.

4) También en el refrán y la frase proverbial resulta característica la estructura binaria de golpe y remache:

A asno lerdo, — modorro arriero.
A asno tonto, — arriero modorro.
A asno tocho, — arriero tonto.
A burra vieja, — albarda nueva.
A burra vieja, — cincha amarilla.
A caballero nuevo, — caballo viejo.
A caballo comedor, — cabestro corto, etc.

5) Por último, la reiteración, tan gustada por la poesía popular, y de la que hablaremos más tarde en este mismo capítulo, es también frecuentemente una manifestación más de esta misma tendencia a la estructuración binaria.

B. ESQUEMAS ESTRUCTURALES

Por bajo de esta estructura básica binaria *(A + B)*, es posible distinguir una serie de estructuras secundarias, que aparecen repetidamente en el villancico, y que son un elemento prefigurador importante del estilo. Vamos a considerar las más importantes, las que más se repiten.

No se trata ya de un esquema general; vamos a ver ahora cómo la canción popular tiende a servirse repetidamente de unos mismos órdenes constructivos, fenómeno en el cual juega un papel predominante la tradición poética, suministradora de fórmulas y esquemas.

a. ATENDIENDO AL ELEMENTO "A"

Empecemos por el primer elemento del esquema binario. El elemento *A* tiene importancia, además, por incluir las formas de iniciación de la canción popular, aspecto éste ligado al problema general del orden constructivo en el lenguaje.

La forma más frecuente de comenzar la canción es: 1) por el *sujeto lírico;* 2) por el *vocativo;* 3) por una *exhortación;* 4) por una *declaración.* Vamos a examinar estos cuatro elementos, para referirnos después a algunas fórmulas muy específicas de iniciación del villancico.

1. [*A = sujeto lírico*]

La canción suele decir "algo" de "alguien" (persona, animal o cosa). Este *sujeto lírico*, este "alguien" cantado, puede coincidir o no coincidir con el sujeto gramatical. Puede ser, en muchos casos, el complemento directo o indirecto oracional [18]. En cualquier caso, la intensificación de la atención, o la concentración afectiva, al recaer sobre él, explican el elevado porcentaje de casos en que el villancico comienza por aludir a este sujeto lírico antes de seguir adelante.

    (*A*)   El amor que me bien quiere
    (*B*)   agora viene.   (31)

    (*A*)   Las ondas de la mar,
    (*B*)   ¡cuán menudicas van!   (520)

    (*A*)   Estas noches atán largas
             para mí,
    (*B*)   no solían ser ansí.   (58)

    (*A*)   Aquel pastorcico, madre,
             que no viene,
    (*B*)   algo tiene en el campo
             que le duele.   (82)

En los cuatro ejemplos, el sujeto antepuesto concentra por un momento la atención afectiva. Después, continúa el cantar y se completa el sentido lógico de la frase. En los cuatro casos, el sujeto lírico es también el sujeto gramatical de la oración. Estamos, pues, ante el orden oracional que la *Academia* considera como "regular"; que, como dice Gili y Gaya, es el más frecuente, no por ser más regular, sino "porque el sujeto absorbe el interés principal en mayor número de casos que todos los demás elementos oracionales juntos" [19].

---

[18] Lo es, en un mayor número de casos, dentro del material utilizado para este análisis: el que ofrece nuestra antología.

[19] *Curso superior de sintaxis española*, Barcelona, 1955, p. 79. Otros casos de sujeto lírico y gramatical antepuesto son: "La ninya que los amores ha..."

Pero hay otros casos —más casos, en nuestra antología— en que el sujeto lírico no es el sujeto de la oración, sino su complemento gramatical. En éstos se destaca más el aspecto intensificador, afectivo, de la construcción, al anteponer el complemento (sujeto lírico) rompiendo el orden llamado "regular" de la construcción. Se pone también de manifiesto el papel modelador de la tradición en el aspecto constructivo de la frase. Así, es indudable que las construcciones "Estas noches...", "Aquel pastorcico...", "Aquel caballero...", que hemos señalado en casos de anteposición del *sujeto lírico = sujeto gramatical,* han pasado a convertirse en fórmulas estilísticas que pudieran explicar en buena medida el uso de estas mismas fórmulas con anteposición ahora del *sujeto lírico = complemento gramatical.* Los dos factores han debido influir probablemente en construcciones como éstas, donde es frecuente el anacoluto:

(A)	Aquel caballero, madre,	
	tres besicos le mandé;	
(B)	creceré y dárselos he.	(9)

(A)	Aquel gentilhombre, madre,	
(B)	caro me cuesta el su amor.	(47)

(A)	Este pradico verde,	
(B)	trillémosle y hollémosle.	(155)

(A)	Estos mis cabellicos, madre,	
(B)	dos a dos me los lleva el aire.	(342)

---

(2); "Yo, madre, yo..." (10); "Niña y viña, peral y habar..." (16); "Tres morillas..." (22); "Las mis penas..." (23); "Mi ventura..." (33); "Dos ánades..." (35); "Aquel caballero..." (51); "Aquella buena mujer..." (77); "La zorrilla..." (83); "El abad que a tal hora anda..." (85); "Aquellas sierras..." (108); "Un amigo que yo había..." (149, glosa); "Las mañanas de abril..." (175); "Aquel pastorcico..." (184); "Mi marido..." (190); "Mis ojuelos..." (207); "Mi carillo Minguillo..." (329); "Las tres Maricas de allende..." (365); "Las tres ánades..." (385); "Pajarico que escucha el reclamo..." (408); "Aquel caballero..." (441); "Aquel caballero..." (442); "Los mis amoritos..." (445); "Hadas malas..." (465); "Amor y fortuna..." (471); "Arcaduces de ñoria..." (491); "Esta Maya..." (506); "Aquel pastorcico..." (517); "La niña..." (588).

La frase comienza por el elemento que el cantar siente como principal, antes de que la reflexión imponga la ordenación lógica. Al comenzar el cantar, "Aquel gentilhombre", "Estos mis cabellicos", son sentidos como sujetos (y son, en realidad, como decimos, el sujeto lírico del villancico), pero, al continuarse la canción, transforman su función gramatical de sujeto en complemento. Y, al lado, hay que tener siempre presente el papel que la tradición, suministradora de fórmulas estilísticas consagradas, juega en estas construcciones [20].

2. [*A = vocativo*]

Decíamos antes que la canción suele decir algo *de* alguien. Otras veces, dice algo *a* alguien. En los frecuentes casos de confidencia a la madre, aparecen además en la misma canción ambos sujetos, aquel a quien se dice y aquel de quien se dice. Este destinatario de la canción aparece normalmente aludido por medio de un vocativo. Ya aludimos al carácter del vocativo, y a su función apelativa. Vimos también que el vocativo puede ir al comienzo de la oración, en medio de ésta, o al final. Sólo nos interesa ahora el primer caso. Cuando el villancico comienza por un vocativo, la atención se tensa en torno al sujeto aludido (casi siempre, pero no siempre, una persona), que (salvo en los casos de confidencia a la madre, alusivos a un segundo sujeto

---

[20] Tienen interés los siguientes casos de sujeto-complemento gramatical antepuesto: "Aquel caballero, madre, — que de amores me fabló, — más que a mí le quiero yo" (48); "Lo que demanda el romero, madre, — lo que demanda no ge lo dan(e)" (54); "El mi corazón, madre, — robado me le hane" (86); "Y la mi cinta dorada, — ¿por qué me la tomó — quien no me la dio?" (93); "D'aquel pastor de la sierra — dar quiero querella" (147); "La dama que no mata o prende, — tírala dende" (214); "El mi corazón, madre, — que robado me le han(e)" (279); "Aquel pajecico de aquel plumaje, — aguilica sería quien le alcanzase" (283); "A la hembra desamorada — a la delfa le sepa el agua" (301); "El tu amor, Juanilla, — no le verás más..." (335); "Esa caperucita del fraile, — póntela tú que a mí no me cabe" (345); "Campanitas de Sardón, — quien las tañe suyas son" (383); "Arenicas de Villanueva, — quien las pisa nunca las niega" (488); "Aquel caballero — que de amor me habla, — quiérole en el alma" (499); "La que tiene el marido pastor, — grave es su dolor" (569). Puede comprobarse el anacoluto en estas frases.

de quien se dice algo) se presenta como el verdadero sujeto lírico de la canción.

Los casos son abundantísimos en la lírica tradicional y revelan claramente el carácter de fórmula estilística de estas construcciones. Unas veces, el vocativo llena todo el elemento *A;* en otros casos, sólo parcialmente, yendo acompañado entonces de alguna frase (exhortativa, declarativa, interrogativa, etc.); los dos juntos forman el brazo *A* del esquema binario.

(A) *Ojos morenos,*
(B) ¿cuándo nos veremos?   (123)

(A) *Perricos de mi señora,*
(B) no me mordades agora [21].   (166)

(A) *Zagaleja del ojo rasgado,*
(B) vente a mí, que no soy toro bravo.   (284)

---

[21] Otros ejemplos: "La bella mal maridada..." (7); "Romerico..." (8); "Ojos de la mi señora..." (14); "Niña..." (25); "Ojos, mis ojos..." (42); "Ojos morenicos..." (44); "Romerico..." (56); "Madre..." (62); "Calabaza..." (79); "Isabel..." (96); "Teresica hermana..." (113); "Caballero..." (122); "Serrana..." (124); "Cobarde caballero..." (136); "Zagaleja..." (161); "Ay, amor..." (171); "Arzobispo de Toledo..." (179); "Viuda enamorada..." (180); "Gentil caballero..." (185); "Ay, luna..." (198); "Ah, galana del rebozo..." (220); "Señor Gómez Arias..." (221); "Ay, luna..." (239); "Teresilla hermana..." (250); "Morenica..." (257); "Madre..." (261); "Pastorcico amigo..." (265); "Madre..." (273); "Amor..." (282); "Damas..." (289); "Pajarillo que vas a la fuente..." (312); "Ay, virge María..." (314); "Aires de mi tierra..." (320); "Madre, la mi madre..." (328); "Niña de la saya blanca..." (333); "Marido..." (338); "Niña de color quebrado..." (339); "Niña del sayo vaquero..." (340); "Agujita..." (346); "¡Ay, horas tristes!..." (358); "Cerotico de pez..." (370); "Zagaleja..." (373); "Tordico nuevo, de chicas plumas y ralas..." (403); "¡Ay, el mi pandero!..." (404); "Pastorcilla mía..." (407); "Perantón..." (412); "Marigüela..." (423); "Mariquita..." (424); "Mariquita..." (425); "Mariquita..." (426); "Mariquita..." (427); "Hilandera de rueca..." (431); "Casadita..." (432); "Mi reina..." (435); "Días de Mayo..." (479); "Hilanderas..." (490); "Arca, arquita..." (492); "Don Abad..." (493); "Corazón..." (502); "Ay, Don Alonso..." (512); "Cervatica..." (529); "Casadilla..." (541); "Padre reverendo..." (546); "Vida de mi vida..." (559); "Señora, la de Galgueros..." (573); "Molinico..." (574); "Pelota, pelotica de pez..." (579); "Pensamiento..." (580); "Morenica..." (585).

> (A) Buen amor, no me deis guerra,
> (B) que esta noche es la primera.   (76)

> (A) Gentil caballero,
>   dédesme hora un beso,
> (B) siquiera por el daño
>   que me habéis hecho.   (95)

Vocativo inicial, sujeto inicial, complemento inicial, en los tres casos vemos una misma estructura con fuerza prefiguradora, determinante de estilo. Contemplemos juntos los tres casos:

> (A) Aquella buena mujer,
> (B) ¡cómo lo rastrilla tan bien!   (77)

> (A) Este pradico verde,
> (B) trillémosle y hollémosle.   (155)

> (A) Campanillas de Toledo,
> (B) óigoos y no os veo.   (384)

3. [*A = exhortación*]

En un elevado porcentaje de casos el villancico comienza por una oración exhortativa: "haz o hazme esto"; "haced o hacedme aquello":

> Tenedme los ojos quedos...   (87)
> Abaja los ojos, casada...   (100)
> Paséisme ahora allá, serrana...   (78)
> Descendid al valle, la niña...   (128)

O bien, en forma negativa:

> No me firáis, madre...   (141)
> No me llaméis "sega la herba..." (149)
> No me los amuestres más...   (235)

La construcción tiene, indudablemente, valor de fórmula estilística. Destaca, por lo repetido, el esquema: Exhortación + *que B*:

(A) *¡Tenedme* los ojos quedos,
(B) *que* me matáis con ellos!   (87)

(A) *Recordad,* mis ojuelos verdes,
(B) *ca* la mañana dormiredes.   (5)

(A) *Ardé,* corazón, *ardé,*
(B) *que* n'os puedo yo valer.   (27)

(A) *Buscad,* buen amor,
     con qué me falaguedes,
(B) *que* mal enojada me tenedes.   (138)

(A) *Paséisme* ahora allá, serrana,
(B) *que* no muera yo en esta montaña [22].   (78)

Se encuentra también el esquema: (Vocativo + Exhortación) + *que* B.

(A) Niña, erguídeme los ojos,
(B) *que* a mí enamorado m'han.   (25)

---

[22] Otros ejemplos: *"Descendid* al valle, la niña, — *que* ya es venido el día"* (128); *"No* me los *amuestres* más, — *que* me matarás"* (235); *"Échate,* mozo, — *que* te mira el toro"* (272); *"Alarga,* morenica, el paso, — *que* me canso"* (498); *"Picar,* picar, — *que* cerquita está el lugar"* (505); *"Pase,* pase el pelado, — *que* no lleva blanca ni cornado"* (509); *"Déxame,* deseo, — *que* me bamboleo"* (540); *"Anda,* niño, anda, — *que* Dios te lo manda"* (563). Presentan esencialmente la misma estructura otros villancicos en los que aparecen los brazos *A* y *B* más desarrollados, y, por ello, trascritos en dos versos por brazo: *"Denme* la sepultura — con el miserere, — *que* quien no ha ventura — no debe nascere"* (264); *"Caminad,* señora, — si queréis caminar, — *que* los gallos cantan, — cerca está el lugar"* (527); *"No me demandes,* carillo, — pues que no te me darán, — *que* no estoy aborrescida, — ni mis parientes querrán"* (205). A veces, el mayor desarrollo se debe, en parte, a una reiteración: "Que *no me desnudéis,* — amores de mi vida; — que no me desnudéis, — *que* yo me iré en camisa"* (146); *"A coger* el trébol, damas, — la mañana de San Juan; — a coger el trébol, damas, — *que* después no habrá lugar"* (296); "Que no me los ame nadie — a los mis amoresé; — que no me los ame nadie, — *que* yo me los amaré"* (336). La reiteración, dentro de una estructura análoga, puede encontrarse en villancicos trascritos en dos versos: *"Póntela* tú la gorra del fraile, — póntela tú *que* a mí no me cabe"* (347); *"Solivia* el pan, panadera, — solivia el pan, *que* se quema"* (483); "Que *no me llevéis,* marido, a la boda; — que no me llevéis, *que* me brincaré toda"* (534).

    (*A*)   Buen amor, no me deis guerra,
    (*B*)   *que* esta noche es la primera.   (76)

    (*A*)   Caballero, queráisme dexar,
    (*B*)   *que* me dirán mal.   (122)

En la mayor parte de los casos, como se ve en los ejemplos puestos, el elemento *B*, en la construcción con *que*, es una oración subordinada causal, y *que* es una conjunción causal. En estos casos, el esquema es Exhortación + Causa [23].

Existe también el esquema Exhortación + *B*, sin *que*. Unas veces, el elemento *B* va yuxtapuesto:

    (*A*)   Dexaldo al villano y pene;
    (*B*)   vengar m'ha Dios d'ele.   (3)

    (*A*)   Pásame por Dios, barquero,
            d'aquesa parte del río;
    (*B*)   duélete del dolor mío.   (50)

    (*A*)   Abaja los ojos, casada;
    (*B*)   no mates a quien te miraba.   (100)

Pero el elemento *B* puede ser de carácter muy diverso. El esquema es siempre *Exhortación + algo más:*

    (*A*)   —Desciende al valle, niña.
    (*B*)   —Non era de día.   (diálogo)
                                       (74)
    (*A*)   No me llaméis "sega la herba",
    (*B*)   sino morena.   (locución adversativa)
                                       (149)
    (*A*)   Cata el lobo dó va, Juanica,
    (*B*)   cata el lobo dó va.   (reiteración)
                                       (172)

---

[23] En el villancico "Paséisme ahora allá, serrana, — que no muera yo en esta montaña", *que* es una conjunción final.

(A) Dexad que me alegre, madre,
(B) antes que me case.   (oración subordinada temporal)
                                                    (295)
(A) Pase adelante,
(B) señora la de Escalante.   (vocativo)
                                                    (405)

4. [*A = declaración*]

En muchos casos, el villancico comienza por una oración declarativa (elemento *A*), para después añadir algo (elemento *B*), completándose así el esquema binario.

El esquema más frecuente, juzgando por nuestra antología, es el de *Declaración + B yuxtapuesto*, en que *B* aparece como un comentario de *A* o una nueva declaración relacionada con la primera:

                Aguardan a mí;
                nunca tales guardas vi.   (1)

                Solíades venir, amor;
                agora no venides, non.   (12)

                Si d'ésta escapo
                sabré qué contar;
                non partiré dell'aldea
                mientras viere nevar [24].   (13)

Este segundo elemento del esquema binario puede ser también:
a) Una exclamación:

                Del rosal sale la rosa.
                ¡Oh qué hermosa!   (106)

---

[24] Otros ejemplos de Declaración + B yuxtapuesto: 15, 40, 60, 101, 104, 105, 108, 109, 116, 118, 139, 177, 190, 211, 213, 216, 221, 237, 238, 240, 253, 262, 266, 300, 319, 324, 325, 331, 341, 348, 367, 369 385, 393, 402, 419, 433, 437, 449, 450, 458, 459, 466, 470, 478, 481, 497, 504, 515, 532, 536, 539, 543, 545, 557, 561, 589. Usamos aquí el concepto de yuxtaposición en un sentido lato.

Madrugábalo el aldeana;
¡cómo lo madrugaba! (229)

Llaman a Teresica y no viene.
¡Tan mala noche tiene! [25]. (246)

b) *que* + oración causal:

No quiero ser monja, no,
que niña namoradica so. (63)

Quiero dormir y no puedo,
que el amor me quita el sueño. (115)

Agora que soy niña
quiero alegría,
que no se sirve Dios
de mi monjía [26]. (129)

c) una reiteración:

No puedo apartarme
de los amores, madre;
no puedo apartarme. (52)

Aquí viene la flor, señoras,
aquí viene la flor. (70)

---

[25] Otros ejemplos: villancicos 20, 26, 66, 102, 126, 130, 142, 230, 241, 259, 310, 323, 344, 430, 447, 451, 507, 523, 576.

[26] La última, como vemos, es una seguidilla que tiene ya la regularidad métrica de las modernas: $7 + 5 + 7 + 5$. Entre las seguidillas, regulares o no, el esquema $A + que\ B$ es frecuente: Este *que* puede ser una conjunción causal: "Vase todo el mundo — tras el liberal, — que el bocado ajeno — siempre sabe más" (330); "Ahora que soy moza — quiérome holgar, — que cuando sea vieja — todo es tosejar" (359). En otros casos, la función sintáctica es distinta, pero el esquema sigue siendo $A + que\ B$: "Yendo a la plaza, — encontré a Inés, — *que* la hablan, peliscan, besan, — dos estudiantés" (554); "En la cumbre, madre, — tal aire me dio, — *que* el amor que tenía — aire se volvió" (285); "A la villa voy; — de la villa vengo; — *que* si no son amores — no sé qué me tengo" (286).

No pueden dormir mis ojos,
no pueden dormir [27].   (71)

Otras posibilidades que se repiten menos son:
d) una interrogación:

> A mi puerta nace una fonte;
> ¿por dó saliré que no me moje? [28].   (215)

e) y + B

> Lindos ojos ha la garza,
> y no los alza [29].   (305)

5. *Algunas fórmulas iniciales específicas:*
    "Aquel", "Este", "Que", "Si", "Aunque"

Conviene examinar ahora, antes de abandonar el examen del brazo *A* de esta estructura binaria, algunas fórmulas de iniciación de la
canción que, por su uso repetido, se revelan también como fórmulas
definidoras del estilo. A algunas de ellas ya nos hemos referido anteriormente.

"AQUEL". — El demostrativo *aquel-aquella*, según volveremos a
ver en el capítulo dedicado al estudio del estilo, aparece usado en
construcciones muy características del villancico:

> Enemiga le soy, madre,
> a aquel caballero yo...   (20)

> D'aquel pastor de la sierra
> dar quiero querella.   (147)

> En aquella peña, en aquella,
> que no caben en ella.   (226)

---

[27] Otros ejemplos: 46, 68, 151, 154, 203, 243, 376, 496, 503, 514, 521,
524, 530, 570, 571, 577, 588.

[28] Otros ejemplos: 72, 307, 315, 494.

[29] Otros ejemplos: 32, 197, 277, 278, 294, 337, 375, 468, 531.

No es extraño que la fórmula de iniciación *aquel-aquella* aparezca repetidamente. Unas veces aparece referida al sujeto y otras al complemento oracional (lo mismo que cuando hablábamos del "sujeto lírico" de la canción):

> Aquella buena mujer,
> ¡cómo lo rastrilla tan bien! (77)

> Aquel pastorcico, madre,
> que no viene,
> algo tiene en el campo
> que le duele. (82)

> Aquellas sierras, madre,
> altas son de subir... (108)

> Aquel pajecico de aquel plumaje,
> aguilica sería quien le alcanzase [30]. (283)

"ESTE, ESTA". — Aunque menos, también encontramos casos de iniciación con la fórmula *este-esta:*

> Este pradico verde,
> trillémosle y hollémosle. (155)

> Estas noches atán largas
> para mí,
> no solían ser ansí. (58)

> Estos mis cabellicos, madre,
> dos a dos me los lleva el aire. (342)

> Esta cinta es de amor toda;
> quien me la dio,
> ¿para qué me la toma? (225)

> Esta Maya se lleva la flor,
> que las otras no. (506)

---

[30] Otros ejemplos: 9, 47, 48, 51, 184, 441, 442, 499, 517. (En los villancicos núms. 9, 48, 441, 442 y 499 la fórmula es: "Aquel caballero...".)

"QUE". —Es una de las fórmulas de iniciación más característicamente popular. Los poetas popularizantes lo comprendieron así, y la utilizaron para dar sabor popular a sus cancioncillas. Ya hablaremos de esta fórmula en otro lugar, y nos remitimos a lo que diremos entonces. (Véase cap. IV, pp. 188-199.)

"AUNQUE", "SI". — Ambas conjunciones, una concesiva y la otra condicional, aparecen como fórmulas iniciales en la lírica tradicional.

El sentido concesivo de la primera suele aparecer ligado al tema de la morenica, la niña que afirma su gracia y, de alguna manera, se afirma a sí misma, a pesar de (aunque) su color moreno.

> *Aunque* soy morenica y prieta...   (170)
> *Aunque* soy morena...   (325)
> *Aunque* soy morenita un poco...   (326)

Pero se da en otras situaciones:

> *Aunque* ando y rodeo,
> nunca falta a la puerta un perro.   (360)

> *Aunque* más me digáis, madre,
> quien bien quiere, olvida tarde.   (362)

> *Aunque* más me diga, diga,
> quien bien ama, tarde olvida.   (363)

Más abundante es la fórmula condicional inicial: *si*...

> *Si* d'ésta escapo
> sabré qué contar;
> non partiré dell'aldea
> mientras viere nevar.   (13)

> *Si* lo dicen, digan,
> alma mía,
> si lo dicen, digan.   (38)

> *Si* la noche hace escura,
> y tan corto es el camino,
> ¿cómo no venís, amigo? (107)[31]

b. ATENDIENDO AL ELEMENTO *B*.

Al examinar el segundo elemento o brazo del esquema binario podemos ser más breves porque mucho de lo que hay que decir ha quedado dicho. Los contenidos que más se repiten son los siguientes:

---

[31] Otros casos: "Aunque me vedes — morenica en el agua..." (212); "Aunque me veis que descalza vengo..." (487); "Aunque soy morenita un poco..." (543); "Aunque soy morena..." (562); "Si muero en tierras ajenas..." (89); "Si tantos halcones..." (92); "Si le mato, madre, a Juan..." (169); "Si los pastores han amores..." (208); "Si queréis comprar romero..." (228); "Si te vas a bañar, Juanilla..." (242); "Si amores me han de matar..." (245); "Si no fuere en esta barqueta..." (343); "Si tantos monteros la garza combaten..." (361); "Si te vas y me dejas..." (366); "Si vistes allá el tortero andando..." (368); "Si te echasen de casa, la Catalina..." (372); "Si me lo has de dar..." (467); "Si yo dijera no quiero, no quiero..." (477); "Si queréis que os enrame la puerta..." (552); "Si no me casan hogaño..." (568). La fórmula condicional *si* va precedida de *que* expletivo (¿reiterativo?) en el villancico ya conocido: "Que si soy morena, — madre, a la fe, — que si soy morenita, — yo me lo pasaré" (274). Ambas conjunciones aparecen también con frecuencia como fórmulas de iniciación en la lírica cortés, en donde adquieren un carácter razonador y silogístico. Los índices de primeros versos de los cancioneros del siglo XV al XVII están repletos de muestras de estas fórmulas iniciales. Véanse como ejemplos los versos del *Cancionero del Museo Británico*, del siglo XV (ed. H. A. Rennert): "Aunque me tiene el amor..." (Mexía); "Aunque mi vida fenece..." (Garci Sánchez de Badajoz); "Aunque pensaran que peno..." (Lope de Cayas); "Aunque si viera señal..." (El Grande Africano); "Si algún Dios de amor había..." (Cartagena); "Si de amor libre estuviere..." (Garci Sánchez de Badajoz); "Si en sólo cobrar a vos..." (Cartagena); "Si el hombre morir no hobiera..." (Pedro Leonardo d'Avendaño); "Si fue traje por más frío..." (don Rodrigo de Moscoso); "Si fuese vuestra excelencia..." (Tapia); "Si mi mal no agradecéis..." (Cartagena); "Si por caso yo viviese..." (Núñez); "Si por caso yo viviere..." (Garci Sánchez de Badajoz); "Si son ciruelas de veras..." (don Antonio de Velasco).

1.   *"A"* + *"que B"*

Nos referimos a este esquema al hablar del caso *A* = Exhortación
y *A* = Declaración. Estos son los casos más frecuentes. Se da también
en el caso de interrogación:

> (A)   ¿Yo qué le hice,
>   yo qué le hago,
> (B)   *que* me da tan ruin pago?   (202)

Tal vez se podrían asimilar a este esquema los casos de *qué* exclamativo e interrogativo, por presentar unidad de estructura:

> (A)   Pínguele, respinguete,
> (B)   ¡qué buen San Juan es éste!   (17)

> (A)   El abad que a tal hora anda,
> (B)   ¿qué demanda?   (85)

Abundan los casos de *que* como conjunción causal introductora
de una oración coordinada o subordinada causal. Son los casos más
abundantes. Pero *que* puede entrar también: 1) como conjunción
anunciativa introduciendo una oración subordinada sustantiva con oficio de complemento directo o una oración final con oficio de complemento indirecto; 2) como conjunción adversativa; 3) en oraciones
subordinadas adverbiales comparativas.
Parece tener matiz reiterativo en:

> Yo, madre, yo,
> *que* la flor de la villa me só.   (10)

> —Meteros quiero monja,
> hija mía de mi corazón.
> —*Que* no quiero yo ser monja, non.   (163)

A veces, la función de estos *ques* resulta indeterminada, y, con frecuencia, su razón de ser hay que buscarla exclusivamente en la fuerza
configurante de la tradición:

> A la villa voy;
> de la villa vengo;
> *que* si no son amores,
> no sé qué me tengo [32]. (286)

Esto se ve palpablemente en las dos versiones que van a continuación, de un mismo villancico. En la versión del Ms. 5593 de la Biblioteca Nacional de Madrid (de principios del XVI) (en nuestra *Antología*, núm. 86), dice:

> El mi corazón, madre,
> robado me le hane.

En la versión del *Romancero General* (*Antología*, núm. 279), el esquema estructural con *que* se ha impuesto, y ahora el villancico dice:

> El mi corazón, madre,
> *que* robado me le hane.

2. *"A" + "B" yuxtapuesto*

El caso más frecuente es el de Declaración + Declaración (yuxtapuesta). Ya lo mencionamos antes (pág. 156). También aludimos a casos de Exhortación + B yuxtapuesto (pág. 155).

3. *"A" + "¿B?"*

El elemento B es una pregunta:

> *(A)* A sombra de mis cabellos
>   se adurmió:
> *(B)* ¿si le recordaré yo? (72)

---

[32] Para un análisis más detenido de las construcciones con *que*, véase el capítulo IV. Allí se explica también el sentido del *que* de este villancico 286.

(*A*) El abad que a tal hora anda,
(*B*) ¿qué demanda?   (85)

(*A*) A tierras ajenas,
(*B*) ¿quién me trajo a ellas? [33].   (53)

4. "*A*" + "*¡B!*"

El caso de *B* = *Exclamación* (al que ya nos referimos parcialmente al hablar del *A* declarativo) es más frecuente que el de la pregunta.

Pínguele, respinguete,
¡qué buen San Juan es éste!   (17)

Aquella buena mujer,
¡cómo lo rastrilla tan bien!   (77)

Dicen a mí que los amores he.
¡Con ellos me vea si lo tal pensé! [34]. (126)

5. "*A*" + "*y B*"

En nuestra antología tenemos algunos ejemplos de esta estructura
(frecuente en la copla popular moderna) [35].

---

[33] Otros ejemplos: villancicos 37, 89, 93, 107, 123, 208, 263, 307, 315,
352, 366, 395, 494, 584, 588.

[34] Los ejemplos más frecuentes corresponden al esquema Declaración +
¡B!, ya analizado: núms. 20, 26, 66, 102, 130, 142, 229, 230, 241, 246, 259,
310, 323, 344, 430, 447, 451, 507, 523, 576. Son escasos, en nuestra antología, los ejemplos de esta estructura con un *A* no declarativo: aparte los
villancicos 17 y 77, arriba trascritos, sólo encontramos los núms. 361, 443
y 520.

[35] Recuérdense algunas de las coplas citadas en el capítulo anterior:
"Piedrabuena, buenos mozos, — tiradores a la barra, — y en Alcolea tripo-
nes — que no sirven para nada"; "En Alcolea está el pie, — y en Picón
está la hoja, — y en Piedrabuena, señores, — la flor de mozos y mozas";
"Dicen que se quema Lillo, — Villacañas y El Corral, — y los de Temble-
que dicen: — Pegar fuego al Romeral".

A los baños del amor
sola me iré,
y en ellos me bañaré.   (32)

Besáme y abrazáme,
marido mío,
y daros h'en la mañana
camisón limpio.   (236)

Lloraba la casada por su velado,
y agora la pesa porque es llegado.   (438)

Soy toquera y vendo tocas,
y tengo mi cofre donde las otras.   (277)

Parecéis molinero, amor,
y sois moledor [36].   (278)

Su valor de fórmula, de esquema que arrastra, puede comprobarse en estos ejemplos:

El villancico 409, del *Vocabulario* del Maestro Correas, dice:

> Pónteme de cara,
> que te vea yo,
> siquiera me mires,
> siquiera no.

Pero en la versión del *Arte grande,* del mismo autor, el villancico contiene un ligero cambio: aparece ahora en él una y expletiva:

> Pónteme de cara,
> que te vea yo,
> y siquiera me hables,
> siquiera no.   (316)

El villancico 229 *(Cancionero de Sebastián de Horozco)* dice:

> Madrugábalo el aldeana;
> ¡cómo lo madrugaba!

---

[36] Otros ejemplos: villancicos 197, 294, 306, 316, 337, 355, 375, 406, 411, 430, 444, 468, 531, 564. La conjunción y tiene un valor adversativo en los villancicos núms. 197, 278, 306, 337, 411, 468, 564.

Pero en el *Vocabulario* del Maestro Correas, el mismo villancico aparece en esta otra forma:

> Madrugábalo la aldeana,
> ¡y cómo lo madrugaba!   (430)

c. ATENDIENDO A LA REITERACIÓN

Atendiendo a la reiteración, uno de los elementos más característicos del villancico [37], es también posible descubrir un cierto número de esquemas estructurales que se repiten y cumplen una función modeladora, también con independencia de versos y sílabas. Fijémonos en los más importantes:

1. *Esquema "a + b + aR + c"*

En este esquema, los elementos *a - a* son los elementos que se repiten: *a* es el elemento reiterado y *aR*, el reiterante. Este esquema puede encontrarse en villancicos trascritos en cuatro versos y en villancicos trascritos en dos. No siempre resulta evidente el por qué de esta diferencia en la trascripción.

α. *Trascritos en cuatro versos: "a/b/aR/c".* — Se trata aquí de villancicos de cuatro versos con reiteración total e inmodificada *(R)* en los impares, y versos pares diferentes [38]. En este esquema es frecuente: 1) que los versos pares sean más cortos que los impares; se trata, pues, de una forma incipiente de seguidillas; 2) es también frecuente que el segundo verso sea el vocativo; pero no siempre es así.

---

[37] Véase cap. IV.

[38] Designamos estos versos pares con las letras *b-c*, pero téngase en cuenta que estos versos *riman* frecuentemente; las letras *b-c* no hacen, pues, referencia a la rima. La división atiende ahora al elemento de la reiteración, que queremos subrayar. Empleamos letras minúsculas para advertir que esta división no interfiere con la división *A/B* de la estructura binaria fundamental, que rige también en estos casos. La división, repito, atiende ahora a otro aspecto: a la reiteración.

Ejemplos de casos en que el segundo verso es el vocativo *(a/bV/ aR/c)*:

Quita allá, que no quiero,	*a*
falso enemigo,	*bV*
quita allá, que no quiero	*aR*
que huelgues comigo.	*c*

(11)

Que no me desnudéis,
amores de mi vida;
que no me desnudéis,
que yo me iré en camisa.   (146)

Por vida de mis ojos,
el caballero,
por vida de mis ojos,
bien os quiero [39].   (150)

Ejemplos de casos en que el segundo verso no es el vocativo:

¿Con qué la lavaré
la flor de la mi cara?
¿Con qué la lavaré,
que vivo mal penada?   (117)

Aguamanos pide la niña
para lavarse;
aguamanos pide la niña,
y no se la dane.   (156)

Bien haya quien hizo
cadenas, cadenas;
bien haya quien hizo
cadenas de amor [40].   (188)

---

[39] Otros ejemplos: "En andar menudito, — galán polido, — en andar menudito — os han conocido" (309); "Andá noramala, agudo, — agudo mío; — andá noramala, agudo, — que andáis dormido" (322); "Si queréis que os enrame la puerta, — vida mía de mi corazón, — si queréis que os enrame la puerta, — vuestros amores míos son" (552).

[40] Otros ejemplos: "Libres alcé yo mis ojos, — señora, cuando os miré; — libres alcé yo mis ojos — y captivos los bajé" (217); "Besábale y

Podría hacerse un subgrupo con ciertos villancicos que poseen esta misma estructura con la diferencia de presentar algún cambio en la reiteración. La modificación puede ser mayor o menor, y presentar distinto carácter, según se ve en los ejemplos que trascribimos:

> Que si soy morena,
> madre, a la fe,
> que si soy morenita,
> yo me lo pasaré.   (274)

> Miraba la mar
> la mal casada;
> que miraba la mar
> cómo es ancha y larga.   (570)

En ambos casos, el verso reiterante (aR) ha sufrido un ligero cambio: un gracioso alargamiento silábico (una sílaba en uno y otro caso), mostrándonos una vez más la característica flexibilidad del villancico.

La variación puede ser mayor:

> Dentro en el vergel
> moriré.
> Dentro en el *rosal*
> matarm'han.   (55)

---

enamorábale — la doncella al villanchón; — besábale y enamorábale, — y él metido en un rincón" (218); "A coger el trébol, damas, — la mañana de San Juan; — a coger el trébol, damas, — que después no habrá lugar" (296); "Que si tiene sarna — la Leonor, — que si tiene sarna, — yo sarampión" (313); "Toda va de verde — la mi galera; — toda va de verde — de dentro a fuera" (318); "Que no me los ame nadie — a los mis amoresé; — que no me los ame nadie, — que yo me los amaré" (336); "Que no hay tal andar — como buscar a Cristo, — que no hay tal andar — como a Cristo buscar" (388); "Todo lo tiene bueno — la del Corregidor, — todo lo tiene bueno — si no es la color" (416); "No me aprovecharon, — madre, las hierbas; — no me aprovecharon, — y derrámelas" (496); "Que no hay tal andar — por el verde olivico, — que no hay tal andar — por el verde olivar" (503); "Llena va de flores — la blanca niña, — llena va de flores, — ¡Dios la bendiga!" (524); "Dame una saboyana, — marido, ansí os guarde Dios, — dadme una saboyana, — pues las otras tienen dos" (549).

y otras, con tres. Se han trascrito con tres cuando existía asonancia entre los elementos *a* y *b*. Cuando no, *a* y *b* se han escrito formando un solo verso. La regla parece comprobarse en los siguientes ejemplos: "Mi ventura, el caballero, — mi ventura" (33); "No puedo apartarme — de los amores, madre; — no puedo apartarme" (52 y 151); "Anda, amor, anda; — anda, amor" (153); "Pase la galana, pase, — pase la galana" (187); "Que se nos va la Pascua, mozas, — que se nos va la Pascua" (275); "Válate la mona, — Antona, — válate la mona" (422); "Ya no más, queditico, hermanas, — ya no más" (522); "Oxte, morenica, oxte; — oxte, morena" (571). Parece un fallo a la regla: "So el encina, encina, — so el encina" (67), trascrito en dos versos a pesar de la rima *a-b*. Una razón en este caso pudiera ser que entre *a-b*, lo que hay, más que rima, es una verdadera repetición. Pero también es posible que haya intervenido otra de las razones que mueve, que nos mueve, a los trascriptores, cuando dividimos una canción en una u otra forma. Porque si dividimos el villancico 67 en tres versos:

> So el encina,
> encina,
> so el encina,

los versos *se ven* muy cortos. Dicho de otro modo, la tradición *escrita,* la visión física de los versos, también influye en la trascripción.

CAPÍTULO IV

CARACTERES DEL ESTILO

I. BREVEDAD Y DINAMISMO

Así como la sabiduría popular es sabiduría de refrán, de aforismo condensado en una breve sentencia, así también la lírica popular castellana tiende a condensarse en una breve estrofa, sea ésta un villancico, una seguidilla o una copla.

No basta con decir que el villancico *es* una breve canción; la brevedad es un carácter esencial del estilo mismo. La técnica del refrán y la del villancico tienen en este aspecto muchos puntos de contacto. La fuerza del refrán depende en buena parte de su brevedad; de saber quintaesenciarse. Un refrán como el de "A fuerte fortuna, corazón de hierro" (del *Vocabulario* del maestro Correas), ¿no vale por muchas estrofas de arte mayor de nuestros poetas doctrinales del siglo xv?

Del mismo modo, el decir lírico popular tiende, por ley de estilo, a conseguir la brevedad, como si de esa brevedad dependiera el logro de la belleza y la transmisión del mensaje lírico. Así, el villancico (o después la seguidilla o la copla), es decir, la canción breve, es la forma natural de la lírica castellana.

Por el contraste, las cantigas de amigo galaico-portuguesas se prestan maravillosamente a la comparación. Porque la cantiga es potencialmente infinita. Se acaba, pero podría, en realidad, continuarse a sí misma indefinidamente, desdoblándose en un inagotable paralelismo.

El espíritu de la cantiga se caracteriza precisamente por esa nota continuativa, deslizante, regular, suave y sin sobresaltos, como la lluvia gallega. Frente a este suave deslizamiento, la poesía castellana es de una viveza que recuerda —si se nos perdona esta insistencia en imágenes climáticas— al sol de Castilla. Frente al blando paralelismo galaico-portugués, el villancico parece un grito, un zarandeo, pura exclamación. No es raro, pues, que la lírica popular castellana terminara abandonando la práctica del desdoblamiento estrófico del villancico —hasta los más arraigados, como los paralelísticos y zejelescos— para concentrarse en la seguidilla y la copla, que son los villancicos de hoy.

Un análisis de la lengua pone en seguida de manifiesto una multitud de elementos que explican el ritmo breve y dinámico del villancico. Vamos a referirnos a los más significativos.

A. LA ORACIÓN PSÍQUICA Y EL GRUPO FÓNICO

Atendamos primeramente al aspecto fonético de la lengua. Es sabido que el discurso no es un chorro ininterrumpido de palabras o de sonidos, sino que se divide necesariamente en unidades fonéticas y de sentido. La unidad de sentido completo es la *oración,* entendida no ya desde el punto de vista lógico y gramatical (más restringidos), sino como unidad psíquica o de atención desde el punto de vista del hablante (oración psíquica).

Esta unidad superior puede a su vez dividirse en unidades inferiores: grupos fónicos, o sea aquellas unidades del discurso delimitadas por pausas u otros medios de expresión. La oración puede, así, consistir en un solo grupo fónico:

No pueden dormir mis ojos

Puede constar de dos:

No me los amuestres más, / que me matarás,

o de varios, como en este cuarteto del soneto más andaluz de don Luis de Góngora:

Hermosas damas, / si la pasión ciega no os arma de desdén, /
no os arma de ira, / ¿quién con piedad al andaluz no mira, /
y quién al andaluz su favor niega? [cinco grupos fónicos].

Desde el punto de vista de la curva melódica del lenguaje, el grupo
fónico es la unidad melódica. En las oraciones trascritas, cada grupo
fónico tiene una entonación, una curva melódica determinada. Ahora
bien, los grupos finales ("No pueden dormir mis ojos"; "que me matarás"; "y quién al andaluz su favor niega") se individualizan frente
a los demás por una especial inflexión final que les es privativa: el
tonema [1] o inflexión final es en ellos distinto, y mediante estos tonemas, el hablante expresa y el oyente entiende cuándo la oración psíquica ha quedado completa.

Cuando el habla o la lengua escrita se construyen a base de oraciones o unidades de sentido breves, y los tonemas terminales se suceden a intervalos breves, hablamos de un *estilo* también breve o
cortado, ágil, dinámico. En cambio, las oraciones largas dan lugar a
un estilo reposado, cadencioso, articulado.

De aquí, el interés estilístico de los siguientes aspectos del lenguaje: 1) la extensión de los grupos fónicos en que el lenguaje se
divide conforme se construye; 2) la extensión total de la oración psíquica delimitada, como sabemos, por su acabamiento en un tonema
terminal; 3) la tendencia a construir oraciones integradas por un
mayor o menor número de grupos fónicos [2].

---

[1] En la terminología de T. Navarro Tomás.

[2] Habría todavía un aspecto más a tener en cuenta. Por cima de las
oraciones, aun siendo las unidades de entonación y de sentido más amplias
que se construyen, existen aún elementos diversos de expresión que sirven
para enlazar unas oraciones con otras dentro del discurso. Como dice Samuel
Gili y Gaya (*Curso superior de sintaxis española*, Barcelona, 1955, p. 21),
esas oraciones "guardan entre sí una relación de continuidad representativa
lógica o afectiva, es decir, un enlace psíquico de orden superior, que puede
tener también expresión lingüística en la colocación de unas oraciones con
respecto a otras, en el uso de algunas —muy pocas— conjunciones o frases
conjuntivas, en la repetición u oposición de ciertos sintagmas, morfemas, se-
mantemas o sonidos, en la duración relativa de las pausas y en otros recursos estilísticos...".

Con todo esto presente, pasemos a contraponer dos muestras de dos estilos poéticos (uno, construido a base de unidades largas, enlazadas; otro, de unidades breves y sueltas), para percibir sus diferencias. Recurramos al ya conocido *Villancico que fizo el marqués de Santillana a unas tres fijas suyas*. Como se recordará, en esta composición insertó Santillana, o quien fuese el autor de la composición, cuatro villancicos populares al pie de otras tantas estrofas suyas, o más exactamente parejas de estrofas. La primera pareja de estrofas del marqués, con su correspondiente villancico, dice así:

> Por una gentil floresta
> de lindas flores e rosas,
> vide tres damas fermosas
> que de amores han recuesta.
>
> Yo, con voluntad muy presta,
> me llegué a conoscellas;
> començó la una dellas
> esta canción tan honesta:
>
> "Aguardan a mí.
> Nunca tales guardas vi".

Un cotejo de los versos de Santillana y de los del villancico arroja las siguientes diferencias:

A. S a n t i l l a n a :

Primera estrofa: una sola oración, divisible en cuatro grupos fónicos, coincidentes con los cuatro versos, de ocho sílabas cada uno, o en dos grupos fónicos, de dieciséis sílabas por grupo. La extensión total de la oración es, en todo caso, de 32 sílabas.

Segunda estrofa: dos oraciones, o mejor, una oración y un fragmento de oración, ya que la segunda resulta incompleta como unidad psíquica. La primera tiene una extensión de 16 sílabas, y la integran tres grupos fónicos de 1 + 7 + 8 sílabas ("yo,/ con voluntad muy presta,/ me llegué a conoscellas"). La segunda oración (o fragmento de oración) consiste en un solo grupo fónico de 16 sílabas. Digo que se trata de un fragmento porque la unidad de sentido no se ha completado, y la atención queda pendiente de la canción anunciada. Es decir, no se produce el tonema final de oración.

B. Villancico:

Consta de dos oraciones, las dos con tonema terminal, de unidad completa: 1) "Aguardan a mí". 2) "Nunca tales guardas vi". Las dos constan de un solo grupo fónico. La extensión de la primera oración es de 6 sílabas; la segunda, de 8. El contraste con las oraciones de Santillana es significativo. Pero no es esto sólo. Las dos estrofas de Santillana constituyen una unidad de sentido (y aún, como queda dicho, psíquicamente incompleta, porque queda la canción pendiente de la canción anunciada); y las oraciones se suceden en función del conjunto. Cada oración prepara a la siguiente, y ésta llena la expectación provocada por la que le antecede. Así, la entonación discurre con suave ondulación, sin acusados contrastes. En cambio, en el villancico, las dos oraciones simplemente yuxtapuestas, sin nexos conjuntivos de enlace, actúan fonéticamente como unidades independientes. Las dos acaban con inflexión final de oración, y por su brevedad —que aún resulta más cuando, en este caso, vienen tras las extensas oraciones usadas por Santillana— producen un efecto de corte brusco y lleno de viveza [3].

Este estilo rápido y breve, lleno de viveza, es característico del villancico.

> Dexaldo al villano y pene;
> vengar m'ha Dios d'ele.   (3)

> Solíades venir, amor;
> agora no venides, non.   (12)

> Siempre m'habéis querido;
> maldita sea si os olvido.   (15)

---

[3] Notemos que, efectivamente, en la primera oración la curva melódica acaba con inflexión terminal. No presupone la siguiente, no la anuncia, no necesita de ella, ni fonética ni lógicamente. La segunda comienza desde la nada, sin apoyarse fonéticamente en la primera. Y aunque pudiera verse una conexión lógica y gramatical en el uso del adjetivo *tales*, tampoco desde este punto de vista la dependencia es necesaria. Como decimos: "Nunca he visto tantos árboles"; "Nunca había sentido tal calor".

No es consecuencia simplemente de la brevedad estrófica del villancico. Es un estilo, un modo de decir. Aparece igualmente en las glosas populares de mayor número de versos; como en la que sigue, del *Cancionero Musical de Palacio* (designamos con / el final de grupo fónico, y con // el final de oración) [4]:

So el encina,/ encina,/
so el encina.//

Yo me iba,/ mi madre,/
a la romería;//
por ir más devota
fui sin compañía;//
so el encina.//

Por ir más devota
fui sin compañía.//
Tomé otro camino;//
dejé el que tenía;//
so el encina.//

Halléme perdida
en una montiña.//
Echéme a dormir
al pie del encina,/
so el encina.//

A la media noche
recordé,/ mezquina;//
halléme en los brazos
del que más quería,/
so el encina.//

Pesóme,/ cuitada,/
de que amanecía,/
porque yo gozaba
del que más quería,/
so el encina.//

Muy biendita sía
la tal romería;//
so el encina.//   (67)

---

[4] Para el criterio de delimitación de la oración, véanse pp. 384-387.

Concluimos: es característico del villancico un estilo construido a base de oraciones breves, de poca extensión silábica, con pocos grupos fónicos por oración —estando en mayoría, según luego veremos, las oraciones construidas por un solo grupo fónico—. El grupo fónico es, igualmente, breve. Esto hace que el estilo del villancico sea también breve, conciso, vivo, de rápida andadura.

B. SINTAXIS SUELTA

Dámaso Alonso ha empleado los términos de "sintaxis trabada" y "sintaxis suelta" para aludir a dos tipos distintos de "andadura estilística" [5]: una, caracterizada por la cuidadosa ilación de las oraciones, mediante nexos coordinantes y subordinantes y otros elementos de relación; la segunda, con amplio uso de oraciones desligadas, sin nexos de enlace.

El lenguaje de sintaxis suelta, como es sabido, caracteriza a todos los lenguajes en períodos de formación o en sus estados menos desarrollados, lo mismo en el lenguaje individual (lenguaje infantil), social (lenguaje popular) o nacional (lengua arcaica). Wartburg ha ilustrado esto en el desarrollo del latín y el francés, mostrando cómo la construcción más trabada y rígida del latín clásico fue precedida por un tipo de enlace más suelto que era el propio del latín arcaico. Del mismo modo, a fines del Imperio y en los primeros siglos medievales, junto con la decadencia de la cultura intelectual, se vuelve a un tipo de lengua (lo mismo en el latín decadente que en el francés primitivo) dominado por una sintaxis más elemental y suelta, con pérdida de muchos de los medios de trabazón sintáctica que había creado el latín clásico, y en especial el delicado juego de las conjunciones. Posteriormente, el francés medio va trabando y elevando el rigor de la construcción sintáctica hasta llegar a la elaborada y rígida construcción del francés moderno [6]. Igual ocurrió con el español.

---

[5] Dámaso Alonso, "Estilo y creación en el *Poema del Cid*", en *Ensayos sobre poesía española*, Madrid, Revista de Occidente, 1944, pp. 69-111.

[6] Walter von Wartburg, *Problemas y métodos de la lingüística* (trad. de Dámaso Alonso y E. Lorenzo, con notas de D. Alonso para el público de habla española), Madrid, Publicaciones de la Revista de Filología Española, 1951, pp. 153-156.

Del mismo modo, el lenguaje de la conversación, el lenguaje espontáneo, se caracteriza, en general, por una sintaxis suelta frente a la construcción más hilada y rigurosa del lenguaje escrito. Este carácter se acentúa en la medida en que el habla fluye más libre y espontánea, o corresponde a estratos "populares" de la población. "La preferencia de la lengua popular por una seriación suelta y floja —dice Wartburg— corresponde a la escasa disposición del pueblo para las concatenaciones lógicas y para la ligazón de largas series de pensamiento" [7].

Se trata, pues, de dos realidades lingüísticas que pueden coexistir en el tiempo, y no sólo de dos fases del desarrollo lingüístico. Dámaso Alonso señaló esto, aun desde el punto de vista de la lengua literaria, contraponiendo la sintaxis del *Poema del Cid* y la de la *Crónica General*: "donde el *Poema* opera por simple yuxtaposición, echa mano la *Crónica* de un complicado sistema de conjunciones". "El tipo juglaresco está siempre más próximo de la realidad hablada, de donde se nutre" [8].

La lengua del villancico, popular y espontánea, regida además por un ideal estético de economía y dinamismo expresivos, se caracteriza por una construcción sintáctica suelta y simple. Para mejor ilustrarlo, vamos a fijar nuestra atención en tres aspectos de la sintaxis propia del villancico:

1) el amplio uso que hace de la yuxtaposición como sistema de enlace oracional;

2) la ausencia también de un sistema abundante y diferenciado de nexos sintácticos para expresar las relaciones oracionales. El nexo predominante, usado para expresar las más variadas relaciones, es, como veremos, el muy popular y poco matizador *que,* el cual no se presta a las seriaciones largas y trabadas [9];

---

[7] *Ob. cit.,* p. 154.

[8] *Ibidem,* nota 117 (pp. 153-154). La observación de D. Alonso fue después rigurosamente ilustrada por Antonio M. Badía Margarit, en "Dos tipos de lengua cara a cara", en *Homenaje a Dámaso Alonso,* Madrid, Gredos, 1960, tomo I, pp. 115-139.

[9] Hablando del lenguaje individual, dice Gili y Gaya que "las conjunciones subordinantes son las últimas que aparecen en el lenguaje infantil, con excepción de la incolora *que,* simple nexo copulativo que nada dice sobre la cualidad de la relación. Fuera de ésta, las demás subordinantes se

3) la simplicidad de los períodos paratácticos e hipotácticos.

1. *La yuxtaposición*

La relación expresada asindéticamente por medio de la yuxtaposición puede ser de naturaleza copulativa, adversativa, causal, relativa, condicional, etc., lo mismo que si se tratara de relaciones coordinadas y subordinadas expresadas por medio de nexos proposicionales o conjuntivos. Al faltar el nexo gramatical de enlace, la relación interna entre las oraciones del período, existente en la intención del hablante, es expresada únicamente por la entonación [10]. La omisión del elemento sintáctico presta a la lengua mayor soltura y dinamismo, como se ve en estos ejemplos (señalo con el signo ★★ el lugar de la yuxtaposición):

1) relación copulativa asindética:

> Fatimá la tan garrida,
> levaros he a Sevilla,
> ★★ teneros he por amiga...   (29)

> ¿Qué me queréis, caballero?
> Casada soy; (★★) marido tengo.   (39)

2) relación adversativa:

> Alza la niña los ojos,
> ★★ no para todos.   (238)

> Solíades venir, amor;
> ★★ agora no venides, non.   (12)

---

presentan con gran lentitud, en la medida que la cultura individual las va haciendo necesarias; y si la instrucción literaria es nula o escasa, muchas de ellas seguirán siendo desconocidas durante toda la vida" (*Curso superior de sintaxis española*, ob. cit., p. 249).

[10] El tema es tratado amplia y claramente por S. Gili y Gaya en su artículo "Fonología del período asindético", en *Estudios dedicados a Menéndez Pidal*, Madrid, C. S. I. C., 1950, tomo I, pp. 55-67.

3) relación causal:

> Serviros ía y no oso;
> ** só mozo. (60)

> Señor Gómez Arias,
> doleos de mí;
> ** soy mochacha y niña
> y nunca en tal me vi. (221)

4) relación consecutiva:

> Vengo de tan lexos,
> vida, por os ver;
> hallo vos casada;
> ** quiérome volver [11]. (216)

> Siempre m'habéis querido;
> ** maldita sea si os olvido. (15)

5) relación final:

> Abaja los ojos, casada;
> ** no mates a quien te miraba. (100)

La yuxtaposición tiene especial interés en el lenguaje narrativo, al que siempre comunica viveza y agilidad.

> Dentro en el vergel
> moriré.
> Dentro en el rosal
> matarm'han.

> Yo m'iba, mi madre,
> las rosas coger;
> hallé mis amores
> dentro en el vergel.

---

[11] La relación consecutiva asindética está en los versos 3.º y 4.º ("hallo vos casada; [por eso] quiérome volver"). En los versos 1.º y 3.º hay asíndeton de naturaleza adversativa: "Vengo... [pero] hallo vos casada".

Dentro en el rosal
matarm'han.   (55)

De Monzón venía el mozo;
mozo venía de Monzón.

La moza guardaba la viña;
el mozo por ahí venía.
Mozo venía de Monzón.   (68)

Aquellas sierras, madre,
altas son de subir;
corrían los caños;
daban en un toronjil.

Madre, aquellas sierras
llenas son de flores;
encima dellas
tengo mis amores.   (108)

2. *Los nexos sintácticos. La conjunción*

Decíamos que la yuxtaposición, al eliminar las conjunciones y demás nexos sintácticos, abandona la expresión de las relaciones oracionales a los recursos fonéticos. Resulta evidente que el uso de las
conjunciones y demás nexos de relación, al mismo tiempo que introduce una mayor complejidad en la construcción sintáctica, permite
una más rica matización en la expresión del pensamiento. Por ello,
el lenguaje culto, y sobre todo el lenguaje culto literario o escrito,
más trabado y complejo que el lenguaje popular y que el lenguaje
coloquial, se sirve de los nexos sintácticos con mucha mayor profusión. No solamente hace mayor uso de las relaciones hipotácticas —la
subordinación es un tipo de relación más intelectual y matizador que
la coordinación y la yuxtaposición—, sino que emplea un sistema más
vivo y diversificado de conjunciones.

Hasta tal punto es esto cierto, que un gran número de conjunciones son completamente desconocidas en el lenguaje popular. Muchas veces, una conjunción basta para detectar el elemento culto en
un villancico; para distinguir la poesía "popular" de la "populari-

zante". Y, siempre, la profusión de elementos de relación oracional
será indicio de cultismo lingüístico y literario.

Compárense, como botón de muestra, las dos glosas que van a
continuación. La de la izquierda —¿hará falta decirlo?— es la popular; la de la derecha, la culta:

Niña y viña, peral y habar,
malo es de guardar.

Levantéme, oh madre,
mañanica frida;
fui a cortar la rosa,
[la rosa] florida.
Malo es de guardar.

Levantéme, oh madre,
mañanica clara;
fui cortar la rosa,
la rosa granada.
Malo es de guardar.

Viñadero malo
prenda me pedía;
dile yo un cordone;
dile yo mi cinta.
Malo es de guardar.

Viñadero malo
prenda me demanda;
dile yo un [cordone;
dile yo una banda.
Malo es de guardar].

[Aquel caballero, madre,
tres besicos le mandé:
creceré y dárselos he.]

Porque fueron los primeros
en mi niña juventud,
prometílos por vertud,
amores tan verdaderos:
aunque envíe mensajeros,
otra cosa non diré:
creceré y dárselos he...

Señora, *si* a vos placía
que mi deuda se pagase,
porque luego rematase
el daño que padecía,
y, *si* en esto consentía,
gran placer recebiré:
creceré y dárselos he..., etc. [12].

Recordemos lo que dice Wartburg sobre las conjunciones. En
épocas de primitivismo lingüístico o de decadencia de la cultura inte-

[12] La popular procede del *Cancionero de la Biblioteca Colombina* de
Sevilla, fol. 72 v.º; la culta (glosa culta a un villancico popular; obsérvese
el abismo estilístico que separa al villancico de la glosa) está tomada del
Cancionero del British Museum (ed. Hugo Albert Rennert, 1895). Son los
números 16 de la *Antología popular*, y 9 de la *Antología popularizante I*,
respectivamente.

lectual, el juego delicado de las conjunciones se pierde, como ocurrió en los siglos de descomposición del latín y en los que presenciaron el nacimiento de las nuevas lenguas románicas. Las lenguas romances perdieron la mayor parte de las conjunciones latinas, y hubieron de ir creándolas poco a poco después, a requerimiento del nuevo desarrollo cultural, habilitando como conjunciones palabras y frases de distinto origen semántico [13]. Lo mismo ocurrió en el castellano [14].

El estudio de los nexos sintácticos del villancico muestra: 1) un sistema poco diversificado, en el que los elementos (pronombres, conjunciones y adverbios) se reducen a unos cuantos, siempre los mismos, que se repiten; 2) en este número faltan, por supuesto, los más complejos y matizadores; 3) el nexo más empleado *(que)* es, precisamente, el menos matizador de todos (junto con *y*, que es el segundo en frecuencia en el villancico); *que* se emplea con sentidos diversos, y a veces (sobre el papel) imprecisos; 4) el número absoluto de nexos empleados es escaso, como corresponde a un lenguaje de mínima complejidad sintáctica; 5) es frecuente (como ya vimos al estudiar la yuxtaposición) la omisión del elemento conjuntivo con el consiguiente abandono de la función relacional a la entonación.

He aquí las cifras globales y desglosadas de todos los elementos sintácticos empleados *para introducir una oración subordinada o coordinada* (es decir, de todos aquéllos y sólo de aquéllos usados para expresar una efectiva relación sintáctica) [15].

Cifras globales y porcentajes de uso de los nexos sintácticos

PRONOMBRES				CONJUNCIONES			
POPULAR	PZANTE. I	PZANTE. II	PZANTE. I Y II	POPULAR	PZANTE. I	PZANTE. II	PZANTE. I Y II
153	65	45	110	462	127	169	296
1'53	2'59	1'80	2'19	4'61	5'06	6'75	5'90

[13] *Ob. cit.*, pp. 154-156.
[14] Vide R. Menéndez Pidal, *Manual de gramática histórica española*, Madrid, 1958, pp. 339-340.
[15] Para el criterio de delimitación de las oraciones, y otros aspectos del análisis lingüístico, véanse pp. 383-390.

ADVERBIOS				TOTALES [16]			
POPULAR	PZANTE. I	PZANTE. II	PZANTE. I y II	POPULAR	PZANTE. I	PZANTE. II	PZANTE. I y II
48	12	21	33	663	205	236	441
0'48	0'48	0'84	0'66	6'62	8'16	9'43	8'80

Cifras desglosadas de los nexos sintácticos:

Pronombres:

Antología popular: *que* relativo (114), *quien* (37), *cuantos* (1), *cuanto* (1).
Antología popularizante I: *que* relativo (50), *quien* (12), *cuantos* (2), *cuanto* (1).
Antología popularizante II: *que* relativo (39), *quien* (6).

Conjunciones:

Antología popular: *que* (213) [*que* subordinante, 121; *que* causal, 92], *ca* (1), *y* (139), *e* (2), *si* (58), *aunque* (12), *mas* (9), *pues* (9), *pues que* (8), *ni* (4), *o* (3), *porque* (3), *siquiera* (1).
Antología popularizante I: *que* (49) [*que* subordinante, 34; *que* causal, 15], *ca* (1), *y* (27), *e* (3), *si* (16), *pues* (9), *porque* (6), *mas* (4), *pues que* (3), *desque* (2), *nin* (2), *aunque* (2), *maguer* (1), *pero* (1), *ya que* (1).
Antología popularizante II: *que* (61) [*que* subordinante, 38; *que* causal, 23], *y* (50), *si* (14), *porque* (12), *aunque* (10), *pues* (7), *mas* (6), *ni* (5), *o* (3), *desque* (1).

Adverbios:

Antología popular: *do* (10), *donde* (9), *como* (15), *cuando* (9), *mientras* (2), *antes* (2), *cual* (1).

---

[16] En los totales están incluidos dos adjetivos, considerados como palabras de enlace sintáctico, que aparecen en las cifras desglosadas. Proceden de las antologías popularizantes.

Antología popularizante I: *cuando* (6), *do* (2), *donde* (2), *cual* (1), *como* (1).

Antología popularizante II: *do* (6), *donde* (1), *cuando* (5), *mientras* (3), *como* (2), *cuanto* (1), *según* (1), *cuán* (1), *cual* (1).

A d j e t i v o s :

Antología popular: ninguno.
Antología popularizante I: *tanta* (1).
Antología popularizante II: *cuanto* (1).

De todos los nexos sintácticos usados en el villancico para expresar una relación paratáctica o hipotáctica, el más frecuente es *que*, empleado unas veces como relativo y otras como conjunción. Entre las conjunciones, *que* es la más neutra y menos matizadora. De aquí que sea la única que aparece pronto en el lenguaje infantil. De aquí también que sea una de las pocas que nuestra lengua ha conservado del latín, sin perderse como tantas otras.

Aparece insistentemente en el villancico. Al igual que decía Lope de la niña y la madre, podría también decirse que sin *que* no hay canción. La construcción con *que* llega a hacerse sentir como un rasgo de estilo. Aparece expresando distintas relaciones [17]: *A)* como pronombre relativo y nexo conjuntivo en oraciones subordinadas adjetivas: 1) con función explicativa: "Niña, erguídeme los ojos, — *que* a mí enamorado m'han..." (25); "Dos ánades, madre, — *que* van por aquí..." (35); "Aquel pastorcico, madre, — *que* no viene, — algo tiene en el campo — *que* le duele" (82) [18]; 2) con función especificativa: "La ninya *que* los amores ha..." (2); "El amor *que* me bien quiere..." (31); "Aquel caballero, madre, — *que* de amores me fabló..." (48); "El abad *que* a tal hora anda..." (85); *B)* como conjunción causal [19]: "Ardé, corazón, ardé, — *que* n'os puedo yo

---

[17] Dada su característica indeterminación, la interpretación de su sentido no es siempre seguro; o, mejor, caben distintas interpretaciones.

[18] Compruébese el posible matiz causal de algunos de estos *ques*.

[19] La Academia señala como conjunciones causales: *que, pues, pues que, porque, puesto que, supuesto que* (coordinantes), *porque, de que, ya que, como, como que* (subordinantes). A ellas habría que agregar, como dice Gili y Gaya, aquellas frases conjuntivas del tipo *como quiera que, por razón de que, en vista de que, visto que*, etc. De todas ellas, sólo *que* es

valer" (27); "No quiero ser monja, no, — *que* niña namoradica só" (63); "Buen amor, no me deis guerra, — *que* esta noche es la primera" (76); "...paséisme ahora allende el río, — *que* estoy, triste, mal herido" (78); *C)* como conjunción anunciativa introductora de una oración subordinada sustantiva con oficio de complemento directo: "...bien me lo sé, — *que* a tus manos moriré" (30); "...quita allá, que no quiero — *que* huelgues comigo" (11); "...no haya miedo, mi madre, — *que* por él torne" (300); "Y soñaba yo, mi madre, — dos horas antes del día, — *que* me florecía la rosa..." (71); *D)* como conjunción final: "Paséisme ahora allá, serrana, — *que* no muera yo en esta montaña" (78); "...¿por dó saliré *que* no me moje?" (215); "Pónteme de cara — *que* te vea yo..." (316 y 409); *E)* como conjunción adversativa: "Por la puente, Juana, — *que no* por el agua" (271); "Para mí son penas, madre, — *que no* para el aire" (354); "Esta Maya se lleva la flor, — *que* las otras *no*" (506) [20]; *F)* como conjunción consecutiva: "Puse mis amores — en tan buen lugar — *que* no los puedo olvidar" (36); "Y mercóme mi marido — un arroba de lino, — *que* los perros y los gatos — en ella facían nido" (18); "...lloraba su muerto amigo — so el olivar, — *que* las ramas hace temblar" (160); *G)* tras una exclamación: "¡Ábalas, *que* prendadas iban...!" (254); "Aires, *que* me llevan los frailes..." (364); "¡Ay, *que* era casado...!" (102); "¡Ay, *que* non oso... Ay, *que* no

primitiva; "*porque* y *de que* se han formado con las preposiciones *por* y *de; pues* (latín *post*), *pues que, ya que,* son expresiones temporales primitivas; *puesto que* y *supuesto que,* fueron originariamente frases absolutas con participio, usadas con valor condicional y causal; *como* y *como que* son significados traslaticios del adverbio de modo *como.* Parece seguro, además, que *como* seguido de subjuntivo procede del uso temporal y modal que en latín tuvo la preposición *cum*" (S. Gili y Gaya, *Curso...,* ob. cit., página 272).

El lector observará el matiz culto de muchas de estas conjunciones y frases conjuntivas. No las encontrará en el habla popular, especialmente en los medios rurales. Tampoco, por supuesto, en la poesía popular.

[20] En el recuento de nexos sintácticos sólo he tenido en cuenta aquellos nexos conjuntivos que introducen una oración, y no he considerado como oraciones las frases con verbo sobreentendido pero no expreso porque el criterio al delimitar las oraciones ha sido estrictamente formal (véanse pp. 384-387). Por ello, los tres *ques* adversativos que acabo de transcribir no están contados entre los nexos sintácticos.

puedo...!" (112); "Ay *que* non era, — mas ay *que* non hay...!"
(45) [21]; *H*) como pronombre, adjetivo o adverbio interrogativos o exclamativos: "¿Qué me queréis, caballero?" (39); "¿Qué habedes,
qué?" (174); "¡Qué mala noche me distes!" (124); "¡Qué panadera
garrida!" (120) [22].

Especial interés tiene un *que* típico del villancico, conservado en
la canción popular actual como rasgo de estilo. Como rasgo popular
lo usó García Lorca:

> Y *que* yo me la llevé al río...
>
> Verde, *que* te quiero verde...
>
> *Que* muerto se quedó en la calle,
> *que* con un puñal en el pecho,
> y *que* no lo conocía nadie.

Sobre estos últimos tres versos de Lorca (de la canción *Sorpresa),*
hizo un detenido análisis sintáctico-estilístico Leo Spitzer en un artículo publicado en la *Revista de Filología Hispánica* [23]. Spitzer consideraba este *que* como un *que* "narrativo" y veía en él una reacción popular (desintelectualizadora) contra el discurso indirecto. Frente al
discurso indirecto, más intelectualizado ("*dicen que* muerto se quedó
en la calle"), la supresión del *verbum dicendi* da vigor a la introducción del discurso, y el *que* "retiene del *dicen que* justamente
lo necesario para indicar sujetos hablantes, indeterminados, verdaderamente anónimos, que no aparecen con su personalidad y que se
borran lo bastante para no invadir el contenido material de la declaración" [24]. El *que* "narrativo" (el término es de Spitzer) es un rasgo

---

21 *Ay, que...* era y es la exclamación más característicamente popular.
Por eso la usó tanto Lorca: "Ay, que la muerte me espera..."; "Ay, amor,
que se fue y no vino...".

22 Ninguno de estos *ques* (el *que* tras exclamación, y los interrogativos
y exclamativos) posee una función de relación oracional, y, por eso, tampoco están incluidos en el recuento de los nexos sintácticos.

23 "Notas sintáctico-estilísticas a propósito del español *que*", *Revista de
Filología Hispánica,* Buenos Aires, IV (1942), pp. 105-126 y 253-265.

24 *Ibid.,* pág. 124.

idiomático característico del castellano [25]. El maestro alemán se preguntaba si podrían encontrarse ejemplos españoles de *que* narrativos anteriores al siglo XIX, y respondía inmediatamente con uno (que le había sido suministrado por Amado Alonso): el de la canción del *Caballero de Olmedo:*

> *Que* de noche lo mataron
> al caballero,
> la gala de Medina,
> la flor de Olmedo.

El ejemplo está perfectamente escogido. El "dicen que" encaja perfectamente en la canción de (¿de?) Lope, una canción narrativa, que es, en esencia, ella misma un "dicen que" o un "dizque" popular. Más antiguo es, con toda seguridad, otro ejemplo de poesía narrativa: el romance del prisionero. Pero existe aquí una diferencia.

---

[25] Pueden verse en el citado artículo de Spitzer distintos ejemplos de uso de este *que* "narrativo". Entre otros, este soliloquio del *Pae Polinar* en *Sotileza* (de Pereda): "Pae Polinar, *que* este hijo está, fuera del alma, hecho una bestia; *pae Polinar, que* este otro es una cabra montuna...; *pae Polinar, que* esta condenada criatura me quita la vida a disgustos; *que* yo no puedo cuidar de él; *que* en la escuela de balde no le hacen maldito el caso, etc....". No tiene, en cambio, en mi opinión, el carácter narrativo que le atribuye Spitzer otro pasaje, también de Pereda: "Una noche falta quien toque el piano para bailar. Galindo [...] toca lo *que* se necesita. [...] y cuando llega el caso [...] suelta un par de canciones [...]. Si se trata de hacer coplas, nadie le gana a hacerlas [...]. *Que* no se baila, ni se canta, ni se hacen coplas, y la gente se agrupa en los gabinetes, medio aburrida, medio soñolienta. Allí está Galindo para reanimar los decaídos espíritus". Spitzer da al *que* introductor en el párrafo segundo un sentido narrativo o "charlativo" (término que emplea en otra ocasión): "Este *que* —dice— introduce la protesta anónima, sorda, que ni aún llega a manifestarse en voz alta, de los asistentes, y Galindo 'está allí' para vencerla con sentido de animador". Me parece, sin embargo, que aquí el *que* tiene un Galindo- condicional o temporal, y equivale a: "si no se baila, etc., allí gente se do"; o "*cuando* no se baila, etc., allí está Galindo"; y fonética, ni se construye la frase con curva de interrogación: ¿Que no se tes, etc...? canta, ni se hacen coplas, y la gente se agrupa en los gab para reanim ¿Es éste el caso, es esto lo que ocurre? Pues allí está Galin los espíritus decaídos.

> *Que* por mayo era, por mayo,
> cuando hace la calor,
> cuando los trigos encañan
> y están los campos en flor,
> cuando canta la calandria
> y responde el ruiseñor,
> cuando los enamorados
> van a servir al amor;
> *sino yo triste, cuitado,*
> *que vivo en esta prisión...*

He puesto en cursiva los dos últimos versos para recordar al lector que el narrador es, en este caso, un *yo*, y que, por consiguiente, no cabe aquí el "dicen que" impersonal. Si hemos de suponer un *verbum dicendi* (del cual hacer depender el *que*, como en una subordinación mental), ese *verbum dicendi* sería, en todo caso, un *digo que*, personal y subjetivo, correspondiente al sujeto que canta y se queja. ¿Se trata quizás de la diferencia entre una poesía lírica, *personal*, y una poesía épica o narrativa, *impersonal*? En cierto sentido, sí; y como el villancico es poesía lírica y personal, de un sujeto que vive en la canción, es posible anticipar que sus muchos *ques* no han de ser *ques narrativos* [26].

¿Lo son, en realidad, los *ques* del poema *Sorpresa* de Lorca? Recordemos la canción completa:

> Muerto se quedó en la calle
> con un puñal en el pecho.
> No lo conocía nadie.
> ¡Cómo temblaba el farol!
> Madre.
> ¡Cómo temblaba el farolito
> de la calle!
> Era madrugada. Nadie
> pudo asomarse a sus ojos
> abiertos al duro aire.

[26] lgunos casos con el *verbum dicendi* expreso precediendo al *que* en a mí que los amores he..." (126); "...dicen que yo lo tc.

> Que muerto se quedó en la calle,
> que con un puñal en el pecho,
> y que no lo conocía nadie.

Creo que también en este caso el poeta habla en nombre propio. Lo están indicando esas exclamaciones intensivas y ese *madre,* expresión de la subjetividad del narrador.

> ¡Cómo temblaba el farol!
> Madre.
> ¡Cómo temblaba el farolito
> de la calle!

No hay aquí tampoco, en mi opinión, un *dicen que* sino un *digo yo que.* Los tres *ques,* y *también el "y"* del último verso, no son sino un grito final, insistente y doloroso, con el cual el cantor se hace *cantaor.* ¿No es cierto que hay en esos tres versos —lo mismo si se dicen apresurada y rotundamente que si se dicen despacio, deteniéndose para "sentir" cada palabra— algo así como un rasgueo de guitarra? Ello se debe a la honda impregnación popular de los tres *ques* y de ese y de los versos finales (ese y es un rasgo popular más, que, como veremos en seguida, ya se advierte en el villancico). Como tales rasgos populares, de la canción popular, los usó Lorca. Todo conocedor de la canción popular moderna, y muy especialmente de la canción popular andaluza, conoce la costumbre, practicada libremente en el canto, de introducir un *que* o un *y* (o un *y que* como Lorca) en cualquier verso —inicial, intermedio o final— de la canción [27].

---

[27] Spitzer, aunque conocía el carácter popular de los *ques,* no acabó de acertar con su verdadera función en el poema de Lorca (subjetiva, no impersonal), y no llegó a ver que el *y* venía de la misma fuente. Decía en su artículo: "Con el *que* repetido, cada fragmento de frase resulta un 'dicho' independiente en el interior de esos 'dichos' colectivos: el fragmento de frase *con un puñal en el pecho* está ahora sintácticamente separado de *muerto se quedó,* como una observación individual, autónoma, sobre el mismo nivel que *muerto...,* que emerge por un momento y vuelve a sumergirse en seguida en 'los decires'. Ahora comprendemos el *y* del miembro final: sirve para poner término al charloteo, a ceñir lo que había tendido a relajarse: la escena es materialmente la misma que al comienzo del poema, pero después de haber pasado por las bocas de las gentes (pero no por su corazón:

Si la razón de ser de los *ques* de Lorca está en su capacidad de impregnación lírica popular, su efecto estilístico es también otro: un efecto de intensificación expresiva. No olvidemos que los tres versos finales *reiteran* los tres primeros de la canción. Los *ques* ayudan a ese efecto reiterador y, paralelamente, intensificador.

En gran parte de los casos, los *ques* del villancico tienen también un matiz reiterante e intensivo. A veces, aparecen precediendo a una palabra reiterada, y en esos casos el efecto es claro:

> ¡Si me llaman!; ¡a mí llaman!;
> ¡que cuido que me llaman a mí! (140)

> Olvidar quiero mis amores;
> que yo quiérolos olvidar. (209)

> Miraba la mar
> la mal casada;
> que miraba la mar
> cómo es ancha y larga. (570)

Pero en otros casos, no. Muchas veces, el *que* inicia la canción, y, como era de esperar, su sentido varía y no resulta siempre preciso. Tiene, a veces, un sentido exhortativo (con un matiz de advertencia o admonición); en estos casos, puede presumirse la subordinación mental a una oración principal: "Te advierto, os advierto...":

> *Que* no me los ame nadie
> a los mis amoresé;
> *que* no me los ame nadie,
> que yo me los amaré. (336)

> *Que* no me tiréis garrochitas de oro,
> la de Pedro de Bamba, que no soy toro. (195)

---

nadie se conmueve; el charloteo incoloro es la única reacción de los hombres; el *farolito,* al menos, había temblado por simpatía) el poeta ordena los elementos: con el *y* es él quien interviene, es él también quien critica, sugiriendo más o menos lo siguiente: 'éstos son los elementos precisos que quedan de la escena, y no quedan por otra parte más que en bocas anónimas, pero he aquí la enumeración *completa:* estos tres rasgos y nada más'" (*ibid.,* p. 125).

¡Que se nos va la Pascua, mozas;
mozas, *que* se nos va la Pascua!　　(533)

Que no me llevéis, marido, a la boda;
que no me llevéis, que me brincaré toda.　　(534)

Pero fijémonos que, también en estos casos, podría verse en la exhortación un matiz reiterativo y enfático: "Repito, insisto en *que*...". La imprecisión en el sentido conceptual es, muchas veces, una consecuencia del carácter de fórmula, de simple rasgo estilístico, que el uso de estos *ques* ha llegado a tener con independencia de toda significación conceptual. Así se explica la práctica moderna, a que antes me refería, de insertar un *que*, a voluntad, al comienzo de cualquier verso en una copla o una seguidilla. En el villancico, tenemos también casos posibles de esta inserción "folklórica". En el juego trobado de Pinar a la reina doña Isabel —la Católica— (*Cancionero castellano del siglo XV*, ordenado por R. Foulché-Delbosc, vol. 2, *NBAE*, XXII, página 560), se hace referencia al "cantar" que dice:

Yo, madre, yo...

Esta canción es, sin duda, la que aparece en el libro de Pedro Alberto Vila (*Odarum quas vulgo madrigales appellamus*, Barcelona, 1561) [28], pero aquí dice:

Que yo, mi madre, yo,
que la flor de la villa me só.

Y en la *Recopilación de sonetos y villancicos a quatro y a cinco*, de Juan Vásquez (Sevilla, 1560), dice también:

Que yo, mi madre, yo,
que la flor de la villa m'era yo.　　(120)

En el Ms. 3915 de la Biblioteca Nacional de Madrid, fol. 319, hay una cancioncilla que dice:

---

[28]　Vide Felipe Pedrell, *Catàlech de la Biblioteca Musical de la Diputació de Barcelona*, Barcelona, 1908, II, p. 172.

> No me los ame nadie
> a los mis amoresé;
> no me los ame nadie,
> que yo me los amaré.

Pero en el *Arte grande de la lengua castellana* del maestro Correas (1626), esta misma canción dice:

> *Que* no me los ame nadie
> a los mis amoresé;
> *que* no me los ame nadie,
> que yo me los amaré[29].   (336)

Hay *ques* que resultan a primera vista problemáticos y cuyo sentido puede interpretarse de distintos modos, aunque, en último término, la verdadera explicación de su presencia sea su popularismo, su carácter de fórmula. Así, por ejemplo, el villancico 328, bien famoso:

> Madre, la mi madre,
> guardas me ponéis;
> que si yo no me guardo,
> mal me guardaréis.

La explicación a esta extraña construcción es la siguiente: falta un elemento adversativo al comienzo del tercer verso *(pero)*, y se ha introducido un *que* popular, que aquí tiene un matiz de advertencia (como en otros casos ya vistos); el sentido de la frase entera sería: "(pero os advierto, u os digo) *que* si yo no me guardo, mal me guardaréis (vos)".

En la lista de canciones que sigue, podrá comprobar el lector el firme arraigo de los *ques* en la canción popular del Renacimiento, y también contrastar nuestra afirmación de que, por cima de las posibles explicaciones gramaticales, la razón fundamental de su presencia es, sobre todo, su popularismo:

---

[29] Compárense también los villancicos 157 ("Mis penas son como ondas del mar...") y 192 ("*Que* mis penas parecen olas de la mar..."). El maestro Correas era ya consciente del uso expletivo de *que* en la canción. Así, dice en su *Arte* (ed. E. Alarcos García, Madrid, 1954, p. 390): "*Que* es espletiva muchas vezes en cantares", y cita el ejemplo: "*que mirava la mar, que la mal casada, que mirava la mar como es ancha i larga*".

Que non sé filar,
ni aspar, ni devanar. (18)

Que bien me lo veo
y bien me lo sé,
que a tus manos moriré. (30)

Que no me desnudéis,
amores de mi vida;
que no me desnudéis,
que yo me iré en camisa. (146)

—Meteros quiero monja,
hija mía de mi corazón.
—*Que* no quiero yo ser monja, non. (163)

Que mis penas parecen olas de la mar,
porque unas vienen cuando otras se van. (192)

Que no me tiréis garrochitas de oro,
la de Pedro de Bamba, que no soy toro. (195)

Que no cogeré yo verbena
la mañana de Sant Juan,
pues mis amores se van. (204)

Olvidar quiero mis amores;
que yo quiérolos olvidar. (209)

Que si soy morena,
madre, a la fe,
que si soy morenita,
yo me lo pasaré. (274)

Que se nos va la Pascua, mozas,
que se nos va la Pascua. (275)

A la villa voy;
de la villa vengo;
que si no son amores
no sé qué me tengo. (286)

Que no me desnudéis,
la guarda de la viña,

y si me desnudáis
dexáme la camisa.   (306)

Que si tiene sarna
la Leonor,
que si tiene sarna,
yo sarampión.   (313)

Que por vos, la mi señora,
la cara de plata,
correré yo mi caballo
a la trápala-trapa.   (334)

Que no me los ame nadie
a los mis amoresé;
que no me los ame nadie,
que yo me los amaré.   (336)

Aquel caballero, madre,
que aquí vino, *que* aquí está,
que aquí tiene la voluntad.   (441)

Que si verde era la verbena,
séalo en horabuena.   (446)

Que yo bien me lo sé,
que a tus manos moriré.   (500)

Que no hay tal andar
por el verde olivico,
que no hay tal andar
por el verde olivar.   (503)

Cervatica, *que* no me la vuelvas,
que yo me la volveré.   (529)

¡*Que* se nos va la Pascua, mozas;
mozas, *que* se nos va la Pascua!   (533)

Que no me llevéis, marido, a la boda;
que no me llevéis, que me brincaré toda. (534)

Pastorcito nuevo,
de color de azor,

que no sois, mi vida,
para labrador.   (535)

Dilín, dilón,
que pasa la procesión.   (565)

Miraba la mar
la mal casada;
que miraba la mar
cómo es ancha y larga.   (570)

Señora, la de Galgueros,
salga y baile;
que por vida de Galguericos,
que tal no baile.   (573)

Pelota, pelotica de pez,
que no me engañaréis otra vez.   (579)

El *que* inicial, digamos para terminar, tiene también un efecto continuativo, como pendiente de una frase o un pensamiento anteriores. La canción nace ya *en caliente,* como continuando un verso preexistente [30]. ¿Tendrá esto algo que ver con el rubor del comienzo, o quizás con una disposición del cantor a cantar en cadena, como si toda canción fuera continuación de otra? [31].

_____

[30] En este sentido, es un efecto parecido al que consigue Juan Ramón Jiménez al comenzar el "Viaje definitivo" con el verso: "Y yo me iré...". Se evita con la conjunción la ruptura abrupta del silencio, lo que da suavidad al comienzo, y crea un "tono" especial (meditativo, en este caso) desde el principio, como si la palabra enlazase con un monólogo interior que, ahora, se hace exterior.

[31] El *que* inicial aparece ya en una jarcha, en la XVI (ed. de E. García Gómez, *Las jarchas romances de la serie árabe en su marco,* p. 157):

¡Ke tuelle mē mā 'alma!
¡Ke kità mē mā 'alma!

"Es el mismo *que* expletivo de las canciones infantiles —dice García Gómez— como cuando un niño dice: '¡Madre, que Fulanito me está pegando!' o '¡Señor maestro, que Menganito me quita el libro!'. Aquí se trata asimismo de que la muchacha acusa a su amigo ante la madre. El sentido, por tanto, me parece ser: '¡Que me quita mi alma! / ¡Que me arrebata mi

Digamos algunas palabras sobre la *y* antes de abandonar el estudio de las conjunciones. Hemos visto cómo, después de *que,* la conjunción *y* es el elemento sintáctico más frecuente en el villancico [32]. Aparte de su uso normal copulativo, cabe señalar algunos otros: uso con sentido adversativo, condicional, reiterativo, exclamativo... Pueden encontrarse casos de uso pleonástico, como en el caso de *que;* la profusión de la conjunción *y* puede ser también considerada como un rasgo popular. Esto explicaría el hábito folklórico de introducir una *y* a comienzo de verso, hoy observable, como vimos que ocurría con *que.* Como en los versos de Lorca:

> *Y* que yo me la llevé al río...
>
> Que muerto se quedó en la calle,
> que con un puñal en el pecho,
> *y* que no lo conocía nadie.

Los casos de *y* adversativo son frecuentes:

> Sospirando va la ninya,
> *e* non por mí,
> que yo bien gelo entendí.   (4)

---

alma!' (o: ¡Que se me va mi alma!)". Coincide con el sentido de otros *ques* antes comentados. La estrofilla recuerda especialmente el cantarcillo ya visto:

> *Que* se nos va la Pascua, mozas,
> *que* se nos va la Pascua.   (275)

[32] La conjunción *y* es la primera que aparece en el niño, dice S. Gili y Gaya (*Curso superior de sintaxis española,* p. 252), quien señala cómo el pleonasma de *y* es típico de las narraciones infantiles y populares. Así, Cervantes "imita el habla rústica de Teresa Panza por medio de la repetición de *y:* 'Traed vos dineros, Sancho, y el casarla dejadle a mi cargo, que ahí está Lope Tocho, el hijo de Juan Tocho, mozo rollizo y sano, y que le conocemos, y sé que no mira de mal ojo a la mochacha, y con éste que es nuestro igual estará bien casada, y le tendremos siempre a nuestros ojos, y seremos todos unos padres y hijos, nietos y yernos, y andará la paz y la bendición de Dios entre nosotros, y no casármela vos ahora en esas cortes y en esos palacios grandes' (*Quijote,* II, 5)".

Todos duermen, corazón,
todos duermen y vos non.   (34)

Serviros ía y no oso;
só mozo.   (60)

Parecéis molinero, amor,
y sois moledor [33].   (278)

Tienen sentido *condicional:* "Besáme y abrazáme, — marido mío,
— y daros h'en la mañana — camisón limpio" (236); "Guárdame las
vacas, — carillo, y besarte he..." (223). El uso *consecutivo* aparece
en: "Bullicioso era el arroyuelo — y salpicóme..." (300); "Voces
daba la pava, — y en aquel monte — el pavón era nuevo — y no
la responde" (377); "No me aprovecharon, — madre, las hierbas;
— no me aprovecharon, — y derramélas" (496), etc. [34]. Puede tener
un sentido *temporal* (312, 478) o de *lugar* (120). Aparece con sentido *reiterativo* en: "Airecillo en los mis cabellos, — y aire en ellos"
(355). También va iniciando o dentro de una *frase interrogativa* o
exclamativa: "¿y vos qué habedes?" (14); "¿y para qué?" (61); "¿y
d'eso habedes miedo...?" (136); "¿Y por qué no me la beso?" (153);
"¡ay de mí, mezquina, — y cómo estoy loca!" (80); "¡tristes de mis
ojos, y cuándo os verán!" (259); "Madrugábalo la aldeana, — ¡Y
cómo lo madrugaba!" (430). Hay, por supuesto, casos típicos de lo
que Lapesa llama "indeterminación de funciones" y "plurivalencia" [35];
"Yo, que no duermo, — y a todos les quito el sueño" (564) (¿sentido adversativo, consecutivo, final, simplemente copulativo...?). Hay
también casos en que el uso es quizás puramente pleonástico (popular): "Dexaldo al villano y pene..." (3); "Ya cantan los gallos, —
buen amor, y vete..." (73); "Pónteme de cara — que te vea yo, —
y siquiera me hables, — siquiera no" (316); "Madre mía, el galán,
— y no de aquesta villa, — paseaba en la plaza — por la branca

---

[33] Otros ejemplos: 110, 115, 138, 156, 179, 197, 212, 213, 217, 218,
240, 305, 306, 377 (la primera *y*), 384, 406, 411, 428, 437, 438, 449, 450,
468, 523, 550, 577, etc.
[34] Véanse, además: 221 ("soy mochacha y niña — y nunca en tal me
vi"); 80 ("dile un tal golpe — y tiróme el tino...").
[35] *Historia de la lengua española*, Madrid, 1955, pp. 150 y 151.

niña..." (518). Cuando la conjunción *y* inicia la canción, el efecto
estilístico es, como en el caso de *que,* un efecto continuativo; la frase
comienza como pendiente de algo dicho o pensado anteriormente:

> Y la mi cinta dorada,
> ¿por qué me la tomó
> quien no me la dio?   (93)
>
> Y decid, serranicas, eh,
> deste mal si moriré.   (234)
>
> Y soñaba, yo, mi madre,
> dos horas antes del día,
> que me florecía la rosa... [36].   (71)

3. Simplicidad de los períodos paratácticos o hipotácticos

Las construcciones paratácticas o hipotácticas empleadas en el
villancico son además de una extrema simplicidad. La subordinación,
la relación que traba más la frase sintácticamente, no quita nunca al
villancico su típica andadura estilística ágil y suelta. Pensemos, como
gran contraste, en la trabazón y complejidad sintáctica que presentan
las tres primeras estrofas del soneto XXIII de Garcilaso, en el cual
la oración principal: "coged de vuestra alegre primavera — el dulce
fruto..." (el "collige, virgo, rosas"), va precedida de una serie de
oraciones subordinadas y coordinadas que se suceden en cadena hasta
completar los dos cuartetos:

> En tanto que de rosa y azucena
> se muestra la color en vuestro gesto,
> y que vuestro mirar ardiente, honesto,
> enciende el corazón y lo refrena,
>
> y en tanto que el cabello, que en la vena
> del oro se escogió, con vuelo presto,
> por el hermoso cuello blanco, enhiesto,
> el viento mueve, esparce y desordena,

---

[36] El último ejemplo corresponde al comienzo de una glosa, los dos
ejemplos anteriores son los únicos que encuentro en la antología de *Y* inicial de canción. Es posible que, como hoy, existiese la práctica, aunque no
la recogiesen los textos impresos, de añadir una *Y* inicial; especialmente en
los casos de *(y) que.*

> *coged de vuestra alegre primavera*
> *el dulce fruto,* antes que el tiempo airado
> cubra de nieve la hermosa cumbre [37].

Naturalmente, una trabazón sintáctica semejante sería imposible en una poesía de creación o transmisión popular.

En la *Antología popularizante I* tenemos también algunos ejemplos de trabada sintaxis, de imposible conservación por una tradición oral. Comparemos la canción número 1 de esa antología (de Villasandino) con varios villancicos de la antología popular expresivos de la sintaxis suelta de la lírica tradicional. Los representamos en su estructura oracional por medio de símbolos. La oración se representa por O; la yuxtaposición, coordinación y subordinación, con los signos — + X, respectivamente. El signo : expresa una relación causal.

Antología popularizante I:

CANCIÓN 1

O

O X (O — O : O)

O X O X O X O + O X O — O X O X O

O X O

O X (O X O)

O X O X O X O : O

O

O + O X O

Antología popular:

VILLANCICO 1	VILLANCICO 2	VILLANCICO 5	VILLANCICO 16
O — O	O X O	O : O	O
			O — O
			O
			O — O
			O
			O — O — O
			O
			O — O — O
			O

---

[37] *Garcilaso,* Madrid, Clásicos Castellanos, 1911, p. 231.

VILLANCICO 26	VILLANCICO 28	VILLANCICO 65	VILLANCICO 66
O + O	O	O	O
O	O	O	O
		O	O
		O	O
		O	

Hay, por supuesto, estructuras menos simples en el villancico, pero nunca complicadas; y las señaladas, y otras parecidas, se repiten a lo largo de la antología, con combinaciones variadas:

VILLANCICO 18	VILLANCICO 20	VILLANCICO 29	VILLANCICO 39
O	O	O	O
O X O	O	O	O — O
O		O	
		O — O	
		O	
		O	

VILLANCICO 68	VILLANCICO 69	VILLANCICO 74	VILLANCICO 75
O	O	O	O
O	O	O	O : O
O — O	O	O : O	O
O	O	O	O — O
	O		
	O		

Pero hay que tener en cuenta que haría falta, además, adentrarse en cada oración, en esa unidad representada aquí por O, para acabar de comprender la extrema simplicidad del villancico; simplicidad que no se refiere ya a la sintaxis, o sea a las relaciones entre esas unidades, sino a la composición de las unidades mismas. Basta observar que con O hemos representado la primera oración de la canción 1 de la *Antología popularizante I:*

> En muy esquivas montañas,
> aprés de una alta floresta,
> oí voces muy estrañas
> en figura de recuesta.

y que hemos representado también con O la primera oración de la *Antología popular,* que dice:

Aguardan a mí;

Lo que da a la lengua de Villasandino su estilo trabado y sostenido es esa ensamblada presencia de frases adverbiales, complementos y complementos de complementos, que matizan e imponen sosiego a la expresión. Enfrente, la desnudez del villancico aligera la lengua y la aviva.

En el estudio de las oraciones del villancico, que sigue a continuación, hemos atendido a este importante aspecto (aunque sólo en forma limitada), al analizar la composición de las unidades oracionales en cuanto al número de palabras que entran en cada oración, y al número de grupos fónicos de que se componen.

C. LAS ORACIONES DEL VILLANCICO.
ORACIONES BREVES Y SUELTAS, CON
POCOS GRUPOS FÓNICOS POR ORACIÓN.
LA YUXTAPOSICIÓN EN EL VILLANCICO

Al delimitar las oraciones o unidades en que la lengua poética se estructura y divide —en las tres antologías que acompañan a este libro— hemos tratado de seguir un criterio que reflejase la realidad estilística, y que, al mismo tiempo, se apoyase en bases objetivas y evidentes por sí mismas. Hemos atendido a un aspecto formal, externo: la presencia o ausencia de elementos de enlace oracional.

En cualquier caso, lo que nos ha movido a considerar si dos o más oraciones formaban una unidad superior e indisoluble, o debían contarse como unidades separadas, ha sido la existencia o no existencia de estos elementos formales. Como tales, hemos considerado: las conjunciones coordinantes y subordinantes, adverbios y pronombres usados con valor conjuntivo; pero también otros elementos que, por su uso, adquirían valor de nexo oracional: sujeto común a dos oraciones, complemento circunstancial común, oración subordinada consecutiva común, etc. En las páginas 384 a 387 de este libro encontrará el lector una exposición detallada de la pauta seguida.

Es obvio que este criterio chocaba frecuentemente con el concepto gramatical ortodoxo de oración y con el concepto de oración psíquica tal y como ha quedado expuesto. Pero, sin embargo, y esto es lo importante, reflejaba mejor el estilo del villancico, construido a base de unidades breves, desligadas, donde, al faltar el nexo oracional, el enlace conceptual resulta indeterminado y, frecuentemente, ambiguo. Hemos llamado oraciones a estas unidades pero podríamos haberles dado otro nombre: tiradas o, simplemente, unidades lingüísticas. Por otra parte, el concepto de oración psíquica, al venir determinado por elementos internos (psíquicos, de intención), y por la entonación (que necesita de la voz humana), no puede ser nunca un concepto preciso, riguroso y objetivo; será siempre un criterio subjetivo, dependiente de la intención o voluntad del hablante; y en el caso de una poesía escrita, la intención o voluntad del sujeto lector puede coincidir o no coincidir con la voluntad o intención de otros lectores. Hemos preferido evitar este peligro.

Damos a continuación los cuadros con las cantidades y porcentajes de frecuencia que han arrojado las máquinas computadoras en este análisis de las oraciones. Incluimos también los gráficos con las curvas en que estos porcentajes se expresan. Las cifras corroboran siempre lo que la simple intuición nos había ya mostrado: la estructuración del lenguaje del villancico en oraciones breves, de pocas palabras por oración, con grupos fónicos breves, de pocas palabras por grupo fónico, y pocos grupos fónicos por oración. Hemos creído preferible examinar la brevedad oracional atendiendo al número de palabras en vez de al número de sílabas, por ser aquel criterio significativo también desde el punto de vista propiamente gramatical, y no sólo puramente fonológico, de la oración. Damos completas las cifras que se refieren al número de palabras y al número de grupos fónicos por oración, y las veces que cada uno de estos números ocurre en las tres antologías, con indicación de porcentajes respectivos.

En la *Antología popular* las cifras son consistentes y las curvas se dibujan limpiamente. Las inconsistencias e irregularidades de las antologías popularizantes se deben, por una parte, a que, especialmente la número I, encierran tipos de poesía estilísticamente desemejantes y a veces dispares (Villasandino frente a una seguidilla de Lope), y, por otra parte, al menor volumen de estas antologías (un cuarto, cada una, de la popular), con la consiguiente limitación del número posible de ocurrencias. Por ello, junto a las cifras de las dos antologías popularizantes individualmente consideradas, damos casi siempre las cifras de ambas, unidas, para reducir esta limitación. La consistencia de las cifras pertenecientes al villancico muestra, opuestamente, la unidad fundamental de estilo de todas estas cancioncillas, el uso de una lengua común, por cima de las diferencias que van apareciendo conforme nos acercamos al siglo XVII [38].

I. *Cuadro de promedios*

		ANTOLOGÍA POPULAR	ANTOLOGÍA PZANTE. I	ANTOLOGÍA PZANTE. II
Número total de palabras	villancicos	7.641	432	263
	glosas	2.377	2.079	2.239
	conjunto	10.018	2.511	2.502
Número total de oraciones	villancicos	1.047	42	26
	glosas	243	146	149
	conjunto	1.290	188	175
Promedio de palabras por oración	villancicos	7'30	10'28	10'11
	glosas	9'78	14'24	15'03
	conjunto	7'77	13'38	14'30
Número total de grupos fónicos.	villancicos	2.044	108	59
	glosas	471	368	389
	conjunto	2.515	476	448
Promedio de grupos fónicos por oración	villancicos	1'95	2'57	2'27
	glosas	1'94	2'57	2'61
	conjunto	1'95	2'53	2'56
Promedio de palabras por grupo fónico	villancicos	3'74	4'00	4'46
	glosas	5'05	5'65	5'76
	conjunto	3'98	5'28	5'58

---

[38] El criterio seguido para delimitar las oraciones puede verse más extensamente explicado en pp. 384-387, según acabamos de decir; y su aplicación práctica puede comprobarse en las tres *Antologías* que acompañan a este libro.

2. *Cuadros de palabras por oración con porcentaje de frecuencias*

a)

PALABRAS POR ORACIÓN	NÚMERO DE VECES EN VILLANCICOS			
	ANTOLOGÍA POPULAR	ANTOLOGÍA POPULARIZ. I	ANTOLOGÍA POPULARIZ. II	ANTOLOGÍAS POPULARIZ. I y II
1	3[0'29]	0[0]	0[0]	0[0]
2	34[3'25]	0[0]	0[0]	0[0]
3	90[8'60]	2[4'76]	1[3'85]	3[4'41]
4	132[12'61]	4[9'52]	0[0]	4[5'88]
5	146[13'94]	0[0]	3[11'54]	3[4'41]
6	109[10'42]	2[4'76]	0[0]	2[2'94]
7	100[9'56]	7[16'67]	5[19'23]	12[17'65]
8	99[9'46]	4[9'52]	3[11'54]	7[10'29]
9	91[8'69]	4[9'52]	6[23'08]	10[14'70]
10	55[5'25]	1[2'38]	0[0]	1[1'47]
11	47[4'49]	0[0]	1[3'85]	1[1'47]
12	38[3'63]	1[2'38]	0[0]	1[1'47]
13	25[2'39]	4[9'52]	3[11'54]	7[10'29]
14	30[2'87]	3[7'14]	0[0]	3[4'41]
15	19[1'81]	2[4'76]	0[0]	2[2'94]
16	11[1'05]	2[4'76]	1[3'85]	3[4'41]
17	6[0'57]	5[11'90]	0[0]	5[7'35]
18	4[0'38]	1[2'38]	0[0]	1[1'47]
19	2[0'19]	0[0]	0[0]	0[0]
20	2[0'19]	0[0]	0[0]	0[0]
21	1[0'10]	0[0]	2[7'69]	2[2'94]
22	0[0]	0[0]	0[0]	0[0]
23	2[0'19]	0[0]	0[0]	0[0]
24	0[0]	0[0]	1[3'85]	1[1'47]
25	0[0]	0[0]	0[0]	0[0]
26	1[0'10]	0[0]	0[0]	0[0]

b)

PALABRAS POR ORACIÓN	NÚMERO DE VECES EN GLOSAS			
	ANTOLOGÍA POPULAR	ANTOLOGÍA POPULARIZ. I	ANTOLOGÍA POPULARIZ. II	ANTOLOGÍAS POPULARIZ. I y II
1	1[0'41]	0[0]	0[0]	0[0]
2	7[2'88]	1[0'68]	0[0]	1[0'34]
3	23[9'47]	4[2'74]	1[0'67]	5[1'70]
4	18[7'41]	5[3'42]	1[0'67]	6[2'03]
5	17[7'00]	7[4'79]	8[5'37]	15[5'08]
6	19[7'82]	5[3'42]	6[4'03]	11[3'73]
7	29[11'09]	9[6'16]	5[3'36]	14[4'75]
8	18[7'41]	12[8'22]	9[6'04]	21[7'12]
9	7[2'88]	12[8'22]	13[8'72]	25[8'47]
10	11[4'53]	6[4'11]	14[9'40]	20[6'78]
11	10[4'12]	3[2'05]	8[5'37]	11[3'73]
12	9[3'70]	8[5'48]	3[2'01]	11[3'73]
13	11[4'53]	7[4'79]	6[4'03]	13[4'41]
14	9[3'70]	4[2'74]	3[2'01]	7[2'37]
15	12[4'94]	7[4'79]	6[4'03]	13[4'41]
16	5[2'06]	8[5'48]	5[3'36]	13[4'41]
17	11[4'53]	9[6'16]	7[4'70]	16[5'42]
18	3[1'23]	4[2'74]	9[6'04]	13[4'41]
19	8[3'29]	5[3'42]	9[6'04]	14[4'75]
20	3[1'23]	4[2'74]	7[4'70]	11[3'73]
21	3[1'23]	3[2'05]	2[1'34]	5[1'70]
22	2[0'82]	1[0'68]	5[3'36]	6[2'03]
23	3[1'23]	1[0'68]	5[3'36]	6[2'03]
24	0[0]	2[1'37]	1[0'67]	3[1'01]
25	1[0'41]	4[2'74]	2[1'34]	6[2'03]
26	2[0'82]	3[2'05]	0[0]	3[1'02]
27	0[0]	2[1'37]	2[1'34]	4[1'36]
28	0[0]	1[0'68]	2[1'34]	3[1'02]
29	0[0]	0[0]	1[0'67]	1[0'34]
30	0[0]	1[0'68]	2[1'34]	3[1'02]

PALABRAS POR ORACIÓN	NÚMERO DE VECES EN GLOSAS			
	ANTOLOGÍA POPULAR	ANTOLOGÍA POPULARIZ. I	ANTOLOGÍA POPULARIZ. II	ANTOLOGÍAS POPULARIZ. I y II
31	1[0'41]	1[0'68]	1[0'67]	2[0'68]
32	1[0'41]	0[0]	2[1'34]	2[0'68]
33	0[0]	0[0]	0[0]	0[0]
34	0[0]	1[0'68]	0[0]	1[0'34]
35	0[0]	1[0'68]	1[0'67]	2[0'68]
36	0[0]	1[0'68]	1[0'67]	2[0'68]
37	0[0]	0[0]	0[0]	0[0]
38	0[0]	1[0'68]	0[0]	1[0'34]
39	0[0]	2[1'37]	1[0'67]	3[1'02]
40	0[0]	0[0]	0[0]	0[0]
41	0[0]	0[0]	1[0'67]	1[0'34]
42	0[0]	0[0]	0[0]	0[0]
.	.	.	.	.
.	.	.	.	.
46	0[0]	1[0'68]	0[0]	0[0]

c)

PALABRAS POR ORACIÓN	NÚMERO DE VECES EN CONJUNTO			
	ANTOLOGÍA POPULAR	ANTOLOGÍA POPULARIZ. I	ANTOLOGÍA POPULARIZ. II	ANTOLOGÍAS POPULARIZ. I y II
1	4[0'31]	0[0]	0[0]	0[0]
2	41[3'18]	1[0'53]	0[0]	1[0'28]
3	113[8'76]	6[3'19]	2[1'14]	8[2'20]
4	150[11'63]	9[4'79]	1[0'57]	10[2'75]
5	163[12'64]	7[3'72]	11[6'29]	18[4'96]

PALABRAS POR ORACIÓN	NÚMERO DE VECES EN CONJUNTO			
	ANTOLOGÍA POPULAR	ANTOLOGÍA POPULARIZ. I	ANTOLOGÍA POPULARIZ. II	ANTOLOGÍAS POPULARIZ. I y II
6	128[9'92]	7[3'72]	6[3'43]	13[3'58]
7	129[10'00]	16[8'51]	10[5'71]	26[7'16]
8	117[9'07]	16[8'51]	12[6'86]	28[7'71]
9	98[7'60]	16[8'51]	19[10'86]	35[9'64]
10	66[5'12]	7[3'72]	14[8'00]	21[5'79]
11	57[4'42]	3[1'60]	9[5'14]	12[3'31]
12	47[3'64]	9[4'79]	3[1'71]	12[3'31]
13	36[2'79]	11[5'85]	9[5'14]	20[5'51]
14	40[3'10]	7[3'72]	3[1'71]	10[2'75]
15	31[2'40]	9[4'79]	6[3'43]	15[4'13]
16	16[1'24]	10[5'32]	6[3'43]	16[4'41]
17	17[1'32]	14[7'45]	7[4'00]	21[5'79]
18	7[0'54]	5[2'66]	9[5'14]	14[3'86]
19	10[0'77]	5[2'66]	9[5'14]	14[3'86]
20	5[0'39]	4[2'13]	7[4'00]	11[3'03]
21	4[0'31]	3[1'60]	4[2'29]	8[2'20]
22	2[0'16]	1[0'53]	5[2'86]	6[1'65]
23	5[0'39]	1[0'53]	5[2'86]	6[1'65]
24	0[0]	2[1'06]	2[1'14]	4[1'10]
25	1[0'08]	4[2'13]	2[1'14]	6[1'65]
26	3[0'23]	3[1'60]	0[0]	3[0'83]
27	0[0]	2[1'06]	2[1'14]	4[1'10]
28	0[0]	1[0'53]	2[1'14]	3[0'83]
29	0[0]	0[0]	1[0'57]	1[0'28]
30	0[0]	1[0'53]	2[1'14]	3[0'83]
31	1[0'08]	1[0'53]	1[0'57]	2[0'55]
32	1[0'08]	0[0]	2[1'14]	2[0'55]
33	0[0]	0[0]	0[0]	0[0]
34	0[0]	1[0'53]	0[0]	1[0'28]
35	0[0]	1[0'53]	1[0'57]	2[0'55]
36	0[0]	1[0'53]	1[0'57]	2[0'55]
37	0[0]	0[0]	0[0]	0[0]
38	0[0]	1[0'53]	0[0]	1[0'28]

| PALABRAS | NÚMERO DE VECES EN CONJUNTO | | | |
POR ORACIÓN	ANTOLOGÍA POPULAR	ANTOLOGÍA POPULARIZ. I	ANTOLOGÍA POPULARIZ. II	ANTOLOGÍAS POPULARIZ. I y II
39	0[0]	2[1'06]	1[0'57]	3[0'83]
40	0[0]	0[0]	0[0]	0[0]
41	0[0]	0[0]	1[0'57]	1[0'28]
42	0[0]	0[0]	0[0]	0[0]
.	.	.	.	.
.	.	.	.	.
.	.	.	.	.
45	0[0]	0[0]	0[0]	0[0]
46	0[0]	1[0'53]	0[0]	1[0'28]
47	0[0]	0[0]	0[0]	0[0]

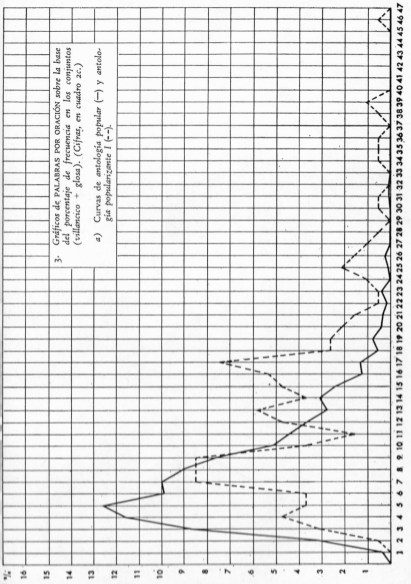

3. *Gráficos de PALABRAS POR ORACIÓN sobre la base del porcentaje de frecuencia en los conjuntos (villancico + glosa). (Cifras, en cuadro 2c.)*

a) Curvas de antología popular (—) y antología popularizante I (- -).

Palabras por oración

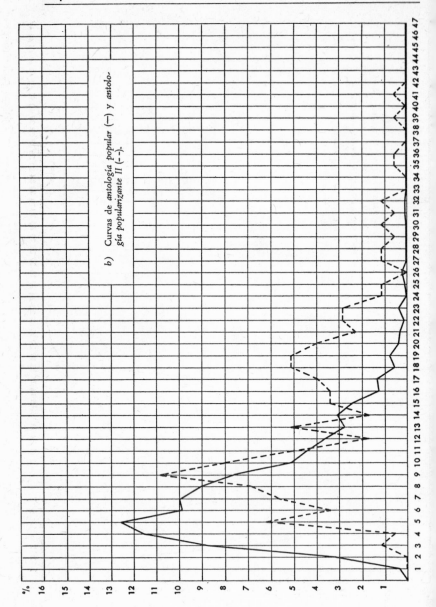

b) Curvas de antología popular (—) y antología popularizante II (- -).

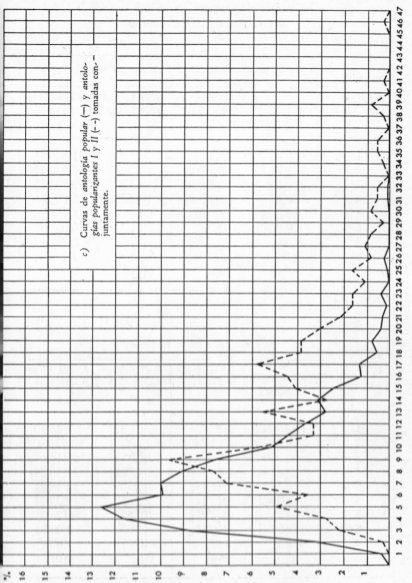

c) Curvas de antología popular (→) y antologías popularizantes I y II (-−) tomadas conjuntamente.

Palabras por oración

4. *Cuadros de grupos fónicos por oración*
   con porcentaje de frecuencias

a)

GRUPOS	NÚMERO DE VECES EN VILLANCICOS			
FÓNICOS POR OR.	ANTOLOGÍA POPULAR	ANTOLOGÍA POPULARIZ. I	ANTOLOGÍA POPULARIZ. II	ANTOLOGÍAS POPULARIZ. I y II
1	450[42'98]	15[35'71]	6[23'08]	21[30'88]
2	305[29'13]	8[19'05]	8[30'77]	16[23'53]
3	219[20'92]	10[23'81]	11[42'31]	21[30'88]
4	50[4'78]	5[1190]	1[3'85]	6[8'82]
5	13[1'24]	1[2'38]	0[0]	1[1'47]
6	9[0'86]	0[0]	0[0]	0[0]
7	0[0]	2[4'76]	0[0]	2[2'94]
8	1[0'10]	1[2'38]	0[0]	1[1'47]
9	0[0]	0[0]	0[0]	0[0]

b)

GRUPOS	NÚMERO DE VECES EN GLOSAS			
FÓNICOS POR OR.	ANTOLOGÍA POPULAR	ANTOLOGÍA POPULARIZ. I	ANTOLOGÍA POPULARIZ. II	ANTOLOGÍAS POPULARIZ. I y II
1	125[51'44]	50[34'25]	27[18'12]	77[26'10]
2	51[20'98]	40[27'40]	60[40'27]	100[33'90]
3	44[18'11]	24[16'44]	31[20'81]	55[18'64]
4	12[4'94]	13[8'90]	18[12'08]	31[10'51]
5	7[2'88]	7[4'79]	7[4'70]	14[4'74]
6	2[0'82]	6[4'11]	3[2'01]	9[3'05]
7	0[0]	5[3'42]	1[0'67]	6[2'03]
8	2[0'82]	1[0'68]	1[0'67]	2[0'68]
9	0[0]	0[0]	1[0'67]	1[0'34]
10	0[0]	0[0]	0[0]	0[0]

c)

GRUPOS FÓNICOS POR OR.	NÚMERO DE VECES EN CONJUNTO			
	ANTOLOGÍA POPULAR	ANTOLOGÍA POPULARIZ. I	ANTOLOGÍA POPULARIZ. II	ANTOLOGÍAS POPULARIZ. I y II
1	575[44'57]	65[34'57]	33[18'86]	98[27'00]
2	356[27'60]	48[25'53]	68[38'86]	116[31'96]
3	263[20'39]	34[18'09]	42[24'00]	76[20'94]
4	62[4'80]	18[9'57]	19[10'86]	37[10'19]
5	20[1'55]	8[4'26]	7[4'00]	15[4'13]
6	11[0'85]	6[3'19]	3[1'71]	9[2'48]
7	0[0]	7[3'72]	1[0'57]	8[2'20]
8	3[0'23]	2[1'06]	1[0'57]	3[0'83]
9	0[0]	0[0]	1[0'57]	1[0'28]
10	0[0]	0[0]	0[0]	0[0]

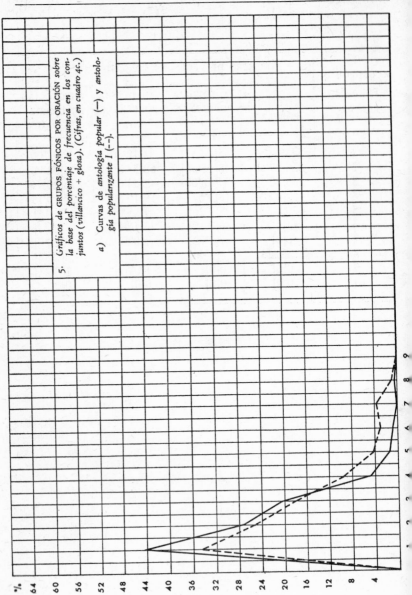

5. Gráficos de GRUPOS FÓNICOS POR ORACIÓN sobre
   la base del porcentaje de frecuencia en los conjuntos (villancico + glosa). (Cifras, en cuadro 4c.)

   a) Curvas de antología popular (—) y antolo-
      gía popularizante I (–-).

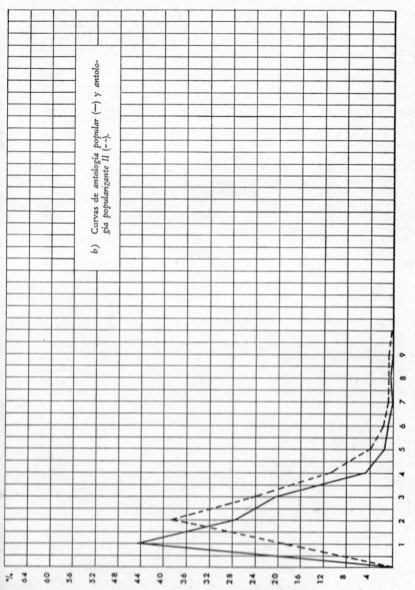

b) Curvas de antología popular (—) y antología popularizante II (--).

Grupos fónicos por oración

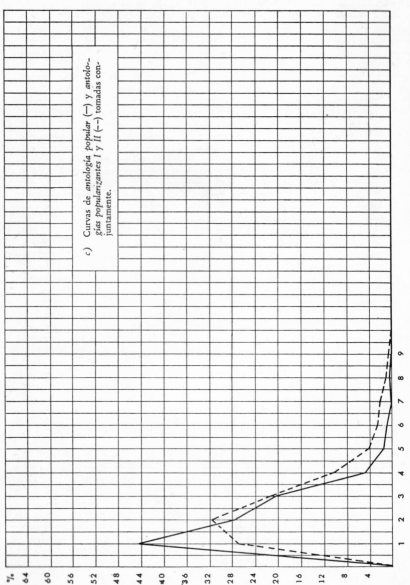

c) Curvas de antología popular (—) y antologías popularizantes I y II (--) tomadas conjuntamente.

Al dividir el lenguaje del villancico en oraciones conforme a un criterio estrictamente formal —la existencia o ausencia de elementos de enlace oracional— hemos venido a eliminar el concepto de oración compuesta por yuxtaposición. Todo caso de yuxtaposición suponía en principio una nueva oración. Algunas excepciones (vocativo común a dos oraciones, complemento circustancial común, oración subordinada consecutiva común...) pueden verse en las pp. 384-388 de este libro, donde damos las reglas de la oración y de la yuxtaposición. Los casos de yuxtaposición contemplados y tenidos en cuenta al estudiar el villancico son, pues, casi siempre, casos de yuxtaposición entre oraciones (nuestras oraciones) diferentes. Casi todos ellos son casos de yuxtaposición no meramente copulativa. En todo caso, sólo hemos considerado que había yuxtaposición cuando la propia intuición lingüística nos mostraba la existencia de una efectiva relación entre dos oraciones, *y sentíamos,* al mismo tiempo, la ausencia de una palabra de enlace oracional [39].

He aquí los resultados obtenidos:

VILLANCICOS				GLOSAS			
POPULAR	PZTE. I	PZTE. II	PZTE. I Y II	POPULAR	PZTE. I	PZTE. II	PZTE. I Y II
168	12	0	12	58	36	21	57

CONJUNTO			
POPULAR	PZTE. I	PZTE. II	PZTE. I Y II
226	48	21	69

[39] Como palabras que cumplían efectivamente la función de enlace hemos considerado no sólo los nexos sintácticos propiamente dichos (conjunciones y demás palabras dedicadas especialmente a llenar esta función), sino también cualquier palabra o sintagma expresivos de la relación gramatical: un pronombre, un adverbio o frase adverbial, una repetición, etc.

Puede observarse que así como la diferencia en el número de yuxtaposiciones entre la *antología popular* y la *popularizante II* es grande (226 frente a 21, en el conjunto), la diferencia entre aquélla y la *antología popularizante I* es escasa. ¿Por qué? Hay varias razones:

Por una parte, un buen número de las yuxtaposiciones existentes en la *Antología popularizante I* son casos evidentes de un remedo estilístico. El poeta popularizante —no hay que olvidarlo— *imita* la poesía popular. Así ocurre en la canción 20, de Juan de Timoneda. El estilo es sensiblemente culto, pero Timoneda ha imitado el estilo popular en el uso de oraciones breves, unidas asindéticamente. Así resulta que en esta canción hay nada menos que 5 casos de yuxtaposición adversativa.

> Veo las ovejas
> orillas del mar;
> ** no veo el pastor
> que me hace penar.
>
> Las ovejas veo
> orillas del río;
> ** no ve mi deseo
> el dulce amor mío.
> Miro en derredor
> del fresco pinar;
> ** no veo el pastor
> que me hace penar.
>
> Los perros y el manso
> veo, y su bardina;
> ** mi gloria y descanso
> no veo, mezquina.
> Por bien qu'el amor
> me esfuerza a mirar,
> no veo el pastor
> que me hace penar.
>
> Veo muy esenta
> su choza sombría,
> sin ver quien sustenta
> aquesta alma mía.

> Veo mi dolor
> crescer y menguar;
> ** no veo el pastor
> que me hace penar [40].

Otro caso es el de la canción núm. 8, con cuatro yuxtaposiciones de imitación popular: uso del estribillo "non es de maravillar", asindéticamente unido a la estrofa correspondiente.

Pero, otras veces, no es ésta la razón; no hay aquí imitación de la sintaxis popular; la yuxtaposición tiene otro carácter. Fijémonos en las yuxtaposiciones de la composición núm. 2 de la *Ant. popularizante I*, de Alfonso Álvarez de Villasandino:

> El amor e la ventura
> me ficieron ir mirar
> muy graciosa criatura
> de linaje de Aguar;
> ** quien fablare verdat pura,
> bien puede decir que non
> tiene talle de pastora.
> ....
> ....
>
> Mahomad el atrevido
> ordenó que fuese tal,
> de aseo noble, complido,
> albos pechos de cristal;
> ** de alabasto muy broñido
> debié ser con grant razón
> lo que cubre su alcandora.
>
> Diole tanta fermosura
> que lo non puedo decir;
> ** cuantos miran su figura
> todos la aman servir.
> Con lindeza e apostura
> vence a todas cuantas son
> de alcuña, donde mora.

---

[40] Señalo con ** los casos de yuxtaposición.

Estamos a cien leguas de la yuxtaposición popular. La unión asindética es un rasgo característico del estilo popular, pero no es, por supuesto, exclusivo de él. También la lengua culta la usa; puede ser, ya lo sabemos, una figura retórica de noble tradición, y el latín culto usó cultamente de ella.

Pero, además, el sentido estilístico de la yuxtaposición varía enormemente en virtud de razones que no están directamente relacionadas con el hecho específico de la yuxtaposición. Cuando las oraciones yuxtapuestas son dos oraciones breves, recortadas, la yuxtaposición adquiere un valor significante que no tiene cuando se trata de dos oraciones largas. Por una parte, la yuxtaposición se advierte, impone su presencia. Por otra, la brevedad de las oraciones se hace también más significante por el hecho de ir yuxtapuestas. El ritmo de la lengua se apresura. Este efecto se perdería si las oraciones fueran largas aunque fuesen yuxtapuestas, o si las oraciones fueran breves pero se unieran mediante elementos conjuntivos.

Compárense estos tres párrafos:

a)   Alta estaba la peña;
       nace la malva en ella.   (Villancico núm. 237)

b)   Alta estaba la peña en lo más empinado de la cumbre del Moncayo, en el hermoso paisaje que se vislumbra al otro lado de Soria. Nace la malva en ella, así como el romero y la jara, y un sinfín de arbustos y plantas propias de aquella región.

c)   Alta estaba la peña pero nace la malva en ella.

En el ejemplo *b)* hemos respetado el orden oracional de las breves oraciones contenidas en *a)*. Supongamos, sin embargo, que la segunda oración en un conjunto yuxtapuesto va precedida de una serie de complementos circunstanciales (tiempo, lugar, etc.) u otras frases cualesquiera, que no puedan tomarse como elementos gramaticales de enlace con la oración precedente. Gramaticalmente, existirá yuxtaposición; estilísticamente, pasará desapercibida. El entronque entre ambas oraciones será tan suave y sostenido que no se observará que existe una yuxtaposición gramatical[41].

---

[41] Fijémonos ahora en que, en el villancico comentado, no existe, en

Del mismo modo: la unión asindética de oraciones psíquicas diferentes, cuando no existe entre ellas más que una relación simplemente copulativa, es lo normal en la lengua literaria. Se trata, en ese caso, de una yuxtaposición no significante estilísticamente. Sin embargo, cuando las oraciones son cortas, como en el caso del villancico, el asíndeton adquiere un sentido; subraya la concisión de la frase y el dinamismo del estilo.

Claro está, además, que no puede tener la misma significación estilística la presencia de cuatro yuxtaposiciones en una canción de treinta y ocho versos octosílabos (la de Villasandino, comentada) que la de una yuxtaposición en un villancico de dos o tres versos. La yuxtaposición hay que contemplarla más bien a esta luz; su efecto en las canciones donde ocurre, individualmente consideradas. A veces, la comparación de las cifras totales puede, como en este caso, suavizar las aristas, disminuyendo los contrastes.

Señalemos, por último, que, salvo en siete ocasiones, todas las yuxtaposiciones de la *antología popular* ocurren en posición inicial de verso (217 casos). (En las otras antologías, todas las yuxtaposiciones inician verso.) Las siete excepciones observadas se encuentran en los villancicos 39 ("Casada soy; marido tengo"); 118 ("dicen que sí, dicen que no"; verso que se repite); 287 ("¿Yo qué la hice, yo qué la hago..."; "¿Yo qué la hago, yo qué la hice..."); 490 ("Fui al mar, vine del mar"); 532 ("yo me lo guiso, yo me lo como"). Son, pues, casos, salvo el primero, de fórmulas de repetición modificada [42].

---

rigor, yuxtaposición: el complemento de lugar ("en ella") hace de elemento de enlace. Sin embargo, por la brevedad de las oraciones, junto a la ausencia de un elemento conjuntivo, el impacto propio de la yuxtaposición se comunica al estilo. En nuestro recuento de yuxtaposiciones procedentes de las antologías, no tenemos, sin embargo, en cuenta estos casos.

[42] El primer ejemplo ("Casada soy, marido tengo") es un caso de reiteración, pero no verbal sino conceptual; reiteraciones de este tipo se encuentran en algunos villancicos; ejemplos: "Tomé otro camino; — dejé el que tenía" (67); "Vanse mis amores; — quiérenme dejar" (331); "perderás sueño; — nunca dormirás" (473), etc.

II. OTROS FACTORES DE DINAMICIDAD EXPRESIVA

Todos los aspectos fonéticos y sintácticos del estilo estudiados hasta aquí, al mismo tiempo que recortan la frase e imponen brevedad a la expresión, comunican dinamismo al estilo. Pero hay otros factores de dinamicidad que todavía no hemos señalado.

Al comparar los versos de Santillana con las cuatro cancioncillas populares intercaladas en el *villancico* a sus tres hijas, observábamos la diferencia en el *tempo* de la dicción:

Por una gentil floresta
de lindas flores e rosas,
vide tres damas fermosas
que de amores han recuesta.
Yo, con voluntad muy presta,
me llegué a conoscellas;
comenzó la una dellas
esta canción tan honesta:
"Aguardan a mí.
Nunca tales guardas vi".

En los versos del marqués el discurso fluye cadenciosamente. No hay prisa. El poeta tiene todo el tiempo del mundo delante de sí. Con dicción cortesana y señoril, como cuadra al reposado decir de un representante de la exquisita civilización de su siglo, recreándose en la narración y en la descripción —imaginamos la aristocrática y blanca mano del marqués acompañando con suave movimiento ondulatorio el fluir de los versos—, don Íñigo López nos cuenta despaciosamente su aventura. Nos describe primero dónde ella ocurrió: en, o mejor, *por* una floresta (gentil), adornada de flores (lindas) y rosas; en ella el marqués *vio* tres damas. Nos dice cómo eran las damas (fermosas) y en qué estaban ocupadas en el momento: en una señoril recuesta de amores. Y luego nos dice que se *acercó* a ellas —el poeta es rico en tiempo— y cómo era su voluntad al hacerlo (muy presta) (adjetivo y adverbio), y con qué propósito lo hizo. Después, *una de ellas* —los versos bien enlazados— cantó...; mejor dicho, no dice que cantó, así sin más, sino que *comenzó a* cantar, y la canción aún no cantada es calificada de *tan honesta,* porque no hay que apresurarse y la canción que va a comenzar debe ser presentada con un adjetivo matizado por un adverbio.

Pero cuando, de aquellas tres damas fermosas ocupadas señorilmente en recuesta de amores, la una de ellas canta al fin:

"Aguardan a mí.
Nunca tales guardas vi."

¿Qué ha pasado? ¿De dónde surge este decir nervioso, este brincar de la lengua? Es que acabamos de oír un villancico. Hemos dejado un mundo lírico y entrado de golpe en otro: en el mundo de la canción popular.

A. DINAMICIDAD DEL VERBO EN EL VILLANCICO

La lírica popular es una lírica rica en verbos *activos.* Con esto no aludo a la categoría gramatical de *voz,* es decir a la preferencia que la lengua del villancico muestra por la construcción activa en la oración para expresar la relación lógica entre sujeto y complemento. Esta preferencia existe, desde luego. Es, como se sabe, un rasgo característico del castellano frente a tendencias expresivas de otras lenguas más inclinadas que la nuestra al uso de la voz pasiva. Un rasgo posiblemente acentuado en el villancico, lo cual puede ser puesto en relación con su dinamicidad expresiva característica.

Pero cuando digo que la lírica popular es rica en *verbos activos* me refiero ahora a otra cosa: a la realidad que el verbo expresa, y al hecho de que esa realidad es en el villancico, predominantemente, una realidad *activa,* y, también predominantemente, una realidad *físicamente activa* [43]. Podríamos decir, sin miedo a errar, que hay más ac-

---

[43] Los verbos no siempre expresan una acción. Pueden expresar una inacción, un accidente, una cualidad, una posición... (vide A. Alonso y P. Henríquez Ureña, *Gramática castellana,* 2.º curso, 14.ª ed., Buenos Aires, 1955, p. 102).

tividad física en el villancico, se hacen en él más cosas por número
de palabras que en toda la lírica culta de los Siglos de Oro, supongo
que más que en toda la lírica culta de cualquier tiempo.

Esto habría que relacionarlo, como tantos otros aspectos del villancico, con el realismo mental propio de esta poesía (nada propensa
a las abstracciones conceptuales ni a la descripción morosa de la realidad interior humana), pero está también relacionado con esa ley de
brevedad expresiva que venimos persiguiendo en este capítulo. Porque una acción puede ser expresada sintética o analíticamente, o sea,
teniendo presente el resultado último y más significativo a que la
acción verbal tiende, o bien expresándola por medio de la pluralidad
de acciones en que aquella acción última y fundamental puede des-
componerse. Una victoria militar puede ser narrada prolijamente en
un centenar o un millar de páginas, o diciendo con César: "Llegué,
vi, y vencí". La llegada del amado puede ser cantada a lo largo de
muchos versos, y habrá en ellos muchos verbos que expresen acciones distintas, pero la realidad (la acción) fundamental y última —esa
llegada— queda ya expresada en la desnudez de los dos versos del
villancico 31:

> El amor que me bien quiere
> agora viene.

Y el brote de una flor puede describirse aludiendo a la realidad esencial de su nacer, como en el villancico 106:

> Del rosal sale la rosa.
> ¡Oh qué hermosa!

O yéndose por las ramas, como hace la glosa culta de ese mismo villancico (Juan Vásquez, *Villancicos y canciones a tres y a quatro*,
Osuna, 1551, col. 927):

> ¡Qué color saca tan fino!
> Aunque nace del espino,
> nace entera y olorosa.
> Nace de nuevo primor
> esta flor.

> Huele tanto desde el suelo,
> que penetra hasta el cielo
> su fuerza maravillosa [44].

La tensión activa del villancico está unas veces en la actividad de los personajes, que pasan por los versos yendo y viniendo, haciendo y deshaciendo, sufriendo o cantando, como en este villancico del *Romancero general:*

> A la villa *voy;*
> de la villa *vengo;*
> que si no son amores
> no sé qué me tengo.   (286)

O como la protagonista de un villancico recogido por Juan Vásquez:

> *Yéndome* y *viniendo*
> a las mis vacas,
> no sé qué me bulle
> entre las faldas,
> que no puedo andar...   (98)

Pero otras veces está en la tensión dinámica que el villancico despierta al requerir un hacer de otro personaje: "*Pásame*, por Dios, barquero..." (50); "*Abaja los ojos*, casada..." (100); "*dédesme* hora un beso..." (95); o al pedir respuesta (que implica muchas veces acción) a una pregunta (la específica pregunta "¿qué faré?", ¿qué haré?, cuenta, como sabemos, con una larga tradición). El efecto intensificador de este tipo de frases es algo que hemos de examinar más detenidamente al hablar de las oraciones exhortativas e interrogativas, pero digamos aquí, en lo que toca al aspecto expresivo de la acción verbal, que ese requerimiento puede hacerse en el estilo esencial y

---

[44] La razón no es simplemente el hecho de tratarse de una pequeña canción. Al que así lo crea, le remito a los villancicos cultos que tanto abundan en los cancioneros al lado de los tradicionales. Vuelvo a citar los del *Espejo de enamorados:* "Yo quiero pues vos queréys, — y yo quiero — querer el mal con que muero"; "El que muere queda bivo, — quel que bive — muy mayor muerte recibe", etc.

breve que usa siempre el villancico (con el que los verbos se cargan
de esencialidad y significación), o extendiéndose en consideraciones,
con el estilo profuso y borroso de la glosa culta que ahora trascribire-
mos, en la cual hay muchos verbos que significan lógicamente una
acción, pero observemos qué poco se hace en el conjunto de sus
versos.

El villancico y su glosa (culta) dicen así:

> Y decid, serranicas, ¡eh!,
> deste mal si moriré.
>
> Porqu'el remedio y mi mal
> nascen de una causa tal
> que me hacen inmortal,
> por do morir no podré.
> Deste mal si moriré.
>
> Que de ver la serranica
> tan graciosa y tan bonica,
> mi dolor me certifica
> que jamás no sanaré.
> Deste mal si moriré [45].

Sería excesivamente prolijo llamar la atención sobre todos los verbos
del villancico que expresan acción, y hacer una detallada contraposición entre el villancico popular y distintas muestras de poesía culta.
Tampoco lo creo necesario; basta con que llamemos la atención sobre
el hecho.

Pero sí creo que resultará interesante un recuento de los *verbos de
movimiento* en nuestras antologías. Hemos elegido para este análisis
verbos específicamente de movimiento, usados preponderantemente en
su sentido primario de traslación física (aunque hay algunos ejemplos
en que este sentido se ha perdido). Las cifras totales (de verbos y
verbales), con sus porcentajes de frecuencia son:

---

[45] *Antología popularizante II*, núm. 27.

VERBOS				VERBOS DE MOVIMIENTO			
POPULAR	PZTE. I	PZTE. II	PZTE. I Y II	POPULAR	PZTE. I	PZTE. II	PZTE. I Y II
1.886	431	418	849	310	34	34	68
18'83	17'16	16'71	16'94	3'09	1'35	1'36	1'36

VERBALES				VERBALES DE MOVIMIENTO			
POPULAR	PZTE. I	PZTE. II	PZTE. I Y II	POPULAR	PZTE. I	PZTE. II	PZTE. I Y II
241	107	98	205	46	12	5	17
2'41	4'26	3'92	4'09	0'46	0'47	0'20	0'34

Estas cifras [46] se desglosan así:

1. *Verbos de movimiento:*

Antología popular: voy (5), vas (7), va (25), vais (2), van (16), ve (1), vamos (1), vámo(nos) (9), vaya (2), vayan (2), iba(1.ª s.) (3), iba(3.ª s.) (1), iban (5), fui (5), fuéra(me) (2), fue (5), ido es (1), iré (10), ir he (1), irás (1), fuere (1); vengo (10), vienes (2), viene (11), venís (8), venides (1), vienen (4), venga (1), vengáis (6), vengan (1), ven (9), vení (1), venid (6), venía(3.ª s.) (6), viniese(1.ª s.) (1), vine (2), vino (5), es venido (1), venirá (1), venirán (1); ando (4), anda (3), andáis (1), andan (3), anda (imperativo) (12); llevo (1),

---

[46] Observemos: *a)* por lo que a número de verbos se refiere, el predominio de la antología popular sobre las popularizantes, predominio que se acentúa ostensiblemente cuando se trata de verbos de movimiento; *b)* en cuanto a los verbales —y esto está de acuerdo con lo que hemos venido diciendo sobre el sentido *activo* del lenguaje poético popular— el panorama cambia: hay normalmente más verbales en los textos popularizantes que en los populares; pero, *sin embargo* —¡hasta en esto se cumplen las tendencias propias de uno y otro lenguaje!—, *cuando se trata de verbales de movimiento,* vuelve el predominio numérico de la antología popular sobre las popularizantes.

llevas (1), lleva (5), llevan (3), lieva (2), lleve (1), llevéis (3), llevad (1), había de llevar (1), levar he (1), llevará (1), llevar han (1); sale (4), salga (subj.) (6), salga (imperativo) (1), salid (1), salía (1), salió (2), saliré (2), saldredes (1), saliréis (3); traigo (5), trayo (2), traiga (subj.) (4), trayáis (1), traigáis (1), trajo (3); pasa (2), pasa (imperativo) (1), pase (imperativo) (7), paséis (4), pasaré (1); entra (2), entrastes (1), entrad (1), entraba (1); torno (1), torna (1), tornaban (1), torné (1); corren (1), corrían (1), correré (1); desciende (2), descendid (1); quita (2), quite (1); parte (1), partiré (2); puso (2); vuelven (1), volverán (1); allega (1), allegó (1); apárte(se) (1); caminad (1); es llegado (1); paseaba (1); rodeo (1).

Antología popularizante I: vais (1), id (1), fue (1), fueron (2), iré (2); viene (4), vengades (1), viniese (1); parte (1), partía (1), partiéredes (1); es pasada (3); baja (2); corráis (1), has corrido (1); llevan (1), llevad (1); sale (1), salí (1); volveréis (2); entré (1); llegué (1); tirat (1); torné (1); trujeron (1).

Antología popularizante II: va (1), vamos (5), van (1), ve (2), fui (1); anda (2), andas (4); vengo (4), viene (2), vinieron (1), es venida (1); entra (1), entraron (1); salgo (1), sale (1); bajó (1); descendía (1); llegaba (1); parten (1); pasa (1); traigo (1).

2. *Verbales de movimiento:*

Antología popular: andar (16), andando (1); ir (13), yendo (2); apartar (2); venir (4), viniendo (2); entrar (3); caminar (1); subir (1); volver (1).

Antología popularizante I: ir (2), yendo (1); tornar (2); pasar (1); viniendo (1), venido (1); andar (1); apartar (1); partir (1); saliendo (1).

Antología popularizante II: correr (1); descender (1); llegando (1); pasear (1); yendo (1).

El impacto de estos verbos de movimiento, con su contenido lógico y psíquico afectivo, contribuye, sin duda, al tono dinámico del

villancico. Frente a la detención o inmovilidad de la lírica culta cancioneril (con sus juegos interminables de conceptos), frente al entona-
do y despacioso narrar de un Santillana, frente a los meandros o al
eterno retorno de muchas glosas corteses y barrocas (vueltas y vueltas
en torno a un punto), los villancicos —no sólo por cómo lo dicen,
sino también por *lo que* dicen— están llenos de movilidad, de azo-
gue; de ir y venir, de salir y entrar, de traer y llevar, subir y bajar...
Veamos agrupados unos cuantos villancicos del *Cancionero Musical
de Palacio*:

> Tres morillas tan garridas
> *iban a* coger olivas...
> ....
> Tres moricas tan lozanas
> *iban a* coger manzanas...
>
> *Salid,* mi señora,
> *de* so'l naranjale...
>
> *Entra* mayo y *sale* abril.
> ¡Tan garridico le vi *venir!*
>
> ¿Quién *te trajo,* caballero,
> *por* esta montaña escura...?
>
> ¡Quién vos *había de llevar!*
> ....
> Fatimá, la tan garrida,
> *levaros he a* Sevilla...
>
> El amor que me bien quiere
> agora *viene.*
>
> A los baños del amor
> sola *m'iré...*
>
> Dos ánades, madre,
> que *van por* aquí...
> ....
> Al campo de flores
> *iban a* dormir.
>
> *Fuese* mi marido
> *a* la frontera...

... el mi lindo amigo
moricos de allende
lo llevan cativo...

Pásame por Dios, barquero,
d'aquesa parte del río...

A tierras ajenas,
¿quién me *trajo a* ellas?

Romerico, tú que *vienes*...

¿...quién vido dueñas
a tal hora *andar?*

Rodrigo Martínez,
atán garrido,
los tus ansarinos
*liévalos a*l río...

....

Rodrigo Martínez,
atán lozano,
los tus ansarinos
*liévalos a*l vado...

Gritos daban en aquella sierra;
¡ay, madre, *quiérom'ir a* ella.
....

Yo me *iba,* mi madre,
a la romería;
por *ir* más devota
fui sin compañía...

De Monzón *venía* el mozo;
mozo *venía* de Monzón.

La moza guardaba la viña;
el mozo *por ahí venía.*
Mozo *venía* de Monzón.

Aquí *viene* la flor, señoras,
aquí *viene* la flor.

> Ya cantan los gallos,
> buen amor, y *vete*...
>
> *Desciende* al valle, niña...
>
> *Paséisme* ahora *allá*, serrana,
> ....
> *paséisme* ahora *allende* el río...
>
> Por las sierras de Madrid
> *tengo d'ir*...
>
> El abad que a tal hora *anda*,
> ¿qué demanda?

Pero además hay, por supuesto, más movimiento en el villancico del que puede reflejar el simple recuento de todos sus verbos de traslación física. Por una parte, hay verbos que indican movimiento pero no traslación, como *bailar, luchar, cortar, bullir, menear*, etc., que no hemos incluido en la cuenta, no obstante su evidente connotación dinámica:

> —Ora baila tú.
> —Mas baila tú.
> —Mas tú.
>
> Ya casaba el colmenero,
> casaba su fija.
> —Mas baila tú.
> —Ora baila tú.   (69)

Por otra parte, el movimiento puede ser sugerido por un conjunto de elementos; por medio de ellos, un verbo puede adquirir un sentido dinámico o andariego del que habitualmente carece, o avivarlo:

> Pisá, amigo, el polvillo,
> tan menudillo;
> pisá, amigo, el polvó,
> tan menudó.   (518)
>
> Picar, picar,
> que cerquita está el lugar.   (505)

Un sustantivo (verbo sustantivado) puede ser expresión de movimiento:

> Que no hay tal andar
> por el verde olivico,
> que no hay tal andar
> por el verde olivar.   (503)

Hay en la lírica popular una energía activa que se expresa en mil maneras. Podría decirse que gusta de ver la realidad *en acción,* en movimiento, nunca estática. Tendríamos que recurrir a centenares de ejemplos para dar una idea cabal de este bullir de colmena, de este ir y venir, como las naranjicas por el aire del villancico 255:

> Arrojóme las naranjicas
> ....
> arrojómelas y arrojéselas
> y volviómelas a arrojar.

Por eso, el viento, el aire (¡el aire!), los árboles, las aguas, el sol y la luna, la naturaleza, están captados en movimiento:

> Levantóse un viento
> de la mar salada,
> y diome en la cara...   (444)

> De los álamos vengo, madre,
> de ver cómo los menea el aire...   (105)

> Púsoseme el sol,
> salióme la luna...   (497)

> Entra mayo y sale abril...   (507)

> Las ondas de la mar,
> ¡cuán menudicas van!   (520)

> Aquellas sierras, madre,
> altas son de subir;
> corrían los caños;
> daban en un toronjil.   (108)

Una poesía en donde los personajes y la naturaleza rara vez están pensados estáticamente; donde tanto se hace y tanto se camina, se va, se viene, se anda, se sube, se baja, se entra, se sale, se baila, se corre, ¿cómo no va a resultar una poesía extraordinariamente tensa y dinámica?

Merecen un comentario aparte algunas construcciones con verbos de movimiento, en las que el verbo ha sufrido un cambio semántico y ha perdido su significación primaria de movimiento físico, aunque conservando cierta connotación imaginativa de sentido dinámico. Destacan las construcciones con *andar* y *traer*:

> Si el pastorcico es nuevo
> y *anda enamorado*...   (125)

> Por vida de mis ojos
> y de mi vida,
> que por vuestros amores
> *ando perdida*...   (150)

> *Peinadita trayo* mi greña...   (530)

> Anda noramala, agudo,
> agudo mío,
> anda noramala, agudo,
> que *andáis dormido*.   (322)

> ¡*ándate*, Periquito, *holgando!*   (400)

> *Perdida traigo* la color...   (101)

En el uso de estas construcciones se manifiesta una vez más una preferencia por los aspectos activos de la lengua. Amado Alonso señaló la diferencia entre las construcciones *estar, vivir* y *andar enamorado* [47]. "*Estar* —decía— se refiere al *esse*, como estado alcanzado; *andar* al *operari*, con actuación varia, aunque sea dentro de un episodio singu-

---

[47] Véase su artículo "Sobre métodos: construcciones con verbos de movimiento en español", *Revista de Filología Hispánica*, I (1939); recogido posteriormente en *Estudios lingüísticos. Temas españoles*, Madrid, Gredos, 1951, páginas 230-287.

lar. Con *Luis anda enamorado* se ve a Luis estar enamorado, y, a la
vez, hacer las cosas de su vida; un *moverse por la vida enamorado*" [48].
Es probable que haya cambio semántico en la construcción "ir-
m'he", del villancico 44.

> Ojos morenicos,
> irm'he yo a querellar,
> que me queredes matar.

Lo habrá si el verbo *ir* está usado con un oficio puramente "funcional
o formal", para emplear la expresión de Amado Alonso, con significación gramaticalizada, como en la construcción moderna "voy a que-
rellarme". Este uso de *ir (ir a)* como verbo auxiliar lo encontramos en
el cantarcillo 551:

> Mirad, marido, si quieres algo,
> que *me voy a levantar*... [49].

B.   ESCASEZ DEL ADJETIVO

Decía López Pinciano *(Filosofía antigua poética,* cap. "Del poético lenguaje") que la profusión de adjetivos "sería vicioso a la ora-
toria, y a la poética es ornato". Suele ser el adjetivo una de las notas
más personales del estilo literario; todo escritor tiene *sus* adjetivos,
como, en otro sentido, los tiene toda época. Existe el adjetivo renacentista, el adjetivo barroco, el adjetivo romántico; al igual que podemos hablar de una adjetivación valleinclanesca o azoriniana.

---

[48] *Ibid.,* pp. 265-6. Frente al *vivir enamorado,* Amado Alonso señalaba,
entre otras diferencias (la vida no entra en su totalidad, sino sólo un aspecto de la vida, con frecuencia pensando temporalmente), que *andar* no es
solamente un *vivir,* sino "un actuar en la vida y un sufrirla con la caracterización correspondiente" *(ibid.,* p. 262).

[49] El uso de *ir* con este sentido de verbo auxiliar es rarísimo durante
el siglo XVI, según señala Keniston *(The Syntax of Castilian Prose,* The University of Chicago Press, Chicago, 1937, p. 367, par. 29.163).

Lo característico de la lírica popular es, sin embargo, y en reglas generales, su parquedad adjetival [50]. ¿Tendrá esto algo que ver con "lo popular" del villancico? Yo diría que, en buena medida, sí. Por lo pronto, también encontramos un predominio semejante del lenguaje sustantival y verbal sobre el adjetivo en ese hermano del villancico, en lo popular, que es el refrán. Es ésta, quizás, una de las razones de esa impresión de *plenitud* que produce la lengua del *Vocabulario de refranes* del maestro Correas, así como si estuviéramos ante una lengua toda repleta de palabras llenas de sentido, como un árbol cargado de frutos.

He aquí una página del *Vocabulario*, tomada al azar. (Es la página 147, comienzo de la letra D, en la edición de la Real Academia de la Lengua, Madrid, 1924).

Da a tu hijo mal por mal, y dejarle has al hospital.

Daca el gallo, toma el gallo, quédanse las plumas en la mano.

Daca y toma, a la puerta del diablo mora.

Dad al cura y venga arreo.

Dad al diablo el gato, y el garabato.

Dad al diablo el amigo que deja la paja y lleva el trigo.

Dad al diablo la llave, marido, que a todas puertas abre.

Da de comer al cochino, que en los días nunca hay tino.

Da Dios almendras a quien no tiene muelas.

Da Dios barbas a quien no tiene quijadas.

Da Dios bragas a quien no sabe atacallas.

Da Dios bragas a quien no tiene zanjas.

Dádivas quebrantan peñas y hacen venir de las greñas.

Dádivas y buenas razones ablandan piedras y corazones.

Dadme acá esa lanza, meterme he en esa baraja; o dame acá.

Dadme dineros y no me deis consejos.

Dadme las tijeritas, mujer, que las he menester.

Dadme la madre recatada, daros he hija asegurada.

Dadme un bollo, con la pala del horno.

Dádole ha que ha de parir esta noche, con la noche que hace.

---

[50] Me refiero siempre al adjetivo con función calificativa, no determinativa. No pienso en los adjetivos que la gramática llama numerales, posesivos, demostrativos, o determinativos en sentido restringido. Finalmente, lo que se dice del adjetivo calificativo podría también referirse al adverbio con función calificativa.

Dado ruin cuatro manos encona, dos de quien le da, y dos
de quien le toma.

Dad os priesa, panaderas, que mi madre quiere un pan.

Dad para la maya, que está barbada.

Da Dios el frío conforme el vestido.

Da Dios habas a quien no tiene quijada.

Dádiva de ruin, a su dueño parece.

Dádiva ruineja, a su dueño semeja.

Dalde a mi burra, que llegará primero.

Dad para Santa Lebrada, que primero fue cocida, después asada.

Dad por Dios, a quien tiene más que vos.

Dad y daros han, que por dar dan, que no por dir dirán.

Dáime la bota y quitáime la toca: una me cansa y otra me
conforta.

¿Quiere esto decir que a la *lengua popular* le repugnan los adjetivos? No, naturalmente que no. El adjetivo existe en el refranero,
como existe en el villancico.

Dámela honesta, dártela he compuesta.

Dámela vestida, dártela he bellida.

Dámela beoda, dártela he puta y ladrona.

Existe en ellos, como existe en la lengua popular y en la lengua coloquial. Lo que no existe, en ninguno de estos casos, es el cuidadoso
y amoroso recreamiento en la adjetivación que suele hallarse en el
uso literario de la lengua. Si no fuera porque la expresión resulta pe-
ligrosamente vaga, yo diría que lo que falta es el *adjetivo literario,*
con lo cual me refiero no tanto al hecho de que hay adjetivos *per se*
literarios (que no caben en un lenguaje popular) [51], como al *uso literario* del adjetivo en general.

---

[51] Pensemos en adjetivos tales como *horrísono, angélico* o *novedoso,* etcétera. Este aspecto de la cuestión entra dentro del amplio capítulo de la
distinción entre lenguaje popular - lenguaje culto - lenguaje literario (de límites borrosos). Aunque no sería fácil, ni tal vez posible, reunir un diccionario de términos populares y términos no populares, resulta evidente para
cualquier buen conocedor de una lengua que hay palabras que en un estadio determinado del lenguaje no pueden ser populares; aunque muchas de
ellas, por razones prácticas sobre todo, puedan pasar al lenguaje popular,
es decir, lleguen a usarse por el pueblo (como *caucho, filoxera* o *neumático*).

Se trata, en último término, de diferentes actitudes ante la adjetivación. En los tres refranes que acabo de trascribir el adjetivo cumple una función semántica esencial; si suprimimos los adjetivos, se destruye la frase (y con ella, la función representativa y comunicativa del lenguaje). En cambio, en los versos de Paes de Ribera que copio a continuación, el adjetivo tiene una función ornamental o matizadora, pero, en todo caso, no esencial, ya que si los suprimimos, sigue en pie la realidad conceptual esencial: "Llegó una donsella".

> Llegó una donsella *gentil* e *briosa,*
> *doneguil* e *garrida, cortés* e *graciosa...* [52].

Examinando los adjetivos de la *Antología popular* podemos llegar a unas cuantas conclusiones:

1. El villancico hace un uso sobrio del adjetivo. La profusión de adjetivos es siempre indicio de mano culta. Por este solo rasgo es posible determinar cuándo nos encontramos ante una imitación culta o una glosa culta popularizantes. La glosa que sigue (glosa al villancico popular: "Niña, erguídeme los ojos, — que a mí enamorado m'han") es evidentemente culta y no tradicional:

> No los alces *desdeñosos,*
> sino *ledos* y *amorosos,*
> que mis tormentos *penosos*
> en verlos descansarán, etc. [53].

---

[52] *Cancionero de Juan Alfonso de Baena,* Buenos Aires, Anaconda, s. a., número 289. Por supuesto, hace tiempo que la gramática y la estilística están conscientes de esta diferencia funcional del adjetivo; así, en el caso del epíteto (*epithetum ornans*) (*la bella joven*), cuya función, frente al uso diferenciativo o determinativo de ese mismo adjetivo pospuesto (*la joven bella,* para distinguirla de las otras jóvenes) resulta meramente ornamental y no necesaria al contenido significativo de la frase. (Este valor puramente ornamental del epíteto se acentúa en el caso del llamado *epithetum constans,* que alude a una cualidad que pertenece intrínseca y necesariamente al sustantivo: *la verde hierba.*) Pero la distinción no se agota con esta doble categoría.

[53] *Antología popularizante,* II, núm. 2. El villancico, también en *Antología popular,* núm. 25.

En las tablas que van a continuación pueden compararse las cifras y porcentajes respectivos de nombres, verbos y adjetivos calificativos en las tres antologías. En la tabla de los adjetivos hemos separado los diminutivos, que, por su valor afectivo y el amor que por ellos siente la lírica popular, merecen un puesto aparte.

SUSTANTIVOS			VERBOS		
POPULAR	PZTE. I	PZTE. II	POPULAR	PZTE. I	PZTE. II
2.201	494	476	1.886	431	418
21'97	19'67	19'02	18'83	17'16	16'71

ADJETIVOS CALIFICATIVOS (NO DIMINUTIVOS)			ADJETIVOS CALIFICATIVOS (DIMINUTIVOS)			ADJETIVOS CALIFICATIVOS (TOTAL)		
POPULAR	PZTE. I	PZTE. II	POPULAR	PZTE. I	PZTE. II	POPULAR	PZTE. I	PZTE. II
423	161	192	32	0	3	455	161	195
4'22	6'41	7'67	0'32	0'0	0'12	4'54	6'41	7'79

2. En la *Antología popular* faltan los adjetivos cultos o literarios, por supuesto; cuya presencia es posible observar en las otras dos antologías, no obstante su intención popularizante. Las listas completas de adjetivos nos darán idea de las preferencias lingüísticas en las tres antologías.

Adjetivos calificativos:

Antología popular: abierta (1); aborrescida (1); abrazada (1); afiladas (1); ajena (2), ajenas (2), ajeno (3), ajenos (1); airados (1); albar (1); alta (2), altas (1); amada (1); ancha (1); aventurero (1); bella (2); bendita (1), biendita (1); besada (2); blanca (6), blanco (2), branca (1); boba (1); bonita (2); brava (1), bravo (3); buena (6), bona (2), buen (13), bueno (4), buenos (1); bullicioso (1); captivos

(1), cativo (1); cara (1), caras (1); casada (6), casado (2); castrado (1); chicas (1); clara (4), claro (1), claros (1); cobarde (3); cogida (1), cogidas (2); colorada (1); corto (1); corrido (1); corrientes (1); crecido (1); cuitada (5), cuitado (3); delicada (3); desamorada (1); descalza (1); desmaídas (1); desvelada (1); devota (2); diferentes (1); dorada (1); dormido (1); dulces (1); echada (1); enamorada (2), enamorado (2); encelados (1); encerrada (1); enojada (2); erguida (2); escondidos (1); falsa (2), falso (1), falsos (2); fea (2); ferida (2); fino (1); florida (2), florido (3); fresca (1); fría (2), frida (3); galán (4), galana (6); garrida (9), garridas (1), garrido (7), garridos (1); garzos (1); gentil (3), graciosos (2); gran (4); granada (1), granado (1); grave (3); herido (1); hermosa (4), hermosos (1); hosco (1); labrada (1); larga (1), largas (1), largos (1); leales (1); libre (2), libres (2); limpio (1); linda (7), lindas (2), lindo (4), lindos (2); lisonjeros (1); loca (1); lozanas (2), lozano (2); llena (9), llenas (1), lleno (1); maduras (1); mal (2), mala (17), malas (4), malo (9); mangajona (2); mayor (2); matroca (1); mejor (1); metido (1); mezquina (2); mochacha (1), mochacho (1); moledor (2); morena (9), morenos (5); morisco (1); moza (1), mozo (1); muerta (1), muerto (4); nacido (1); necio (1); negra (2), negro (1); niña (2); noble (1); nuevo (6); oscura (1), obscura (1), escura (6); pasados (1); peinados (1); penada (1); perdida (4), perdidas (1); plateada (1); polido (2); prendadas (2); preñada (1), preñadas (1); presa (2); prieta (1); puesta (1); puntuoso (1); quebrado (1); quedos (1); ralas (1); rasgado (1); remangada (1); reverendo (1); rubia (1), rubios (2); ruin (2); salada (1); sola (10), solas (1), solos (2); triste (6), tristes (4); turbias (1); vacío (1); vaquero (1); vencedor (1), vencedores (2); verdadero (3), verdaderos (1); verde (9), verdes (2); verde-escura (1); veros (1); vieja (2); vil (1); virgo (6).

Antología popularizante I: albos (1); alegre (1); alta (1), alto (1); armado (1); artero (1); arreada (1); asentada (1); atrevido (1); bellos (2); blanca (3), branca (1), blanco (1); broñido (1); buen (5); casada (1); cativos (1); causadores (1); complido (1), complidos (1); corta (1); cruel (1); cuitada (1); desamparada (1); desapercebido (1); desconsolado (1); descubierta (1); desdichada (2); deseosa (1); desmesurada (1); desnuda (1); desvelado (1); dichosos (1); diligente (1); dispuesto (1); divertidos (1); dormidos (1); dubdosa (1); dulces (1); eclipsados (1); enajenada (1); enamorada (1); esenta (1); esquivas (1), esquivos (1); estrañas (1), extraña (1), extraño (1); fermosa (2), fermosas (2); fiera (1); fin (4); floridas (1); fragosa (1); fresca (1), fresco (1), frescos (1); garzos (1); gentil (4), gentiles (1); graciosa (2), graciosos (1); gran (2), grand (2), grande (1), grandes (1), grant (1); grave (1); guardado (1); hermosa (1), hermoso (1); honesta (2); leales (1); ledo (1); libre (1); linda (3), lindas (1); liviana (1); lozana (2), lozano (1); lustrosa (1); llena (1), llenas (1); mañoso (1); mantenedores (1); mayores (1); mezquina (1); morena (2); natural (1); niña (1); noble (1); ojigarza (1); olvidado (1); orgulloso (1); partido (1); pecadora (1); perezoso (1); penada (2); placiente (1); plantada (1); preso (1); presta (1), presto (1); puesta (1); pura (1), puro (1); rojos (1); rubia (1); secreta (1); señalado (1); sola (2), solo (1); sombría (1); sombrosos (1); suave (1); superfluo (1); tierna (1); triste (3), tristes (1); vencido (1); ventajoso (1); verdadero (2), verdaderos (1); verde (1), verdes (7); vivos (1).

Antología popularizante II: acostado (1); acostumbrado (1); adormescido (3); ajena (1); alegre (2); alta (1), altas (1), alto (1); amiga (1); amorosa (1), amorosos (1); angelical (1); apacible (4); apuesta (1); bajos (1); bel (1), bella (2), bellos (2); bendita (1); blanca (2); buen (2), buena (1); bullidor (1), bullidores (1); casada (2); cativado (1); celoso (1); chapado (1); ciego (1); cierto (1); colorada (2); congojoso (1); contino (1); corredor (3), corrida (1); criado (1); cruel (1); desatinado (1); descansado (1); desconocida (1); descontenta (1); desdeñosos (1); desesperado (1); desmesurado (1); despierto (1); desvelado (1); dichoso (1); discreta (1); dispuesto (1); divino (1); dolorida (1); dulces (2); empleado (1); encerrada (1); encubiertos (1); enemiga (1); entera (1); espavorida (1); esquivos (1); extraños (1); fiera (1); fino (1); firme (1); florido (3); formosa (1); fresca (1), fresco (2); fría (1); fuerte (1); galana (5); gallardo (1); garrido (1); gentil (3); glorioso (1); graciosa (1), gracioso (1); gran (5), grande (1), grandes (1); gustoso (1); herida (1), herido (2); hermosa (1), hermosas (1); honrado (1); humildes (4); inflamado (1); ingrata (1); inmortal (1); justa (1); largas (1); lastimado (1); ledos (1); linda (1), lindo (6), lindos (1); lozana (1); llagado (2); malas (1), malo (1); manso (1); maravillosa (1); mayor (1); medroso (1); mejores (1); morena (1), moreno (1); moza (1), mozo (1); murmurador (1); nacido (1), nascido (1); nigra (1); nuevo (1); olorosa (2); oscuro (1); pardo (1); partido (1); pasadas (1); penado (2); penosos (1); peor (1); perdida (3), perdido (1); pobre (1), pobres (1); precioso (1); presentes (1); preso (3); quebrado (2); roja (1); sacadas (1); sagrada (2); serena (1), serenos (2); servida (1); suave (1); tardo (1); trasportado (1); triste (2); vencido (1); verdadero (1); verdes (1); zahareña (1).

Adjetivos calificativos diminutivos

Antología popular: bonica (2), bonico (5), bonitica (1), bonitilla (1); morenica (5), morenicos (1), morenita (3); garridica (1), garridico (3); peinadita (2); cargadito (1); chequita (1); graciosica (1); hosquillo (1); menudicas (1); namoradica (1); pardillo (1); verdico (1).

Antología popularizante I: ninguno.

Antología popularizante II: bonica (1); malpenadica (1); morenillos (1).

3. Muchos de los adjetivos de la *Antología popular* están usados con la función que antes describíamos como semánticamente esencial y no puramente ornamental o accesoria. Por ejemplo: "¿cómo dormirá *solá?*" (2); "*maldita* sea si os olvido" (15); "*malo* es de guardar" (16); "*sola* me iré" (32); "dicho es *verdadero*" (38); "¿quién los hizo ser *ajenos?*" (37); "*Casada* soy" (39); "*cativo* se vea" (40); "*sola* me dejaba — en tierra *ajena*" (43), etc.

4. Con respecto a los otros adjetivos (a los que no están en este caso), conviene hacer una doble distinción. Conviene distinguir, por un lado, la adjetivación paralelística: *frida - clara - florida - granada* (16); *garrido - lozano* (65); *fino - claro* (93), etc. Es la única excepción observable a la parquedad adjetival del adjetivo; y, más que acumulación de adjetivos según el uso literario, lo que observamos en el paralelismo es una tradición adjetival —siempre repetida y ya hecha

fórmula— al servicio de la rima paralelística. De otro lado, hay que
destacar el uso afectivo del adjetivo en el villancico, un uso que tiene
también mucho de fórmula. Puede referirse al vocativo (o persona a
quien se habla): "ojos morenicos" (44); "ojos morenos" (123); "falso enemigo" (11); "buen amigo" (21); "niña virgo" (57); "buen
amor" (73 y 79); "gentil caballero" (95); "cobarde caballero" (136);
"mi lindo amor" (165), etc. Puede referirse también a la tercera persona, de quien se habla: "mi lindo amigo" (93); "mi lindo amado"
(93); "mi buen amor" (101); "moza virgo" (116); "cuerpo garrido" (160), etc. Y también se encuentra el adjetivo afectivo referido
al yo, a la persona que habla: "mezquina, cuitada" (67); "triste"
(78); "triste, cuitado" (115); "cuitada" (117), etc.

5. Por lo que hace a la posición del adjetivo con respecto al sustantivo, es de señalar que en el villancico domina el adjetivo antepuesto sobre el pospuesto, por amplio porcentaje. El uso del adjetivo
con función afectiva más que descriptiva explica esta preponderancia.

6. La escasez de adjetivos y adverbios calificativos es un factor
más de dinamismo expresivo, como vimos que lo era la simplicidad
sintáctica y la reducción a un mínimo de los elementos de enlace
oracional. La profusión de *palabras vacías* [54] o instrumentales, y la
profusión de adjetivos y adverbios, especialmente *cuando no son de
aquellos que hemos considerado como esenciales* en la función representativa y comunicativa del lenguaje (dentro del contexto preciso de
una frase) [55], imponen siempre lentitud al discurso. En los versos antes
citados de Paes de Ribera, los adjetivos aparecen claramente como
elementos de freno en el avance del discurso.

---

[54] Usa el término Lucien Tesnière, *Élements de Syntaxe structurale*,
Paris, 1959.

[55] Tomemos como ejemplo el lenguaje telegráfico, de máxima economía.
En él, no entrarán más adjetivos que los necesarios. Supongamos que pido
que me envíen una manta; el telegrama dirá: "Enviad manta". Si la manta
que quiero es una manta determinada, de color rojo, diré para identificarla:
"Enviad manta roja". Si las mantas rojas son dos, y es la más grande la que
quiero, diré: "Enviad manta roja grande", etc. Esto bastará. No añadiremos
adjetivos ornamentales innecesarios para la identificación de la manta; no diremos: "Enviad confortable, hermosa, apreciada manta roja".

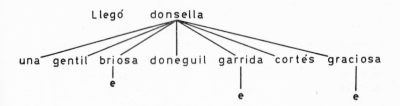

Frente a un lenguaje que dijera simplemente: "Llegó una donse-lla", el lenguaje de Paes de Ribera (doce palabras para el mismo *avance semántico esencial* que pueden lograr tres) es, claramente, un lenguaje de *tempo* pausado. La causa, como la representación gráfica trata de mostrar, está en la profusión de adjetivos, ahogando los núcleos generadores de dinamismo, constituidos aquí por un solo verbo y un solo sustantivo.

Frente a este lenguaje ondulante, que discurre lenta y morosamente, deteniéndose en su pausado andar para adornar de adjetivos lo mentado, recreándose en la función adjetival, el lenguaje del villancico avanza con paso breve y rápido.

Son muchos los villancicos que no contienen un solo adjetivo, como el lector puede comprobar en la *Antología*. Son también muchos los ejemplos de las Antologías popularizantes con profusa adjetivación. Pongamos unos y otros frente a frente para acusar el contraste:

Aquel caballero, madre,
tres besicos le mandé;
crecer y dárselos he.   (9)

Solíades venir, amor;
agora no venides, non.   (12)

En Ávila, mis ojos,
dentro en Ávila.

En Ávila del Río
mataron mi amigo,
dentro en Ávila.   (41)

Dulces árboles *sombrosos*,
humillaos cuando veáis
aquellos ojos *hermosos*
del que tanto deseáis.

(*A. Pzante. I*, 10)

Son tan *bellos* y tan *vivos*
que a todos tienen *cativos;*
mas muéstralos tan *esquivos*
que roban ell alegría.

(*Ibid.*, 13)

Pásame por Dios, barquero,
d'aquesa parte del río;
duélete del dolor mío.   (50)

Dentro en el vergel
moriré.
Dentro en el rosal
matarm'han.

Yo m'iba, mi madre,
las rosas coger;
hallé mis amores
dentro en el vergel.
Dentro en el rosal
matarm'han.   (55)

El mi corazón, madre,
robado me le hane.   (86)

No oso alzar los ojos
a mirar aquel galán,
porque me lo entenderán.   (88)

No me habléis, conde,
d'amor en la calle;
catá que os dirá mal,
conde, la mi madre.

Mañana iré, conde,
a lavar al río;
allá me tenéis, conde,
a vuestro servicio.

Catá que os dirá mal,
conde, la mi madre.
No me habléis, conde,
de amor en la calle.   (99)

Sale el mayo *hermoso*
con los *frescos* vientos
que le ha dado marzo
de céfiros *bellos*.

(*Ibid.*, 28)

No los alces *desdeñosos*,
sino *ledos* y *amorosos*,
que mis tormentos *penosos*
en verlos descansarán.

(*A. Pzante. II*, 2)

¡Qué color saca tan *fino!*
Aunque nace del espino
nace *entera* y *olorosa*.
Nace de *nuevo* primor
esta flor.
Huele tanto desde el suelo,
que penetra hasta el cielo
su fuerza *maravillosa*.

(*Ibid.*, 23)

Debajo de un *pobre* portal
está un *divino* rosal,
una reina *angelical*
de muy *gracioso* donaire.

Esta reina tan *hermosa*
ha producido una rosa,
tan *colorada, olorosa*,
cual nunca la vido nadie,
rosa *blanca* y *colorada*,
rosa *bendita, sagrada*,
rosa para ser quitada
la culpa del primer padre.

(*Ibid.*, 37)

III. SOBRIEDAD EN LA LÍRICA POPULAR

A la brevedad expresiva o formal corresponde, en lo que hace al contenido, otra forma de brevedad que yo llamaría sobriedad, una casta y elegantísima sobriedad que vamos a contemplar desde distintos ángulos.

A. SOBRIEDAD DE SENTIMIENTO

Leemos algunas de las glosas cultas corteses que acompañan a nuestros villancicos. ¡Qué profusa efusión de emociones! Las palabras se amontonan hablándonos de pasión, dolor, firmeza, alegría, olvido, renuncia... Complejos y sutiles sentimientos desfilan ante nosotros, aturdiéndonos. De responder a una auténtica vivencia, habría que decir que estos amadores fueron almas torturadas, cargadas de sentimiento, rebosantes de vida interna. Sin embargo, muy pocas veces la supuesta carga afectiva se resuelve en descarga que llegue al lector. Pasión, dolor, placer, firmeza... la profusión de sentimiento se nos queda en profusión de palabras, palabras vacías, palabras que intentan decir pero que nada dicen: fogarata de virutas.

Frente a la recargada efusión de la glosa culta, resalta la elegante sobriedad del villancico popular. Pocos contrastes tan expresivos como el que ofrecen el villancico número 227 del *CMP* (ed. Barbieri) y la glosa que le acompaña en ese mismo cancionero. El villancico dice así:

> Aquel caballero, madre,
> si morirá,
> con tanta mala vida como ha [56].

Y la glosa culta:

> Que según su padecer,
> su firmeza y su querer,
> no me puedo defender
> y vencerme ha,
> con tanta mala vida como ha.

---

[56] *Antología popular*, 51.

Porque según su afición,
bien merece galardón,
y en pago de su pasión
se le dará,
con tanta mala vida como ha.

Y de verle con dolor,
con ansias y con amor,
he mancilla y temor
que morirá
con tanta mala vida como ha.

Y el su amor mucho crecido
con que tanto me ha servido,
vencedor aunque vencido
le hará
con tanta mala vida como ha.

No daré causa que muera
por tener fe tan entera;
mas todo lo que él espera
acabará
con tanta mala vida como ha.

Pongamos en línea el complejo sentimental de la glosa: padecer, firmeza, querer, imposibilidad de defenderse, vencimiento, afición, merecimiento, pasión, dolor, ansias, amor, mancilla, temor, muerte, amor crecido, servicio, vencimiento otra vez, fe, esperanza, acabamiento. Enfrente, ¿qué dice el villancico? Que un caballero ha mala vida (tenemos que entender que por una doncella), y que alguien (esa doncella precisamente) pregunta a la madre si él morirá a consecuencia de ello (tenemos otra vez que entender).

Se puede alegar, y es cierto, que el villancico sólo contiene tres versos, frente a los veinticinco de la glosa, y que, por fuerza, en éstos ha de decirse más que en tres. Pero este razonamiento no nos convence, porque sentimos que, en el fondo, la diferencia poética entre villancico y glosa no se puede medir con varas de longitud. Responde a una razón más íntima y más profunda: obedece a un distinto entendimiento de la emoción poética y su valor de trasmisión (sus posibilidades y límites). Sentimos que, de continuarse el villancico, lo haría por vías distintas de la glosa culta; que lo haría permaneciendo fiel al mismo espíritu de sobriedad y contención en el sentir que en él encontramos.

Podemos comprobarlo examinando una glosa popular cualquiera. Por ejemplo, la del villancico 45, un villancico breve y cargado de sentimiento:

> ¡Ay que non era,
> mas ay que non hay,
> quien de mi pena se duela!

La glosa, explicativa y narrativa, se mantiene en la misma línea de sobriedad, y lo que tiene que decir lo dice en seis breves versos, rematados por los del villancico, que, convertidos ahora en estribillo, ven aumentada su fuerza emocional por la repetición:

> Madre, la mi madre,
> el mi lindo amigo
> moricos de allende
> lo llevan cativo,
> cadenas de oro,
> candado morisco.
>
> ¡Ay que non era,
> mas ay que non hay,
> quien de mi pena se duela!

Como vemos, en tres versos puede decirse más (con valor de trasmisión) que en veinticinco. ¿Cómo se logra esto? De entre los múltiples aspectos que habría que considerar para intentar desvelar el secreto de la eficacia poética, vamos a destacar ahora uno, esencial en el arte del villancico. Uno de los medios más poderosos y eficaces con que la poesía cuenta para transmitir su mensaje es la fantasía del destinatario [57]. El poeta puede hacer dos cosas frente al oyente o lector: reducirlo a una actitud pasiva, a mero receptor de sus versos, o bien

---

[57] Recordemos la frase de Sainte-Beuve: "La poésie ne consiste pas à tout dire, mais à tout faire rêver". Y lo que había dicho nuestro Brocense: "No hay lengua que no ame la brevedad y cuantas más cosas se dejan por entender más graciosa es la expresión".

convertirlo en agente activo, en colaborador de la transmisión. Cuando la poesía lo dice todo, de tal manera que al oyente o lector nada le queda por decirse a sí mismo (por preguntarse, negar o asentir, por continuar en cierto modo el verso, poniendo en marcha su propia fantasía), entonces los versos corren el peligro de ir muriendo conforme se van pronunciando, sin pasar a vivir en el lector, sin que se logre la transmisión. Una poesía que no nos pide ni nos pregunta, que no nos requiere, que no cuenta con nosotros, en suma, ni espera de nosotros nada, es muy posible que no nos mueva, no nos conmueva.

La lírica tradicional popular sigue otros caminos: sugerir sin decir, comenzar a decir sin acabar, preguntar sin dar respuesta. En el villancico "Aquel caballero, madre, — si morirá, — con tanta mala vida como ha", todo queda en una poética indeterminación: la identidad del caballero mediante el adjetivo "aquel"[58], la suerte del caballero —¿si morirá?—, la respuesta de la madre, que no se da; hasta la causa de esa posible muerte, que hemos de entender es el amor por la niña, y los sentimientos de la niña hacia el caballero, levemente sugeridos en la inquietud de la pregunta. En el otro villancico citado, la fuerte carga emocional que estalla en los tres versos —"¡Ay que non era, — mas ay que non hay, — quien de mi pena se duela!"— parece quedar flotando en el aire de pura indeterminación. En la glosa conocemos la causa del lamento: moricos de

---

[58] "Aquel caballero", la enamorada sabe quién es, pero no nos lo dice. Su identidad queda incógnita para nosotros, indeterminada. Y recordamos aquel verso de San Juan: "quien yo bien me sabía". Equivale a decir "el que yo bien me sé, pero no nombro" (como hace San Juan), guardando celosamente la identidad del amado o suponiéndolo tan determinado ya que no hace falta nombrarlo. Cuando dice a la madre "aquel pastorcico..." o "aquel caballero...", ¿hará falta explicar de quién se trata? ¿Pues quién va a ser? (De modo parecido procede Juan Ramón Jiménez cuando hablando a Dios, a su dios de *Animal de Fondo*, tan sabedor de la intimidad del poeta como que es su propia conciencia (la del poeta), no siente necesidad de explicar la identidad de lo nombrado y alude a ello también con un *aquel* (como las niñas del villancico): "Entre *aquellos* jeranios, bajo *aquel* limón, — junto a *aquel* pozo, con *aquella* niña, — tu luz estaba allí, — dios deseante; — tú estabas a mi lado, — dios deseado, — pero no habías entrado todavía en mí" [*Animal de Fondo*, poema 25]).

allende llevan "cativo" al lindo amigo de la penada. Eso es todo. Y el amigo se nos queda en el verso andando hacia el cautiverio, cargado de cadenas de oro con candado morisco, mientras sigue temblando el lamento: "¡Ay que non era, — mas ay que non hay, — quien de mi pena se duela!". Sugerir, dejar al poema la puerta abierta mediante su propia indeterminación, sin encerrarlo, sin acabarlo, he aquí una de las razones del poder transmisor de esta poesía:

> Estas noches atán largas
> para mí,
> no solían ser ansí.   (58)

> A sombra de mis cabellos
> se adurmió:
> ¿si le recordaré yo?   (72)

> Paséisme ahora allá, serrana,
> que no muera yo en esta montaña.

> Paséisme ahora allende el río,
> paséisme ahora allende el río,
> que estoy, triste, mal herido,
> que no muera yo en esta montaña.   (78)

El uso aludido del determinativo "aquel" o "aquella" contribuye característicamente a este efecto: "*Aquel caballero,* madre, — tres besicos le mandé" (9); "*Aquel caballero,* madre, — si morirá..." (51); "Gritos daban en *aquella sierra;* — ¡ay, madre!, quiérom'ir a ella" (66); "*Aquel pastorcico,* madre, — que no viene..." (82); "Enemiga le soy, madre, — a *aquel caballero* yo..." (20); "No oso alzar los ojos — a mirar *aquel galán...*" (88); "D'*aquel pastor* de la sierra — dar quiero querella" (147); "*Aquellas sierras,* madre, — altas son de subir..." (108). La misma indeterminación (o íntima y discreta determinación) puede resultar del empleo de otras fórmulas: "halléme en los brazos — *del que más quería*" (67); "A sombra de mis cabellos — se adurmió..." (72); "El amor que me bien quiere — agora viene" (31).

Nada tiene esto que ver con el "silencio cortés". En la poesía popular encontramos a veces la discreción, pero por causas distintas:

por causa —una causa muy popular— del miedo a la indiscreción de
las gentes. Por ello dice una niña: "No oso alzar los ojos — a mirar
aquel galán, — porque me lo entenderán" (88); o, más explícitamente: "Caballero, queráisme dexar, — que me dirán mal" (122).
Otras veces, la discreción de la niña es por temor a que la madre la
riña o riña al galán: "No me habléis conde, — d'amor en la calle;
— catá que os dirá mal, — conde, la mi madre" (99). Para terminar,
¿cabe mayor indeterminación que en esta técnica de la coquetería,
que es otra modalidad de la técnica de indeterminación: "Morenica
m'era yo; — dicen que sí, dicen que no"? (118).

Menéndez Pidal ha hablado del "inacabamiento" de muchos romances como recurso estético querido y buscado por el instinto artístico del pueblo-autor. Ese instinto le hace conocer la belleza del
saber callar a tiempo. Saber callar, dejando el verso en un enigmático inacabamiento, enormemente sugeridor, es técnica constantemente
usada por la canción lírica popular. (Es técnica que se ha dado en
todas las bellas artes; la que, en pintura, por ejemplo, recomendaba
Goya a Vicente López.) He aquí dos bellos ejemplos:

> En Ávila, mis ojos,
> dentro en Ávila.
>
> En Ávila del Río
> mataron mi amigo,
> dentro en Ávila.   (41)

> Gritos daba la morenica so el olivar,
> que las ramas hace temblar.
>
> La niña, cuerpo garrido,
> morenica, cuerpo garrido,
> lloraba su muerto amigo
> so el olivar,
> que las ramas hace temblar.   (160)

La anécdota o la emoción quedan vivas y activas en el ánimo del
oyente o del lector, por su mismo inacabamiento. Por ello, cuando a
veces nos encontramos con un par de versos sueltos, un fragmento

de canción cuyo desenlace se ha perdido, el mensaje, lejos de perderse, parece que dilata sus efectos:

Llueve menudico... [59].

Relacionada con esta nota de brevedad y sobriedad y con la técnica del sugerir está *la pregunta*, tan característica de la lírica popular castellana. (A ella volveremos a referirnos en seguida.) La pregunta permite al poeta dar un remate breve al poema, y acabarlo sin acabarlo en realidad [60]. Le hace prolongarse espiritualmente aun después de haberlo concluido materialmente. La pregunta también queda flotando en la conciencia del oyente o lector con su enorme poder de sugestión. Porque la pregunta está pidiendo una respuesta, que, como el poema no da, viene desviada hasta el lector, hasta el oyente.

> Por el montecillo sola,
> ¿cómo iré?
> Ay, Dios, ¿si me perderé?   (281)

La pregunta multiplica el poder transmisor de la canción, porque somos ahora nosotros quienes quedamos preguntándonos: "¿Cómo irá? Ay, Dios, ¿si se perderá?".

B. SOBRIEDAD EXPRESIVA. DECIR Y
RACIOCINAR. LÍRICA FRENTE A LÓGICA

La expresión lírica popular tira siempre por el atajo, no da rodeos. Ahora bien, fijémonos en que esta poesía podrá tener mayor o

---

[59] En *CMP*, fol. CCLXXXI, núm. 456 en la edición de Barbieri. En una nota, Barbieri se lamentaba de la pérdida de los versos restantes. Hoy los conocemos. Se encuentran, entre otros lugares (cf. *infra* la n. X a la *Antología popular*), en la *Comedia Vidriana* de Jaime de Huete (*Teatro Español del siglo XVI*, Madrid, Sociedad de Bibliófilos Madrileños, 1913, t. I, página 196): "Llueve menudico — y hace la noche oscura; — el pastorcillo es nuevo, — non iré segura".

[60] De aquí que su entonación no termine con un tonema final de cadencia, porque la oración psíquica sólo se completa en la respuesta.

menor valor poético, pero nunca es torpe desde el punto de vista de
la expresión, como en cambio puede serlo el poeta culto inhábil.
¡Qué abismo llega a separar a veces al villancico de la glosa culta! [61].
El villancico o la glosa popular siempre dicen las cosas simplemente,
y casi siempre bien y con gracia. Quizás consista en esto su bien
decir: en decirlas, simplemente. En cambio, muchas glosas cultas
—sucumbiendo a ese peligro siempre latente en la poesía cortés del
siglo XV y también en la renacentista o barroca de los siglos posteriores— no se limitan a *decir,* sino que *explican* prolijamente lo que
dicen, y hasta a veces parece que se esfuerzan en *convencer* de lo
que han dicho, recargando torpemente la frase con un verdadero ar-
senal dialéctico. Así, por ejemplo, en estas estrofas de dos glosas popularizantes:

> Los ojos con que le vi
> han seído causadores
> que sean mantenedores
> los votos que prometí:
> La promesa que le di
> yo muy bien la guardaré..., etc. [62].

> Lo moreno, bien mirado,
> fue la culpa del pecado,
> que en mí nunca fue hallado
> ni jamás se hallará..., etc. [63].

---

[61] El contraste entre el villancico popular y buena parte de las glosas
cultas que del siglo XV al XVII hicieron manos pecadoras, movidas sin embargo por la belleza del villancico, nos habla de dos modos opuestos de con-
cebir la expresión poética: brevedad frente a complicación; complicación
que nos recuerda aquello que hacían los glosadores de romances del Siglo
de Oro: dar vueltas y vueltas en torno a algo que el romance decía en dos
escuetos versos, repetidos por el glosador al final de cada estrofa. Convirtiendo cada par de versos en estrofas de ocho, nueve o diez versos, el glosador venía a decir en cuarenta o cincuenta lo mismo que el romance decía
en diez. En cierto modo, ésta es la diferencia que separa a la expresión
poética popular y a la culta de nuestros glosadores corteses: el villancico
popular busca el atajo, la línea recta. Al glosador le gustan los rodeos.

[62] *Antología popularizante I,* núm. 9.
[63] *Antología popularizante II,* núm. 29.

No cabe glosa más desdichada que esta última, a un villancico que por todo decir no dice más que:

> Yo me soy la morenica,
> yo me soy la morená.

La simplicidad y sobriedad de la expresión popular, de un lado, y, del otro, la tendencia raciocinante, explicativa y causalista de la lírica culta cancioneril, son una de las razones de que mientras aquélla se conserva viva y llena de gracia y frescura, ésta, con honrosas excepciones, nos aburra mortalmente. Para comprobar la enorme cantidad de "raciocinio" que pesa sobre la poesía cortés nada mejor que estudiar sus conjunciones. Basta con acudir a los índices de primeros versos donde será inevitable encontrarlas como fórmulas iniciales, con franco predominio de los *si* y los *pues*:

> *Pues*, corazón, no eres mío, — que te me quitó el amor...
> *Pues* este negro morir — que a ninguno non perdona...
> *Pues* que para contemplaros — tales ojos me dio Dios...
> *Si* culpada fui en irme, — bien se paga en ser yo ido...
> *Si* la carne que rescibo — encarna mis huesos por vos...
> *Si* la *causa* de mi daño — a fuerza de mi trabajo...
> *Si* non me engaña el *efecto* — o más propio mal pecado...

A esto habría que añadir una terminología de corte escolástico que habla de causas y efectos, como en los versos trascritos, procedentes del *Cancionero de Juan Fernández de Ixar* [64].

Hemos usado la palabra *escolástico*. También Machado, al hablar de la poesía del Barroco, concretamente de la de Calderón, no encontraba, para acusarla de exceso de lógica y pobreza de intuiciones, término más expresivo que el de "escolasticismo rimado" [65]. Lo mismo hizo María Rosa Lida con Juan de Mena, con una parte de su poesía.

---

[64] Ed. de José María Azáceta, Madrid, C. S. I. C., Clásicos Hispánicos, 1959, t. II, pp. 932-3.
[65] Con notoria injusticia para la buena poesía del Barroco, pero con acierto por lo que se refiere al soneto de *El príncipe constante*, que es el que Machado tenía en mente, y a una buena parte, la más retórica, de la poesía barroca.

Parece que la sutileza dialéctica de la Escolástica, con su amor por las distinciones, prestó, después de todo, un buen servicio a la metodología científica, si hemos de creer a Max Scheler. Pero claro está que una cosa es la ciencia, y otra la poesía. "La misión de la ciencia —decía Ortega— es elaborar definiciones. Toda ella consiste en un metódico esfuerzo para huir del objeto y llegar a su noción... La noción o definición no es más que una serie de conceptos, y el concepto, a su vez, no es más que la alusión mental al objeto" [66]. En cambio, la poesía no opera con conceptos, sino con intuiciones, como se ha dicho tantas veces. Son dos modos distintos de aproximarse a un objeto que puede ser el mismo: el mundo, la naturaleza, la vida, la tristeza o el amor. Si un hombre de ciencia, un psicólogo, decidiera acercarse al amor por vía experimental y enamorarse, al comunicarnos sus hallazgos lo que habría de darnos no serían sus intuiciones sino conceptos, o no haría ciencia sino literatura; es decir, se serviría de sus intuiciones para llegar a los conceptos, a esas "alusiones mentales" al objeto amoroso. En cambio, el poeta debe esforzarse por ponernos ante la presencia directa (lo más directa posible) del objeto, porque son sus intuiciones vivas y no racionalizadas lo que constituye el contenido específico de lo poético, el material de la poesía. Esto no quiere decir que el poeta no pueda o no deba someter esas intuiciones a un análisis racional; el análisis le servirá para poner orden o claridad en sus intuiciones antes de expresarlas, pero en el momento de la expresión son éstas las que ha de darnos, no el análisis racional mismo, que es, estéticamente, letra muerta.

Sin embargo, leyendo las glosas cultas corteses a nuestros villancicos, lo que solemos encontrar es, precisamente, el análisis racional de un sentimiento real o imaginado (más veces imaginado que real, pero no es esto lo que ahora importa), con lo cual más que decir lírico nos parecen exposición lógica y conceptual. He aquí, como ejemplo, la estrofa segunda de una glosa al villancico 72 de nuestra *Antología popular* [67]:

---

[66] "Ideas sobre la novela", *Obras completas*, Madrid, Revista de Occidente, 1947, t. III, p. 391.

[67] Procede del *Cancionero Musical de Palacio* (ed. Barbieri, núm. 410). Véase en *Antología popularizante II*, núm. 12.

> Amor hizo ser vencidos
> sus ojos cuando me vieron,
> y que fuesen adormidos
> con la gloria que sintieron.
>   Cuando más mirar quisieron
> se adurmió...

El autor de estos versos más tiene, en efecto, de fraile escolástico que de poeta, cosa imperdonable en quien intenta pasar por una doncella enamorada. El villancico tradicional que lo encabeza, éste sí, lírico y acomodado al sentir y al decir de una muchacha, es el ya conocido y citado: "A sombra de mis cabellos — se adurmió: — ¿si le recordaré yo?". En él, la muchacha, emocionada, quizás turbada, no sabe si despertar al amigo. Pero al pasar a la glosa sufre la más sorprendente transformación: sus facultades analíticas se aclaran, desecha la turbación, y nos da una lúcida —si no lucida— cuenta de lo ocurrido, con perfecto escalonamiento de antecedentes y consiguientes, causas y concausas, efectos de primero y segundo orden. He aquí la glosa completa:

> [A sombra de mis cabellos
> se adurmió:
> ¿si le recordaré yo?]

> Adurmióse el caballero
> en mi regazo acostado;
> en verse mi prisionero
> muy dichoso se ha hallado:
> de verse muy trasportado
> se adurmió:
> ¿si le recordaré yo?

> Amor hizo ser vencidos
> sus ojos cuando me vieron,
> y que fuesen adormidos
> con la gloria que sintieron.
> Cuando más mirar quisieron
> se adurmió:
> ¿si le recordaré yo?

Estando así dudando,
por ver si recordaría,
dijo: "Ya estoy descansando,
dejadme, señora mía".
Bien velaba aunque dormía,
pues me oyó:
¿si le recordaré yo?

Peleó con el Amor,
de su gran fuego inflamado;
por su siervo se le ha dado
para siempre en su favor.
Querellando su dolor
se adurmió:
¿si le recordaré yo?

C. AUSENCIA DEL ENCARECI-
MIENTO O SUPERLATIVIZACIÓN

En la lírica popular falta el *encarecimiento* (reñido con la sobriedad), caro a la poesía cortés y convertido más tarde en norma estilística del Barroco. D. Francisco Rodríguez Lobo, que expone la
teoría del Barroco para los portugueses en *Corte na aldeia* (1619), hace
la apología del espíritu de "encarecimiento" lírico —o superlativización— basándolo en el poder de transfiguración que el amor concede
a los que mucho aman. En la lírica popular castellana falta cualquier
tipo de desmesura, y también la amorosa. Todo está expresado dentro de términos sencillos y naturales. Las niñas tendrán hermosos
ojos, bonica color o el cuerpo garrido, pero no ciegan al sol, ni eclip-
san la blancura de la harina, haciéndola parecer carbón, como en *El
aldegüela* de Lope:

Linda molinera,
moler os vi yo,
y era la harina
carbón junto a vos [68].

_____

[68] *Antología popularizante I*, núm. 32.

El encarecimiento no es un rasgo del villancico. Es, con otros, uno de aquellos rasgos que pueden servirnos para marcar la línea divisoria entre "lo popular" y lo culto "popularizante" en el Renacimiento [69]. Pocos poetas han calado tan hondo en la entraña popular como Lope, y, sin embargo, lo que nos da Lope casi siempre es una interpretación personal estilizada de lo popular, un popularismo pasado por su propia gracia (que la tuvo a manos llenas). Lope lo que hizo fue crearse un estilo popular propio, bebido en fuentes auténticamente populares y partiendo de lo auténticamente popular, pero transformándolo. Fue "popular" sin dejar de ser Lope. Y por eso sus villancicos, cantarcillos o seguidillas —tan llenos de gracia y belleza— son *otra cosa*. A veces podemos dudar —Lope tuvo un alma grande y popular—; las más de las veces, no. Nunca, cuando superlativiza:

> Blancas coge Lucinda
> las azucenas
> y en llegando a sus manos
> parecen negras.
>
> Cuando sale el alba
> Lucinda bella
> sale más hermosa,
> la tierra alegra.
>
> Con su sol enjuga
> sus blancas perlas;
> si una flor le quita
> dos mil engendra.
>
> Porque son sus plantas
> de primavera
> y como cristales
> sus manos bellas.

[69] En cambio, la copla actual, y sobre todo la andaluza, piensa con Antonio Machado que "A las palabras de amor — les sienta bien su poquito — de exageración". Creo que hay que poner esto en relación con la influencia de los poetas popularizantes del XVII, y sobre todo de Lope; el requiebro lopesco, el quiebro de ingenio de la seguidilla, la metáfora amorosa popularista, han debido de influir mucho en la expresión popular; ello explicaría en gran parte algunas de las diferencias existentes entre el villancico del Renacimiento y la copla y la seguidilla actuales.

> Y ansí, con ser blancas
> las azucenas,
> en llegando a sus manos
> parecen negras [70].

IV. SENTIDO DRAMÁTICO

Con este estilo breve, cortado, dinámico, se relaciona el sentido dramático de la lírica popular: el uso que hace del diálogo, un diálogo también vivo y cortado, con preguntas y respuestas, sin que cláusula alguna las acompañe o introduzca a los dialogantes; la tendencia a la exclamación, a la pregunta, al requiebro, a la confidencia, sentido dramático éste que también aparece en el romancero y en el refranero:

> —Cobarde caballero,
> ¿de quién habedes miedo?
>
> ¿De quién habedes miedo
> durmiendo conmigo?
> —De vos, mi señora,
> que tenéis otro amigo.
>
> —¿Y d'eso habedes miedo,
> cobarde caballero?
> Cobarde caballero,
> ¿de quién habedes miedo?   (136)
>
> —Digas, morena garrida,
> ¿cuándo serás mi amiga?
> —Cuando esté florida la peña
> d'una flor morena.   (158)
>
> —Meteros quiero monja,
> hija mía de mi corazón.
> —Que no quiero yo ser monja, non.   (163)

---

[70] Seguidillas de *El caballero de Illescas* (parte XIV). Citamos por *Poesías líricas*, ed. de José F. Montesinos, Madrid, Clásicos Castellanos, 1960, tomo I, p. 81.

—¿Si jugastes anoche, amore?
—Non, señora, none.   (167)

A. ENCUADRE DRAMÁTICO DE LA PALABRA

La canción lírica tradicional popular supone casi siempre dos personajes; la canción puramente narrativa o el monólogo lírico abundan menos. Sin embargo, más frecuente que el diálogo entre dos personas (la "tençâo" de las cantigas de amigo) es el parlamento de una sola de ellas dirigiéndose a la otra: preguntándola, requebrándola, instándola.

> Zagaleja, hola, dime dónde vas;
> a ti digo, hola, que te perderás.   (373)

> Ya cantan los gallos,
> buen amor, y vete:
> cata que amanece.   (73)

> Serrana, ¿dónde dormistes?
> ¡Qué mala noche me distes!   (124)

Otras veces se nos da sólo una respuesta o una réplica, que implican un parlamento anterior que la canción no recoge.

> ¿Qué me queréis, caballero?
> Casada soy, marido tengo.   (39)

> No me llaméis "sega la herba",
> sino morena.   (149)

A veces, el diálogo presupone la acción:

> No me firáis, madre,
> yo os lo diré:
> mal d'amores he.   (141)

Fijémonos en que en todas las canciones trascritas (casi siempre en la poesía popular), hay como un encuadre dramático de la palabra; la referencia a una situación muy concreta y particularizada; la

individualización de unos personajes, una acción, un lugar, un tiempo.
Se nos hablará de una niña que se apiada del galán, de un pastorcico que se retrasa en volver de la sierra, de una doncella que no
tiene largos cabellos pero sí bonico donaire; de unas sierras altas de
subir por donde caen caños de agua; de una morenica que hace
temblar las ramas del olivar con sus gritos de duelo; se nos hablará
de pastores y caballeros, de doncellas y malcasadas, de condes y vi-
llanchones, de aldeanas y serranillas... Toda la sociedad castellana del
siglo aparece en sus versos: el conde (99), el marinero (102), la panadera (120), el jurado (57), el merino (57), la guarda (306), el barquero (50), las moricas (22), la aldeana (229), la prioresa (95), el caballero (76), la serrana (78), el abad (85), el escolanillo (201), el fo-
rastero (518). Aparecen Isabel (96), Fernandino (102), y Perico (103),
Rodrigo Martínez (65), Catalina (66), la señora de Galgueros (573),
Juan (169), Juanica (172) y Juana (271), María y Rodrigo (151).
Oiremos hablar de Castilla, Aragón, Sevilla, Granada, Toledo, Monzón, Seo del Arzobispo... La poesía popular parece que necesita de
este encuadramiento dramático para expresarse.

Hablando de Juan Ruiz, dijo Américo Castro que la poesía castellana primitiva tiene el rubor de la autoconfesión lírica. Quizás haya
algo de esto en la poesía popular, cuando el poeta parece necesitar de
unos personajes a quienes adjudicar los sentimientos que canta. Uno
de los mayores líricos de nuestro siglo, el portugués Fernando Pes-
soa, dijo que el poeta es un fingidor. Quizás sea ese rubor de autoconfesión de que habla Américo Castro la última razón del sentido
dramático, fingidor, de la poesía lírica popular.

B.   LA CONFIDENCIA

Con este espíritu dramático —ficción de unos personajes, de un
lugar, de una situación, de un tiempo, de una anécdota— puede relacionarse la tendencia a fingir una confidencia. El procedimiento es
también característico de la lírica galaico-portuguesa, y, por las muestras rescatadas del olvido, también de una tradición peninsular anterior, que hoy conocemos por los balbuceos líricos de las "jarchas"
mozárabes.

Como en las cantigas (también quizás en las jarchas), la madre es el gran confidente del villancico castellano. (Ya decía el socarrón de Lope que "sin niña y madre" no había cantar.) Pero, a diferencia de lo que ocurre en las cantigas, la madre castellana es destinatario mudo de las confidencias. Sólo recuerdo un caso en que oímos hablar a la madre, y no se trata de una confidencia. Tampoco, en rigor, sabemos si quien habla es la madre o es el padre, porque el villancico sólo dice:

> —Meteros quiero monja,
> hija mía de mi corazón.
> —Que no quiero yo ser monja, non [71].   (163)

De ser el padre, sería ésta, que yo sepa, su única aparición en la escena de la lírica tradicional, muy en contraste con su omnipresencia en el teatro del Siglo de Oro. La causa está, naturalmente, en que el "villancico" es poesía "villana", y el "honor", y el padre su guardián, nada tienen que hacer en ella. ¡Para guardar a la niña basta la madre!: "No me firáis, madre; — yo os lo diré..." (141).

La madre es, así, realmente, la única confidente del villancico. Existen invocaciones o preguntas a otros personajes, sobre todo al enamorado (el amigo o la amiga). Encuentro una sola invocación a las hermanas:

> Ya no más, queditico, hermanas,
> ya no más [72].   (522)

Falta en absoluto la confidencia, y aun cualquier invocación, a las amigas, personaje característico de las cantigas de amigo galaico-portuguesas, a no ser que consideremos como tales a las hermanas de la cancioncilla ya transcrita. (Como es sabido, hermanas y amigas son una misma cosa en el cancionero galaico-portugués).

---

[71] Una posible respuesta (al padre) en el *Vocabulario* de Correas: "Cuando vos seréis fraile, seré yo monja" (p. 372).
[72] En contraste con la lírica galaico-portuguesa, donde es frecuente la confidencia a las hermanas, que también aparecen en una jarcha: "Garid vos, ay, yermanelas...".

En las cantigas, hablan las aves y los árboles:

> "Levade, amigo, que dormides as manhanas frias"
> —toda—las aves do mundo d'amor dizian... [73].

Una doncella de tiempos de D. Denis pregunta:

> "—Ai, flores, ai, flores do verde pino,
> se sabedes novas do meu amigo?"

Y contestan las flores del verde pino:

> "Vos me preguntades polo vosso amigo
> e eu ben vos digo que é sano e vivo..." [74].

En el villancico no hablan los árboles. Un enamorado va a ver cómo los menea el aire, pero ni siquiera les hace preguntas. Las aves —que hablan entre sí en el lírico romance de la tortolica— tampoco hablan a los enamorados. La única excepción, que yo sepa, es un cantarcillo recogido por Correas: una casada infiel pregunta a un pajarico que está en su nido si "la dama besada pierde marido"; y el pajarico contesta muy cínicamente: "No, la mi señora, si fue en escondido" (484). En cambio, en la transformación culta que hace Rojas de un famoso villancico popular, Melibea sí pregunta a las aves, como en la mejor tradición lírica galaico-portuguesa:

> Papagayos, ruiseñores,
> que cantáis al alborada,
> llevad nueva a mis amores
> cómo espero aquí sentada.
>
> La media noche es pasada
> e no viene:
> *sabedme si hay otra amada*
> *que lo detiene.*

---

[73] Pero Meogo, *Vaticana*, 792; *Biblioteca Nacional*, 1187.
[74] *Ibid.*, 171 y 568.

En las versiones tradicionales de este mismo cantarcillo, la pregunta se hace a la madre (como en el *Cancionero Musical de Palacio,* y en la versión actual que recogió Eduardo Martínez Torner), o al propio ausente (como en el *Cancionero de Upsala* y en la versión de Diego Pisador); los deliciosos papagayos y ruiseñores que sirvieron de confidentes a Melibea no vuelven a aparecer como tales confidentes.

En cambio, la madre recoge las más íntimas confidencias de las niñas castellanas:

> Las mis penas, madre,
> de amores son.   (23)

> Dos ánades, madre,
> que van por aquí,
> mal penan a mí.   (35)

> Yo m'iba, mi madre,
> las rosas coger;
> hallé mis amores
> dentro en el vergel.   (55)

> El mi corazón, madre,
> que robado me le hane.   (279)

C. LA PREGUNTA

Ya nos hemos referido en dos ocasiones a la pregunta, presentándola como un rasgo característico del villancico [75]. Hablamos de ella al estudiar los esquemas estructurales del villancico: uno de ellos era el esquema $A + ¿B?$:

> Ojos morenos,
> ¿cuándo nos veremos?   (123)

> Si te vas y me dejas,
> ¿a quién contaré mis quejas? (366)

---

[75] Parece ya rasgo característico de las canciones mozárabes: "Ké faré, mammah?"; "Ké fareyó o ké sérad de mïbe?"; "Gär ké faréyo?".

> Eres niña y has amor,
> ¿qué harás cuando mayor?   (494)

También hablamos del poder sugeridor de la pregunta, que —decíamos— hace prolongarse espiritualmente al verso, después de haber
éste acabado físicamente, en la conciencia del oyente o del lector.
No hay que olvidar que la oración interrogativa es una oración psíquicamente incompleta, como muestra la entonación. La pregunta es
asimismo uno de los elementos de intensificación expresiva (como la
exclamación o la exhortación, que veremos después), y la tensión apelativa se refleja en una elevación tonal. También, la pregunta se relaciona con el sentido dramático del villancico; la pregunta supone
las más veces dos personajes —el que pregunta y el preguntado— y
entre ambos puede surgir el diálogo:

> —¿Si jugastes anoche, amore?
> —Non, señora, none.   (167)

Este diálogo puede alargarse, como en el villancico 136, o en el 176:

> —Pastorcico, ¿querésme bien?
> —Zagala, véalo Dios.
> —Hora dime, ¿como a quién?
> —Ay, señora, como a vos.

En el villancico 158 la respuesta resulta tan enigmática como la pregunta; la respuesta es, a su vez, pregunta:

> —Digas, morena garrida,
> ¿cuándo serás mi amiga?
> —Cuando esté florida la peña
> d'una flor morena.

Pero las más veces no hay respuesta en el villancico, no hay diálogo; hay un personaje que apela a otro, preguntándole:

> ¿Qué me queréis, caballero?   (39)

> Morenica, ¿por qué no me vales,
> que me matan a tus umbrales?   (257)

> Madre, ¿para qué nací
> tan garrida,
> para tener esta vida?   (62)

El interlocutor puede ser un personaje ausente:

> Si la noche hace escura,
> y tan corto es el camino,
> ¿cómo no venís, amigo?   (107)

Pero, a veces, no hay interlocutor; la pregunta es un monólogo:

> ¿Con qué la lavaré
> la flor de la mi cara?
> ¿Con qué la lavaré,
> que vivo mal penada?   (117)

La frase interrogativa se aproxima muchas veces a la tensión de la frase exclamativa, y se confunde con ésta:

> Soy serranica,
> y vengo d'Extremadura.
> ¡Si me valerá ventura!   (241)

V. INTENSIFICACIÓN EXPRESIVA

A. LA EXCLAMACIÓN

La exclamación es uno de los "significantes parciales" que más hondamente cargan de contenido afectivo —gozo, dolor, admiración, sorpresa, mandato...— el "significado" poético o lingüístico [76]. La exclamación intensifica la intención expresiva de la frase. Escribien-

---

[76] Véase Dámaso Alonso, *Poesía española*, Madrid, Gredos, 1962. (Especialmente el iluminador capítulo inicial sobre "Significante y significado", páginas 19-33.)

do, nos servimos del signo exclamativo (¡!) para expresar de algún modo el grado de intensidad que prestamos a una palabra o a una frase [77]. Y hay una cierta relación entre la brevedad y la intensidad del decir exclamativo. El decir exclamativo breve condensa su intensidad, el largo la diluye, y hasta la pierde en buena medida. Pensemos en la diferencia de intensidad de estas tres frases:

> ¡Niño, no!
> ¡Niño, no seas malo!
> ¡Niño, no seas malo, sino bueno, obediente y cariñoso!

En poesía, igualmente: el verso exclamativo se carga de intensidad; cinco versos individualmente exclamativos resultan más intensos que una sola exclamación expresa en una tirada de cinco versos. ¡Cómo redoblan su fuerza afectiva los versos de la elegía manriqueña en los períodos exclamativos!

> ¡Qué amigo de sus amigos!
> ¡Qué señor para criados
> y parientes!
> ¡Qué enemigo de enemigos!
> ¡Qué maestro de esforzados
> y valientes!

Y también los de su sucesora, la elegía de Lorca por la muerte de Ignacio Sánchez Mejías:

> ¡Qué gran torero en la plaza!
> ¡Qué buen serrano en la sierra!
> ¡Qué blando con las espigas!
> ¡Qué duro con las espuelas!
> ¡Qué tierno con el rocío!
> ¡Qué deslumbrante en la feria!
> ¡Qué tremendo con las últimas
> banderillas de tiniebla!

---

[77] Pensemos en la intención —por veces, muy mala— que suelen llevar esos escuetos comentarios a algún desliz impreso. Y notemos la diferencia entre *sic* y *sic!* (Y hasta existen los *sic!!*, que indican: el apostillador se ha llevado las manos a la cabeza.)

También aquí un verso vale por muchos: intensión frente a extensión.

En el villancico, la exclamación nos asalta por todas partes, nos zarandea, nos mantiene en lírica tensión. Es de advertir que la misma brevedad del villancico comunica ya a la frase algo del carácter de la exclamación, cuando, como ocurre en tantos villancicos, la frase va ya cargada de tensión:

> En Ávila, mis ojos,
> dentro en Ávila.   (41)

> Soledad tengo de ti,
> tierra mía do nací.   (135)

> Llamáisme villana;
> yo no lo soy.   (139)

Cualquiera de estos villancicos, aun escritos sin acompañamiento de signos exclamativos, no pueden ser leídos como simples frases enunciativas. Quien los lea tenderá a dar a la entonación de la frase un matiz exclamativo (con un mayor descenso final de la curva y un aumento de intensidad en la pronunciación de la sílaba acentuada final).

Cuando va seguido de glosa, el efecto exclamativo del villancico se intensifica al repetirse en el estribillo. Hay primero como un movimiento de distensión al realizarse el tránsito del villancico a la glosa. Es esta una ley poética, la alternancia de zonas de intensión y distensión, ya conocida del siglo xv. Así, Fray Íñigo de Mendoza, en la *Vita Christi por coplas* (1482), explicaba la inclusión del diálogo rústico y cómico de pastores entre versos de devoción poniendo como ejemplo el arco que no puede estar siempre tirante, sino que debe aflojarse de cuando en cuando ("Arco siempre armado, o flojo o quebrado", dice un refrán del *Vocabulario* del maestro Correas) [78]. Cumplido el efecto de distensión de la glosa, la zona de intensión reaparece, redoblado su efecto por el contraste y la repetición, al pie de cada estrofa glosadora, mediante los versos del villancico, convertidos ahora en refrán o estribillo exclamativo.

---

[78] *Ob. cit.*, p. 30.

El amor que me bien quiere
agora viene.

El amor que me bien quería
una empresa me pedía.
Agora viene.   (31)

Llamáisme villana;
yo no lo soy.

Casóme mi padre
con un caballero;
a cada palabra:
"hija d'un pechero".
Yo no lo soy.
Llamáisme villana;
yo no lo soy.   (139)

Pero, además, muchos de los villancicos, y también muchos versos de
las glosas populares, son o contienen oraciones que la gramática considera propiamente como oraciones exclamativas. Las hay de muchas
clases, como veremos en seguida. Antes, observemos que el efecto de
la tensión exclamativa es al mismo tiempo intensificador de la expresión y de carácter sintético. (Brevedad e intensión van aquí, por
tanto, como en tantas ocasiones, unidos.) Una sola interjección —¡ay!,
por ejemplo— puede bastarnos para expresar una emoción que re-
queriría varias palabras para ser expresada mediante una oración enunciativa. "¡Qué buen San Juan es éste!" [79], es más que decir: "Este
día de San Juan es bueno". Para expresar por medio de una oración
enunciativa el grado de apreciación entusiasta que la exclamación supone, habría que añadir otros juicios de valor. La expresión resultaría más matizada (renunciando a la brevedad); pero no es éste el
estilo de la lírica popular.

La oración exclamativa que encontramos en el villancico y en las
glosas tradicionales consiste, a veces, en una simple interjección, en
un grito inarticulado, o en una palabra con valor de interjección.

_____

[79] *Antología popular*, núm. 17.

¡Y dexid, serranicas, eh...! (234)

Rodrigo Martínez,
a las ánsares, ¡ahé!,
pensando que eran vacas,
silbábalas: ¡he! (65)

¡Ucho ho, ucho ho, ucho ho,
torillo hosquillo...! (511)

¡Oxalá! [80]. (29)

¡Guay de la molinera...! (374)

Más frecuentemente, se trata de oraciones exclamativas encabezadas por una interjección. De éstas, la más frecuente es la popularísima *¡ay!*:

¡Ay que no era,
mas ay que non hay,
quien de mi pena se duela! (45)

¡Ay, que me acuesto!
¡Ay, qué sola duermo! (353)

¡Ay, Jesús, cómo huele!
¡Ay, Jesús, qué olor! (200)

El uso de vocativos con valor exclamativo es también frecuente: "¡Oh, madre!" (16); "¡Ay, pastor!" (28); "¡Ay, Fatimá!" (29); "¡Ay, luna...!" (198); "¡Ay, don Alonso, — mi noble señor...!" (512); "¡Oxte, morenica, oxte; — oxte, morena!" (571); "¡Ojos, mis ojos, — tan garridos ojos!" (42). Se encuentran también en abundancia las oraciones exclamativas con pronombres interrogativos y adverbios relativos (algunas nos han servido de ejemplos):

¡cómo lo rastrilla tan bien! (77)

Las ondas de la mar,
¡cuán menudicas van! (520)

---

[80] Se trata de una palabra interjectiva con carácter optativo o desiderativo. De las oraciones optativas nos ocuparemos a continuación.

¡Ay, horas tristes,
cuán diferentes sois de lo que fuistes!   (358)

Entra mayo y sale abril;
¡cuán garridico le vi venir!   (507)

¡Y cómo lo madrugaba...!   (430)

¡Cómo lo tuerce y lava...!   (548)

¡Qué galán venís, abril...!   (256)

¡Qué mala noche tiene...!   (246)

Hay otras frases exclamativas que adoptan construcciones diversas:
"¡Tristes de mis ojos...!" (259); "¡Triste de mí, cuitada...!" (547);
"¡Aquí viene la flor...!" (70); "¡Mal enemiga le soy!" (20); "¡Yo,
madre, yo, — que la flor de la villa me só!" (10); "¡...por mi fe
que la novia es linda!" (480).

Pero, en la mayor parte de los casos, el carácter exclamativo del
villancico no se apoya en elementos oracionales específicamente exclamativos. Son la tensión del decir, su brevedad (compreso como en
una cápsula), y el tono afectivo de la expresión, lo que da al villancico su sentido exclamativo.

B.   ORACIONES EXHORTATIVAS Y OPTATIVAS

Las oraciones *optativas* y *exhortativas,* por la curva de entonación
y la función del acento de intensidad, se apartan del decir enunciativo
normal o *neutro,* y se acercan fonéticamente al decir exclamativo,
hasta confundirse frecuentemente con él. La frase se tensa y se carga
de afectividad. El carácter sintético de estas oraciones viene a reforzar, por otra parte, la nota de condensación y brevedad propia del
villancico.

En la lírica tradicional o popular las oraciones optativas y exhortativas abundan de tal modo que hemos de contarlas entre los rasgos
de estilo: las *optativas,* que expresan un deseo (de aquí el nombre
de *desiderativas* usado por la Academia), pueden consistir, a veces, en
una sola palabra interjectiva (*oxalá,* villancico núm. 29). Cuando se

construyen con verbo (oraciones propiamente dichas desde el punto
de vista gramatical), el verbo va en subjuntivo. Si el deseo se refiere
a tiempo futuro, como es lo más corriente, el verbo puede ir en presente o imperfecto de subjuntivo. Gili y Gaya contradice a la Academia —para quien el uso de uno u otro tiempo depende de que
sintamos el deseo como realizable o como imposible— señalando acer-
tadamente que la diferencia estriba en que las formas con imperfecto
se consideran como más hipotéticas que las de presente, pero de ningún modo como irrealizables. Keniston advierte que el presente de
subjuntivo expresa el deseo en una forma directa y con mayor viveza
que el imperfecto.

No es, pues, extraño que en el villancico las construcciones con
presente de subjuntivo sean las más frecuentes:

Maldita *sea* si os olvido	(15)
Cativo se *vea* — quien me cativó	(40)
Allá se me *ponga* el sol — donde tengo el amor [81]	(59)
Muy biendita *sía* — la tal romería	(67)
Corten espadas afiladas — lenguas malas	(97)
Mal *haya* quien a vos casó	(114)
Con ellos me *vea* si lo tal pensé	(126)
Válame la gala de la menore	(133)
Por mi vida, madre, — amores no m'*engañen*	(137)
Pastorcico, Dios te *duela*	(159)
Bien *haya* quien hizo — cadenas, cadenas	(188)
Ay, luna que reluces, — toda la noche me *alumbres*	(198)
Vengáis norabuena, — duque mi señor	(248)
Norabuena *vengáis*, abril; — abril, abril, *vengáis* norabuena	(256)
Piérdala su madre —y hallásemela yo	(261)
Denme la sepoltura — con el miserere	(264)
Válame Dios, que los ánsares vuelan...	(290)
A la hembra desamorada — a la delfa le *sepa* el agua	(301)
Mal *haya* la falda — del mi sombrero [82]	(321)
Malas seguidillas — *vengan* sobre ellas	(323)

[81] Pero, a continuación, el paralelismo le hace decir: "Allá se me pusiese" y "Allá se me aballase".

[82] Pero en Correas, *Vocabulario*, p. 433: "Mal hubiere la falda — de
mi sombrero..." (*Antología*, 429).

...a los pies de la tu cama — me *hagan* la sepultura   (333)
Perdónela Dios   (402)
Válate la mona, — Antona   (422)
Séalo en horabuena   (446)
Mal *haya* quien tal hiciere   (461)
A la mal casada — *déla* Dios placer   (472)

En los casos en que la frase optativa se introduce por medio de un adverbio, conjunción u otra palabra que refuerza la expresión, el tiempo empleado varía.

Más frecuentemente usado es el presente de subjuntivo, como en las construcciones que siguen: *así...como: "Así* os vea, caballero, — de la frontera venir, — *como* toda aquesta noche — vos me la dejéis dormir" (76): "*Ansí vaya,* madre, — virgo a la vegilla, — *como* al caballero — no le di herida..." (144). Pero encontramos la fórmula: *sí como,* con imperfecto de subjuntivo: "¡Qué lindas damas hay en Tudela! — ¡*Sí fuera* villa *como* es aldea!" (387). En esta frase (como en el famoso verso del *Cantar del Cid:* "Dios, qué buen vassallo, sí (o si) oviesse buen señore") cabe discutir si estamos ante un adverbio (con función optativa) o ante una conjunción condicional. Me inclino por la primera solución. Igualmente en el caso del villancico 127: "¡*Sí pluguiese* a Dios del cielo, — y a su madre Sancta María, — que no fueses tú mi hijo, — porque yo fuese tu amiga!" [83]. La fórmula trascrita aparece en la forma "plega a Dios" en la cancioncilla 344: "Virgo la llevas y con leche; — ¡*plega a Dios* que te aproveche!" [84].

Usan el imperfecto las oraciones optativas construidas con el pronombre interrogativo *quién:* "¡Quién *tuviera* la siesta en ella!" (443).

---

[83] En la lengua actual, sin embargo, la palabra *si,* en una construcción semejante, ha pasado a tener el papel de conjunción condicional, conservando sin embargo matiz optativo.

[84] Del *Arte grande,* del maestro Correas. Era construcción usual, seguida, como en este caso, de la conjunción *que,* o sin ella. Sin ella, en Correas, *Vocabulario,* p. 75: "¡Ay, dormir de los cielos, más sabes que buñuelos, y que caldo de aves; *no plega a Dios* te me acabes!". Véanse numerosos ejemplos en Keniston, *ob. cit.,* pp. 365-6. En Correas, *Vocabulario,* página 508, aparece también la canción citada: "Virgo la llevas y con leche...", en la forma: "¡*plegue a Dios* que te aproveche".

Pero se usa el futuro hipotético de indicativo (potencial) en: "Ojos garzos ha la niña, — ¡quién se los *enamoraría!*" (142); y la construcción perifrástica *haber de* (sin valor obligatorio, sino como tiempo futuro y con carácter optativo) en el villancico: "¡Quién vos *había de* llevar! — ¡Oxalá! — ¡Ay, Fatimá!" (29). Va el verbo solo en imperfecto de subjuntivo, y sin refuerzo de otras palabras, en la canción: "Heridas tenéis, amigo, — y duélennos; — *tuviéralas* yo y no vos" (449). Véase también 450. Y en 261: "Madre, una mozuela — que en amores me habló, — piérdala su madre — y *hallásemela* yo".

En las oraciones *exhortativas*, una modalidad de las optativas, el deseo se convierte en mandato o ruego. Ya hablamos de ellas al estudiar la estructura del villancico. Al igual que las exclamativas y optativas, tienden a dar a la expresión un doble carácter: sintético (brevedad) e intensivo (afectividad marcada). Su carácter sintético puede llegar a reducir la expresión oracional a una sola palabra: un verbo en imperativo: "¡Anda, amor, anda; — anda, amor!" (153) o una palabra interjectiva: "¡Oxte, morenica, oxte, — oxte, morena!" (571); "¡Arribita, arribita, — pesia mis males, — el de la saltambarca — con alamares!" (317). Al igual que en la lengua conversacional, es posible la elipsis verbal: "Por la puente, Juana, — que no por el agua" (271); "Airecillo en los mis cabellos, — y aire en ellos" (355); "Ya no más, queditico, hermanas; — ya no más" (522) (véase también 501). Debido a su carácter afectivo (intensificación expresiva), estas oraciones se escriben muchas veces con signos de exclamación. Contribuyen decididamente al estilo vivo y emotivo del villancico. Son abundantísimas.

Como corresponde al carácter dramático de la lírica tradicional, el mandato o ruego más frecuente es el referido a segunda persona (tú o vos) [85] del singular; en forma afirmativa o negativa. *Tú:* "*Quita allá, que no quiero, — falso enemigo, — quita allá, que no quiero — que huelgues comigo*" (11); "*Pásame* por Dios, barquero, — d'aquesa parte del río; — *duélete* del dolor mío" (50); "*Abaja* los

---

[85] En seguidillas y cancioncillas tardías aparece a veces la *forma verbal* correspondiente al tratamiento de tercera persona del singular (*vuessa merced, su merced, vuestra señoría,* etc.): "No me llame fea, calle..." (293); "Quítese allá, señor don Miguel; — apártese allá, que le enharinaré" (350), etcétera.

ojos, casada; — *no mates* a quien te miraba" (100). *Vos: "No que-*
rades, fija, — marido tomar — para sospirar" (43); *"Paséisme* ahora
allá, serrana, — que no muera yo en esta montaña" (78); *"Descendid*
al valle, la niña" (128).

Aunque la regla general, como ocurre en la lengua actual, es que
las oraciones exhortativas afirmativas usen la forma verbal del imperativo, y las negativas la del subjuntivo, hay algunos casos de uso del
subjuntivo en mandato afirmativo: con la forma *vos: "¡Hagádesmé,*
hagádesmé — monumento de amores, eh!" (91); "Gentil caballero,
— *dédesme* [86] hora un beso..." (95); "Caballero, *queráisme* dexar..."
(122); "¡Ay, virge María, — *deisme* la mano..." (314). Con *tú:*
"Ay luna tan bella, — *alúmbresme* a la sierra..." (239) [87].

Se encuentran también, sin embargo, oraciones exhortativas refe-
ridas a otras personas del verbo, aunque en mucha menor proporción.
Primera persona del singular. La diferencia de matiz entre deseo y

---

[86]   *Deisme,* en la versión del *Cancionero musical de Barcelona* (finales
del primer tercio del siglo XVI). (*Antología,* núm. 185.)

[87]   Aunque no es nuestro objeto el estudio lingüístico del villancico sino
en aquellos aspectos de la lengua que resultan estilísticamente significantes,
el arcaísmo es "significante" para el lector moderno; una palabra o un giro,
corrientes en el habla del siglo XV y hoy en desuso, pueden dar por sí solos
gracia a la frase (con independencia del significado de ésta), simplemente
por su carácter de palabra o giro antiguos. Pero tampoco vamos a tener en
cuenta el elemento significante de la lengua arcaica. Anotemos, sin embargo, de pasada algunas otras peculiaridades lingüísticas de las frases exhortativas del villancico: la pérdida de la *d* final en algunas formas del imperativo con pronombre enclítico o sin él: "No me habléis, conde, — d'amor
en la calle; — *catá* que os dirá mal, — conde, la mi madre" (99); "Que
no me desnudéis, — la guarda de la viña, — y si me desnudáis — *dexáme*
la camisa" (306); "Aires de mi tierra, — *vení* y llevadme..." (320). La me-
tátesis *dl > ld* en formas del imperativo con pronombre enclítico: *Dexáldo*
(3); *Decilde* (244); *miralda* ("A la mal casada, — *miralda* a la cara", en
Correas, *Vocabulario,* pág. 21; el mismo, ya en Hernán Núñez (I, p. 41),
en la forma *"Miralde* a la cara"). Fusión de la forma *da acá* en *daca:* "Mariquita, *daca* mi manto..." (425). Uso de la preposición *a* más *infinitivo* con
carácter exhortativo: "*A nadar,* anadinos, — patos y patinos..." (482); "Ea,
judíos, *a enfardelar,* — que mandan los Reyes — que paséis la mar" (F. Salinas, *De Musica libri septem,* Salamanca, 1577). Formas exhortativas afirmativas con pronombre antepuesto: "...las nuevas tú *me las da*" (8); "y
debaxo de los álamos *me atendé*" (302).

mandato es en esta persona más difícilmente discernible que en las restantes. Los escasos ejemplos que encuentro entre los villancicos de la *Antología* tienen claramente matiz desiderativo; v. gr.: "Siempre m'habéis querido; — *maldita sea* si os olvido" (15). *Primera persona del plural:* "¡Por el val verdico, mozas, — *vamos a* coger rosas!" (152); "Este pradico verde, — *trillémosle y hollémosle*" (155). *Segunda persona del plural:* "*Dexaldo* al villano y pene; — vengar m'ha Dios d'ele" (3); "Perricos de mi señora, — no me *mordades agora*" (166); "*echad* mano a la bolsa" (508). Posiblemente también: "Envíame mi madre — por agua sola; — ¡*mirad* a qué hora!" (310); "De una dama y de un labrador, — *mirá* qué labor, — *mirá* qué labor" (247). *Tercera persona del singular:* "Damas, el que a lo galán — a vuestra puerta se allega, — *pase* la vega" (289); "Que no me los *ame* nadie — a los mis amoresé; — que no me los *ame* nadie, — que yo me los amaré" (336); "Díceme mi madre que olvide el amor; — *acábelo ella* con el corazón" (458). *Tercera persona del plural:* "Por mi vida, madre, — amores *no m'engañen*" (137).

C. LA REITERACIÓN

La reiteración o repetición, que puede adoptar múltiples formas, es una técnica expresiva universal, practicada por todas las literaturas antiguas y primitivas de tradición oral. Puede existir en la prosa narrativa: recordemos los cuentos populares, y sobre todo los infantiles, con su sujeción a unas mismas fórmulas que se repiten [88]. Pero es en la canción donde la práctica de la repetición adquiere su mayor des-

---

[88] En el cuento de *La Mariquita*, todos los animales desfilan ante la Mariquita para pedirla en matrimonio; el diálogo discurre invariablemente así: "—Mariquita, ¡qué guapita estás!". "—Hago bien, como tú no me lo das." "—¿Te quieres casar conmigo?" "—¿Y cómo me harás?" La respuesta es lo único que varía, conforme al lenguaje de cada pretendiente; pero las palabras de la repulsa son siempre las mismas: "¡Ay, no, no, que me asustarás!". Y así, hasta llegar, como es sabido, al ratoncito Pérez. No sólo las palabras se repiten; la entonación es también siempre la misma. La repetición adquiere un valor mágico. En realidad, el niño espera la historia siempre con las mismas palabras, y rechaza como falsa cualquier versión que las modifique.

arrollo e importancia: palabras, epítetos, fórmulas, versos enteros, uso de un refrán o estribillo como remate de estrofa, todo son modalidades de la técnica de la repetición, hasta llegar a las formas más desarrolladas del paralelismo. Su origen es, lo sabemos con certeza, remotísimo. Una de las primeras canciones conservadas a la que ya aludimos en otro capítulo, una canción egipcia, cantada por los soldados de un cierto general Uni, reinando Pepi I, hacia 2365-2250 antes de Cristo, practica ya la repetición de versos, incluso un cierto paralelismo, lo que refleja una técnica avanzada. En traducción inglesa:

> This army returned in safety,
> After it had hacked up the land of the Sand-dwellers.
>
> This army returned in safety,
> After it had crushed the land of the Sand-dwellers.
>
> This army returned in safety,
> After it had thrown down its enclosures.
>
> This army returned in safety,
> After it had killed troops in it by many thousands.
>
> This army returned in safety,
> After it had taken troops in it, a great multitude as living
>   captives [89].

En el libro citado de C. M. Bowra, *Primitive Song,* se señala la importancia de la *repetición* en la canción de los pueblos primitivos actuales. Hay siempre en esas canciones un *tema,* que se repite insistentemente. Bowra ve intenciones mágicas en esta repetición insistente: si hay que conseguir algo por medio de magia, resulta prudente dejar bien sentado de qué se trata. Entre las canciones que cita Bowra, se encuentra una bosquimana, dedicada a la estrella Canopo, cuya aparición en el firmamento coincide con la de las larvas de las termites, consideradas como el "arroz bosquimano".

---

[89] J. B. Pritchard, *Ancient Near Eastern Texts,* Princeton, 1955, página 228. Cito por C. M. Bowra, *Primitive Song,* New York, 1963, p. 84.

O star coming there,
Let me see a springbok.

O star coming there,
Let me dig out ants' food
with this stick.

O star coming there,
Let me see a springbok to-morrow.

O star coming there,
I gave you my heart,
Give me your heart!

O star coming there,
I may see a proteles to-morrow;
Let the dog kill it,
Let me eat it,
Let me eat and fill my body,
That I may lie and sleep at night [90].

Es posible que el comienzo de las prácticas repetitivas y paralelísticas haya también tenido, en los remotos orígenes de la canción occidental, un sentido mágico análogo. La práctica continuaría después, cuando la canción perdió su carácter mágico "utilitario", y se convirtió en un medio de expresión estética. Algunas modalidades de la repetición, el *refrán* por ejemplo, se apoyarían en la práctica de cantar en comunidad (siendo el refrán la parte cantada por el coro, frente a los versos de las variaciones, que cantaría un solista). A estas razones se une la del valor nemotécnico de la repetición, de tanta importancia en la conservación y transmisión de la literatura oral. (El verso, el ritmo y la rima, también de valor nemotécnico, son, en realidad, otras modalidades de la técnica general de la repetición.)

En el villancico, la reiteración aparece como uno de sus elementos expresivos más característicos. Sus formas y modalidades son varias, y varias las funciones que cumple. Tres grandes grupos pueden distinguirse: la reiteración en el villancico propiamente dicho; el refrán

---

[90] *Ob. cit.*, p. 81 (tomada de I. Schapera, *The Khoisan Peoples of South Africa*, London, 1930, p. 173).

o estribillo; y el paralelismo y encadenamiento (que pueden ir juntos o separados). No voy a extenderme en describir todas estas formas. De la reiteración en el villancico propiamente dicho ya se habló en el capítulo III, y allí comentamos su papel de elemento estructurador; del paralelismo y encadenamiento y del refrán ya se ha hablado también, y se volverá a hablar al estudiar el paralelismo galaico-portugués y contrastarlo con el castellano. Me limitaré, por tanto, a unas cuantas observaciones generales.

La reiteración es un elemento lírico por excelencia; por eso falta en el refrán (proverbio) y en la frase proverbial [91]. El efecto principal de la reiteración —efecto que casi siempre posee— es un efecto intensificador. Por ello, se trata más de una *reiteración* que de una repetición. La frase reiterada no es simplemente una frase repetida, de igual valor a la primera. La reiteración intensifica *añadiendo* algo que no estaba en aquélla: la carga emocional, producto, precisamente, de esa reiteración. Así, la reiteración no destruye, normalmente, lo que hemos llamado la brevedad y el dinamismo del villancico; porque, de un lado, no alarga ni complica sintácticamente la frase (sencillamente, levanta una nueva frase de las mismas características sintácticas que la anterior); de otro lado, porque la nueva frase ni frena, ni paraliza, ni se limita a repetir; añade algo muy importante: toda la intensidad que es capaz de generar la reiteración.

Un breve comentario aparte necesitan el estribillo y el paralelismo y encadenamiento. El estribillo, que es una recurrencia del tema inicial contenido en la canción inicial, equivale a un *insistir* en el núcleo lírico primordial de la composición, insistencia que lleva consigo, a cada repetición, una paralela intensificación de ese mismo núcleo. Naturalmente, el tono de esa intensificación dependerá del tono emocional del núcleo repetido (compárense los villancicos 45 y 95, por ejemplo). Cuando el tono emocional es serio y ya intenso,

---

[91] Algunas de sus modalidades aparecen también en el romance. Por eso dice Menéndez Pidal: "La principal figura retórica usada en el estilo tradicional es la repetición. El lirismo gusta remansarse reiterando sus efusiones. Esa reiteración común a toda la lírica en general, es sin duda lo que más distingue al estilo épico-lírico de los romances respecto al estilo propiamente épico de la gesta" (*Romancero hispánico*, Madrid, 1953, tomo I, páginas 78-9).

la glosa puede tener un efecto distensor, y, entonces, la intensión reaparece, redoblada, con el estribillo, al pie de cada una de las estrofas glosadoras. Ya aludimos a este efecto. El estribillo puede coexistir con el paralelismo y el encadenamiento, o existir sin ellos, como es sabido (glosa romancística, glosa zejelesca no paralelística, etc.). La reiteración paralelística y encadenada, en cierto modo, es un fenómeno aparte; en las formas del paralelismo puro, la reiteración es ya un sistema general de expresión, con su manera peculiar de avanzar (que se asemeja a ciertos pasos de baile: un paso atrás, dos adelante). Aunque la lengua es, sintácticamente hablando, la misma, suelta y ligera como en el villancico, no cabe duda de que el paralelismo impone sosiego y contención al estilo expresivo. El carácter intensificador de la reiteración paralelística es también dudoso en muchos casos. No hay en ella, como en el caso del estribillo, una división en zonas neutras y zonas de intensión; falta el contraste que ayude a la intensificación. Aunque la recurrencia tiene por sí un carácter insistente, y, como tal, intensificador, la reiteración aparece convertida en una técnica total de expresión, el andamiaje sobre el cual se levanta, indefectible y previsiblemente, cada nueva estrofa. Por ello, el efecto intensificador (que la recurrencia de por sí posee) puede perderse o diluirse. No así cuando el tono lírico de la canción predispone a la intensificación emocional y se conjuga con el efecto normalmente intensivo del estribillo. Buen ejemplo de ello es el villancico paralelístico 21:

> Al alba venid, buen amigo;
> al alba venid.
>
> Amigo el que yo más quería,
> venid al alba del día.
>
> Amigo el que yo más amaba,
> venid a la luz del alba.
>
> Venid a la luz del día;
> non trayáis compañía.
>
> Venid a la luz del alba;
> non traigáis gran compaña.

D. AFECTIVIDAD

Los elementos afectivos abundan en el villancico. Especialmente característicos son el uso del vocativo ("madre"; "oh, madre"; "mi madre"; "la mi madre"; "madre mía", etc.; "mi señora"; "corazón"; "amor"; "vida"; "galana"; "alma mía"; "mis amores"; "dama"; "niña", etc.; y "romerico", "caballero", "pastorcico", "niña en cabello", etc.) y el uso del adjetivo afectivo. El adjetivo afectivo —ya lo vimos— puede referirse a segunda, tercera o primera persona; especial interés tiene el uso de este adjetivo en el vocativo, por el tono marcadamente afectivo que el vocativo entonces adquiere: "buen amor", "buen amigo", "gentil caballero", "ojos morenicos", "morenica", "morena garrida", etc.

Al lado del vocativo, pocos elementos hay tan característicos del villancico como el uso del diminutivo. Y pocos también de tan graciosa afectividad. Entre los rasgos de estilo que Lope, Tirso o Valdivielso no se olvidarán de imitar en sus canciones, uno será el uso abundante del diminutivo. En el villancico hay diminutivos entre los sustantivos, los adjetivos y los adverbios. Su efecto no puede imitarse con ningún otro medio expresivo, ni puede traducirse satisfactoriamente a las lenguas que carecen de él.

En las tablas que siguen, damos las cifras correspondientes al uso del diminutivo en las tres antologías [92], y las listas de todos los diminutivos; su simple lectura basta para que comprendamos la rica intensidad afectiva que con ellos adquiere el villancico.

---

[92] Observemos cómo también en este caso las leyes generales del estilo se cumplen en nuestras tres antologías. Así, aunque el lenguaje de la lírica popular es, por regla general, mucho más sobrio en adjetivos y adverbios que el lenguaje de los textos popularizantes, esta ley se altera sensiblemente cuando se trata de adjetivos y adverbios diminutivos.

Diminutivos

NOMBRES				ADJETIVOS			
POPULAR	PZTE. I	PZTE. II	PZTE. I Y II	POPULAR	PZTE. I	PZTE. II	PZTE. I Y II
155	7	4	11	32	0	3	3
1'55	0'28	0'16	0'22	0'32	0'0	0'12	0'06

ADVERBIOS			
POPULAR	PZTE. I	PZTE. II	PZTE. I Y II
11	4	0	4
0'11	0'16	0'0	0'08

N o m b r e s :

Antología popular: pastorcico (8), pastorcito (1), pastorcillo (1), pastorcilla (1); morenica (8), morenita (1); Marica (1), Marigüela (1), Mariquita (4); pajecillo (3), pajesito (1), pajecico (2); zagaleja (6); cervatica (5); moricas (2), moricos (1), morillas (2); mozuela (2), mozuelas (3); Teresica (4), Teresilla (1); casadita (1), casadilla (3); carillo (4); ojuelos (4); aguilica (2), aguililla (1); besicos (2), besillo (1); campanillas (1), campanitas (2); Fernandino (3); Juanica (1), Juanilla (2); mañanica (3); montecico (1), montecillo (1); pajarico (1), pajarillo (1), pajarito (1); serranica (2), serranicas (1); ansarinos (2); monjica (1), monjita (1); olivico (2); Pelaíto (2); Periquillo (1), Periquito (1); romerico (2); tomillejo (2); torico (1), torillo (1); agujita (1); aldegüela (1); airecillo (1); amoritos (1); anadinos (1); arenicas (1); arquita (1); arroyuelo (1); cabellicos (1); caperucita (1); cerecicas (1); cerotico (1); cordoncillo (1); cuartillo (1); estopica (1); escolarillo (1); Galguericos (1); garrochitas (1); hatillo (1); mantillo (1); Minguillo (1); molinico (1); naranjicas (1); orillicas (1); papagaíto (1); patinos (1); pelotica (1); pericas (1); Perico (2); perricos (1); polvillo (1); pollitos (1); pradico (1); ri-

bericas (1); salserilla (1); segaderuela (1); serrojuelas (1); sombrerito (1); temporadita (1); tordico (1); zatico (1); zorrilla (1).
Antología popularizante I: ojuelos (3); gritillos (1); mañanicas
(1); mozuela (1); vientecillos (1).
Antología popularizante II: ventecico (2); Dominguilla (1); serranica (1).

A d j e t i v o s   c a l i f i c a t i v o s :

Antología popular: bonica (2), bonico (5), bonitica (1), bonitilla
(1); morenica (5); morenicos (1); morenita (3); garridica (1); garridico (3); peinadita (2); cargadito (1); chequita (1); graciosica (1);
hosquillo (1); menudicas (1); namoradica (1); pardillo (1); verdico (1).
Antología popularizante I: ninguno.
Antología popularizante II: bonica (1); malpenadica (1); morenillos (1).

A d v e r b i o s   c a l i f i c a t i v o s :

Antología popular: arribica (2); arribita (2); queditico (1), quedi-
tito (1); cerquita (1); menudico (1); menudillo (1), menudito (2).
Antología popularizante I: quedito (2); pasito (2).
Antología popularizante II: ninguno.

VI. REALISMO Y TEMPORALIDAD DE LA LÍRICA POPULAR.
LA NATURALEZA. PALABRA AL AIRE LIBRE

Hay en la poesía lírica popular —ya hemos aludido a ello anteriormente— algo así como la necesidad de apoyarse en unos elementos reales y concretos, para, desde ellos, expresar cualquier tipo de
sentimiento: alegría, tristeza, inquietud o celos... El villancico no
cantará a *la alegría* o *el amanecer*; necesita de *una alegría* o *un amanecer* reales y concretos, con una realidad personal y temporal, para

poder cantarles. Podrá decir: "Ya viene el día con el alegría" [93], pero allí *el alegría* de todos los días es cantado en *un* día, el que *hoy, ahora,* está naciendo.

Si la inclinación silogizante y razonadora coloca a la lírica cancioneril multitud de veces (y a muchas glosas corteses) en un plano aséptico e intemporal, en nuestros villancicos, sobre todo en los más emocionados, hay casi siempre una fuerte nota de temporalidad. Comparemos el villancico 52 de la *Antología popular* con su glosa culta del *Cancionero Musical de Palacio* (*Antología popularizante II,* número 7):

> No puedo apartarme
> de los amores, madre;
> no puedo apartarme.
>
> Amor tiene aquesto
> con su lindo gesto,
> que prende muy presto
> y suelta muy tarde...

La temporalidad de la queja en el villancico ha desaparecido en la glosa, perfectamente intemporal (además de tonta y torpe). La afirmación de que "amor tiene aquesto, etc....", no tiene y no necesita de un sujeto personal y de un tiempo individualizadores. En cambio, la queja: "No puedo apartarme — de los amores, madre; — no puedo apartarme", es, ante todo, una queja subjetiva y temporal, es decir, una queja lírica. La emoción humana y temporal *está* en la queja, porque nos es dada caliente y viva, mientras está ahí, saliendo del ser humano que la canta, y el tiempo que refleja la canción es el tiempo mismo de la emoción. "No puedo apartarme de los amores, madre..." no es una queja *dicha,* es una queja que *se está diciendo.*

El tiempo, el milagro del instante, aparece así expresado en los versos de tantos villancicos (un tiempo vivo, salvado de la muerte, del efecto del tiempo). Puede ser el amanecer del día (que anuncian los gallos), o la llegada del amante, o el nacimiento de una flor:

---

[93] G. Correas, *Vocabulario,* p. 513. Y a continuación: "Ya viene el sol con el resplandor".

> Ya cantan los gallos,
> buen amor, y vete:
> cata que amanece.   (73)

> El amor que me bien quiere
> agora viene.   (31)

> Del rosal sale la rosa.
> ¡Oh qué hermosa!   (106)

En la época del creacionismo, el chileno Vicente Huidobro pedía a los poetas que no cantaran a la rosa, sino que la hicieran florecer en sus versos. Esto es lo que hace en los suyos el último villancico: nos hace asistir al lírico brote de la flor. (Y ello con la sencillez suficiente que para el poema pedía Juan Ramón: "No le toques ya más, — que así es la rosa").

La poesía lírica popular es una poesía de realidades inmediatas. Su mundo es el mundo de las cosas tangibles y de los sentidos, un mundo habitado por hombres y mujeres de carne y hueso, con vida personal y social. Por los villancicos de los primeros cancioneros asoman formas medievales de vida de una sociedad rural, desaparecida, de una sociedad que vive en contacto con el campo; y las historias que cuenta, o más bien insinúa (retazos enigmáticos de historia, como palabras o fragmentos de un diálogo viejo de siglos milagrosamente salvado y preservado), son también reflejo de esas formas de vida: el caballero que va a la guerra en la frontera (76); el caballero perdido en la montaña oscura (28); la niña romera, dormida bajo la encina (67); el encuentro del conde y la niña en el río (99); el lindo amigo, preso por moricos y camino del cautiverio (45); los gritos de la morenica so el olivar (160); el caballero y la niña en los baños del amor (122)... [94]. Y junto al conde y al caballero, el barquero, la serrana, el colmenero, la guarda de la viña, el pastor o la mozuela, siempre en la naturaleza, junto al val verdico o la sierra erguida, el verde olivico y el racimo albar, los álamos agitándose al viento, o quizás la lluvia menudica en la noche oscura. Y hay siempre un acento de simplicidad, de verdad o autenticidad, en estas historias, en

---

[94] Conforme nos acercamos al siglo XVII, la canción, de rural, se va haciendo ciudadana, y las formas de vida que refleja son también ciudadanas.

estas quejas, requiebros, preguntas o protestas. Cuando comienza la imitación del villancico, ya desde Encina hasta Timoneda o Valdivielso, los tipos y los sentimientos se tipifican literariamente bajo nuevos patrones. Estos nuevos villancicos popularizantes pueden tener un sabor parodístico (ese "jugar al rústico" en que se complace Encina y la escuela que él crea), o un tono blando, idílico, de pastorcicos que suspiran tendidos en la yerba[95], tan del gusto del bucolismo del XVI. En las dos antologías popularizantes de este libro hay muestras de este acento; veamos dos ejemplos:

—Pedro, y bien te quiero,
maguera vaquero.

Has tan bien bailado,
corrido y luchado,
que m'has enamorado
y d'amores muero.

—A la fe, nostrama,
ya suena mi fama,
y aún pues en la cama
soy muy más artero.

—No sé qué te diga,
tu amor me fatiga:
tenme por amiga,
sey mi compañero.

Veo las ovejas
orillas del mar;
no veo el pastor
que me hace penar.

Las ovejas veo
orillas del río;
no ve mi deseo
el dulce amor mío.
Miro en derredor
del fresco pinar;
no veo el pastor
que me hace penar.

Los perros y el manso
veo, y su bardina;
mi gloria y descanso
no veo, mezquina.

---

[95] Tengo en la memoria una glosa del *Libro de música en cifras para vihuela*, intitulado el *Parnaso*, de Esteban de Daza, Valladolid, 1576, fol. 104 recto. (D. Alonso y J. M. Blecua, *Antología...*, ob. cit., núm. 156):

Yo me voy con mi ganado,
zagala, de aqueste ejido;
no me verás en el prado
entre las yerbas tendido;
desde agora me despido
de mis pasados placeres;
mis músicas y tañeres
se vuelven en suspirar.

—Soy en todo presto,
mañoso y dispuesto,
y en ver vuestro gesto
mucho más me esmero.

—Quiero que me quieras;
pues por mí te esmeras,
tengamos de veras
amor verdadero.

—Nostrama, señora,
yo nascí en buen hora,
ya soy desde agora
vuestro por entero.

Por bien qu'el amor
me esfuerza a mirar,
no veo el pastor
que me hace penar.

Veo muy esenta
su choza sombría,
sin ver quien sustenta
aquesta alma mía.
Veo mi dolor
crescer y menguar;
no veo el pastor
que me hace penar [96].

En el villancico popular nunca aparece este tono. Y con igual autenticidad está vista la naturaleza, que entra constantemente por el
gran ventanal abierto de la poesía popular. Refiriéndose a la poesía
castellana (culta) del siglo xv, dijo Rafael Lapesa que "se abstrae del
mundo exterior... y, ensimismada, se recluye en la seca y vigorosa
expresión de sentimientos" [97]. La poesía popular, en cambio, vive en
perfecta armonía con el mundo exterior, en actitud familiar ante un
mundo familiar. No hay el *asombro* del poeta (ciudadano) que *sale*
(ocasionalmente) *a* la naturaleza; y falta el tema del contraste ("beatus ille") entre la ciudad (paisaje ordinario) y el campo (paisaje extra-ordinario). Hay una simplicidad, una ingenuidad, diríamos, en ese
estar del villancico en la naturaleza y de la naturaleza en el villancico: una naturaleza también real y concreta, histórica, no la
naturaleza estilizada e idealizada de la lírica culta renacentista o barroca; una naturaleza agreste que huele a campo, nunca a jardín;
una naturaleza también ella popular y no cortesana. La diferencia
entre lo popular y lo popularizante se muestra también, a veces, en
este aspecto. Comparemos las dos canciones que siguen:

---

[96] *Antología popularizante I*, núms. 14 y 20. La 14 es de Juan del Encina (*Cancionero Musical de Palacio*, fol. 199; ed. H. Anglés, vol. 2, número 278); la 20 es de Juan de Timoneda (*Sarao de amor*, Valencia, 1561,
folio 22).

[97] *La trayectoria poética de Garcilaso*, Madrid, Revista de Occidente,
1948, p. 23.

Alta estaba la peña;
nace la malva en ella.

Alta estaba la peña,
riberas del río;
nace la malva en ella
y el trébol florido.   (237)

Ya no me porné jazmines,
ni guirnalda de azucena;
pornéme crecida pena
por los bosques y jardines... [98].

La alta peña, la ribera del río, el valle, la sierra erguida, se nos transforman en idílicos bosques y cortesanos jardines (la malva y el trébol, en jazmines y guirnaldas de azucena) al pasar a las glosas cultas.

Pero en los villancicos y en las glosas populares desborda —¡y con qué sencillez y naturalidad!— la presencia luminosa del campo castellano: la sierra (66, 108, 140, 239), el monte (159, 268, 269, 281), la montaña (28, 78), la montiña (67), la peña (158, 191, 226, 237), el valle (128, 152), el puerto (211), el vado (65, 211), el cañaveral (538), el alba (21, 73, 199), la mañanica fría (16), la noche *escura* (94, 107), el canto de los gallos (73, 452, 527), el brillar de la luna (198, 239, 280, 134), el aire (¡los invisibles átomos del aire!) (105, 270, 285, 320, 342, 355, 444), la nieve (13), las heladas del monte (159, 269), la lluvia menudica (94), la fuente (148, 177, 215, 312), el río (50, 65, 78, 99, 109, 116, 211, 302)... ¡el agua! (¡el agua clara y fría, bienamada del poeta en una tierra de calores!) (24, 96, 108, 122, 148, 177, 212, 240, 242, 310, 395, 419, 529), el olor del trébol ("¡ay, Jesús, cómo huele!") (200, 249, 296), el romero (228), el tomillo (311), la verbena (446), la malva (237), el habar (16), la viña (16, 68), el toronjil (108) y el olivar (160, 503, 572) ("¡Que no hay tal andar — por el verde olivico, — que no hay tal andar — por el verde olivar!"), los álamos (105, 302, 443), el sauce (196), la encina (67) y los florecidos almendros (130), la cer-

---

[98] Glosa culta del *Cancionero llamado Danza de Galanes*, Barcelona, 1625. Reedición de A. Rodríguez-Moñino, Valencia, 1949.

vatica que va a beber al agua (529), los gallos cantando al amanecer
(73), la perdiz (451), el lobo (172) ("¡Cata el lobo dó va, Juanica!"),
los ánsares (65, 290) ("¡Válame Dios, que los ánsares vuelan!"), los
halcones (92), la garza (109)... [99].

Tras de leer la poesía culta de los cancioneros cortesanos, entrar
en la lírica popular es como entrar en un mundo natural, físico, real
y tangible. Cambiamos una geometría de conceptos por sierras, valles
y ríos... Es como si abriéramos la ventana al campo de Castilla y
llenáramos los pulmones de aire fresco.

Y a veces, ante ese exclamar y prorrumpir del villancico (¡esos
gritos de la sanjuanada y las fiestas de mayo!), nos preguntamos si
alguna vez se ha expresado con más fuerza y presencia el entusiasmo
de vivir ante la naturaleza, y de sentirse vivir con ella. Dudo que
haya nada comparable en toda la lírica culta del Renacimiento:

> ¡Trébol, florido trébol,
> trébol florido!   (249)

> ¿Cuándo saliréis, alba galana?
> ¿Cuándo saliréis, el alba?   (199)

> En aquella peña, en aquella,
> que no caben en ella.   (226)

> Por encima de la oliva,
> mírame, el amor, mira.   (572)

VII. EL NOMBRE COTIDIANO DE LAS COSAS

Ortega definió una vez la poesía como un eludir el nombre cotidiano de las cosas. La definición era muy parcial. Ortega estaba pen-

---

[99] Y es que la naturaleza, como el marinero del romance del conde
Arnaldos, siempre tiene una canción para quien con ella está, una canción
simple y cotidiana. "Cantó el gallo; — no supo cómo ni cuándo", dice un
refrán de Correas. Así quizás naciera más de un villancico, sin saber cómo
ni cuándo, como dijo Machado de la primavera. (¿No es cierto que este
refrán nos trae a la memoria el sorprendido dístico de Antonio Machado:
"La primavera ha venido, — nadie sabe cómo ha sido"?)

sando en un determinado tipo de poesía —eran tiempos de gongorismo y de arte deshumanizado— y tenía en su mente lo que, en otra ocasión, llamó "la elusión metafórica". En la postguerra española, la poesía cambia de signo artístico y vital y se propone precisamente la *cotidianidad* como tema poético: las cosas cotidianas, designadas por su nombre cotidiano. Los años pasarán y la poesía seguirá cambiando de signo, dando a cada momento lo que el momento le pide, inmisericorde con el momento anterior y respondiendo a la llamada del suyo (y si no, ¡pobre poesía será!).

La poesía popular, que no es necesariamente un "arte menor" como a veces decimos, pero sí un "arte de menor responsabilidad" porque nunca se ha propuesto más que llenar la necesidad de cantar que el hombre siente, sigue y seguirá, sin embargo, en su sitio, siempre joven, siempre actual. Las razones que se nos ocurren de esta permanencia son varias. La poesía popular no está sometida al imperativo que pesa sobre la poesía culta de dar expresión a las apetencias estéticas o vitales y humanas de *una época*. Queda, por este solo hecho, al margen de un proceso que lleva en sí mismo la inevitabilidad del cambio. Es éste uno de los sentidos en que la poesía es irremisiblemente temporal. En este sentido (la poesía como expresión de un momento histórico colectivo), podríamos decir que la poesía popular es atemporal (sólo en este sentido). Otra razón es su misma tradición, que es, fundamentalmente, la tradición popular campesina, aunque en el siglo XVI llegara esa tradición a ser ampliamente nacional (modernamente, los folkloristas saben muy bien que es en el campo donde se guarda la canción popular española). Y esta tradición es, en todos los órdenes, de una tremenda fuerza conservadora [100]. Pensemos en el mayor conservadurismo de todas las manifestaciones de la vida popular campesina frente a aspectos análogos de la vida ciudadana o de las minorías que escapan, dentro de los pueblos, a la influencia de esa tradición: viviendas, trajes, costumbres, *lengua*... Aunque todo cambia, el ritmo del cambio es distinto en uno y otro caso.

---

[100] Del apego a la tradición nos habla este refrán de Correas (*Vocabulario*, p. 423): "Tomar caminos nuevos, y dejar caminos viejos, no es buen consejo".

Pero quizás la razón fundamental sea de orden lingüístico, y esté en la cotidianidad lingüística de la poesía popular, que no elude el nombre cotidiano de las cosas y llama pan al pan, y al vino, vino. Aun dentro de la poesía culta, es fácil observar que la lengua poética, cuanto más se aleja de la lengua hablada (o común), cuanto más se crea un lenguaje, un vocabulario, una sintaxis, unos modos expresivos distintos de los comunes, tanto más cae en el peligro de —como tal lengua— perder actualidad. Pensemos en el *Labyrintho* de Juan de Mena frente a las *Coplas* de Jorge Manrique, y en el *Polifemo* de Góngora frente al *Cántico espiritual* de San Juan. Y quede claro que nos referimos específicamente a la lengua como instrumento vivo de expresión actual y no a los valores estéticos de esa lengua [101].

Es natural que así ocurra: el lenguaje poético (culto), materia de reflexión estética él mismo, cambia mucho más rápidamente, y en forma mucho más radical, que el lenguaje funcional de la conversación. Cada generación poética ha de plantearse reflexivamente el problema de escoger sus propios medios de expresión, lo que hoy se llama el "lenguaje literario generacional". Unas veces utilizará el heredado de la generación anterior; otras romperá, quizás violentamente, con él.

Esto no ocurre, claro es, con la lengua hablada. La lengua hablada cambia, unas palabras se van, otras vienen [102], pero el núcleo sustancial del caudal lingüístico permanece. Es impensable que, como en el caso de la poesía, una generación se planteara el problema de cambiar de raíz la fisonomía del lenguaje hablado.

---

[101] La lengua poética de las *Soledades* es cosa del pasado y lo era también en 1927. Una generación literaria —por afinidad con su intencionalidad estética— podrá resucitarla, después de actualizarla (de ponerla al día). Pero desde el punto de vista de la lengua, la de San Juan, incluso en 1927 seguía siendo más actual, por más cercana a la lengua hablada, a la del siglo XVI y a la moderna. También cabe la valoración estética de una lengua poética, aún entendiendo que es cosa del pasado y que la poesía no puede ya hacer uso de ella; esa lengua sigue conservando sus valores estéticos.

[102] Véase, para el castellano peninsular de nuestros días, el interesantísimo estudio de Rafael Lapesa, "La lengua desde hace cuarenta años", *Revista de Occidente,* nov.-dic. 1963.

Ya se entiende que cuando hablamos de la cotidianidad popular nos referimos a la lengua poética [103]. Esta cotidianidad no excluye el arcaísmo; pero no hay que olvidar que el lenguaje popular es de por sí arcaizante. Muchos de los arcaísmos de la lírica popular renacentista, tenidos como arcaísmos en la ciudad, y gustados y usados por los poetas popularizantes como tales arcaísmos, seguirían aún en circulación en el vocabulario campesino. ¡Algunos siguen hoy! [104]. Otros habrían perdido su significación; de éstos, algunos seguirían en las canciones, otros muchos habrían sido sustituidos por palabras fonéticamente afines [105] o habrían sido enteramente abandonados. En el romancero, este proceso nos es perfectamente conocido gracias a los estudios de Menéndez Pidal y sus continuadores.

Digamos, para terminar, que esta *cotidianidad* de la poesía popular es cosa bien distinta de la cotidianidad de la poesía española de la postguerra. Aquélla es una cotidianidad inocente, sin conciencia de la propia cotidianidad. Usa la lengua de la conversación, la de todos los días, como el instrumento "normal" de expresión, como el instrumento propio. En la poesía culta, el poeta siempre escoge su propia lengua, aun para aceptar la "ajena"; es decir, aun en el caso de que esa selección resulte más o menos impuesta, más o menos forzada por la circunstancia poética. El poeta culto "popularizante" (llámese Encina, Gil Vicente, Lope o Alberti) lo es con plena conciencia y acude a la lengua cotidiana popular por propio imperativo; es decir, hace ese tipo de poesía en lugar de otro, porque así lo quiere.

---

[103] No nos referimos a las situaciones, a los temas, trasmitidos de antiguo. Muchos de ellos (encuentros del escudero y la serrana, el caballero y la prioresa, el conde y la niña, etc.) son pervivencias de un mundo y una temática medievales.

[104] "Aserrojar serrojuelas..." (villancico núm. 189). En algunas regiones españolas todavía se llama *seroja* a la hoja seca; "aserrojar serrojuelas..." sería por tanto "recoger hojas secas...", una canción campesina.

[105] De la canción de los "cinco lobicos" que parió la loba, he oído, en Andalucía, que la loba los parió al pie de la *toba*. Una *toba* es un tipo de cardo borriquero. En la Mancha se canta que la loba los parió "al pie de la escoba". ¿Ha venido la escoba a sustituir a la toba, lugar más propicio al parto de una loba? Se me ocurre otra posibilidad: "escoba" por "cova" (cueva). El verso original en la versión manchega diría quizás: "al pie de la cova" (?).

El poeta auténticamente popular —quiero decir, el creador o recreador auténticamente popular— no escoge [106]; canta con la única
lengua que posee, la misma lengua que habla [107].

VIII. LA PALABRA POÉTICA

La tradición poética popular es larga y se sucede sin solución de
continuidad. En la poesía culta, cada época, a veces cada generación,
tiene que buscar y hallar sus propios medios de expresión, porque
los viejos se han gastado y carecen de valor significante. Viene una
época, entonces, de balbuceo, en la cual, la poesía y el poeta vuelven
a un estado de niñez, de exploración. Pensemos en el marqués de
Santillana, tan hábil en los metros cortos, tan torpe con las once sílabas. Recordemos los primeros versos de Juan Ramón, tan inmadu-
ros, no tanto por la juventud del poeta como, sobre todo, por la in-
madurez del lenguaje poético que él, con otros, estaba creando entonces, frente al lenguaje romántico declamatorio que aún era el oficial,
el usual.

Es una diferencia fundamental. El lenguaje, la técnica y los medios
expresivos de la poesía tradicional son menos renovados que los de
la poesía culta; por eso mismo son enormemente viejos, cargados de
experiencia, seguros para el que, dentro de esa tradición, sabe moverse y hablar con el talento y la gracia especiales que la creación
popular requiere.

A.   LA LENGUA Y SU BELLEZA

Gran parte de la belleza del villancico, tal y como nos llega a nosotros esa belleza —lectores y hablantes de español en el siglo xx— se

---

[106]   No se opone esto, creo yo, al hecho de que la poesía popular se
sirva de fórmulas expresivas especialmente conectadas con el canto.

[107]   Por ello, la lengua es uniforme: faltan zonas no cotidianas sobre las
que las cotidianas levantan su contraste, una de las técnicas de la poesía
moderna; faltan zonas de intensificación cotidiana, como el doble efecto del
clisé, la frase hecha, la frase trillada.

debe a la lengua misma. La expresión, muchas veces puramente coloquial y sin intencionalidad específicamente lírica, del villancico nos
cautiva ya de por sí: un verso suelto, una frase suelta, un diminutivo,
un arcaísmo (que entonces, posiblemente, no lo era), una exclamación... Basta leer: "llueve menudico"; "la flor de la mi cara"; "¡ay
que non era...!"; "ya cantan los gallos"; "por vida de mis ojos";
"con amores, la mi madre", etc. La gracia, afectividad y belleza de
la palabra nos tienen ya ganados.

Pero esa lengua no la han hecho los poetas de las cortes —que,
por el contrario, tantas veces trataron de apartarse del "rudo y de-
sierto romance, la humilde y baxa lengua del romance", como llamaba Juan de Mena a la lengua vulgar—. La lengua estaba ahí, y el
pueblo había contribuido a crearla. "Porque la base popular de nuestras lenguas culturales —dice Leo Spitzer— está fuera de toda duda;
son los *mots populaires* y no los *mots savants* los que representan la
textura esencial de nuestras lenguas" [108].

Si el pueblo ha hecho, o ha colaborado decisivamente en hacer
la lengua, ¿por qué asombrarnos de que la supiera y la sepa usar?
Con un vocabulario más castizo que el actual, con aquella profusión
de vocales abiertas y claras, el castellano de los siglos XV y XVI era
una lengua extraordinariamente bella. ¿Gusto instintivo de las gentes
para escoger los sonidos bellos? Hay que decir que sí, que existía.
Lo han dicho los filólogos. No todo fue adaptar el latín a hábitos secu-
lares de pronunciación. Hubo también un exquisito instinto para escoger los sonidos más claros, los sonidos más eufónicos.

¡Qué maravilla de lengua, la que hablan los refranes del *Vocabulario* del maestro Correas, una lengua de voces claras y limpias, y
fundamentalmente popular! Por ello, cuando en el siglo XVI se intenta fijar la lengua y llevarla a su perfección, los ojos de los gramá-
ticos y estilistas se vuelven a los refranes. "Lo más puro castellano
que tenemos son los refranes", dice Juan de Valdés; "...en aquellos
refranes se vee mucho bien la puridad de la lengua castellana". Y añade que la diferencia entre los refranes castellanos y los proverbios y
adagios latinos y griegos está en que "los castellanos son tomados de
dichos vulgares, los más dellos naçidos y criados entre viejas tras del

---

[108] *Lingüística e historia literaria*, ob. cit., p. 68.

fuego, hilando sus ruecas, y los griegos y latinos... son nacidos entre personas doctas y están celebrados en libros de mucha doctrina". Y concluye: "Pero, para considerar la propiedad de la lengua castellana, lo mejor que los refranes tienen es ser naçidos en el vulgo" [109]. Estamos en el Renacimiento; los humanistas y escritores se acercan a la Naturaleza, y se busca en la lengua la "naturalidad". "Tengo por experiencia —dice Juan de Valdés— que nunca mejor hablé en mi vida que cuando he hablado sin haberme puesto a pensar lo que había de hablar; lo mismo digo del escribir" [110]. "El estilo que tengo me es natural, y sin afetación ninguna escrivo como hablo... y dígolo quanto más llanamente me es possible, porque a mi parecer en ninguna lengua stá bien el afetación" [111]. Para Castiglione o Castellón, "lo escrito no es otra cosa que una forma de hablar". La lengua de los refranes pasa a suministrar normas de estilo, de buen decir. Valdés los trae como ejemplos a cada paso, tanto que su interlocutor en el *Diálogo*, Coriolano, le dice: "Paréceme que os aprovecháis bien de vuestros refranes, o como los llamáis". Y Valdés contesta: "Aprovéchome dellos tanto como dezís porque, aviéndo[o]s de mostrar por un otro exemplo lo que quiero dezir, me parece sea más provechoso amostrároslo por estos refranes, porque oyéndolos los aprendáis, y porque más autoridad tiene un exemplo destos antiguos que un otro que yo podría componer" [112].

¡Quién podría determinar el origen de cada pieza del refranero! ¡Por cuántos caminos y sendas la sabiduría proverbial culta y popular han caminado, separadamente unas veces, entrecruzándose otras, hasta cuajar en una sentencia definitiva! Pero tanto los refranes procedentes del saber letrado como los "naçidos y criados entre viejas tras del fuego" presentan una unidad de estilo expresivo. Nacidos del

---

[109] Juan de Valdés, *Diálogo de la Lengua*, ed. J. F. Montesinos, Madrid, Clásicos Castellanos, 1964, p. 15.

[110] *Evangelio según San Mateo*, Madrid, 1880 (ed. Boehmer), p. 85.

[111] *Diálogo de la lengua*, ed. J. F. Montesinos, pp. 154-5. La afectación —dice Castellón en *El Cortesano*— es "odiosa a todo el mundo". De ella hay que "huir como de pestilencia", añade Boscán (en la cabecera al capítulo VI, Libro I, del *Cortesano*, ed. de Libros de Antaño, Madrid, 1873, página 78).

[112] *Ob. cit.*, ed. J. F. Montesinos, p. 57.

pueblo o prohijados por él, el decir del refrán es decir popular, en todo caso [113]. En algunos casos, el origen popular se ve claramente: así en los refranes campesinos y labradores: "Are quien aró, — que ya Mayo entró"; "Centeno de zancas vanas, — presto creces y tarde granas"; "Cerco en la luna, — agua en la laguna". O en los rurales que hablan del propio lugar, de sus tierras, sus montes y sus ríos, de sus productos, o de sus gentes: "Terrón por terrón, — la vega de Carrión"; "Arlanza y Arlanzón, — Pisuerga y Carrión — en la

---

[113] Como ejemplos de refranes de origen letrado, citemos dos del *Vocabulario* de Correas. Dice uno: "Si no ararais con mi vaquilla, — no supierais mi cosi cosilla". El comentario del maestro Correas revela el origen: "Arias Montano dice ser proverbio antiguo castellano sobre el capítulo 15 de los *Jueces*, núm. 18, dicho allí por Sansón, de donde parece que lo tomó el castellano que tenía la Biblia en romance" (*Vocab.*, p. 456). Se trata, en efecto, de la respuesta que da Sansón a los filisteos, quienes por medio de la mujer del propio Sansón aciertan el enigma (la "cosi cosilla") que éste les había propuesto. Lo que viene a decir Sansón es, pues, que si no hubiera sido por la traición de su mujer no hubieran acertado el enigma. En la edición de la *Biblia*, de E. Nácar y A. Colunga, Madrid, Biblioteca de Autores Cristianos, 1962, p. 275, las palabras de Sansón están muy cerca del refrán: "Si no hubierais arado con mi novilla, — no hubierais descifrado mi enigma".

El segundo refrán dice: "No me llames bien hadada, hasta que me veas enterrada" (o "No me digas bien hadada hasta que me veas soterrada") (*Vocab.*, p. 356). Estas palabras son, nada menos, las finales, que canta el coro, en el *Edipo Rey;* copio de la versión inglesa, de R. C. Jebb, por no tener otra a mano en español: "We must call no one happy who is of mortal race, until he hath crossed life's border, free from pain"; y la vía intermedia de transmisión ha sido, probablemente, Ovidio, quien en las *Metamorfosis* (Libro III, versos 135-6) reproduce la sentencia con estas palabras: "Yet no man is called happy till his death" (trad. Horace Gregory, New York, 1958). La famosa sentencia aparece vertida por primera vez al castellano en la *Grande e General Storia* del Rey Sabio (II, 1476 y ss.), y las palabras alfonsíes no están muy lejos de la frase proverbial: "Ninguno non deve seer dicho bien aventurado ante de su muert". (La analogía me la ha sugerido la lectura de un artículo de la malograda María Rosa Lida de Malkiel en *Romance Philology*, XII, 1958, 2, donde se conecta la frase de la *General Storia* con la obra de Sófocles.) La frase aparece en textos españoles del Siglo de Oro: Lope, en *El villano en su rincón*, tiene dos versos que reproducen casi textualmente la sentencia alfonsí: "...porque ninguno puede ser llamado — hasta que muere, bienaventurado" (ed. Clásicos Castellanos, p. 96).

Puente de Simancas juntos son"; "Caña dulce de Motril, — vino de la Granja — y agua de Genil", etc. [114].

Los que niegan al pueblo la capacidad de creación lírica y quieren que toda canción cantada por el pueblo haya tenido un origen culto o cortesano, ¿sostendrán también que estos refranes campesinos que hablan de arar, del cultivo del centeno o de la caña de azúcar nacieron también en los palacios? ¿Vendrán tal vez de Horacio o Virgilio? Y es el caso que tanta belleza puede haber en un refrán como en un villancico; tanta capacidad de creación puede exigir un refrán como un villancico. Aún más: el modo de sentir la lengua y de usarla, los recursos expresivos, el empleo de la rima, todo aquello que hace "el estilo" de una obra —de una minúscula obra en este caso, breve y concentrada— aparece (en lo sustancial, salvando los rasgos diferenciales) tanto en el caso del refrán como en el del villancico.

De hecho, es sabido que muchos refranes fueron glosados y cantados en los siglos XVI y XVII como auténticos villancicos. Margit Frenk Alatorre ha señalado muchos de estos casos [115]. Pero sin recurrir a los cantados (es decir, a los que *sabemos* positivamente que se cantaron), hay millares de refranes cuya belleza o gracia puede competir con la gracia y belleza del villancico:

> Arenicas de Villanueva,
> quien las pisa nunca las niega.

> Arcaduces de ñoria,
> el que lleno viene vacío torna.

> Tablajero de Llerena,
> la mar brava y el río suena.

---

[114] Tampoco puede tener más que origen popular (villano) la siguiente frase que recoge Correas en su *Vocabulario:* "Cuando el hidalgo nace, el villano no le place".

[115] Véase su artículo "Refranes cantados y cantares proverbializados", *Nueva Revista de Filología Hispánica,* año XV (1961), núms. 1-2 (Homenaje a Alfonso Reyes, tomo I).

> Campo de Arañuelo,
> campo sin ventura,
> donde balan los corderos,
> y oveja no ninguna [116].

La similitud entre el refrán o la frase proverbial y el villancico en cuanto a medios expresivos es evidente. Ambos tienen un *algo* de común, pertenecen a una misma familia. Por eso, muchos resultan intercambiables, y el villancico se hace sentencia, y el refrán cantarcillo. En los ejemplos que siguen se percibe claramente el aire de familia entre ambos fenómenos populares:

Refranes o frases proverbiales	*Villancicos*
¡Ay de mí, que lo vendí, y por un maravedí; que si yo no lo vendiera, mucho más me valiera!	¡Ay que non era, mas ay que non hay, quien de mi pena se duela! [117].
¡Ay fortuna, y cómo me sigues y cómo no viene mi Alonso Rodríguez!	¡Ay, fortuna, cógeme esa aceituna! [118].
Salsa de almodrote [119] no es buena colación, tibirirranrán, tibirirranrón.	Mala noche me diste, María del Rión, con el binbilindrón [120].
Cuando los viejos son gaiteros, ¿qué harán los mozos solteros?	Si los pastores han amores, ¿qué harán los gentiles hombres? [121].

---

[116] Correas, *Vocabulario*, pp. 30, 413 y 324. Estas citas y las que siguen van por la ed. de 1906.

[117] Refrán (Correas, *Vocabulario*, p. 24); villancico (*Cancionero Musical de Palacio*, núm. 175).

[118] Refrán (Correas, *ibid.*, p. 24); villancico (Lope de Vega, *El villano en su rincón*, ed. Academia, tomo XV, p. 300).

[119] Es la salsa que alaba el escudero de *El Lazarillo* para ir con la uña de vaca: "Con almodrote —decía— es éste singular manjar". Covarrubias, *Tesoro*: "Cierta salsa que se haze de azeyte, ajos, queso y otras cosas; latino *moretum*, según Antonio Nebrija...".

[120] Refrán (Correas, *ibid.*, p. 243); villancico (Lope de Rueda, *Obras*, Madrid, 1908, vol. II, p. 196).

[121] Refrán (Correas, *ibid.*, p. 369); villancico (en un pliego suelto titulado *Cantares de diversas sonadas con sus deshechas muy graciosas ansi para bailar como para tañer*, sin fechas; publ. por M. Frenk Alatorre en *Cancionero de galanes*, Valencia, 1952, p. 63).

Cuando mi hijo fue al baño, trajo
qué contar todo el año.

Si d'ésta escapo
sabré qué contar;
non partiré dell'aldea
mientras viere nevar [122].

Que se nos va la Pascua, mozas; ya
viene otra.

¡Por el val verdico, mozas,
vamos a coger rosas! [123].

Para mí son penas, madre, que no
para el aire.

Para mí, para mí son penas,
para mí, que vivo en ellas [124].

Más hiere mala palabra que espada
afilada.

Corten espadas afiladas
lenguas malas [125].

¡Ay, horas tristes, cuán diferentes
sois de lo que fuisteis!

Quien vio los tiempos pasados, y ve
los que son agora, ¿cuál es el corazón que no llora?

Estas noches atán largas
para mí,
no solían ser así [126].

A la moza que mal lava siete veces
la hierve el agua.

A la hembra desamorada
a la delfa le sepa el agua [127].

El refranero en el Siglo de Oro —tan bien antologizado por el
maestro Correas— es un mundo vario, hecho de refranes, frases proverbiales, fragmentos de cantares, versos de romances proverbializados, cantarcillos enteros... Un mundo vario, y un mismo estilo. El

[122] Refrán (Correas, *ibid.*, p. 373); villancico (*Cancionero de Herberay*,
ed. C. V. Aubrun, Bordeaux, 1951, p. 42).

[123] Refrán (Correas, *ibid.*, p. 334, 459); villancico (*Silva de varios romances*, Barcelona, 1561; reimpresión de A. Rodríguez-Moñino, Valencia,
1953, fol. 189).

[124] Refrán (Correas, *ibid.*, p. 380); villancico (en el Ms. 373 [fondo es-
pañol] de la Biblioteca Nacional de París, fol. 138 v.º).

[125] Refrán (Correas, *ibid.*, p. 457); villancico (*Cancionero musical de la
Casa de Medinaceli*, ed. de Miguel Querol, Barcelona, t. I, 1949, p. 52;
tiene glosa, con dos estrofas, la primera probablemente popular, y la segunda, culta). Véase en Dámaso Alonso y J. M. Blecua, *Antología de la
poesía española. Poesía de tipo tradicional*, Madrid, 1956, núm. 153.

[126] Refranes (Correas, *ibid.*, pp. 23 y 344); villancico (*CMP*, núm. 258).

[127] Refrán (Correas, *ibid.*, p. 5); villancico (S. de Covarrubias, *Tesoro
de la lengua castellana o española*, ed. M. de Riquer, Barcelona, 1943, página 42).

villancico entra en ese mundo y ese estilo sin violencia, como en lugar que no le es ajeno. Colocados, lado a lado, muchos de estos refranes y frases proverbiales (¿de qué procedencias, de qué origen?), con nuestros villancicos, vemos que estamos en territorio común, ante un mismo estilo de decir, ante unos mismos medios expresivos. Como si, todo, de una misma mano hubiera salido.

B. CONCIENCIA ESTÉTICA DE
LA LENGUA EN EL REFRÁN
Y EN LA FRASE PROVERBIAL

Hay casos en que los refranes muestran sin dejar lugar a dudas que sus creadores y usuarios manejaban —y manejan— la lengua con plena conciencia de sus valores expresivos, no sólo en lo conceptual, sino también en lo que atañe al valor estético de la palabra misma.

El mismo Correas, en sus constantes comentarios y aclaraciones a los refranes que recoge, nos dice a veces que tal cosa se dice "por gracia", "para guardar consonancia", "por gracia y consonancia", por el "juego de la paranomasia", etc.; el uso de la palabra y del ritmo con un sentido onomatopéyico o de imitación del movimiento también es señalado por Correas. Al comentar el refrán: "Cría el corvo y sacarte ha el ojo", aclara: "Solía decirse *el corvo,* para guardar consonancia" [128]. Sobre el refrán "Oh qué lindico, mas oh qué lindoque" advierte: "Formóse *lindoque,* por gracia" [129]. Del refrán "María, ¿vas por cirujás?; dícenme te lo remojás", dice: "Pónese el acento en la última por gracia y por consonante" [130]. En otro refrán: "Zaquizamí, quizá no a mí, quizá dará a ti", comenta: "Juego de la paranomasia. De lo que parece que va a decir el vocablo" [131]. Los juegos de pala-

---

[128] *Vocabulario,* p. 130.

[129] *Ibid.,* p. 371.

[130] *Ibid.,* p. 291. "Cirujás" son ciruelas. Recuérdese el gracioso uso que se hace de esta dislocación del acento en los villancicos: "Pisaré yo el polvico, — atán menudico, — pisaré yo el polvó, — atán menudó"; "¡Quién vos había de llevar! — ¡Oxalá! — ¡Ay, Fatimá!"; probablemente en muchas canciones de trébol la acentuación sería "trebolé", etc.

[131] *Ibid.,* p. 518.

bras por su sentido onomatopéyico y sugerencia rítmica abundan. Los hay infantiles, como este acertijo:

> Tinajita de zambodombón,
> que no tiene boca ni tapón.

Cuya solución da Correas: "el huevo"; y aclara que es "cosa y cosa de niños"; "zambodombón —explica— es *palabra enfática hecha al sonido*" [132]. Veamos otros:

> Tres eran tres:
> un mozo, y un viejo,
> y un fraile después.

"Fíngese del sonido al tejer —aclara Correas—, que parece que lo dice" [133].

> Arca la ducha, el tapicero,
> y bate sin duelo,
> y bátela luego [134].

> Troque, troque, troque,
> los cencerros míos
> y los bueyes de otre [135].

> Tintininín: llaves,
> cual vos sodes,
> tal sonades.

"Tintininín —aclara Correas—, sonido de llaves" [136]. Lo que sigue ahora imita el piar y el revoloteo inquieto de los pájaros:

> Chío, chío,
> sobre mi trigo.

---

[132] *Ibid.*, p. 479.

[133] *Ibid.*, p. 489.

[134] *Ibid.*, p. 64. "Es de tapiceros —dice Correas—. *Arca* es apretar las uñas de la trama que van metiendo y labrando, y *ducha* llaman al hilado con que van metiendo en la tela con que la van cuajando y dibujando los reposteros y tapices. *Batir* es apretar el tejido con un peine de hierro fuerte que tienen para ello".

[135] *Ibid.*, p. 490. ¿Imita el pausado sonar de los cencerros al caminar de los bueyes?

[136] *Ibid.*, p. 479.

"Los pardales —explica Correas— riñendo sobre el trigo ajeno, y es buena alegoría" [137].

> —Hilanderas, ¿qué hicisteis o hilasteis,
> si en marzo no curasteis?
> —Fui al mar, vine del mar,
> hice casa sin hogar,
> sin azada, ni azadón,
> y sin ayuda de varón;
> chirrichizchiz.

"Dicho y canto de la golondrina —aclara el maestro Correas—, reprendiendo a las descuidadas, habiendo ella tanto hecho" [138]. Por último, una imagen popular:

> Ovejitas tiene el cielo:
> o son de agua, o son de viento [139].

Un cielo anubarrado es visto como un inmenso rebaño de ovejas. (La comparación es similar al refrán, más conocido: "Cielo aborregado, a los tres días mojado".)

En una famosa conferencia sobre Góngora, Federico García Lorca habló de la predisposición popular andaluza a la metáfora: "la lengua del río", "un buey de agua"..., ¿quién creó estas metáforas? Lo que importa es que el pueblo las usa, y que *pudo* crearlas..., que están dentro de sus posibilidades expresivas y creadoras. El *Vocabulario* del maestro Correas recoge muchos aciertos expresivos que usaban los españoles de su tiempo y que *pueden* ser también producto popular: *armar torres de viento; beber los vientos* (por "anhelar por algo", aclara Correas); *crecer como espuma* ("lo que mucho sube"); *ir desalado* ("como las gallinas que van a socorrer los pollos, las alas abiertas"); *lumbre de mis ojos* ("dícenlo las madres a los hijos"); *irse en agraz* ("cuando uno murió mozo"); *ya está con los muchos* ("del que ha muerto"), afirmando esa comunidad tan española entre muertos y vivos... ¿A qué seguir? ¿Quién, que haya vivido en los pueblos, ignora lo bien que sabe a veces hablar el pueblo?

---

[137] *Ibid.,* p. 146.
[138] *Ibid.,* p. 243.
[139] *Ibid.,* p. 376.

Existe aún un tipo de poesía —¿por qué no darle este nombre?— que nos afirma en nuestra creencia de que el pueblo puede ser creador de poesía: la poesía infantil, los juegos infantiles. ¿Quién hizo esas maravillosas canciones infantiles que aún cantan en corro las niñas españolas, esas letras para juegos llenas de gracia y encanto? Algunas proceden de viejos romances, o son modernas adaptaciones de cantos antiguos, de posible origen juglaresco; todos las conocemos. Pero hay otras cosas que no han podido tener este origen. Hay, incluso, algunas que nos hacen pensar que no nacerían, no ya dentro de una tradición culta, pero ni siquiera dentro de una tradición "adulta"; que son, propiamente, cantos, juegos, frases de auténtica creación infantil. El maestro Correas —que tenía un fino instinto, una extraordinaria vocación y sensibilidad de "folklorista", en el moderno sentido del término— no podía olvidarse de ellos. Los primeros que transcribo eran juegos de chiquillos jugando al sol, un sol que adivinamos débil, calentando apenas una tierra fría, invernal. (Nos hacen pensar en la Soria de Machado: "...el sol calienta un poquito — la pobre tierra soriana..."). La primera canción es la más larga y dice así:

> Sal, sol, solito,
> y estáte aquí un poquito;
> por hoy y mañana,
> y por toda la semana.
> Aquí vienen las monjas
> cargadas de toronjas [140];
> no pueden pasar
> por el río de la mar;
> pasa una, pasan dos,
> pasa la Madre de Dios,
> con su caballito blanco,
> que relumbra todo el campo.

---

[140]   Lorca usó el mismo consonante en el "Vals de las ramas": "Por la luna nadaba un pez. — La *monja* — cantaba dentro de la *toronja*...".

> Aquí viene Periquito,
> con un cantarito
> de agua caliente,
> que me espanta a mí y a toda la gente [141].

La ingenuidad de este lenguaje recuerda al Lorca de los romances infantiles ("El lagarto está llorando, — la lagarta está llorando; — el lagarto y la lagarta — con delantalitos blancos..."). Fácil para un niño; no tanto para un adulto, como en la anécdota de Picasso.

También nos dice Correas que "los chiquillos, buscando lagartijas entre las peñas", decían:

> Sal, lagartija,
> que matan a tu hija;
> sal al sol, sal,
> que la llevan a quemar.

Tanto aquí como en el caso anterior hay un sentido estético de la lengua, no menos cierto porque lo supongamos instintivo o hasta inconsciente. Como en esa graciosa aliteración de la "s" y la "l" en los versos: "sal, sol, solito" y "sal al sol, sal", o en esa imagen —tan lorquiana— por la que

> ...pasa la Madre de Dios,
> con su caballito blanco,
> que relumbra todo el campo.

¡Tan luminosa era su blancura! Para hablar así se necesitan gracia y sensibilidad verbal; pero no conocimientos literarios, ni estudio poético, ni saber leer, ni siquiera "ser mayor". Como tampoco para hacer esta coplilla, con la que los chiquillos españoles del siglo XVII —¿desde cuándo?— jugaban al toro:

---

[141] Corrijo "pasa *uno*, pasan dos", por "pasa *una*, pasan dos". Ya en prensa este libro he tenido ocasión de consultar la cuidadosa edición del *Vocabulario* hecha por Louis Combet (Bordeaux, Institut d'Études Ibériques et Ibéro-Américaines, 1967) tras el feliz hallazgo del manuscrito original, perdido desde el siglo pasado. Corrijo por él los versos tercero y cuarto.

Salga el toro — con llaves de oro.
Salga la vaca — con llaves de plata [142].

D.   EL JUEGO DE LA PALABRA EN EL VILLANCICO

¡Cómo se aliña la niña,
madre mía, cómo se aliña!

Romancero general

¡Qué bien los nombres ponía
quien puso Sierra Morena
a esta serranía!

(Antonio Machado)

Abandonémonos a la belleza del villancico. El juego, no el conceptual y conceptuoso, sino el juego de la palabra por la palabra mis-

---

[142] Correas, *Vocabulario*, p. 441. Tres ejemplos más:

Pajarita de Dios,
cuéntame los dedos
y vaite con Dios.

Correas, *Vocab.*, p. 378, explica: "Dicen esto los niños poniendo en la mano una escarabajita colorada y hermosa, con pintas negras, redonda como media bolita o medio garbanzo, que abre dos conchas y descubre unas alitas con que vuela un poco, y en partes las llaman gallinita de Nuestra Señora". Hoy se la llama "mariquita", y el juego que describe Correas continúa, pero las palabras son: "Mariquita, mariquita, — ponte el velo y vete a misa".

Campanitas de la mar,
din, dan, din, dan.

Correas, *Vocab.*, p. 103: "Dicen esto los niños a las vejigas que se hacen en el agua cuando llueve".

Arca, arquita,
de Dios bendita,
cierra bien y abre,
no te engañe nadie.

Dice Correas, *Vocab.*, p. 64, que acostumbran a decirlo "las niñas a sus arquitas cuando guardan en ellas sus niñerías".

ma, por el goce de los sonidos, surge constantemente; y hay muchas veces en este goce verbal como un entusiasmo vital. Cuando surge frente a la naturaleza, nos preguntábamos antes si alguna vez se ha expresado el goce de vivir en un mundo natural con más vehemencia y fuerza expresiva que en el villancico:

> Que no hay tal andar
> por el verde olivico,
> que no hay tal andar
> por el verde olivar.
>
> Trebolé, ¡ay, Jesús, cómo huele!
> Trebolé, ¡ay, Jesús, qué olor!
>
> ¡Trébol, florido trébol,
> trébol florido!

Hay aquí, repito, algo así como un entusiasmo vital, que estalla en palabras. Entusiasmo vital y verbal que inspirará a nuestros poetas popularistas, desde Lope, Valdivielso o Tirso hasta Lorca y Alberti:

> ¡Por aquí, por aquí, por allí,
> anda la niña en el toronjil!
> ¡Por aquí, por allí, por acá,
> anda la niña en el azahar! [143].
>
> ¡La malva morenica y va,
> la malva morená! [144].
>
> Arbolé, arbolé,
> seco y verdé [145].
>
> ¡Al rosal, al rosal
> la rosa!
> ¡Luna,
> al rosal!
> ¡A dormir la rosa-niña!
> ¡Aire,
> al rosal!... [146].

---

[143] Lope de Vega, en *La carbonera*, ed. Academia, tomo X, p. 731.
[144] José de Valdivielso, *Romancero espiritual*, Madrid, 1880, p. 115.
[145] y [146] Son, respectivamente, de F. G. Lorca (*Canciones*) y de R. Alberti (*El alba del alhelí*).

Entusiasmo vecino del entusiasmo vital consciente de Jorge Guillén:

> ¡En el viento, por entre el viento
> saltar, saltar,
> porque sí, porque sí, porque
> zas! [147].

El entusiasmo se hace movimiento en villancicos como:

> Anda, amor, anda,
> anda, amor.   (153)
>
> ¡Ábalas, que prendadas iban;
> ábalas, que prendadas van!   (254)
>
> Válame Dios, que los ánsares vuelan,
> válame Dios, que saben volar.   (290)

Andan, van, vuelan... Todo se torna moverse y hacer, agitación y apresuramiento:

> En andar menudito,
> galán polido,
> en andar menudito
> os han conocido.   (309)
>
> Aquel pajecico de aquel plumaje
> aguilica sería quien le alcanzase.   (283)
>
> Arribica, arribica de un verde sauce,
> luchaba la niña con su adorante.   (196)

Hasta captar el soplo del aire sutil en los cabellos:

> Airecillo en los mis cabellos,
> y aire en ellos.   (355)

---

[147] Jorge Guillén, *Cántico*, Madrid, Cruz y Raya, 1936, p. 257. Es curiosa la similitud rítmica de estos dos versos de Lope y Guillén:

> ¡Por aquí, por allí, por acá!
> ¡Porque sí, porque sí, porque zas!

O llegar al vértigo de la danza:

> Pisá, amigo, el polvillo,
> tan menudillo;
> pisá, amigo, el polvó,
> tan menudó.   (518)

En las canciones de gala, la palabra vibra con el grito de bienvenida o el requiebro:

> Aquí viene la flor, señoras;
> aquí viene la flor.   (70)

> ¡A la gala de la panadera,
> a la gala della...!   (252)

> Pase la galana, pase;
> pase la galana.   (187)

> ¿Cuándo saliréis, alba galana?
> ¿Cuándo saliréis, el alba?
> Cuando sale el alba
> resplandece el día,
> vienen los amores
> con el alegría,
> alegría y gala.
> ¿Cuándo saliréis, el alba?   (199)

Para este entusiasmo tanto es coger rosas como hojas secas del otoño, arrancar el oloroso tomillo o encarrilar las ovejas.

> Mañana de San Juan, mozas,
> vámonos a coger rosas.   (357)

> Aserrojar serrojuelas;
> rite he, he...   (189)

> ¡Qué tomillejo,
> qué tomillar,
> qué tomillejo
> tan malo de arrancar!   (311)

> Rividijábalas el pastor,
> con el rividijón.   (439)

La palabra se tensa, salta. Nada de juegos conceptuales como en el villancico cortés:

> Yo quiero pues vos queréis,
> y yo quiero
> querer el mal con que muero.

Esto es frío estancado, torpes insulseces a tiempo parado. El villancico popular es nervioso, caliente, vital: el juego, el cabrilleo de la palabra, como el sol en el agua que corre; palabra que no se detiene, palabra de un momento, en el grito, en el exclamar, palabra en el tiempo.

En muchos villancicos, el goce en el juego de la palabra se evidencia en la aliteración, en la paronimia, en el intencionado discurrir de fonemas consonánticos y vocálicos:

> ¿Con qué la lavaré
> la flor de la mi cara?
> ¿Con qué la lavaré,
> que vivo mal penada?   (117)

> Caballero aventurero,
> salga la luna por entero.   (134)

> De las dos hermanas, dose,
> válame la gala de la menore. (133)

La intención vocálica es evidente en el villancico:

> A la hembra desamoráda
> a la delfa le sepa el agua.   (301)

("Hembra", en vez de niña o dama; "hembra", que no aparece más en el vocabulario de nuestra antología, pero sí aquí para el juego: "a la hembra" — "a la delfa"):

> a - a - e - a - e - a - o - a - a
> a - a - e - a - e/e - a - e - a - a

Y así hasta llegar al puro goce de los sonidos:

> ¡Ábalas, ábalas, hala!
> ¡Aba la frol y la gala!   (233)

En el famoso villancico de la malcasada, la belleza de la palabra se alía con el significado y la emoción, para producir uno de los más logrados efectos:

> Miraba la mar
> la malcasada;
> que miraba la mar
> cómo es ancha y larga.   (570)

Es éste uno de los villancicos más perfectamente bellos, y merece que nos detengamos unos momentos en él, y con él terminemos este comentario. Varios elementos contribuyen, muy claramente, a su belleza.

Uno es la reiteración del verso, con su insistencia emocional, de un lado; con su suave ondulación de barcarola, del otro. La cúspide de la ola es, precisamente, el elemento formal reiterativo que aparece en el tercer verso (en el reiterativo), la conjunción *que,* ausente en el primero:

Junto a la reiteración verbal y conceptual notemos la consonántica, con la suave aliteración, en donde destaca la *ere* suave.

No es esto sólo. Toda la estrofa produce una maravillosa sensación de balanceo. Los cuatro versos (vamos a llamarlos cuatro) tienen algo así como un suave movimiento de ola, como el ir y venir del mar que se contempla.

Ello se debe al encabalgamiento suave de los versos 1.º y 2.º:

> Miraba la mar
> la mal casada;

y de los versos 3.º y 4.º:

> que miraba la mar
> cómo es ancha y larga.

El encabalgamiento, con su descenso suave, de los versos 1.º y 2.º se quiebra en el *que* reiterativo, en el que el movimiento ha vuelto a subir, encrespándose hasta la máxima altura, para volver a caer suavemente a lo largo del verso 3.º, que, por encabalgamiento otra vez, se continúa, se deja caer, resbalando, a lo largo del verso 4.º... Y, ¡qué maravilla!, esta caída, continuada, prolongada, produce un verso larguísimo, inmenso, un verso inacabable, para decirnos (perfecta conjunción de significado y significante) que —la malcasada— "que miraba la mar — cómo es ancha y larga"; un verso inacabable como la mar, y las penas de la malcasada, simbolizadas en la vastedad de ese mar contemplado [148].

Al lado de la aliteración consonántica, hay que destacar la aliteración vocálica de la *a* —repetida *diecisiete* veces a lo largo de los cuatro versos—, pieza también importante en el armonioso movimiento de la estrofa, en el suave deslizarse de los versos. Las diecisiete *aes* son como diecisiete diminutas olas, sucediéndose unas a otras, persiguiéndose, hasta fundirse todas en la última *a*, con que acaba el postrer verso, y la canción y la queja. Y el efecto vocálico parece que se prolonga, prolongando a su vez el verso:

> Miraba la mar la malcasada;
> que miraba la mar cómo es ancha y larga.

---

[148] Acentúa este efecto la posición del acento en la primera sílaba del cuarto verso ("cómo es ancha y larga") que imprime una tremenda lentitud a toda la tirada de los versos 3.º y 4.º.

Capítulo V

EL PROBLEMA DE LOS ORÍGENES [1]

Hemos dicho repetidas veces que el villancico, cuando alcanza los honores de ser recogido por escrito en los cancioneros renacentistas o prerrenacentistas —en virtud de un movimiento general, culto, de apreciación y simpatía hacia lo popular—, es ya una poesía hecha y madura, que por ésta y otras razones revela un cultivo largo, una larga tradición tras sí.

Que una tradición lírica popular —canciones cantadas, conservadas y transmitidas por el pueblo— hubo de existir a lo largo de la Edad Media es un postulado de sentido común —todos los pueblos han cantado en todas las épocas—; pero la afirmación puede apoyarse en textos. A las preciosas muestras conservadas en los cancioneros galaico-portugueses, se han añadido últimamente los viejos textos de las cancioncillas mozárabes (las jarchas), la más antigua de las cuales se remonta a la primera mitad del siglo XI. Pero dadas las bases co-

---

[1] He creído conveniente añadir este capítulo sobre el problema de los orígenes del villancico, problema que no puede abordarse sino dentro del marco global de la lírica romance. Dado su propósito informativo, he tratado de recoger en él los aspectos sobresalientes y los puntos de vista más importantes acerca de la cuestión, lo que me ha obligado a repetir cosas —unas viejas, otras más nuevas— muy sabidas del lector enterado; pero desconocidas tal vez para el lector medio, y de difícil acceso casi siempre por el carácter disperso —artículos, reseñas, libros, de difícil adquisición— de la literatura sobre el problema. Es a este lector medio a quien, en realidad, se dirige este capítulo final.

munes de la cultura románica, respaldada por una ascendencia lingüística común, la indagación no puede quedar detenida dentro de las fronteras peninsulares. Ha de volver los ojos al ámbito románico medieval y preguntarse también por la canción lírica romance europea.

I. LA TRADICIÓN LÍRICA GALAICO-PORTUGUESA:
LA CANTIGA DE AMIGO

A. LAS AFINIDADES ENTRE
CANTIGAS Y VILLANCICOS

Una de las razones que nos hacen creer en la antigüedad de la tradición lírica popular castellana, y en sus raíces medievales, es la existencia de una lírica, no hipotética sino realísima y bien conocida, cultivada con fervor y acierto en Galicia y Portugal, sobre todo desde fines del siglo XII hasta mediados del XIV. Aunque este cultivo a que nos referimos —en los textos que nos han quedado— fue de naturaleza culta, parece incuestionable su vinculación a una tradición oral de base popular, anterior, coetánea y posterior a la boga juglaresca y trovadoresca.

Una *suma* de razones de afinidad, y de razones de orden lógico, parecen indicar la existencia de unas raíces comunes en ambas tradiciones: la galaico-portuguesa y la castellana[2]: 1) ambas canciones, la cantiga y el villancico (gran número de ellas), son una canción femenina, puesta en boca de una mujer, las más veces una doncella; 2) la canción es, casi siempre, una queja amorosa; 3) la enamorada se acoge, frecuentemente, en confidencia a la madre; 4) existencia de ciertas analogías en los temas y en la expresión del sentimiento; 5) analogías métricas: el paralelismo; 6) proximidad geográfica, histórica, social y cultural; 7) contactos entre las literaturas de ambos pueblos, y muy especialmente en el caso de la poesía de transmisión juglaresca.

---

[2] En Gil Vicente, que las poseyó ambas, no es siempre posible deslindar la una de la otra; en mi opinión, no tanto porque él las uniese tomando de ambas separadamente, sino por el parentesco esencial de las dos.

De todas las razones que vengo de enumerar, cinco de ellas no necesitan comentario: las número 1, 2, 3, 6 y 7. Concentrémonos sobre los puntos 4 y 5.

Sobre las afinidades temáticas y de expresión de sentimientos entre cantigas y villancicos se ha escrito mucho. Lo cierto es que al leer en bloque colecciones de aquéllas y de éstos, tenemos, en algún modo, la conciencia de encontrarnos en un paisaje lírico común y al mismo tiempo perfectamente diferenciado.

La cantiga, a pesar de su riqueza, y en parte por esa misma riqueza, se nos presenta como un género más uniforme, más homogéneo (en todos los aspectos: temas, situaciones, sentimientos, métrica); el villancico resulta una canción más cambiante y variada, menos repetida.

Los críticos, al ocuparse de la cantiga de amigo en contraposición de la de amor, señalan siempre su variedad formal y psicológica. Costa Pimpão halla en ella "nas mais variadas e contraditorias expressões: a alegria, a tristeza, a esperança, o pesar, a saudade, a sanha..."[3]. Esto es cierto, pero también lo es que estos sentimientos se repiten. Lo mismo ocurre con temas y situaciones: las cantigas pueden agruparse en torno a unos cuantos temas o situaciones genéricas. No se trata de simples motivos líricos, sino de temas *genéricos,* de géneros o subgéneros dentro de la cantiga. Así, por ejemplo, el *género* de las cantigas de romería (que son cincuenta y tres, atribuidas a diecinueve autores): "Um certo número de poetas dos cancioneiros...

---

[3] *Historia da Literatura Portuguesa. Idade Media,* 2.ª ed., Coimbra, 1959, p. 85. M. Rodrigues Lapa dice: "Toda a escala sentimental da vida amorosa da menina nos é comunicada com o mais vivo realismo: a timidez, o pudor alvoroçado e a inexperiência do amor, a garridice, a travessura, a alegria e o orgulho de amar e de ser amada, os pequeninos arrufos, as tristezas e ansiedades, a saudade, a impaciência e o ciume, a crueldade e a vingaça, a compaixão, o arrependimento, e finalmente, a reconciliação. Toda esta gama de emoções está representada em espécimes graciosos ou vibrantes de ternura e paixão femininas" (*Lições de Literatura Portuguesa. Época Medieval,* 3.ª ed., Coimbra, 1952).

—dice Costa Pimpão— deu-se a interpretar os estados sentimentais das moças romeiras, e criou assim uma variedade curiosa de cantigas de amigo". Y añade: "seria interessante saber-se quem iniciou a corrente" [4].

Alguien escribió una cantiga poniendo a la amiga en romería o camino de ella, buen lugar para el encuentro amoroso o para rezar por él, y esa cantiga inició una corriente, una variedad, un género o subgénero: las cantigas de romería.

Esto apunta a la razón fundamental de las diferencias que separan a cantigas y villancicos; y es el hecho de que las primeras fueron creadas y cultivadas dentro de escuelas, por poetas de nombre conocido, en un ambiente de emulación poética. Los villancicos nacieron más anárquicamente y más libres, y de aquí su mayor variedad.

La cantiga es un género más consciente de sí y de sus posibilidades; por eso, temas, sentimientos, forma paralelística, todos sus elementos, están más desarrollados, a veces apurados hasta la saciedad, hasta el hastío [5]. Aunque existen en el villancico situaciones o temas o motivos que se repiten, como la autodefensa de la morena, el tema de la guarda, el de la niña precoz, el de la niña que no quiere entrar en el convento, etc. [6], el cantar no insiste "reflexivamente" en esos temas hasta apurar todas sus posibilidades, como hace la cantiga; el villancico es una canción saltarina, que, apenas esboza los temas o pinta los sentimientos, los abandona y se calla. Este callarse puede ser debido, en ocasiones, al estado fragmentario en que muchas veces nos ha llegado la canción castellana; pero, aun teniendo esto en cuenta, y sirviéndonos de los ejemplos que *no son fragmentos,* se llega al convencimiento de que cantigas y villancicos responden a dos diferentes actitudes poéticas: la cantiga insiste y apura; el villancico alude y pasa, o se calla.

---

[4] *Ob. cit.,* p. 86.

[5] Por ejemplo, un tema dominante en las cantigas es el de si la doncella habló (o se vio) con el amigo, o si no pudo hablarle, o si la madre le impidió hablarle, o el de que quiere hablarle, o de sus planes para hablarle burlando a la madre, etc.

[6] Repeticiones que llegan, a veces, hasta la parodia del tema; por ejemplo, poner a *él* donde el tema pone a *ella.*

Los personajes están trazados y se comportan conforme a esta misma doble actitud. La *madre* en el villancico es, salvo contadísimos casos, confidente *mudo* de las quejas de la niña; en la cantiga, el diálogo entre la niña y la madre no es infrecuente. La niña de la cantiga —a pesar de su "recato virginal", en el que tanto se insiste, especialmente cuando se compara a la cantiga con el "refrain" francés, mucho más descocado— es más *emprendedora*, más agresiva, menos arisca que la castellana en sus relaciones con el varón, más presta a confesar su amor directamente al amigo; y, por supuesto, más dispuesta a dar detallada cuenta de lo que siente [7].

C. EL PARALELISMO

Hemos aludido ya en diferentes ocasiones a la existencia de glosas populares paralelísticas en el villancico. La cantiga de amigo es, ante todo, una canción paralelística [8].

a. EL PARALELISMO GALAICO-PORTUGUÉS

En sus estructuras más características, el paralelismo galaico-portugués se alía con el encadenamiento (el "leixa-pren" medieval, o sea "deja y toma") [9].

---

[7] Una diferencia de signo contrario es la descripción física de la niña. Aunque esta descripción se hace en el villancico también de pasada, aludiendo normalmente a un sólo rasgo: ojos morenos, ojos garzos, la blanca niña, etc., algo se nos dice de ella en muchas ocasiones. En la cantiga sólo hay elogios o referencias genéricas: garrida, lozana, belida... Silvio Pellegrini (*Studi su trove e trovatori della prima lirica ispano-portoghese*, 2.ª ed., Bari, 1959, p. 60, nota 18) señala como única referencia a rasgos físicos concretos los *ojos verdes* de una heroína de Joan de Guilhade (*Cancioneiro da Biblioteca Vaticana*, núm. 344; y *Cancioneiro da Biblioteca Nacional*, número 742).

[8] El término se debe a Stork, y hoy está consagrado.

[9] Aunque al hablar de canciones paralelísticas tomamos el término en sentido amplio, comprendiendo tanto los casos de paralelismo como de encadenamiento o leixa-pren, rigurosamente hablando son procedimientos se-

Resulta así un esquema métrico de una exacta precisión. A. J. Saraiva y O. Lopes lo definen diciendo que, en él, "la unidad rítmica no
es la estrofa sino el par de estrofas, constituidas, en los casos más
típicos, por parejas de versos, en que ambas estrofas expresan la
misma idea casi por las mismas palabras, variando únicamente la
rima. Las dos rimas del primer par se repiten alternadamente en los
pares siguientes, y el último verso de cada estrofa es el primer verso
de cada estrofa en el par siguiente. Cada estrofa va seguida de un
refrán" [10]. Sirva de ejemplo una bella cantiga de Martin Codax:

---

parables. El paralelismo alude a la repetición de la 1.ª estrofa en la 2.ª estrofa (repetición de ideas y palabras) variando la rima:

1.ª ESTR. { Non chegou, madr', o meu amigo,
            e oj' est o prazo saido!

2.ª ESTR. { Non chegou, madr', o meu amado
            e oj' est o prazo passado!

El leixa-pren (o encadenamiento) consiste en repetir ahora los versos se-
gundos de ambas estrofas en las estrofas 3.ª y 4.ª, de tal manera que el 2.º
de la 1.ª estrofa será el 1.º de la 3.ª, y el 2.º de la 2.ª estrofa será el 1.º
de la 4.ª. A saber:

3.ª ESTR. { E oj' est o prazo saido!
            Por que mentiu o desmentido?

4.ª ESTR. { E oj' est o prazo passado!
            Por que mentiu o perjurado?

Por medio de ambos procedimientos (paralelismo y leixa-pren) la cantiga
puede continuar, como de hecho continúa en la que estamos comentando:

5.ª ESTR. { Por que mentiu o desmentido
            pesa-mi, pois per si é falido.

6.ª ESTR. { Por que mentiu o perjurado
            pesa-mi, pois mentiu a seu grado.

La cantiga trascrita es la núm. 17 en la colección de José Joaquim Nunes
(*Cantigas d'amigo dos trovadores galego-portugueses*, 3 vols., Coimbra, 1926-
1928). He dejado fuera, por claridad, el refrán ("refrão"), que aparece al pie
de todas las estrofas. El refrán es: "Ai, madre, moiro d'amor".

[10] A. J. Saraiva y O. Lopes, *Historia da Literatura Portuguesa*, Oporto,
Porto Editora, 2.ª ed. (s. a.), p. 47. La traducción es mía.

1.er PAR	1.ª ESTR.	*verso A*	Ondas do mar de Vigo,	
		verso B	se vistes meu amigo!	
		refrán	E ai, Deus, se verrá cedo!	
	2.ª ESTR.	*verso A'*	Ondas do mar levado,	[*variante de A*]
		verso B'	se vistes meu amado!	[*var. de B*]
		refrán	E ai, Deus, se verrá cedo!	
2.º PAR	3.ª ESTR.	*verso B*	Se vistes meu amigo	
		verso C	o por que eu suspiro!	
		refrán	E ai, Deus, se verrá cedo!	
	4.ª ESTR.	*verso B'*	Se vistes meu amado	
		verso C'	o por que ei gran cuidado!	[*var. de C*]
		refrán	E ai, Deus, se verrá cedo! [11].	

Este esquema, de gran sencillez, se fue complicando con el tiempo, al aumentarse el número de versos por estrofa. En Galicia y Portugal se constituyó una fecunda escuela juglaresca y trovadoresca que cultivó a lo largo de casi dos siglos [12] el paralelismo (consustanciado

---

[11]
         ¡Olas del mar de Vigo,
         si visteis a mi amigo!
         ¡Ay, Dios, si vendrá pronto!

         ¡Olas del mar alzado,
         si visteis a mi amado!
         ¡Ay, Dios, si vendrá pronto!

         ¡Si visteis a mi amigo,
         por el que yo suspiro!
         ¡Ay, Dios, si vendrá pronto!

         ¡Si visteis a mi amado,
         por el que he gran cuidado!
         ¡Ay, Dios, si vendrá pronto!

[12] Las cantigas de amigo aparecen documentadas a partir de 1199, fecha probable de una cantiga atribuida a Don Sancho de Portugal. Su cultivo se prolonga sin interrupción hasta mediados del siglo XIV. Pero la cantiga paralelística no murió. Siguió viviendo en la tradición popular, como va a mostrar Gil Vicente en el Renacimiento.

con la cantiga); de ese cultivo nos han quedado más de quinientas muestras [13].

En manos de los poetas gallegos y portugueses —las cantigas conocidas no anónimas se atribuyen a ochenta y ocho poetas diferentes— la cantiga de amigo y el paralelismo llegaron a una maestría y a un refinamiento que, a su vez, produjo, por cansancio, el agotamiento del género.

Sin embargo, se conservan muestras de una simplicidad estrófica que suele coincidir con una mayor simplicidad temática y de ambiente. Estas cantigas deben de estar más cerca de los orígenes del género (dicho de otro modo: más cerca de la cantiga tradicional que el pueblo cantaría antes, al tiempo y después de su boga culta y cortesana) [14].

Rodrigues Lapa opina que el paralelismo primitivo sería muy simple y consistiría en dos parejas de versos solamente, seguidas de refrán: *aaR bbR* [15].

---

[13] Su conservación se debe, principalmente, a dos preciosos cancioneros: el *Cancioneiro da Biblioteca Vaticana* (conservado en esa biblioteca; hay ed. diplomática de E. Monaci, 1875, y ed. crítica de T. Braga, 1878), y el *Cancioneiro da Biblioteca Nacional* (antiguo *Cancioneiro Colocci-Brancutti*), hoy, desde 1924, en la Biblioteca Nacional de Lisboa (la edición diplomática de E. Molteni, 1880, sólo incluye los textos no contenidos en el *Cancioneiro da Biblioteca Vaticana;* la edición crítica se debe a E. Paxeco y J. P. Machado, publicada en la *Revista de Portugal*). A estos cancioneros hay que añadir las preciosas cantigas de Martin Codax (ed. Vindel, Madrid, 1915). El tercer gran cancionero portugués, el de Ajuda (ed. de C. Michaëlis, 1904; ed. diplomática por Henry M. Carter, 1941), no contiene cantigas de amigo. Nos referiremos en adelante a los dos primeros cancioneros con las abreviaturas *Vaticana* y *Biblioteca Nacional.*

Las cantigas de amigo —en número de 512— fueron publicadas por José Joaquim Nunes (*Cantigas d'amigo*, Lisboa, 1926-28, 3 vols.) con estudio introductorio, variantes, glosario y comentarios. El lector de habla española puede encontrar un excelente resumen, con amplia información bibliográfica, sobre la materia, en *Historia general de las literaturas hispánicas* (dirigida por G. Díaz-Plaja), Barcelona, 1949, vol. I (cap. de J. Filgueira Valverde, "Lírica medieval gallega y portuguesa").

[14] Esto para nada prejuzga si el impulso originario que llevó a la creación del género fue culto o popular. Bastante tenemos con nuestros propios problemas (los del villancico).

[15] M. Rodrigues Lapa, *Lições de Literatura Portuguesa, Época Medieval,* Lisboa, 1934, p. 107.

b. EL PARALELISMO CASTELLANO

1. *El paralelismo culto*

Antes de 1400 poco es lo que sabemos de un paralelismo castellano. Aunque en las esferas cultas el siglo XIV trae una fuerte influencia de los poetas galaico-portugueses sobre los castellanos, poco sabemos de esta poesía. Por entonces, la poesía no se recogía en cancioneros (¿o se recogía y los hemos perdido?).

En el *Cancionero de Baena*, hacia 1445, los poetas más viejos son los de la escuela galaico-portuguesa, pero no hay muestra alguna de paralelismo en este cancionero.

Sin embargo, el marqués de Santillana (coetáneo de Baena) nos habla taxativamente de su influjo en Castilla: "E aun destos —de los gallego-portugueses— es cierto rescebimos los nombres del arte, asý como *maestría mayor e menor, encadenados, lexaprén e mansobre*" [16]. Y el padre del marqués, don Diego Hurtado de Mendoza (1360-1404), nos había dejado una cantiga paralelística, bautizada, sí, con nombre francés ("cossaute"), pero construida sobre modelos arquetípicos galaico-portugueses:

> Aquel árbol que vuelve la foxa
> algo se le antoxa.
> Aquel árbol del bel mirar
> face de maniera flores quiere dar:
> algo se le antoxa.
> Aquel árbol del bel veyer
> face de maniera quiere florecer:
> algo se le antoxa.
> Face de maniera flores quiere dar:
> ya se demuestra; salidlas mirar;
> algo se le antoxa, etc. [17].

---

[16] *Prohemio*, en *Marqués de Santillana. Prose and verse*. Chosen by J. B. Trend, 1940, p. 12.

[17] *El Cancionero de Palacio*, ed. de Francisca Vendrell de Millás, Barcelona, 1945, p. 137. Antes del "cossaute" de D. Diego Hurtado, apenas

Sobre esta base, parece razonable suponer que en el siglo XIV debió de existir un cultivo del paralelismo en las esferas cultas, del cual el "cossaute" de D. Diego Hurtado de Mendoza sería una muestra aislada y tardía.

Por las fechas de este hipotético cultivo, y el clima poético reinante en Portugal y Castilla, la poesía de metros paralelísticos cultivada entonces, si es cierto que se cultivó, debió de estar empapada de provenzalismo y del espíritu de la lírica cortés, como ocurre en el "cossaute" de D. Diego Hurtado. Se trataría, en todo caso, de un "fruto tardío" más en nuestra literatura: un brote de paralelismo culto y provenzalizante, bajo la influencia de Galicia y Portugal, en una época en que, en esta parte de la península, el paralelismo aparece agotado.

El cancionero portugués de García de Resende (1516), donde no se encuentra una sola muestra de paralelismo —el influjo es ahora de Castilla sobre Portugal—, sigue mostrando, tras siglo y medio de silencio de la lírica portuguesa, que el cultivo del paralelismo en las esferas cultas había dejado de existir. Sin embargo, ahí está Gil Vicente para mostrar que el paralelismo no estaba muerto. Había pasado de moda entre los poetas y trovadores, pero seguía vivo en la tradición popular [18].

---

cabe contar como paralelismo otra cosa que los pareados de la *Razón de amor:*

Dios señor, a ti loado,
quant conozco meu amado.

Agora e todo bien comigo
quant conozco meu amigo.

[18] Gil Vicente, creador, recreador o copista de las cantigas que pone en boca de sus personajes, se basa en una tradición real. Aunque su entendimiento del paralelismo tenga acentos personales o influencias castellanas, ¿cómo no pensar que en un género tan tradicional, tan portugués, había de partir de lo nacional, y, en lo popular, de lo nacional popular? El paralelismo de Gil Vicente resulta tan alejado del paralelismo riguroso de la edad de oro del paralelismo galaico-portugués, que hay que pensar que existía en Portugal otro paralelismo más cercano al suyo: el de la tradición popular, precisamente.

2. *El paralelismo en los villancicos populares del "Cancionero Musical de Palacio"*

Los cancioneros castellanos muestran un fenómeno parecido dentro de la tradición popular castellana. Si la existencia de un cultivo del paralelismo por parte de la escuela galaico-portuguesa castellana no pasa de ser un postulado de razón, pero hipotético, en cambio, el paralelismo tradicional popular aparece en los textos líricos del Renacimiento sin dejar lugar a dudas.

En el *Cancionero Musical de Palacio* encontramos varios villancicos con glosas de estructura paralelística, con o sin leixa-pren. También encontramos leixa-pren sin paralelismo. La canción paralelística más conocida, y la más bella de todas, es la composición n.° 6 en la edición de Barbieri (n.° 21 de nuestra *Antología*):

> Al alba venid, buen amigo;
> al alba venid.
>
> Amigo el que yo más quería,
> venid al alba del día.
>
> Amigo el que yo más amaba,
> venid a la luz del alba.
>
> Venid a la luz del día;
> non trayáis compañía.
>
> Venid a la luz del alba;
> non traigáis gran compaña.

Salvo en el uso del villancico inicial —peculiaridad que comentaremos después— y la ausencia de refrán (que es típico pero no condición "sine qua non" de la cantiga de amigo), la estructura de la canción castellana se corresponde perfectamente con el arquetipo galaico-portugués de cantiga paralelística y encadenada [19].

---

[19] Con una pequeña irregularidad. En la estrofa 1.ª, el verso 2.° dice: "venid al alba del día", mientras que al pasar este verso a constituirse en el 1.er verso de la estrofa 3.ª (leixa-pren), se ha trasformado en "Venid a la luz del día", que está más cerca de los versos 2.° de la 2.ª estrofa, y

Ante su perfección, no hay más remedio que volver a pensar en el respaldo de una tradición larga. ¿O será simplemente una traducción castellana de una cantiga gallega o portuguesa desconocida? Así lo pensó Lang, quien la "retradujo" al gallego (composición n.º 70 de su *Cancioneiro gallego-castelhano*). Pedro Henríquez Ureña, influido por Lang, también la consideró en un principio gallega [20]. Después rectificó [21].

Si fuera muestra aislada en los cancioneros castellanos, podría aceptarse como buena la hipótesis de su origen gallego, y quedaría explicada su perfección. Pero no lo es. Por el contrario, existen numerosos cancioneros y pliegos sueltos que muestran sin dejar lugar a dudas el cultivo del paralelismo en Castilla, y siempre dentro del estilo que hemos considerado propio de la lírica tradicional, no de la culta, lo que —repitamos— prueba que el paralelismo vivió en la tradición oral popular.

Limitándonos al *CMP*, podemos citar varios ejemplos más: la canción n.º 245 (*Antología*, 57): "Por vos mal me viene...", usa a un tiempo de encadenamiento y paralelismo, pero cumpliéndose aquél antes de éste, y no viceversa como en el ejemplo anterior, y como en los ejemplos más típicos:

> Por vos mal me viene;
> niña, y atendedme.
>
> Por vos, niña virgo,
> prendióme el merino.
> Niña, y atendedme.
>
> Prendióme el merino;
> hame mal herido.
> Niña, y atendedme.

1.º de la 4.ª; mientras que el "venid al alba del día" está más cerca y enlaza bellamente con el villancico inicial. Se trata aquí, como en tantos casos de la lírica tradicional, de una bella irregularidad. (Siempre es más irregular el monte que el jardín.)

[20] *La versificación irregular en la poesía castellana*, Madrid, 1920, página 70, nota 2.

[21] *Ibid.*, en cap. de "Adiciones y Correcciones", p. 301.

Por vos, niña dalgo,
prendióme el jurado.
Niña, y atendedme.

Prendióme el jurado;
hame lastimado.
Niña, y atendedme.

La 259 (*Antología*, 59), y la 400 (*Antología*, 65), son simplemente
paralelísticas. La 259 ("Allá se me ponga el sol...") tiene, además, estructura zejelesca. Compruébese la falta de "leixa-pren" en la número 400, que trascribo aquí en dísticos [22]:

Rodrigo Martínez, a las ánsares, ¡ahé!,
pensando qu'eran vacas, silbábalas: ¡he!

Rodrigo Martínez, atán garrido,
los tus ansarinos liévalos al río, ¡ahé!
Pensando qu'eran vacas, silbábalas: ¡he!

Rodrigo Martínez, atán lozano,
los tus ansarinos liévalos al vado, ¡ahé!
Pensando qu'eran vacas, silbábalas: ¡he!

Como en tantos casos, cabe preguntarse si estamos en presencia
de un fragmento, y la canción se continuaría en una estrofa 3.ª y
una 4.ª, que comenzarían respectivamente: "Los tus ansarinos liévalos al río...", "Los tus ansarinos liévalos al vado...", haciendo uso
del "leixa-pren".

La canción 415 del *CMP* ("Si habrá en este baldrés...") presenta
otra peculiaridad. Las estrofas 1.ª, 2.ª y 3.ª (de la glosa) son simplemente encadenadas:

¡Si habrá en este baldrés
mangas para todas tres!

(1.ª ESTR.) A Tres mozas d'aquesta villa
            B desollaban una... [23]
               para mangas a todas tres.

---

[22] No olvidemos que la estructura paralelística y su movimiento comienzan *en la glosa*.
[23] Barbieri, por pudor, dejó sin trascribir las palabras finales, fácilmente
adivinables, de los versos *B* y *B'*. Así las dejo yo. Aparecen borradas en el
manuscrito.

(2.ª ESTR.)   B'   Desollaban una...
               C   y faltóles una tira,
                     para mangas a todas tres.

(3.ª ESTR.)   C'   Y faltóles una tira,
               D   la una a buscalla iba,
                     para mangas a todas tres.

Pero en las estrofas 4.ª y 5.ª se cumple el paralelismo. La peculiaridad, además del lugar en que el paralelismo aparece, está en el hecho de que no se cumple a partir de la primera estrofa; es decir, no hay un verso *A'* que dijera "Tres mozas d'aquesta (plaza)", o algo parecido, sino que comienza sólo partiendo de la 2.ª estrofa, con un verso *B'* (que inicia la 4.ª estrofa), y después un verso *C'* (que inicia la 5.ª estrofa). (El verso *C'* es paralelístico con el verso 1.º de la tercera estrofa, y encadenado con el verso 2.º de la estrofa cuarta):

(4.ª ESTR.)   B'   Desollaban un...
                     y faltóles un pedazo,
                     para mangas a todas tres.

(5.ª ESTR.)   C'   Y faltóles un pedazo,
                     la una iba a buscallo,
                     para mangas a todas tres [24].

Con mayor o menor desarrollo, también participan de cierto paralelismo o encadenamiento, más o menos insinuado o desarrollado, las canciones del *CMP*, números 17 ("Tres morillas me enamoran..."), que es también zejelesca); 98 ("El amor que me bien quiere"); y 402 ("So el encina, encina...") [25].

La 423, de Barbieri ("Por beber, comadre...") (*Antología*, 75), es simplemente encadenada en las dos únicas estrofas de que consta la glosa:

Por beber, comadre,
por beber.

---

[24] Una vez más, es lícito preguntarse si esta "irregularidad" se debe, simplemente, a la pérdida u omisión de una estrofa intermedia, paralelística con respecto a la primera estrofa.

[25] *Antología*, núms. 22, 31, 67.

> Por mal vi, comadre,
> tu vino pardillo,
> que allá me tenías
> mi saya y mantillo,
> por beber.

> Que allá me tenías
> mi saya y mantillo.
> Relampaguéame el ojo,
> láteme el colodrillo,
> por beber.

(El paralelismo no sería difícil desarrollarlo, empezando con una 3.ª estrofa que dijera "Por mal vi, comadre, / tu vinillo pardo, / que allá me tenías / mi saya y mi manto..."). Pero no hay indicios de que tal estrofa, la mía, haya existido nunca. Lo que se pone otra vez de manifiesto es el perfecto engranaje del sistema. No es extraño que los trovadores y poetas gallegos y portugueses hayan hecho de él un sistema perfecto y fatal, porque una vez aprehendido el principio, es el principio quien nos aprehende y arrastra (ahí están los "restauradores" de tantas versiones falsas y disparatadas para demostrarlo). Pero esa fatalidad lleva en sí los gérmenes de su propio mal: el hastío, la ausencia de la sorpresa. Es el peligro en que nunca cae la poesía popular, por su propia irregularidad. La absoluta regularidad (como la consonancia) no puede ser popular, y el encanto de lo popular está en la irregularidad, en su "imperfección", diríamos [26].

La 434 (*Antología*, núm. 80) es paralelística y encadenada, pero llena de sorpresas: primero viene el villancico inicial, como es costumbre en el paralelismo castellano:

> Perdí la mi rueca
> y el huso non fallo;
> si vistes allá
> el tortero andar.

---

[26] Yo invito a mis lectores a que dibujen una cenefa, de esas que aparecen en la cerámica popular (tomándola de un plato de Puente del Arzobispo, por ejemplo), con regla y compás. El resultado será una falsedad. La línea popular es irregular, y esa irregularidad asegura su vitalidad, porque hay en ella drama, es decir representación de vida, de la vida que mueve la mano empuñando el pincel.

Después, tenemos dos estrofas de buen paralelismo:

> Perdí la mi rueca
> llena de lino;
> hallé una bota
> llena de vino;
> si vistes allá
> el tortero andar.

> Perdí la mi rueca
> llena d'estopa;
> de vino fallara
> llena una bota;
> si vistes allá
> el tortero andar.

Pero, a partir de aquí, comienzan las sorpresas. La estrofa que sigue continúa ágilmente la narración, olvidada por completo del paralelismo y sin ningún lazo de encadenamiento. Sólo se repite el estribillo, el refrán:

> Hinqué mis rodillas;
> dile un besillo;
> bebí un azumbre
> más un cuartillo;
> si vistes allá
> el tortero andar.

En la siguiente estrofa, en cambio, aparece el leixa-pren: su primer verso repite en encadenamiento el 3.ᵉʳ verso de la primera estrofa de la glosa (con la adición de un pronombre personal):

> Hallé yo una bota
> llena de vino;
> dile un tal golpe
> y tiróme el tino;
> si vistes allá
> el tortero andar.

La estrofa que ahora sigue (la 5.ª) vuelve a acelerar el ritmo de la narración, sin concesiones a paralelismo o leixa-pren:

> Vino mi marido
> y diome en la toca;
> ¡ay de mí, mezquina,
> y cómo estoy loca!
> Si vistes allá
> el tortero andar.

Finalmente, la 6.ª y última estrofa comienza con un verso totalmente nuevo, pero en el 3.ero (!) retorna, alterándolo paralelísticamente, al 1.er verso de la estrofa 5.ª, la inmediatamente anterior:

> Caíme muerta;
> ardióse el estopa;
> vino mi marido;
> [dióme so la ropa].
> Si vistes allá
> el tortero andar [27].

No cabe mayor despreocupación por el canon. Podría pensarse que, invirtiendo las estrofas 5.ª y 6.ª, la estructura resulta más ortodoxa, y hasta la secuencia narrativa parece mejor:

> Caíme muerta;
> ardióse el estopa;
> vino mi marido;
> [diome so la ropa]. (o "y diome en la toca").

> Vino mi marido
> y diome en la toca;
> ¡ay de mí, mezquina,
> y cómo estoy loca!

Tendríamos ahora un leixa-pren normal. Pero la rima nos hace ver que no, que la canción está bien trascrita. Porque la rima (aquí sí hay paralelismo) usa de una alternancia "ío" (en las estrofas impares),

---

[27] Los versos en corchete —entre ellos el último de la estrofa 6.ª, en que se cumple el paralelismo— faltan en el manuscrito. Lo suplo con la interpretación de D. Alonso y J. M. Blecua (*Antología... Poesía de tipo tradicional,* ob. cit., núm. 62). En cualquier caso, la rima sería "oa". Podría ser: "diome con la bota", u otra forma parecida.

"oa" (en las pares). La despreocupación por el canon existe, pues, hasta cierto punto. Dentro de su irregularidad, la canción tiene sus reglas y las sigue [28].

Hay glosas de una sola estrofa, y ante algunas dudamos otra vez: ¿faltará la continuación? La perplejidad aumenta cuando encontramos la adjetivación cara al paralelismo. Por ejemplo, en la canción 85 del *CMP* (29, en *Ant.*):

> Fatimá la tan garrida,
> levaros he a Sevilla,
> teneros he por amiga.

¿Sería la continuación: "Fatimá la tan lozana, / levaros he a Granada, / teneros he por velada", o algo similar? [29]. Resistamos al demonio tentador del paralelismo. La duda, sin embargo, en este caso, es legítima.

Hay también un caso de paralelismo en un villancico inicial (*CMP*, 237; *Ant.*, 55):

> Dentro en el vergel
> moriré.
> Dentro en el rosal
> matarm'han.

---

[28] Si nos decidimos por la inversión de las estrofas 5.ª y 6.ª, posibilidad que en ningún caso hay que desechar, el paralelismo sigue conservando su flexibilidad (paralelismo "suelto"), y habría que añadir la irregularidad en la rima paralelística alternante. (El vocabulario del maestro Correas (páginas 260 y 387) nos da indicios de la persistencia de este villancico en la tradición popular. También, del fenómeno, ya observado, de pérdida de la glosa. En tiempos de Correas, el largo villancico del *CMP* se ha concentrado en un dístico, con pérdida del resto. Correas nos ha conservado tres versiones distintas:

1) Perdí la mi rueca y el huso no hallo.
   Tres días ha que ando a buscallo.

2) Perdí la mi rueca y el huso no hallo.
   Tres días ha que le ando en el rastro.

3) Si vistes allá el tortero andando,
   que perdí la mi rueca y el huso no hallo).

[29] No habría que asustarse del disparate geográfico; que tampoco sería disparate si primero se la llevaba a un sitio y luego a otro.

Las citas podrían aún continuarse. En algunos casos, lo que hay es apenas un asomo, una leve sugestión de paralelismo: véanse *Ant.*, números 31 y 78 (*CMP*, 98 y 427).

3. *El paralelismo en otros textos del Renacimiento*

Del hondo arraigo del paralelismo castellano nos hablan otros textos del Renacimiento. Romeu Figueras publicó en 1950 una interesantísima colección de 68 canciones castellanas de estructura paralelística de los siglos XV y XVI [30]. En un artículo magistral, Eugenio Asensio comentó la colección, e hizo un hondo estudio del paralelismo castellano que debe leer todo el que se interese por el tema [31].

Sin salir de nuestra antología, hallará el lector varias muestras de villancicos paralelísticos o encadenados. Las de estructura más desarrollada son las canciones núms. 16 y 17 (del *Cancionero de la Biblioteca Colombina*, del siglo XV); 93 (de *Los seis libros del Delphín de Música*, de Luis de Narváez, de 1538); 105 (de *Villancicos y canciones a tres y a quatro*, de Juan Vásquez, de 1551) [32]; 206, 207, 208, 209, 210, 211, 212, 213 (de un pliego suelto de hacia 1520: *Cantares de diversas sonadas con sus deshechas muy graciosas ansí para baylar como para tañer* [33]); 244 del *Cancionero de Upsala*, siglo XVI); 283, 284, 287 (del *Romancero General*, de 1600); 515 (de

---

[30] "El cosante en la lírica de los cancioneros musicales españoles de los siglos XV y XVI", *Anuario Musical*, V (1950), pp. 15-61.

[31] "Los cantares paralelísticos castellanos. Tradición y originalidad", *Revista de Filología Española*, 1953, pp. 130-167; recogido después en *Poética y realidad en el cancionero peninsular de la Edad Media*, Madrid, Gredos, 1957, pp. 181-224.

[32] Esta, de estructura menos desarrollada, tiene un atisbo de paralelismo y otro de encadenamiento. En la *Antología* de D. Alonso y J. M. Blecua (donde figura con el núm. 96), la última estrofa repite el mismo orden del villancico o estrofa inicial. Yo leo los versos invertidos. La inversión (2.º verso de la 1.ª estrofa pasa a ser el 1.er verso de la 3.ª estrofa) estaría más cerca del encadenamiento usual.

[33] Publicado por A. Rodríguez-Moñino y M. Frenk Alatorre en *Cancionero de galanes*, Valencia, Castalia, 1952. Para el paralelismo castellano, este pliego es de un valor inestimable. Véanse los comentarios de E. Asensio en *Poética y realidad...*, ob. cit., pp. 207 y ss.

la *Comedia de la Zarzuela y elección del Maestre de Santiago,* manuscrito 4117 de la Biblioteca Nacional de Madrid, fol. 156 v.°); 529 (del manuscrito 3913 de la misma Biblioteca) [34].

4. *Dos diferencias del paralelismo castellano con el de la cantiga de amigo*

La comparación de todos estos ejemplos —la observación debe basarse, sobre todo, en las estructuras más desarrolladas— con las cantigas de amigo galaico-portuguesas, pone de relieve, dejando de lado otras menos significativas, una doble diferencia: 1) el uso sistemático del villancico inicial en las castellanas, ajeno a la tradición galaico-portuguesa [35]; 2) una flexibilidad o irrigurosidad en el desenvolvimiento del paralelismo, frente a la precisión de las cantigas gallegas y portuguesas.

Esta última diferencia se debe, en gran medida, a la naturaleza de una y otra tradición a que pertenecen: oral-popular, en el caso de la castellana; culta, en el caso de la galaico-portuguesa.

Volvamos a repetir que el paralelismo popular, gallego o portugués, no pudo ser nunca como el culto de los siglos XII a XIV que nos han conservado los *Cancioneiros;* su rigor es claramente culto, imposible de arraigar y mantenerse dentro de una tradición popular [36].

---

[34] Otras canciones que ofrecen un *algo* de paralelismo (a veces con respecto al villancico inicial), pero que están casi siempre a medio camino entre el paralelismo o el encadenamiento y la simple reiteración (igual o modificada) son las canciones de nuestra *Antología,* núms. 129, 145, 147, 148, 150, 162, 202, 250, 495 y 519.

[35] En la ed. de J. J. Nunes, de las *Cantigas d'amigo* (Coimbra, 1926), sólo una (la núm. 73), de las 512 que forman la colección, presenta un dístico inicial ("Donas, veeredes a prol que lhi ten / de lhi saberem ca mi quer gram ben"). Es una cantiga de Pay Soares, poeta de comienzos del siglo XIII (*C. Vaticana,* núm. 240; *C. Biblioteca Nacional,* núm. 639). La estructura completa de la cantiga es: *aA bbbA cccA dddA.* Ya la comentó P. Le Gentil (*La poésie lyrique...,* ob. cit., pp. 217-218 y 272 y ss.), quien se pregunta si se tratará de una *finida* llevada por error a la cabeza de la composición; de lo contrario —dice— habría que ver en ella "le premier exemple roman de *reprise en manière de refrain".*

[36] "El paralelismo —dice Dámaso Alonso— existe lo mismo en la tradición portuguesa que en la asturiana, que en la castellana. Lo que ocurrió

Invirtiendo el razonamiento, los "fallos" del rigor estructural en el paralelismo castellano son prueba de sus raíces populares. Un poeta culto, y sobre todo si se tratara de un imitador de las formas galaico-portuguesas, hubiera seguido a sus modelos más de cerca, se habría atenido a la pauta segura del desenvolvimiento prefijado [37].

5. El paralelismo en la tradición popular actual y en la tradición sefardí

La tradición popular actual en diferentes regiones españolas aún contiene abundantes muestras de canciones paralelísticas. También abunda el paralelismo y el encadenamiento en las canciones infantiles. Todos recordamos algunas y hasta las hemos cantado. Hojeando los cancioneros populares publicados desde fines del siglo pasado volveremos a dar con ellas y con muchas más. A estas colecciones me remito. Importancia especial para nuestro estudio tiene la colección de Eduardo M. Torner, a la que ya nos hemos referido en previas ocasiones [38].

Particular interés tiene también la pervivencia del paralelismo en la tradición judía sefardí, por el conservadurismo de esta tradición, continuadora, en muchos casos, de formas y cantos de la época de la expulsión. Bellísima es la colección de A. Larrea Palacín [39], que ofrece muestras tan interesantes como estas tres canciones que copio a continuación, las dos primeras, fragmentariamente.

(podemos interpretar) es que la formación de una fuerte escuela trovadoresca en Portugal fijó un tipo paralelístico de gran complicación y matemático desenvolvimiento y que no creemos fuera el tradicional arcaico" ("Cancioncillas 'de amigo' mozárabes", *Revista de Filología Española*, XXXIII, 1949, páginas 342-3).

[37] Claro es que en algunos casos podría echarse la culpa sobre los hombros de los sufridos copistas. Pero hay canciones que no dejan lugar a dudas sobre la cuestión: se trata de un distinto entendimiento del paralelismo.

[38] Publicada primero en la revista americana *Symposium* (núms. 1-4; 1946-49), con el explícito título de "Índice de analogías entre la lírica española antigua y la moderna", y recogida recientemente en libro: *Lírica hispánica. Relaciones entre lo popular y lo culto* (Madrid, Castalia, 1966), obra póstuma del autor, revisión aumentada de su primitivo trabajo.

[39] *Canciones rituales hispano-judías*, Madrid, 1954.

1

Desde hoy más, mi madre, la del cuerpo luzido,
tomaréis vos las llaves, las del pan y del vino.

Que yo irme quería a servir buen marido,
a ponerle la mesa, la del pan y del vino.

Desde hoy más, mi madre, la del cuerpo lozano,
tomaréis vos las llaves, las del pan y del claro.

Que yo irme quería a servir buen velado,
a hazerle la cama y acostarle a mi lado...

2

Fuérame a bañar a orillas del río,
allí encontrí, madre, a este lindo amigo,
él me dio un abrazo y yo le di cinco.

Fuérame a bañar a orillas del vado,
allí encontrí, madre, a este lindo amado:
llevóme a su casa, echóme en sus brazos...

3

Dezía el aguadero: —Arriba, hermana,
allí está la fuente del agua clara;
mujer que de ella bebe, al año preñada.

Dezía el aguadero: —Niña chiquita,
allí está la fuente del agua viva;
novia que de ella bebe, al año parida [40].

En una tesina presentada en la Universidad de Iowa por Isaac J. Levy, encuentro varias canciones paralelísticas recogidas en comunidades sefardíes de los Estados Unidos [41].

---

[40] *Ibid.*, pp. 46-47, 49 y 85, respectivamente.
[41] *Sephardic Ballads and Songs in the United States: New Variants and Additions.* Master Thesis, University of Iowa, 1959. Sigo la transcripción del autor, modificando sólo la puntuación.

—Madri, la mi madri,
(i) deméš mi marido.
I madri, la mi madri,
deméš mi marido,
ki los kinze años
ya los tengo kumplidos.

  I vay, i vay, i vay,
  para bien devéš demandar.

—Iža, la mi iža,
no tengas penserio,
ki yo ya ti dava
un riko mansevo.

  I vay...

—Madri, la mi madri,
deméš mi velado,
ke los kinze años
ya los tengo akavados.

  I vay...

—Iža, la mi iža,
no tengas kudiado,
ki yo ya ti dava
un riko mučačo... [42].
....

—Abašéš abašo, novia tan ǧentil,
ke los gayos kantan oras de kendil.
—No puedo, mi novio, ki mi (e)stó vistiendo,
kamisa d'olanda, saya de citarí.
  Venga nuestro novio a dar kedužim.

----

[42] *Ibid.*, 138. Siguen tres estrofas, no paralelísticas, que parecen proceder de otra canción. Canción oída a Mrs. Katherine Israel; edad, 52 años; procedencia: Milas (Rodas). Residencia actual: Atlanta (E. E. U. U.). Una versión diferente de las cuatro estrofas copiadas ya era conocida por A. Galante, *Histoire des juifs de Rhodes, Chio, Cos,* etc., Istambul, Société Anonyme de Papeterie et d'Imprimerie (Fratelli Main), 1935.

—Abašéš abašo, novia tan real,
ke los gayos kantan oras de milhá.
—No puedo, mi novio, ke mi (e)stó vistiendo,
kamisa d'olanda, saya di bež parnak.
Venga la nuestra novia a dar la birahá [43].

Venid, viréš el pášaro en la rama;
venid, oíd ki kaza la galana.
Yo vengo a ver ke muz sea para bien.

Di akel pilar kortí una pera,
de la gentil galana tomaría elmuera [nuera].
Yo vengo...

Venid, oíd il pášaro en la rama;
venid, sentid ke kaza la galana.
Yo vengo...

Di akel pilar kortí un punčero,
di la genti onrada tomarías yerno.
Yo vengo...

Venid, sentid el pášaro en la rama;
oíd, dezir ke kaza la galana.
Yo vengo... [44].

6. *¿Cómo nace la forma: villancico + glosa paralelística?*

Llamemos la atención sobre un punto que puede tener interés:
no hay villancico inicial en las canciones paralelísticas sefardíes que
acabamos de leer. Si la canción sefardí perpetúa una tradición castellana anterior a la expulsión, ¿por qué no hay canciones paralelísticas
sin villancico inicial en los cancioneros castellanos? [44 bis]. ¿Existirían las
dos formas coetáneamente y los cancioneros recogieron sólo una de
ellas, influidos por una moda de la época? ¿Serían las dos tradiciones
antiguas?

---

[43] *Ibid.*, 151. Oída también a Mrs. Katherine Israel.
[44] *Ibid.*, 152. La misma procedencia.
[44 bis] En la *Comedia de la Zarzuela y elección del Maestre de Santiago*
se recoge una canción paralelística sin villancico inicial (véase en *Antología
popular*, núm. 515); éste y algún otro caso que pudiera señalarse son ex-
cepcionales.

Parece razonable suponer que la tradición paralelística existió en Castilla *sin villancico* (tal y como se presenta en la tradición sefardí). Al lado existió (la jarcha mozárabe lo muestra) la tradición del villancico, es decir, de la cancioncilla suelta. Es imposible decir cuál de las dos tradiciones es la más antigua dentro del ámbito peninsular. Dámaso Alonso, en "Cancioncillas 'de amigo' mozárabes" (su famoso artículo a raíz del descubrimiento), opinó que la jarcha (la cancioncilla suelta) sería el núcleo primigenio, de donde procedería la estrofa paralelística [45].

Galicia y Portugal se consustanciaron (aunque conocieron la *cantiga de vilão*) con el paralelismo y llevaron esa tradición a su máxima belleza. Castilla, podemos suponer, practicó las dos: separadamente (esto es: villancico suelto, y canción paralelística sin villancico inicial), y en un cierto momento (¿cuándo?) amalgamó ambas tradiciones y comenzó a cantar en paralelismo precedido de un villancico.

Es lo más probable que esta nueva canción no hiciera desaparecer el paralelismo sin villancico, aunque los cancioneros del Renacimiento no lo recogieran. Por las muestras que tenemos, la fórmula villancico + estrofas paralelísticas era antigua en el siglo XV. Viene a corro-

---

[45] La afirmación de Rodrigues Lapa de que en las cantigas de amigo galaico-portuguesas el dístico inicial y el estribillo presentan a veces muestras de un mayor arcaísmo podría estar en consonancia con esta hipótesis. "A feição tradicional do nosso antigo lirismo documenta-se ainda de modo seguro nos arcaísmos de linguagem, que *se encontram*, por via de regra, *no topo da cantiga* paralelística. Tem causado estranheza a alguns estudiosos dos nossos cancioneiros a perturbadora existência de vocábulos como *manhana, louçana, irmana, avelana, sano, venia*, etc., formas arcaicas, modificadas já na linguagem corrente do século XIII... Chamámos já a atenção para esse facto, que representa uma prova inegável da antiguidade e popularidade da nossa poesia lírica. O segrel punha a testa da cantiga o tema tradicional, que desemvolvia em série paralelística. Como esses temas velhos vinham dos séculos XII, XI ou talvez de mais longe ainda, é perfeitamente natural, como sucedia no tempo de Gil Vicente e como sucede ainda hoje, que lhes conservassem os seus caracteres arcaicos" (M. Rodrigues Lapa, *Lições...*, ob. cit., página 101). El subrayado de la frase *se encontram... no topo da cantiga* es mío. Véase también M. Rodrigues Lapa, *Das origens da poesia lírica em Portugal na Idade Média*, Lisboa, 1929, pp. 177-180 y 341-343. Sin embargo, según veremos más tarde, R. Lapa no cree que la cantiga paralelística proceda de la jarcha (*Lições...*, p. 47).

borar su antigüedad la de la otra fórmula hermana: villancico + estrofas zejelescas (o, si se quiere, el zéjel, porque eso es el zéjel: una canción inicial seguida de las estrofas zejelescas), fórmula unida frecuentemente al paralelismo (zéjel paralelístico o paralelismo zejelesco) [46].

Y termino con una pregunta: ¿no habrá sido el zéjel y su ejemplo —recordemos su expansión y vitalidad, que rebasó las fronteras peninsulares— el origen de la fórmula: villancico + glosa, en todos los casos, incluyendo los casos de glosas paralelísticas y romancescas?

7. *El paralelismo castellano y el problema de su dependencia con respecto al galaico-portugués*

Queda la última cuestión, enojosa, porque —como tantas otras en el nebuloso problema de los orígenes líricos— sólo puede ser abordada con hipótesis. Me refiero a las relaciones de dependencia entre el paralelismo galaico-portugués y el castellano. Que aquél debió influir en el desarrollo de éste es lógico suponerlo, dada su riqueza y la comunicación de ambas culturas. Si el paralelismo galaico-portugués en su cultivo "culto" llegó a Castilla, también debió llegar el cultivo tradicional: las canciones paralelísticas populares; al igual que los romances castellanos se cantaban —en la corte y en los pueblos— en el vecino reino de Portugal. La canción ha viajado de España a Portugal y de Portugal a España, y sigue y seguirá viajando.

¿Qué sabemos del nacimiento del paralelismo galaico-portugués? "E se repararmos bem, fora de toda a preocupação nacionalística —dice Rodrigues Lapa— as primeiras manifestações da arte trovadoresca e até os maiores trovadores, tirante D. Dinis, acusam o predominio evidente do elemento galego sobre o elemento português, o que pode fazer supor que o foco irradiador da nova poesia esteja sobretudo na região de Além-Minho. Pelo menos, a procedência averiguada da maior parte dos trovadores assim o indica" [47].

---

[46] Otro caso, pues, de amalgama de dos tradiciones de origen diverso.
[47] *Lições de literatura portuguesa, Época medieval*, 3.ª ed., Coimbra, 1952, pp. 96-97.

Se refiere aquí Rodrigues Lapa, específicamente, a la formación de la escuela trovadoresca, a los orígenes de la escuela paralelística galaico-portuguesa. La tradición oral, que sirvió de punto de partida a esa escuela —según cree R. Lapa y con él todos los que creemos en el concepto de poesía tradicional—, se hunde en la noche de los orígenes, sin luz hasta ahora.

Una cosa hay que tener presente, y es la universalidad del principio paralelístico, como forma de reiteración practicada por las literaturas más dispares y más alejadas geográfica y culturalmente. En 1934 decía el mismo Rodrigues Lapa: "A experiencia demonstra que é um processo querido da poesia popular, incapaz duma arquitectura complicada do verso, mais ainda: é a forma classica de tôda poesia bailada, distribuida em dois coros alternados. *Não é pois uma invenção dos nossos segrees*, porque a forma, em toda a sua pureza e até com carácter feminino, aparece na poesia chinesa, alguns séculos antes de Cristo" [48]. Ya desde fines del siglo pasado, los especialistas habían venido ofreciendo ejemplos de paralelismo en las literaturas más diversas [49].

Ahora bien, como señala Eugenio Asensio, la lírica galaico-portuguesa desarrolló un tipo muy específico de paralelismo: la fórmula doble del paralelismo unido con el *leixa-pren*. No se trata ya de la

---

[48] *Lições...*, ob. cit., 1.ª ed., de 1934 (Lisboa), pp. 81-82. Véase ya esta afirmación en su obra *Das origens da poesia lírica em Portugal na Idade Média*, Lisboa, 1929, pp. 267-8.

[49] Imposible recoger toda la bibliografía: vide T. Braga, *Cancioneiro da Vaticana*, Lisboa, 1878, pp. CI-II; H. Lang, *Das Liederbuch des Königs Denis*, Halle, 1894, pp. CXLI-II; F. Rodríguez Marín, *Cantos populares españoles*, Sevilla, 1882-83; R. A. Meyer, *Französische Lieder aus der Florentiner Handschrift*, Halle, 1907, pp. 48-9 y 113-4; A. Coelho, "O paralelismo na poesia popular", *Revista Lusitana*, XV (1912), pp. 21-36 y 48-70. Ya señalamos que las primeras canciones conocidas se remontan al milenio tercero antes de Cristo, en textos procedentes de Sumeria y Egipto. La primera canción egipcia conocida era cantada por los soldados de Pepi I hacia el 2350 a. C. (J. B. Pritchard, *Ancient Near Eastern Texts*, ob. cit., p. 228); señala C. M. Bowra, de quien tomo la referencia, que unos y otros textos, los sumerios y los egipcios, presentan *"un rasgo primitivo en el uso frecuente de la repetición de versos"* a lo largo de la canción; y añade que puede comprobarse a veces un comienzo de paralelismo (*Primitive Song*, ob. cit., página 14).

repetición paralelística en cuanto fórmula lírica universal practicada por todos los pueblos, sino de un tipo muy preciso de estructura. La pregunta sobre el posible origen gallego o galaico-portugués del paralelismo castellano —pregunta sin respuesta posible, por ahora, desgraciadamente— deberá, en todo caso, referirse a esta estructura específica [50].

Por otro lado, las canciones paralelísticas castellanas poseen un marcado carácter propio que las diferencia en bastantes aspectos de las gallegas y portuguesas, y las sitúa, en cambio, en espíritu y estilo, temas, personajes, expresión y sentimientos, junto a sus restantes hermanas castellanas, las canciones no paralelísticas. Aquéllas y éstas forman un conjunto homogéneo, no diferenciable, salvo en su aspecto formal (y en rasgos derivados de él: como la adjetivación peculiar al paralelismo: *garrida-lozana*, etc.) [51]. Lo cual quiere decir que el paralelismo castellano no es, en ningún caso, simple remedo del galaico-portugués. Con palabras de Eugenio Asensio: "vive en el folclore peninsular de lengua castellana, no ya como simple herencia, sino como recurso artístico capaz de servir para nuevas creaciones" [52].

Los villancicos populares paralelísticos castellanos son, en efecto, populares y castellanos en la misma medida que los no paralelísticos [53].

---

[50] Entre las conclusiones a que llega Eugenio Asensio, en su tantas veces citado artículo sobre "los cantares paralelísticos castellanos...", hay que destacar aquí las siguientes: 1) "El paralelismo no combinado con *leixapren* está en los siglos XIII y XIV tan difundido por el Occidente de Europa que debemos admitir como postulado de sentido común su existencia en Castilla"; 2) "Por los aledaños de 1500 se danzaba en Castilla al son de cantares paralelísticos: estos cantares, junto a influjos limitados de la cantiga de amigo, exhiben una versificación, un estilo y una temática acusadamente originales". Cito por *Poética y realidad...*, p. 186.

[51] R. Menéndez Pidal y Dámaso Alonso remontan estas palabras al mozárabe, ascendencia común del gallego, portugués y castellano.

[52] *Ob. cit.*, p. 186.

[53] J. Romeu en un principio ("El cosante...", art. cit.) había negado virtualidad al paralelismo castellano (que sería una mala interpretación de un sistema no comprendido por los poetas ni por los colectores, y de allí su falta de rigor); rectificó posteriormente, en "El cantar paralelístico en Cataluña. Sus relaciones con el de Galicia, Portugal y el de Castilla", *Anuario Musical*, 1954, pp. 1-55. Aquí afirma la originalidad de los cantares catalanes y castellanos, y llega a decir que "se ofrecen como piezas de forma más pura y tradicional que los portugueses" (p. 38).

II. LAS JARCHAS

A. DESCUBRIMIENTO DE LAS JARCHAS

He aquí que nos encontramos ante dos tradiciones peninsulares de origen desconocido y antiguo; las dos, en un momento dado, encuentran favor entre los detentadores de la tradición culta y se ponen de moda "en la corte y en los palacios" [54]: la galaico-portuguesa, en los siglos XIII y XIV; la castellana, a fines del siglo XV y durante todo el siglo XVI.

El que conoce la fuerza y persistencia de la canción popular; el que sabe —para atenernos a lo español— que la canción popular española actual tiene tras sí a la tradición popular del XVII y tras ella a la del XVI y el XV —o sea, toda la tradición popular conocida— sabe también que cuando se acaban los peldaños de lo conocido, la escala no acaba; en otras palabras, que los primeros villancicos que conocemos son los primeros entre los conservados, no los primeros que se hicieron. (¡Mucha casualidad había de ser ésa!)

Por ello, la investigación española venía insistiendo (apoyándose en diversos testimonios: referencias antiguas, algunos —muy pocos— fragmentos medievales, y, sobre todo, el conocimiento de la naturaleza de la tradición popular conocida y el mecanismo de su transmisión) en algo que consideraba un postulado de razón: la existencia de una lírica tradicional popular a lo largo de la Edad Media como precedente de la lírica popular del Renacimiento.

En 1919 (en su conferencia del Ateneo de Madrid), don Ramón Menéndez Pidal había insistido en este punto, y señalado que la lírica galaico-portuguesa y el villancico castellano, por sus estrechos puntos de contacto, debían tener una raíz común.

---

[54] Así es el hecho, lo que no prejuzga si se dio primero un fenómeno de signo contrario.

Unos años antes, en 1912, don Julián Ribera, el gran arabista español, en su famoso discurso sobre el cancionero de Ibn Quzmān [55], defendía a su vez la existencia de una primitiva lírica española, de la que daban fe algunos textos árabes. Esta lírica, según Ribera, habría influido en la poesía árabe y dado pie a la invención de un tipo estrófico de poesía, la *moaxaja* [56] y el *zéjel*, completamente extraños a la tradición poética árabe (que era de versos uniformes, monorrimos, e ignoraba el estrofismo).

Pero esta lírica nos era desconocida. Ribera fue a buscarla en el *Dīwān* de Ibn Quzmān, poeta cordobés muerto en 1160. El *Dīwān* es una colección de zéjeles, género popularizante derivado y posterior a la moaxaja [57], los cuales contenían palabras aisladas, y hasta un verso entero (en el zéjel 82), en lengua romance; pero no se hallaban en el *Dīwān* canciones enteras en romance. El énfasis durante mucho tiempo se puso en el zéjel, es decir en la *forma estrófica*, en la estrofa zejelesca, que aparecía no sólo en la poesía árabe sino también en la castellana, y cuya difusión por Europa fue estudiada y precisada por Menéndez Pidal y A. R. Nykl [58].

Así las cosas, en 1948, Samuel Miklos Stern dio por fin a conocer veinte muestras de esa lírica peninsular romance, hasta entonces virtualmente desconocida [59], en un artículo publicado en *Al-Andalus*, con el título "Les vers finaux en espagnol dans les muwaššaḥs his-

---

[55] Julián Ribera, *El cancionero de Abencuzmán*, Madrid, 1912. Reeditado en sus *Disertaciones y opúsculos*, Madrid, 1928, I, pp. 3-92.

[56] Adopto la forma castellanizada de la palabra *muwaššaha*, propuesta por Emilio García Gómez en *Las jarchas romances de la serie árabe en su marco*, Madrid, Sociedad de Estudios y Publicaciones, 1965.

[57] Para las diferencias entre zéjel y moaxaja, véase S. M. Stern, "Studies on Ibn Quzmān", *Al-Andalus* (1951).

[58] Véase sobre todo: R. Menéndez Pidal, *Poesía árabe y poesía europea*, Madrid, Austral, 1941 (publ. por primera vez en *Revista Cubana*, VII, 1937, páginas 5-33); y A. R. Nykl, *Hispano-Arabic Poetry and its Relations with the old Provençal Troubadours*, Baltimore, 1946.

[59] Aunque algunos textos eran ya conocidos y habían sido publicados con anterioridad a Stern, seguían indescifrados. Lo poco que se sabía de ellos se debía a I. Baer, "Ha massab ha-polití sel yehudé Sefard..." (La posición política de los judíos españoles en tiempo de Yehuda ha-Leví), en *Zion*, I (1936), pp. 17 y 19; y sobre todo a J. M. Millás Vallicrosa, "Sobre los más antiguos versos en lengua castellana", *Sefarad*, VI, 1946, pp. 362-71.

pano-hébraïques. Une contribution à l'histoire du muwaššaḥ et à l'étude du vieux dialecte espagnol 'mozárabe' " [60].

Esos "versos finales", cancioncillas en dialecto español mozárabe, eran, en realidad, veinte "jarchas" que servían de remate a veinte moaxajas (hispano-hebreas, no árabes). Al año siguiente, el mismo Stern publicó una jarcha más, procedente ahora de una moaxaja árabe (*Al-Andalus*, XIV, 1949, pp. 214-218), y en 1952, Emilio García Gómez daba a conocer "Veinticuatro jarchas romances en muwassahas árabes" (en *Al-Andalus*, XVII, 1952, pp. 57-127).

B. CONSECUENCIAS DEL DESCUBRIMIENTO

Las consecuencias del descubrimiento fueron de triple carácter:

a) Ahora resultaban ya perfectamente comprensibles los textos árabes que daban noticia de la invención de la moaxaja [61], y la naturaleza de ésta [62].

---

[60] *Al-Andalus*, XIII, 1948, pp. 299-346.

[61] La invención se atribuye, como es bien sabido, a un poeta de Cabra (Córdoba) de finales del siglo IX, al que unos textos llaman Muhammad ibn Maḥmud, y otros Muqaddam ibn Mucāfa.

[62] Emilio García Gómez ("La lírica hispano-árabe y la invención de la lírica románica", *Al-Andalus*, XXI, 1956, fasc. 2) explica así los textos: 1) El pasaje de Ibn Bassām (siglo XII) en la *Dajira* (ed. Cairo, I-2, p. 1) dice que la invención consistió en que el poeta cordobés "componía [sus poemas] *sobre hemistiquios* [es decir, versos cortos, sin cesura interna, como los de las coplillas romances], *aunque la mayoría con esquemas métricos descuidados e inusitados* [es decir, aquellos a que la coplilla romance obligaba], *cogiendo expresiones vulgares o en romance a las que llamaba 'markaz', y construyendo sobre ellas la 'muwaššaha'* " (p. 312). El pasaje —dice García Gómez— "no podía ser bien entendido hasta no tener ante los ojos, como tenemos ahora, jarŷas romances. Porque el *markaz* de Ibn Bassām es la jarŷa" (p. 313). "No pudiendo saber lo que era la *jarŷa*, Ribera vio la influencia romance —continúa García Gómez— no en la jarŷa, sino en la estructura general del poema, en la 'estrofa zejelesca' ". 2) Las noticias que sobre la moaxaja, y el papel que juega en ella la jarcha o *markaz*, nos da el escritor egipcio Ibn Sanā' al-Mulk (fines del siglo XII), en su *Dār al-ti-rāz* (ed. Rikabi, Damasco, 1949), las resume García Gómez en cinco puntos. He aquí la preciosa información de Ibn Sanā' al-Mulk: "1.º, que toda la muwaššaha tiende a la jarŷa, de la que es preludio o preparación; 2.º, que

b) El interés de la crítica se desplaza del *zéjel* a la *jarcha*. No es
que el *zéjel* haya perdido importancia, ni tampoco su posible influencia en la poesía europea —¡y provenzal!—; es que la jarcha le ha
sobrepasado en interés en el camino hacia *los orígenes* de la poesía
lírica peninsular. Fue Dámaso Alonso el primero en pregonarlo en
su famoso artículo de la *Revista de Filología Española* (1949), el primero también en llamar la atención sobre la trascendencia del descubrimiento de Stern. Su artículo —del que hemos de ocuparnos inmediatamente— llevaba un nombre que era a un tiempo canto de aleluya y grito de combate: "Cancioncillas 'de amigo' mozárabes (Primavera temprana de la lírica europea)" [63].

c) En él proclamaba Dámaso Alonso: "...desde 1948 el problema de los orígenes de la lírica románica y de la europea ha cambiado
totalmente; ha de plantearse de nuevo" [64]. La tercera consecuencia de
la aparición de las jarchas fue que, efectivamente, la crítica —en todo
el ancho campo de la historiografía literaria románica— se vio obli-
gada a tomar posiciones ante el descubrimiento.

Vamos a referirnos en seguida a este punto. Pero antes tenemos
que explicar brevemente el porqué de la conmoción; explicar cómo

---

la jarŷa ha de estar en lenguaje directo y puesta en boca de alguien, sea
persona, animal u objeto personificado; 3.º, que la jarŷa ha de estar en lengua árabe vulgar, 'argot' o lengua romance, lo que confirma lo dicho por
Ibn Bassām; 4.º, que conviene que la jarŷa se componga antes que el resto
de la *muwaššaha,* la cual debe luego adaptarse a ese pie forzado, lo que
confirma el aserto de Ibn Bassām de que la *muwaššaha* se construía sobre
el *markaz* (= jarŷa); y 5.º, que 'algunos poetas de la última época (el autor
escribe en la segunda mitad del siglo XII), por ser incapaces de componer
una buena jarŷa, tomaban una ajena, lo cual era mejor que si compusieran
por sí mismos otra más floja'. (Ed. Rikabi, pp. 30-33)" (E. García Gómez,
páginas 313-4). Teniendo en cuenta que Ibn Sanā' al-Mulk es un escritor
tardío que no había estado jamás en España ni conocía la larga tradición de
la *moaxaja,* y poniendo en relación sus palabras con el texto de Ibn Bassām
y con las *jarchas* descubiertas, García Gómez llega a la conclusión de que
la moaxaja era en su origen "un poema simplemente destinado a encuadrar
una *jarŷa* romance, ajena y preexistente" (p. 314).

[63] Recogido hoy en *Primavera temprana de la literatura europea,* Madrid, 1961, pp. 17-79. Las citas, por esta edición.

[64] *Ibid.,* p. 61.

eran y qué decían esas cancioncillas, las que aparecieron en 1948, y las que después hemos venido conociendo [65].

C. ALGUNAS NOTICIAS SOBRE LAS
JARCHAS HASTA AHORA DESCUBIER-
TAS Y SUS PUNTOS DE CONTACTO
CON CANTIGAS Y VILLANCICOS

Desde la publicación del libro de Emilio García Gómez (*Las jarchas romances de la serie árabe en su marco,* Madrid, Sociedad de Estudios y Publicaciones, 1965), es él la colección más completa de jarchas hasta el momento en que escribo. El avance en la trascripción ha sido enorme, y aunque, por supuesto, sujeta a revisión, supone un gran paso con relación a la anterior colección, de Stern (1953) [66] que, caracterizada por una prudente cautela, dejaba muchas jarchas a medio resolver [67].

---

[65] La moaxaja más antigua es hebrea y debida a Yosef el Escriba. Escrita, según parece, para celebrar a Samuel Ibn Negrella, visir de los reyes Habus y Badis de Granada, ha de ser anterior a 1042, fecha de la muerte del celebrado. Las otras moaxajas hebraicas con jarcha romance se deben a Mosé ben 'Ezra (granadino, 1055-1140?), Yehudá ha-Leví (tudelano o toledano, nacido tal vez antes de 1070; al que se deben hasta once del número total), Yosef ben Saddiq (cordobés, muerto en 1149), Abraham ben 'Ezra (paisano de Yehudá ha-Leví, 1092-1167), Todrós ha-Leví Abulafia (toledano, 1257-1305?). Las moaxajas árabes, de autor conocido, se deben a poetas que vivieron de mediados del XI a mediados del XII, salvo uno de ellos, el granadino Ibn Luyun, muerto en 1349; un tal Ubada (de Almería), que se ha pensado pueda ser el mismo que un Muhammad ibn 'Ubada y un Ibn 'Abbad (los tres nombres aparecen encabezando sendas jarchas); Ibn al-Mu 'allim (Sevilla); Ibn Malik (Zaragoza); Ibn al-Labbana (Denia); al-Kumayt (extremeño), Ibn Arfa' Ra'suh; al-A'ma al-Tutilí (Tudela); Ibn Baqi (Córdoba); Abu-l-Qasim de Maynis; al-Sayrafi; al-Khabbaz (Murcia); Ibn Ruhaym (levantino); Al-Laridi (Lérida).

[66] S. M. Stern, *Les chansons mozarabes (Les vers finaux (kharjas) en espagnol dans les 'muwashshahs' arabes et hébreux),* Palermo, 1953.

[67] Las dificultades son muchas: 1) la lengua en que están escritas (romance-mozárabe-andalusí) apenas es conocida; su conocimiento depende precisamente del previo desciframiento de las cancioncillas; 2) muchas, contenidas a veces en manuscritos debidos a copistas no peninsulares, ignoran-

Las jarchas ahora reunidas son cincuenta y seis, de las cuales diecisiete aparecen sólo en textos hebreos, treinta y cuatro se encuentran
sólo en textos árabes, y cinco jarchas más aparecen juntamente en
textos hebreos y árabes [68].

Es una colección abigarrada, la que hoy poseemos, donde hay de
todo: jarchas castas y sensuales; populares y cultas; recogidas (o así
lo parece) por los moaxajeros (no hechas por ellos), y hechas (o así
lo parece) por los mismos moaxajeros; las hay que encajan en el espíritu propio de las cantigas y de los villancicos, y las hay que no;
las hay que reflejan formas de vida propias del mundo islámico, y
otras que no (entendiéndose que no contienen elementos especialmente adscritos a él); casi todas están puestas en boca de una muchacha, pero hay cuatro excepciones (y una parece dudosa) de jarchas
puestas en boca de varón [69]; el tema más abundante es el de la ausencia o abandono, visto en formas distintas...

No se crea, pues, que todas las jarchas que hoy conocemos son
muestras de una lírica romance hispánica de carácter popular o tradicional. Bastantes de ellas evidentemente no lo son. Aquellos críticos
que, según veremos, niegan carácter tradicional a las jarchas (y man-
tienen que son obra de los poetas árabes y hebreos que compusieron
las moaxajas) se basan especialmente en estos ejemplos, claramente
no populares. Ya sabemos por las fuentes que los moaxajeros, unas
veces, se hacían sus propias jarchas, otras, las tomaban prestadas. Lo

tes de la lengua que transcribían, están llenas de errores; 3) las canciones,
transcritas en caracteres árabes o hebreos, ofrecen, por último, el grave problema de que tanto el árabe como el hebreo no transcriben las vocales, sólo
a veces las apuntan con notación muy imprecisa. "Así —dice Menéndez Pidal— la escritura de estos cantarcillos viene a ser el más enrevesado acertijo, una fuga de vocales aplicada a una lengua de arcaísmo difícil" (*España,
eslabón entre la Cristiandad y el Islam*, Madrid, Austral, 1956, pp. 77-78).

[68] Son éstas las número 5, 7, 8, 16 y 21 de la serie hebrea (XII, XVIII,
XXII, XXXVIII y XXVIII de la serie árabe), según numeración de García
Gómez.

[69] Dos (la XXIV y XXVI) versan respectivamente sobre los pechos y
sobre la boca de la amada (ni una ni otra tienen carácter popular, como señala bien García Gómez). La XXV alude —según traduce García Gómez—
a la fiesta de San Juan, lo que resulta de enorme interés. La dudosa es la
XXVIII, y podría ser el único caso de erotismo homosexual entre las jarchas descubiertas.

importante es que hay un grupo considerable de jarchas que en espíritu, temas, forma, personajes o expresiones... presenta curiosísimas coincidencias con las cantigas galaico-portuguesas y con el villancico castellano. Son éstas las que produjeron el revuelo. Podemos ordenar, así, brevemente, los puntos de contacto:

1) "Es evidente —dice S. M. Stern— que el rasgo esencial de la jarŷa consiste en que es una mujer la que habla y que los otros personajes que se introducen ocasionalmente son variaciones artificiales" [70].

2) La jarcha es, además, casi siempre una canción amorosa, y una queja de amor.

3) Tema frecuente es el amor o la ausencia del amigo, que aquí es aludido con el nombre árabe *habib*.

4) En algunas canciones aparece la "madre" (*mamma*) como confidente del lamento de la doncella enamorada.

5) En una canción aparecen también las hermanas (*ermaniellas*), hermanas o compañeras de la enamorada; como en las cantigas de amigo, numerosas veces; pero una sola vez en los villancicos de nuestra *Antología:* "Ya no más, queditico, hermanas..." [71].

6) Algunas expresiones (*¿Qué faré?; ¿qué farayu?; ¿qué farayu o qué serád de mibi?; ¿cóm vivrayu...?*) que aparecen en las jarchas recuerdan a fórmulas parecidas de la cantiga de amigo y del villancico [72].

7) Desde un punto de vista estrófico, la jarcha recuerda al villancico (son cancioncillas cortas de dos, tres o cuatro versos); no a la cantiga, por no haberse descubierto rastro alguno de paralelismo [73].

---

[70] *Les chansons mozarabes,* ob. cit., p. XVI.

[71] Cancioncilla incluida en un "romance-ensalada" de Góngora. Véase nuestra *Antología,* 522.

[72] Vide D. Alonso, *ob. cit.,* pp. 49-52.

[73] A un restaurador animoso, de los que tanto han abundado en el campo de la cantiga, no le sería difícil "paralelizar" algunas de las jarchas. Por ejemplo, la núm. 5 de Stern, en la lectura de M. Pidal (*España, eslabón entre la Cristiandad y el Islam,* p. 96): "Viénid la Pasca ed yo sin ellu, / ¡com' caned mieu coraŷon por ellu", podría continuarse: "Viénid la Pasca ed sin ellu yo, / ¡com' caned por ellu mieu coraŷon!". Trascribo ahora algunas de las jarchas que se han hecho más famosas por su parecido con el

D. LA CRÍTICA ESPAÑOLA ANTE EL
DESCUBRIMIENTO DE LAS JARCHAS

No tiene nada de extraño que, desde el lado de la crítica española, el descubrimiento fuese acogido con alborozo. Leyendo los comentarios de Dámaso Alonso, Menéndez Pidal, García Gómez o Can-

---

villancico. Doy juntamente la transcripción en caracteres latinos y la lectura
propuesta.

1) Stern, núm. 9 (*moaxaja* de Yehudá ha-Leví, *Diwan*, II, 321-322).
Trascripción y lectura por Stern, *ob. cit.*, pp. 10-11. Versión castellana por
Francisco Cantera (*La canción mozárabe*, Santander, 1957, p. 41):

byš mw qrgwn dmyb
y'rb šš mtrnrd
tn m'l mdwlyd llḥbyb
'nfrmw y'd kwnd šnrd

Vaisse (?) meu corajon de mib
ya rabbī si se me tornerad
tan mal me doled li'l-ḥabīb
enfermo yed cuand sanarad

Mi corazón se me va de mí,
oh señor, ¿acaso a mí tornará?
¡Cuán fuerte es mi dolor por el amado!
Enfermo está, ¿cuándo sanará?

2) Stern, núm. 14 (*moaxaja* de Yosef ibn Saddiq, *Studies of the
Research Institute for Hebrew Poetry*, II, 165-6). Trascripción y lectura por
Stern, *ob. cit.*, p. 15. Versión moderna por Cantera, *ob. cit.*, p. 45.

kfr'⟨y⟩ m?mh
myw 'lḥbyb 'št' dy'nh

Que faray mamma
meu 'lḥabīb estad yana.

¿Qué haré, madre?
Mi amigo está (estád + ad) a la puerta.

3) Stern, núm. 15 (*moaxaja* de Abraham ibn Ezra, *Diwan*, ed. Egers,
página 84; ed. Rosin, pp. 110-111). Trascripción por Stern, *ob. cit.*, p. 16;
lectura y versión castellana según Cantera, *ob. cit.*, p. 46.

tera (por citar sólo unos nombres) la satisfacción es más que evidente. En su famoso artículo de 1949 (en la *Revista de Filología Española*), exclamaba Dámaso Alonso:

g'r kfry
km bbryw
'št 'lḥbyb 'šb'r bwry lmrryw

Gar qué farayu
[Cómo vivrayu]
Est' al-habib espero
por él morrayu

Di, ¿qué haré,
cómo podré vivir?
Espero a este amado,
por él moriré.

4) Stern, núm. 16 (*moaxaja* de Todrós Abulafia, ed. Brody, p. 28; ed. Yellin, p. 15). Trascripción por Stern, *ob. cit.*, p. 16; lectura y versión castellana según Cantera, *ob. cit.*, p. 47.

ky fr'yw 'w ky šyr'd dmyby
ḥbyby
nwn tytwlgš dmyby

¿Qué faréyo au qué seràd de mibi?
¡habibi,
non te tuelgas de mibi!

¿Qué haré o qué será de mí?
Amigo mío,
no te alejes de mi lado.

5) Stern, núm. 4 (*moaxaja* de Yehudá ha-Leví, *Diwan*, I, 163-164). Trascripción y lectura según Stern, *ob. cit.*, p. 4; doy la versión castellana traduciendo libremente la francesa de Stern.

gryd bš 'y yrmnl'š
km kntnyr 'amw m'ly
šn 'lḥbyb nn bbr 'yw
'dbl'ry dmnd'ry

Garid vos ay yermanellas
com contenir a meu male
sin al-ḥabīb non vivireyu
advolarey demandare

"He aquí ahora canciones hispánicas, no 'prehistóricas', no imaginadas a lo Michaëlis, a lo Lang, a lo Jeanroy, sino realísimas; y no del último cuarto del siglo xii, sino del último cuarto del xi, es decir, de cuando sólo se estaba empezando a producir el único desgaje que había de ser permanente de la vieja herencia unitaria visigótica, el desgaje que había de dar origen a Portugal (y aún, según Stern, de mucho antes, de la primera mitad del mismo siglo xi). Es decir: canciones existentes ya entonces, recogidas entonces, por poetas cultos, de la tradición oral, pero probablemente (como siempre que un poeta culto incrusta en su obra elementos populares) manantes de una hondura aún más soterraña. Venerable tesoro, que debe de ser, que *debe ser* (para quien no quiera buscar pan de trastrigo) la base común de toda la poesía tradicional de Portugal y de España" [74].

Y Menéndez Pidal ("Cantos románicos andalusíes", *Boletín de la Real Academia Española*, XXXI, 1951, pp. 187-270) corroboraba: "Las canciones andalusíes primitivas, las cantigas de amigo y los villancicos castellanos aparecen claramente como tres ramas de un mismo tronco enraizado en el suelo de la península hispánica. Las tres variedades tienen aire de familia inconfundible, y, sobre todo, las tres tienen su mayor parte, y la mejor, con un doble carácter diferencial común; el ser canciones puestas en boca de una doncella enamorada, y el acogerse la doncella confidentemente a su madre. Además se confirma que en el conjunto tripartito la forma andalusí se asocia más íntimamente con el villancico castellano que con la cantiga galaico-portuguesa".

————

> Decid vosotras, ay hermanillas,
> ¿cómo contener mi mal?
> Sin el amigo no viviré,
> y volaré a buscarlo.

E. García Gómez (*Las jarchas romances de la serie árabe...*, p. 383) lee distinto el último verso: "¿ad ob l'iréy damandăre?" ("¿adónde he de ir a buscarlo?").

[74] En *Primavera temprana de la literatura europea*, p. 58.

¿Y fuera de España? ¿Cuál había de ser la reacción de la crítica? Hemos de tener en cuenta que algunas de estas afirmaciones de los críticos españoles venían a chocar con posiciones larga y tenazmente defendidas dentro del campo de la historiografía literaria románica. La afirmación de que la jarcha fuese un antecedente de la *cantiga de amigo*, y el lirismo gallego-portugués hubiera de explicarse a través de aquélla, había de encontrar oposición, por una parte, en los críticos portugueses defensores de un lirismo galaico-portugués antiguo y autóctono, de carácter propio, definido por el paralelismo; de otra parte, en los provenzalistas que explicaban el nacimiento de la cantiga de amigo vía la influencia provenzal. La concepción de la jarcha como canción popular o tradicional, cantada por el pueblo, a cuyo patrimonio lírico habían acudido los poetas cultos árabes y hebreos para recoger las canciones e insertarlas en sus moaxajas, chocaba, naturalmente, con las teorías negadoras de la poesía popular o tradicional.

En contraste, los defensores de una antigua lírica popular panromance o paneuropea, simbolizada en el *Frauenlied* (románico o germánico), origen de las distintas líricas nacionales posteriores, recibieron el descubrimiento de la jarcha como una confirmación de sus teorías. He aquí, en síntesis, el impacto de la canción mozárabe sobre el difícil y oscuro problema de los orígenes de la lírica europea. Veamos ahora con alguna mayor detención los argumentos y las razones de estas dispares posiciones (ante la jarcha, ante el problema general del origen de la lírica romance, y ante las posibles relaciones de la jarcha con la cantiga de amigo galaico-portuguesa y el villancico castellano). Para no perdernos en el encrespado mar de la polémica, limitémonos a algunos nombres representativos [75].

---

[75] He escogido a M. Rodrigues Lapa y A. J. Da Costa Pimpão, como representantes del punto de vista portugués; a Silvio Pellegrini y Aurelio Roncaglia, en representación del provenzalismo y de las posiciones individualistas de la crítica italiana; por último, Leo Spitzer aparece como el más decidido defensor del paralelo jarcha, cantiga, villancico y *refrain* francés,

1. *Rodrigues Lapa*

La posición de M. Rodrigues Lapa en cuanto al origen de la lírica romance en general, y de la gallego-portuguesa en particular, ha ido evolucionando con los años a posiciones cada vez más *populares* y menos *liturgistas*. Sin abandonar la tesis liturgista, el ilustre profesor portugués ve hoy en los cantos litúrgicos medievales no el origen de la poesía galaico-portuguesa, sino, simplemente, un factor de influencia sobre una poesía popular preexistente. El paralelismo no surge en la poesía popular galaico-portuguesa por influencia de la liturgia; el proceso es justamente el contrario. La liturgia "ou por acaso ou propositadamente imitou o processo da poesia popular" en el llamado canto antifónico, ejecutando los salmos alternadamente en dos coros (el primer coro entonaba un versículo, el segundo coro otro, y después coro y pueblo conjuntamente entonaban la antífona, que servía de refrán; más tarde las secuencias también se cantaron así). Una vez aclimatado el paralelismo en la liturgia, su influencia revierte sobre la canción popular, haciendo que el paralelismo lírico popular no se abandone. "De modo que —concluye Rodrigues Lapa— es bien de creer que la liturgia, si no formó el paralelismo de nuestra cantiga, impidió al menos su deformación y abandono, sancionando por una aplicación ritual la vieja costumbre popular" [76].

El lirismo popular galaico-portugués, antiguo y anterior a la influencia litúrgica, se identifica para Rodrigues Lapa, pues, con la forma paralelística. Ahora bien, la jarcha no explica el paralelismo. Por el contrario, el paralelismo y la cantiga paralelística le parecen "una forma ainda mais popular e arcaica" [77]. Dámaso Alonso y Menéndez Pidal piensan que el paralelismo podría ser explicado a partir de la jarcha como un proceso de desenvolvimiento de la riqueza lírica contenida en la cancioncilla. Rodrigues Lapa, por el contrario, para ex-

_____

y de la conexión de la canción mozárabe con el mundo del *Frauenlied* romance y germánico. Por ello, estudiaremos la posición de Leo Spitzer después de recordar las viejas teorías de Jeanroy y Gaston Paris sobre el *Frauenlied* europeo.

[76] *Lições de Literatura Portuguesa*, Coimbra, 1952, p. 105.
[77] *Ibid.*, p. 47.

plicar la relación entre la cantiga y la jarcha (relación que no desecha) propone la hipótesis de que los autores de las jarchas (él habla de "los poetas judíos") habrían imitado la poesía popular paralelística al componerlas; es decir, habrían imitado los temas y el ambiente de las cantigas populares, pero no el tipo versificatorio (el paralelismo), por no ajustarse al carácter de su poesía.

En cambio, la idea de que la jarcha pueda ser un antecedente del villancico le parece plausible. Habría así dos tradiciones peninsulares: la paralelística gallego-portuguesa con refrán, por un lado; y la representada por el villancico, por otro lado, la cual podría tener su origen en la jarcha mozárabe. En este caso, Portugal habría cultivado ambas tradiciones, ya que el villancico —el "vilancete"— tambiér. aparece en la tradición gallego-portuguesa, y el autor desconocido de la *Poética* trovadoresca cita la "cantiga de vilãos", que R. Lapa supone estaría en la raíz de ese género.

De ambas tradiciones, la más antigua, para R. Lapa, es la paralelística. "Esto es —concluye—, el esquema que dio lugar al villancico es todavía un esquema simple y popular, pero más elaborado tal vez del que dio lugar a los cantares de amigo paralelísticos" [78]. Rodrigues Lapa no nos explica por qué. ¿Por qué el esquema paralelístico es más antiguo, más simple y más popular que un esquema como el de la jarcha "¿Qué faré, mamma? / Meu l'habib est ad yana", simple dístico asonante? Tampoco, en mi opinión, resulta convincente la hipótesis de que este segundo esquema surgiera por imitación del primero, imitación de temas y ambiente y no de forma. Resulta más lógico pensar que los poetas árabes o hebreos aceptaran un tipo o esquema lírico ya formado y existente; en otras palabras, resulta más plausible la hipótesis de que, sintiéndose atraídos los poetas árabes y hebreos por la gracia de ciertas cancioncillas, las utilizaran, o las imitaran, pero sin destruir ni alterar su forma.

En cambio, sí es de tener en cuenta la objeción de Rodrigues Lapa en cuanto a hacer derivar la cantiga de amigo de la jarcha. Es cierto que la jarcha, por sí misma, no explica el paralelismo. Hoy por hoy, y a falta de pruebas (¿las tendremos alguna vez?), la relación jarcha-cantiga lo mismo puede explicarse por línea ascendente-descendente

---

[78] *Ibid.*, p. 47.

que por línea colateral. El vínculo familiar, en todo caso, es aceptado por R. Lapa: "o fino sentimento, a frescura virginal, o delicado aroma femenino que delas [de las jarŷas] se desprenden. É isso que vamos encontrar, efectivamente, nas cantigas do século XIII e nos vilancetes do século XV. Este facto, muito importante, ultrapassa toda a sorte de discussões em torno do espinhoso problema da versificação" [79].

2. *Costa Pimpão*

Costa Pimpão [80] señala, con razón, que la "actual" prioridad de la jarcha sobre la cantiga es provisional y fortuita. Se debe simplemente al clima de Egipto y al hecho afortunado de que la sinagoga de Forstat conservara los manuscritos de que surgió la revelación de las primitivas jarchas romances. Pero ¿cuál es la antigüedad de la cantiga galaico-portuguesa? Las cantigas más antiguas *conservadas* son posteriores a las jarchas más antiguas que conocemos, pero ello resulta de una contingencia material. La antigüedad de una y otra tradición nos es desconocida. Llevados de esa contingencia material, "¿...tendremos que admitir —protesta Costa Pimpão— que las cantigas de sabor más 'popular' (las de paralelismo simple) no se apoyan en una tradición local anterior, y sí en una tradición mozárabe, y que hubo que esperar a la incorporación del elemento mozárabe para que la gente del Norte de la Península cantase?" [81].

En esta pregunta, el ilustre profesor portugués desorbita el alcance de las afirmaciones de sus colegas españoles. Aun cuando el hacer derivar la cantiga de la jarcha suponga ponerle a aquélla un límite *a quo,* ese límite se refiere a un género, a un tipo de canción, y, más concretamente, a una estructura estrófica, y no al canto mismo o a la facultad humana de cantar [82].

---

[79]   *Ibid.,* p. 48.

[80]   Alvaro J. Da Costa Pimpão, *Historia da Literatura Portuguesa, Idade Média,* 2.ª ed., Coimbra, 1959.

[81]   *Ibid.,* p. 163. Traduzco yo al castellano.

[82]   Tampoco la jarcha es un tipo de canción necesariamente mozárabe; lo único que puede afirmarse es que era propia de las gentes cristianas (¿desde cuándo?), y que así lo entendían los poetas árabes y hebreos. Antes d

Sin embargo, el punto central de su argumento es válido. La mayor antigüedad "documental" de la jarcha no es por sí sola prueba de mayor antigüedad histórica.

3. *Silvio Pellegrini*

Al descubrirse las jarchas, hubo curiosidad general por saber cuál sería la reacción del ilustre provenzalista, y en qué medida consideraría afectadas sus posiciones. Para Silvio Pellegrini [83], el género de las cantigas de amigo comenzaba a principios del siglo XIII o a fines del XII, es decir, con las primeras cantigas conocidas. La hipótesis de un lirismo precedente, de carácter popular, era rechazada por falta de pruebas y por entender —siguiendo los pasos del maestro, Cesare De Lollis [84]— que la *cantiga de amigo* era, en realidad, un género posterior al de la *cantiga de amor* (provenzalista), surgido como reacción a ésta, en virtud de una corriente de realismo "popularizante". Por otra parte, la misma idea de una poesía popular, a no ser en el amplio sentido propuesto por Croce [85], le parecía una pura entelequia; Pellegrini insistía en el origen individual y culto de toda poesía [86].

---

la incorporación de los mozárabes, las gentes de los territorios de Galicia y Portugal —¿y cuántas más en España y Europa?— podían cantar cantarcillos "de amigo" del tipo de las jarchas.

[83] *Studi su trove e trovatori della prima lirica ispano-portoghese*, Torino, 1937; cito por la 2.ª edición, Bari, 1959.

[84] Cesare De Lollis, "Dalle cantigas de amor a quelle de amigo", en *Homenaje a Menéndez Pidal*, tomo I, Madrid, 1925, pp. 617-626. Reproducido en C. de Lollis, *Cervantes reazionario e altri scritti d'ispanistica*, Florencia, 1947, pp. 231-246.

[85] *Studi...*, p. 39.

[86] "La historia del género de las *cantigas de amigo,* sumariamente esbozada, no ha podido ser diversa de la siguiente: un individuo ha poetizado primeramente de esta manera, encontrando, inmediatamente o más tarde, por razones estéticas, de prestigio personal, consenso, ecos, imitadores, cada uno de los cuales a su vez ha suscitado un movimiento análogo; este gusto ha sido, en el siglo XII y en la primera mitad del XIV, una moda que poco a poco, de los palacios, ha descendido a las plazas y al campo, hasta insertarse en el patrimonio de las tradiciones populares, donde, a lo que parece, todavía se encuentran trazos de ella" (*ibid.*, p. 34).

Finalmente, también era rechazada por falta de pruebas la tesis de
Menéndez Pidal sobre la existencia de una tradición de remota antigüedad común a cantigas y villancicos (que vendría a explicar las semejanzas entre estos dos géneros): "...su che appogia queste affirma-
zioni il Menéndez Pidal? Unicamente sulla sua impressione; un'impressione che... potrà anche corrispondere alla realtá; ma che per ora
manca di prove" [87].
        Cuando aparecieron las jarchas, algunos vieron en ellas las prue-
bas reclamadas. No así el maestro italiano, quien en la edición de
1959 de sus *Studi su trove e trovatori della prima lirica ispano-portoghese* [88], seguirá insistiendo en el nacimiento tardío de la cantiga de
amigo, y va a negar el lazo entre la jarcha y la cantiga. Resumiremos
los puntos principales de su argumentación. Empieza señalando bien
que las semejanzas con las *cantigas de amigo* sólo existen en un cierto
número de jarchas [89]. Pero, además, estima que, aun en éstas, las semejanzas no son suficientemente significativas para defender la relación histórica entre ambos géneros. (Es preciso advertir que, para
Pellegrini, las jarchas son obra de los mismos poetas árabes y hebreos
que las insertaron en sus moaxajas, no muestras de una tradición antigua y popular.) En segundo lugar, las jarchas en sí mismas no consisten en otra cosa que en "elementales suspiros amorosos" [90], del tipo
de *que farayu?, que serad de mi?, com vivararyu?, por el moriray,* y
"otras tantas elementales constataciones, declaraciones o implicaciones, que en cualquier tiempo y en cualquier latitud pueden venir a
la boca de toda enamorada apasionada o infeliz" [91].
        La invocación a las *ermaniellas* o amigas, o a la madre, le parece
asimismo una situación genérica perteneciente a toda la literatura universal; por otra parte, el papel de la madre en las jarchas es pasivo,

---

[87]   *Ibid.,* p. 39.
[88]   Bari, 1959, vide "Postilla", pp. 54-63. (Es 2.ª ed.; la 1.ª ed. es de
1937.)
[89]   Señala las jarchas núms. 6, 14, 15, 16, 18, 19, 20, 21, 23, 26, 27,
38, 45 de la ed. de S. M. Stern.
[90]   La expresión, citada por Pellegrini, procede de Werner Ross, "Sind
die hargas Reste einer frühen romanischen Lyrik?", *Archiv für das Studium
der neueren Sprachen und Literaturen,* CXCIII, (1957), p. 136.
[91]   *Studi su trove e trovatori...,* p. 58.

de simple oyente, mientras que en las cantigas hay, generalmente, un coloquio entre madre e hija, y aquélla aparece como celoso guardián de ésta. (Nada se dice sobre el villancico, en donde la madre, como en la jarcha, tiene sólo un papel pasivo o de oyente.)

En cuanto al uso de las voces *habibi* en las jarchas y *amigo* en las cantigas, señala Pellegrini que aquélla sólo aparece en catorce textos mientras que la voz *amigo* es un rasgo constante y obligado en las cantigas. Además, se pregunta el autor, ¿cómo se explica esa traducción sistemática precisamente de la palabra romance que da carácter al género? Es que, en realidad, prosigue, la coincidencia no es sino uno de aquellos casos de nivelación lingüística, frecuentes entre lenguas pertenecientes a un mismo ámbito de cultura: las voces *amicus* y *amica*, en la acepción de amante, están ya en el latín clásico, en el latín medieval y en todas las literaturas medievales, romances y extrarromances [92].

Así, lo que queda en común entre las jarchas y las cantigas no es más que unas cuantas vagas y tenues semejanzas, constituidas por elementos genéricos y universales que también pueden encontrarse en textos franceses, alemanes, latinos medievales, etc.

Con ello, Pellegrini rechaza el lazo entre jarcha y cantiga, y reafirma su tesis sobre el nacimiento tardío de la cantiga de amigo a principios del siglo XIII o finales del XII. Y concluye: "Con esto no intento de ningún modo excluir *a priori* la posibilidad de influencias de la poesía árabe sobre la poesía de Occidente en general, y de la Península Ibérica en particular. Para admitirlo en concreto es preciso, sin embargo, que se satisfagan tres exigencias metodológicas: la revisión de datos verdaderamente significativos, típicos y exclusivos, no comunes y generales; analogías de cuya causa se pueda dar históricamente razón; cotejo de las individualidades cronológicamente dispuestas, no contraposición de bloques indiscriminados, como si existiesen en verdad géneros y no autores individuales, cada uno con su propia personalidad y su propia historia".

---

[92] Pero, fiel a su posición individualista, Pellegrini precisa que tales coincidencias no suponen una génesis múltiple; la irradiación tendría siempre un punto de partida individual, "si bien cuando se dilataron y esparcieron, acabaron siendo, por así decirlo, cosa de todos y de ninguno".

Comprobamos nuevamente hasta qué punto nuestras ideas sobre una realidad poética concreta dependen de un planteamiento teórico general del problema de la poesía popular. Desde sus bases individualistas, y al negar la existencia de la tradición colectiva poética popular (al menos, con el sentido y alcance que para nosotros tiene), Pellegrini prescinde precisamente del elemento principal a favor del lazo entre jarcha, cantiga y villancico. Pellegrini ve la creación poética como una serie de creaciones individuales aisladas, obra de individuos que crean en aislamiento, desde la nada, desde el cero. (La relación entre esas criaturas poéticas aisladas no puede ir más allá del concepto tradicional de *fuente* o *influencia*). Nosotros contemplamos la creación poética popular desde arriba, y la vemos en su dimensión colectiva y en su perspectiva dinámica; en otras palabras, contemplamos las múltiples creaciones poéticas integradas en el marco de la tradición poética popular colectiva, una tradición en marcha: las canciones creadas están en movimiento (transmisión y recreación), las canciones que se crean se apoyan en todo ese repertorio de formas y contenidos que la tradición encierra. Desde sus bases individualistas, Pellegrini pide "datos verdaderamente significativos, típicos y exclusivos, no comunes y generales", y rechaza la contraposición de "bloques indiscriminados". Al faltar la base teórica común, las diferencias son insalvables. Porque lo que pide Pellegrini, enjuiciado desde nuestras bases, resulta un contrasentido; pretender que las semejanzas entre canciones pertenecientes a dos tradiciones populares (o dos momentos de una misma tradición), separadas por doscientos o trescientos años, *y cuando no había imprenta* que fijase para siempre una determinada canción y ayudase con sucesivas impresiones a mantenerla en el caudal de la tradición presente, pretender, digo, que esas semejanzas puedan ser significativas, típicas y exclusivas en la manera en que puede serlo, por ejemplo, la influencia de Virgilio (fijado para siempre, no en devenir constante) sobre un poeta del Renacimiento, es no entender el sentido de la tradición poética popular; es un contrasentido porque se opone a ello la misma naturaleza de esa tradición, que es cambiante y no inmóvil (sólo los libros están inmóviles, y nuestra tradición es oral y no libresca).

Por eso, el camino a seguir es precisamente el negado por Pellegrini: la contraposición de "bloques" de canciones, deteniéndose en el examen de aquellos datos o elementos generales del estilo que puedan resultar significativos, e interpretando siempre esos datos y complementándolos con un entendimiento adecuado de la mecánica propia de la tradición colectiva popular.

Conocemos la tradición lírica popular española desde mediados del xv hasta nuestros días, y sabemos que el lazo de unión entre ambas tradiciones existe. Por múltiples razones, que quedaron expuestas, tenemos el convencimiento de que entre el villancico y la cantiga existen elementos de relación indudables, y que ambas canciones proceden de una tradición aún más antigua. Así las cosas, aparecen las jarchas. Y empezamos a ver semejanzas; no un *que farayu?*, o un *mamma*, o un *ermaniellas*, o un *habibi*, sino todas estas cosas juntas (más las analogías formales con el villancico), y siempre sin olvidar lo que a veces se olvida: que todo ocurre *en el recinto de la península* (canciones hispánicas, en lengua hispánica, cantadas por hombres hispanos)... Pellegrini dice que fueron los poetas árabes y hebreos los que hicieron las jarchas. Aunque así fuera, ¿no se apoyaron en nada? No resulta lógico: he aquí que a un grupo de poetas árabes y hebreos se les ocurre hacer canciones en lengua de cristianos, sobre personajes cristianos, tratando, hemos de entender, de reflejar modos de sentimiento y de expresión de sentimiento cristianos. He aquí que esos cristianos tenían sus canciones (¿o no cantaban?). Y los poetas árabes y hebreos no las imitan; se fabrican sus propias jarchas (con las que quieren evocar el sentimiento lírico cristiano), tapándose los oídos para no oír las canciones cristianas que les vienen de la calle. Esto, repito, me parece poco probable (si yo intentara dar *aire ruso* a una canción, no compondría una *tarantella;* me acordaría de los bateleros del Volga).

Lo lógico, naturalmente, es pensar que los poetas árabes y hebreos imitaron al menos las cancioncillas cristianas. Esto bastaría. Pero, además, la lectura de los textos árabes que hablan de la moaxaja, dicen los arabistas, induce a pensar que, en muchos casos, tomaban la canción ya hecha: y es lógico suponer que a veces las tomaran de los cristianos que las cantaban. Entonces pensamos que la jarcha, algunas jarchas, reflejan la tradición lírica popular hispánica en el siglo xi y xii; en otras palabras, que las jarchas conocidas imitan, o son ellas mismas, canciones que las gentes cristianas de la península cantaban en esos siglos.

Dos tradiciones líricas hispánicas: una, la mozárabe, documentada en los siglos XI y XII; otra, la castellana, cuya historia conocemos desde mediados del XV hasta hoy, y cuyas raíces medievales buscamos…; entre ellas, semejanzas. Y se abren dos posibilidades: 1) pensar que la tradición lírica mozárabe murió sin dejar rastro, sin determinar, o, menos ambiciosamente, influir el curso de la lírica tradicional que viene tras ella; o 2) pensar que entre ambas tradiciones debe existir una relación, entendiendo esta relación dentro del marco del fenómeno de la tradición. Yo creo en esta posibilidad, porque creo en la tradición lírica popular, en su existencia y longevidad. Dados los supuestos teóricos de que parte Silvio Pellegrini, supuestos que no comparto, entiendo también su actitud.

4. *Aurelio Roncaglia*

Aurelio Roncaglia es autor de una antología de jarchas, canciones y villancicos de diverso carácter; la titula su autor: *Poesie d'amore spagnole d'ispirazione melica popolaresca. (Dalle 'Karge' mozarabiche a Lope de Vega)* [93]. El título de la obra indica ya la posición del autor con respecto al carácter de las jarchas, y, en general, con respecto a la poesía tradicional o popular, posición que concuerda con las corrientes individualistas de la crítica italiana, que ya examinamos en su lugar [94].

Reprocha a la crítica española lo que él considera una tendencia a caer en posiciones románticas defendiendo una *Naturpoesie* en los orígenes líricos peninsulares. Como, en realidad, la teoría tradicionalista no cree en el viejo mito romántico de la *poesía natural*, hemos de entender que su reproche se refiere a la creencia en la poesía de tradición popular. Para Roncaglia no existe la poesía tradicional o

---

[93] Modena, 1953. Escrita después de su artículo: "Di una tradizione lirica pretrovatoresca in lingua volgare", *Cultura Neolatina*, II (1951), fasc. 3. Como encontramos algunas diferencias en los puntos de vista sostenidos en el artículo y en el libro, seguimos a éste, por ser posterior.

[94] Véase cap. II.

popular. Las jarchas deben encuadrarse, no dentro de una tradición panromance, sino dentro del marco de la vida ciudadana andaluza. Se trata de canciones (poesía de arte, de un arte menor) debidas a autores "urbanos", y difundida entre el pueblo "urbano" de la Andalucía musulmana. La poesía tradicional o popular no existe; lo que suele entenderse por tal es, en realidad, según Roncaglia, poesía culta popularizante, tanto si nos referimos a las jarchas como a los villancicos. Las fórmulas de que se sirve la poesía de amor popularizante revelan una actitud más ligera y accesible, pero artísticamente no más ingenua que la que dejan traslucir las fórmulas corteses. "Como las más alambicadas metáforas conceptistas y los más suntuosos símbolos cultos, el 'popularismo' es en esencia una metáfora, un símbolo; un modo de cifrar el propio sentimiento" [95].

En el caso de Roncaglia, no estamos sólo ante afirmaciones teóricas; las afirmaciones van respaldadas por los ejemplos de su antología. En ella aparecen en pie de igualdad canciones cultísimas, más o menos popularizantes, de Villasandino, Carvajales, Santillana o Lope, junto a auténticos villancicos de la tradición popular. Por ello nos hemos servido de muchos de sus ejemplos (que aparecen en una de las Antologías popularizantes incluidas al final de este libro) para mostrar precisamente las diferencias que separan a la poesía *popular* de la *popularizante*. El principal reproche que, por nuestra parte, hacemos a Roncaglia es el de no distinguir entre dos realidades estilísticas perfectamente diferenciadas. Con independencia de las consecuencias que extraigamos de esas diferencias, y con independencia del nombre que demos a una y otra realidad lírica, ellas existen y el lector debe ser advertido de ello.

Sin embargo, Roncaglia admite el puente de unión entre jarcha y villancico, y cita en su apoyo a Américo Castro. "Hay una literatura —dice Castro [96]— (llamada 'popular' en virtud de un abstracto convencionalismo) en que se expresa en algún modo la forma de vida cristiano-islámico-judía... Los fenómenos 'popularistas' en la literatura del siglo XVII no son sino el desborde de una literatura siempre pre-

---

[95] *Ob. cit.*, p. 11.
[96] *España en su historia: cristianos, moros y judíos*, Buenos Aires, 1948, apéndice IX, pp. 679-681.

sente (¿desde el siglo x?), y que fluía como corriente subterránea o marginal junto a la otra de curso latino-europeo". Para Roncaglia, "el descubrimiento de las jarchas mozárabes viene a confirmar esta intuición (también con respecto al paréntesis interrogativo), y ayuda a precisarla históricamente" [97].

Igualmente ve la importancia del descubrimiento para la historia de la cantiga de amigo. Con él estima que cae la tesis de De Lollis y su defensa de la anterioridad de las *cantigas de amor* provenzalizantes sobre las popularistas *cantigas de amigo*. Caen aquellas teorías que pretendían reducir todo el filón lírico popularista a un desarrollo del trovadorismo cortés [98]. Reconoce, con ejemplar sinceridad, que "c'era tra noi un residuo... di pregiudizi positivisti".

III. EL "FRAUENLIED" Y EL ORIGEN DE LA LÍRICA EUROPEA

Cuando nos remontamos a los albores de la lírica europea —sea ésta española, portuguesa, francesa, italiana, alemana, escandinava, rusa o servia— hallamos que comienza siempre por una canción de mujer, un *frauenlied* [99].

---

[97] *Ob. cit.,* p. 19.

[98] Se refiere, como se desprende de su nota 20, página 14, a Silvio Pellegrini, *Studi su trove e trovatori della prima lirica ispano-portoghese,* Torino, 1937; y "La lirica medievale di Spagna e Portogallo", *Il Tesaur,* I (1949), 20-22.

[99] Incluso antes de que estas canciones aparezcan textualmente documentadas, encontramos referencias a cantos de mujeres, en actas eclesiásticas que los reprueban. A veces, estos cantos son tachados de supervivencias paganas. Karl Vossler, al hacer la reseña del libro de Wechssler (*Das Kulturproblem des Minnesangs,* Halle, 1909, en *Literaturblatt f. Germ. und Rom. Philol.,* XXXII, 1911), señalaba que, a partir del siglo VI, a lo largo de la Edad Media, se encuentran disposiciones capitulares y sinodales reprobando las fiestas de mayo. Muchos textos hablan de cantos de mujeres, condenándolos por obscenos (*cantica diabolica, amatoria et turpia*) (*obscena et turpea cantica*), o por su carácter pagano (*similitudinem paganorum*), como restos, probablemente, de las fiestas primaverales en honor de Venus. Cesario d'Arles, muerto en 542: "Quam multi rustici, quam multae rusticae mulieres, cantica diabolica, amatoria et turpia ore decantant". En las actas del Concilio

Desde el descubrimiento de las jarchas, la lírica románica medieval *documentada* comienza en el siglo XI (antes de 1040) con un *frauenlied* (*Tant'amắre, tant'amắre,* / *ḥabīb, tant'amắre*...), inserto en una moaxaja de Joseph el Escriba. He aquí que el descubrimiento ha vuelto a dar actualidad a las viejas teorías de Jeanroy y Gaston Paris sobre el *frauenlied* europeo, remozadas hoy por Theodor Frings [100] y Leo Spitzer [101].

A. LA TESIS DE JEANROY

En *Les origines de la poésie lyrique en France au Moyen Âge* [102], libro ambicioso y polémico pero enormemente sugestivo, Alfred Jeanroy se propuso alumbrar los orígenes de la lírica francesa. Para ello,

---

de Chalons (entre el 569 y el 664): "...ne per dedicationes basilicarum aut festivitates martyrum ad ipsa solemnia confluentes obscena et turpea cantica... cum choris foemines de cantare videantur". Y el Concilio de Roma del año 853: "Sunt quidem et maxime mulieres, qui festis ac sacris diebus... ballando, verba turpia decantando, choros tenendo ac ducendo similitudinem paganorum perageando advenire procurant". (Cf. P. Verrier, *Les vers français*, Paris, 1931-32, I, p. 258 y nota; Foerster-Koschwitz, *Altfranzösisches Übungsbuch*, 4.ª ed., Lipsia, 1911, col. 249-50. Cit. por Carla Cremonesi en *Preistoria e storia degli studi romanzi*, Milano, Cisalpino, 1955, pp. 237 y nota 44.) Las rondas de mujeres, danzando en círculo al compás de canciones (de que nos van a dar testimonio muchos textos franceses a lo largo de la Edad Media: *Roman de la Rose* o *de Guillaume de Dôle*, versos 5183-89; Chrétien de Troies, *Erec*, v. 2047; *Gui de Nantevil*, v. 2411; *Art d'amours* de maître Élie, vs. 133, 137; *Durmart le Galois*, v. 2333, etcétera) aparecen ya mencionadas en un pasaje de la vida de San Chilian: "Ex qua victoria carmen publicum juxta rusticitatem per omnium pene volitabat ora ita canentium, feminaeque choros inde plaudendo componebant". (Cit. por Gaston Paris, "Les origines de la poésie lyrique en France", *Journal des Savants*, julio, 1892, p. 410.)

[100] "Minnensinger und Troubadours", *Deutsche Akademie der Wissenschaften, Vorträge und Schriften*, Berlin, 1949, fasc. 340; y "Altspanische Mädchenlieder aus des Minnesangs Frühling", *Beiträge zur Geschichte der deutschen Sprache und Literatur*, LXXIII, 1951, pp. 176-196.

[101] "The mozarabic lyric and Theodor Frings' Theories", *Comparative Literature*, IV, 1952, pp. 1-22; publicado después (en traducción española), en su libro *Lingüística e historia literaria*, Madrid, Gredos, 1955, pp. 65-102. Citaré siempre por esta edición.

[102] Poitiers, 1889.

Jeanroy pasaba primero revista a los más viejos géneros líricos franceses conservados —tenidos comúnmente por antiguos y populares—: *aubes* (pp. 61-83), *pastourelles* (pp. 10-44), *débats* (pp. 45-100) y *chansons dramatiques* (pp. 84-101); y, al hacerlo, encontraba que todos ellos reflejaban ya un arte tardío, imbuido del espíritu de la lírica cortés. Sin embargo, y esto era lo importante, hallaba también que esos géneros "reposent sur des thèmes qui devaint être populaires" [103], lo que equivalía a decir, en su caso, que esos temas debían de ser antiguos, primitivos, anteriores a la eclosión cortés. El propósito del libro de Jeanroy era, precisamente, encontrar esos temas originarios que desvelarían el secreto del origen de la primitiva lírica francesa. ¿Dónde encontrarlos? En los *refrains* y en las imitaciones extranjeras, opinaba Jeanroy; y de acuerdo con este plan procedía en su libro [104].

Los "refrains" a que Jeanroy se refería eran, con sus propias palabras: "pequeños fragmentos, de uno a cuatro versos, normalmente, siempre acompañados de una melodía que les es propia. Los fragmentos aparecen a veces aislados, a veces intercalados en otras obras; pero, en este último caso, no son los mismos que se repiten al final de cada estrofa, de los cuales son, con frecuencia, enteramente independientes en cuanto al sentido". Es decir, en estas obras, los "refrains" sobre los que recaía la atención de Jeanroy no eran los refranes (o estribillos) repetidos después de cada estrofa, no eran, pues, aquellos versos que en la composición en cuestión cumplían la función repetitiva del refrán o estribillo, sino ciertos otros trozos líricos, incluidos en el texto, pero no con este carácter.

¿Por qué los llamaba entonces "refrains"? Porque, para Jeanroy, esas piececitas líricas habían sido originariamente auténticos "refrains", en el sentido actual de verso o versos que se repiten, cuando formaban parte de la obra original a que pertenecieron antes de ser segregadas de ella y antes, por tanto, de haber pasado a formar parte de las piezas más modernas que nos las han conservado. El resto de la obra original se había perdido, y si ellos se habían conservado era precisamente por su calidad de "refranes", lo que había hecho que

---

[103] *Ob. cit.*, p. 529.
[104] *Ob. cit.*, p. 529.

quedaran en la memoria del público, ya que era esa parte la que entonaba el coro contestando al solista [105].

Frente a Wackernagel y Bartsch, que habían considerado a los "refrains" como restos de poesía popular primitiva, Jeanroy opinaba que, aun admitiendo que el refrán era un género de origen popular ("et que le peuple chantait beaucoup de pièces semblables à celles où les refrains trouvaint place"), los "refrains" que nos habían llegado no eran, en su mayoría, aquellos antiguos que el pueblo cantaba en el siglo XII, sino otros modernos y cultos, hechos a su imitación, y cuya semejanza con los primitivos había probablemente desaparecido (vide razones en pp. 114-124) [106].

¿De qué piezas eran fragmentos y procedían los refranes? *De canciones de danza*, contestaba categóricamente Jeanroy [107]. El *roman de Guillaume de Dôle*, y algunos otros textos antiguos, nos han conservado estrofas completas de estas canciones de danza; aparecen en ellas los refranes, pero no solos. He aquí dos ejemplos:

Aaliz main se leva,
—*Bon jor ait qui mon cuer a,*
Biau se vesti et para,
Desoz l'aunoi.
—*Bon jor ait qui mon cuer a,*
N'est pas o moi.

---

[105] *Orig.*, p. 113.

[106] De los textos que nos los han conservado ninguno es anterior a los comienzos del siglo XIII. El más antiguo de ellos es el *roman de Guillaume de Dôle*, escrito entre 1210 y 1215. (En él se encuentran 18 "refrains" o "Chansons à danser"; 16 fragmentos de canciones corteses francesas o provenzales; 7 "chansons d'histoire" y un "lai" de canción de gesta.) Conforme se avanza en el siglo XIII, aumenta la boga de los refranes (vide documentación probándolo en p. 116). Ello conduce a Jeanroy a pensar que los refranes no podían ser muy antiguos (p. 117).

[107] Sabemos, en efecto, con absoluta seguridad —decía el maestro francés—, que los "refrains" servían de acompañamiento a la danza. Danzando se cantan en *Guillaume de Dôle* y en el *Roman de la Violette;* se les llama también *chansons de carole (Violette,* pp. 7, 8, 13...); ... en los "refrains" las alusiones a la danza son innumerables. Se les llama frecuentemente *rondets (Renart le Novel,* 5292, 7079) y *rondets de carole (Ib.,* 6999). Cf. Parte III, cap. III.

> C'est la jus enmi les prés.
> —*J'ài amors a ma volenté,*
> Dames i ont bauz levez;
> Gari m'ont mi oel.
> —*J'ai amors a ma volenté.*
> *Teles com je vuet* [108].

Los versos en cursiva en las dos piezas citadas, puramente líricos, se destacaban claramente del resto de la estrofa, de carácter narrativo. Estos versos constituían el refrán y son los que se han conservado —decía Jeanroy—, mientras que el resto, narrativo, se ha perdido.

Los "refrains" eran, pues, para Jeanroy, *fragmentos de canciones de danza en las cuales jugaban el papel de refranes.* Cada uno de los refranes conservados supondría, por tanto, la existencia de una canción perdida. ¿Cómo llenar la laguna? Es decir, ¿cómo reconstruir esa poesía perdida, que podría darnos la fisonomía de la poesía lírica francesa del siglo XII? Para hacerlo, Jeanroy recurría a la poesía europea —italiana, alemana y portuguesa—. La poesía europea, entendía Jeanroy, había imitado desde muy temprano la lírica francesa. "Nous sommes donc autorisés, pensons-nous, à rechercher à l'étranger des formes et des genres disparus de notre littérature" (p. 125); y esto es lo que hacía Jeanroy en la segunda parte de su libro, olvidándose tal vez, como se le ha reprochado, de la cautela que él mismo pedía al iniciar su trabajo. A saber: que "il ne faut pas toujours conclure d'une ressemblance à un emprunt: deux poètes de même race, formés aux mêmes habitudes d'esprit, ont pu se rencontrer, s'ils ont été touchés du même sentiment; la même métaphore, le même mot ont pu exprimer fortuitement la même idée. Il n'est pas encore démontré non plus qu'il n'y ait pas, dans le trésor poétique des différents peuples, toute une part qu'ils auraient pu hériter d'une lointaine et obscure communauté d'origine..." (p. 126).

---

[108] Jeanroy hacía también ver que estas estrofas eran idénticas —sin más que añadir a la cabeza de la composición los dos versos del refrán final— al *rondel,* la forma típica de la canción de danza de los siglos XIV y XV.

B.   LA TESIS DE GASTON PARIS

Al reseñar el libro de Jeanroy, Gaston Paris [109] —entre aprobaciones, elogios y críticas— partía de algunas observaciones del discípulo, después de desechar otras, para levantar una teoría más ambiciosa en sus alcances generales, aunque de menor ambición nacionalista. Más ambiciosa, en cuanto su propósito era explicar el nacimiento de la lírica medieval mostrando el género originario, la "ameba" lírica de que procederían, por desprendimiento y evolución, todos los primitivos géneros líricos europeos.

Para Gaston Paris, los orígenes de la lírica medieval estaban inseparablemente ligados con las fiestas de primavera. A su llegada, las gentes cantaban al tiempo nuevo; y el maestro francés desenterró de entre los viejos textos franceses la palabra virginal —ya usada por Gautier de Coinci— que habría servido en los primeros tiempos medievales para designar a esas canciones de primavera: *reverdies.*

Las "chansons à personnages" (que Jeanroy había llamado "chansons dramatiques", y cuyo tema nuclear era el tema de la "malmaridada"), las "pastourelles", y en cierto modo los "debates" y las "chansons d'aube" (las primitivas albadas) se relacionaban con las fiestas de mayo o de primavera; eran, pues, realmente canciones primaverales, *reverdies.* Pero las más características canciones de la primavera serían las *canciones de danza.* Los días de primavera, y sobre todo el primer día de mayo, cuando mozos y mozas salían al campo a "buscar el mayo", a coger flores y a celebrar de mil modos la llegada del tiempo nuevo, sería sobre todo el momento en que "las doncellas y las jóvenes esposas bailaban sus danzas rituales cogidas de la mano, en ronda, sobre la pradera reverdecida".

Gaston Paris citaba testimonios: las alusiones en el siglo XII de los autores de los *Carmina Burana* ("Ludunt super gramina virgines decore, / Quarum nova carmina dulci sonant ore"), y el bello pasaje de la leyenda de Flamenca describiendo los juegos de las *Kalendas Mayas,* que muestra cómo las canciones que entonces se cantaban terminaban con el grito de júbilo: *Kalenda maya.*

[109] "Les origines de la poésie lyrique en France au Moyen Âge", *Journal des Savants,* nov. y dic. 1891, y marzo y julio 1892.

Estas canciones celebrarían a veces, simplemente, el mes de mayo y el despertar de la primavera (como en los *Carmina Burana*, y en piezas latinas y alemanas, derivadas sin duda para Gaston Paris de *reverdies* francesas); pero otras veces, como en las muestras que nos ha conservado la poesía francesa, cantaban sobre todo el amor: eran una invitación al amor. No hay que olvidar el remoto origen pagano de las fiestas de mayo, como fiestas consagradas a Venus, recordaba Gaston Paris.

El *Cancionero de Saint Germain* ha conservado la primera pieza completa (no francesa, sino "limousine"), en que aparece la reina de mayo (la *regina avrillosa*) "conduciendo la danza con sus acompañantes y excluyendo de ella al 'gelos', es decir a su propio marido, y a todos los que *no aman*" [110]. Ya en estas piezas —dice G. Paris— aparece el tono y los caracteres inspiradores de estas danzas (especie de *saturnales* femeninas). Es un momento de emancipación ficticia, convencional y pasajera. En esos días la doncella escapa a la tutela de la madre y la joven casada a la del marido, para cantar y danzar celebrando a mayo. Claro que no hay que tomar ese "tono" al pie de la letra. Pertenece a una convención casi litúrgica. Y la convención en las *kalendas mayas o maieroles* [111] era la de presentar al matrimonio como una esclavitud a la que la mujer tiene el derecho de escapar, y al marido, el "jaloux", como el enemigo contra el que todo está permitido [112].

Pero, junto a estas canciones de libertad, aparecen otras en las que el tema (probablemente más antiguo) es la alegría de la primavera, el placer de ser joven, el júbilo de la danza, el amor en el corazón de una doncella..., temas todos que aparecen en los fragmentos conservados de las canciones de danza.

De éstos, los más antiguos y más preciosos (anteriores a la canción de la *regina avrillosa,* que, sin embargo, es la más antigua que se nos

---

[110]   *Journal des Savants*, julio 1892, p. 416.

[111]   Otro nombre antiguo para designar a las fiestas de mayo, que G. Paris ejemplifica con un texto de Raoul de Houdan: "les puceles dont i ot tant, / Vienen chantant et font quaroles / Si grans qu'onques as maieroles / Ne veïstes greignors...".

[112]   No es propiamente la queja de malmaridada, aclara G. Paris, ya que en la mayor parte de estas canciones no se hace ningún reproche al marido, salvo el de serlo (*ibid.,* p. 417).

ha conservado entera) se encuentran en el *Roman de Guillaume de Dôle* (de 1210 a 1215). En él, el autor ha intercalado canciones de danza (por desgracia sólo la primera estrofa de cada una de ellas). Entre esos fragmentos aparecen cinco variantes de la canción de Bele Aelis, muy popular a fines del siglo XII y comienzos del XIII [113]. Otros se refieren simplemente a los juegos y danzas propios de las fiestas de mayo; como éste:

> Tout la giens sor rive mer,
> *Compaignon, or dou chanter!*
> Dames i ont baus levez;
> *Mout en ai le cuer gai,*
> *Compaignon, or dou chanter*
> *En l'onor de mai*
>   (v. 4154 y ss.)

o esta invitación al *vireli*:

> *Tendez tuit voz mains a la flor d'esté*
> *A la flor de lis!*
> *Por Deu, tendez i!*
>   (v. 5099 y ss.).

Los versos en cursiva son *refrains*. La mayor parte de los *refrains* conservados, repite Gaston Paris con Jeanroy, son tardíos, de tono cortés. Lo que nos han conservado de la poesía popular no es más que un reflejo más o menos lejano; pero ese reflejo es lo importante y aparece más vivo conforme nos remontamos en el tiempo.

C. LEO SPITZER: LA JARCHA MO-
ZÁRABE Y EL "REFRAIN" FRANCÉS

1. *Las jarchas, como restos de canciones primaverales de danza femeninas*

Ha sido Leo Spitzer quien más ha insistido en el paralelo *jarcha* mozárabe y *refrain* francés [114]. Este paralelo no se limita, en su caso,

---

[113] Gaston Paris cita varios testimonios de esta boga.
[114] En su estudio "The mozarabic lyric and Theodor Frings' Theories", ya citado, decía a propósito del famoso artículo de Dámaso Alonso (*RFE*,

a señalar el común carácter de *Frauenlieder* de ambas canciones ni a mostrar las analogías de temas y expresiones que entre ellas existen [115] Leo Spitzer defiende, apoyándose en Gaston Paris y Theodor Frings, que las jarchas, al igual que el *refrain*, son *restos de canciones prima verales de danza femeninas*, y ve en éstas la "base de toda poesía lírica en las lenguas vernáculas romances y germánicas" [116].

La tesis, sin embargo, tropieza con dificultades:

1.º Ni las jarchas ni las moaxajas nos hablan una sola vez de baile, ni hay en ellas indicaciones a la danza. La jarcha —según la moaxaja— se *canta* o se *dice* [117], pero falta toda referencia que permita asegurar que se bailaba o que había estado en algún momento asociada al baile [118].

1949): "Dámaso Alonso ha reconocido la importancia inicial o nuclear del villancico, con el que identifica nuestras jarchas de los siglos XI-XIII. Pero no ha destacado quizá suficientemente su identidad fundamental con los *re frains*..." (cito por *Lingüística e historia literaria*, p. 91).

[115] Para estas analogías, véase Margit Frenk Alatorre, "Jarŷas mozára bes y estribillos franceses", *Nueva Revista de Filología Hispánica*, VI (1952) páginas 281-284; A. Roncaglia, "Di una tradizione lirica pretrovatoresca in lingua volgare", *Cultura Neolatina*, Roma, II (1951), pp. 213-249; Werne Ross, "Sind die ḫarǧas Reste einer frühen romanischen Lyrik?", *Archiv für das Studium der neueren Sprachen*, CXCIII, Braunschweig, 1957, pági nas 129-138.

[116] "¿Dónde hemos de situar entonces, dentro del lirismo primitivo, la canción de amor femenina lírico-narrativa, que se deduce de las *jarchas* (= *refrains*)? Evidentemente en aquel entramado precristiano de canciones de baile femeninas, canciones colectivas, improvisadas, en la primavera, que Gaston Paris, seguido en esto por Frings, reconoció como base de toda poesía lírica en las lenguas vernáculas romances y germánicas..." (*ibid.*, p. 93). Hay que señalar que Gaston Paris no se expresó en términos tan absolutos; no dijo que las canciones de danza fueran la base de *toda* la poesía lírica.

[117] Los verbos que se emplean en las estrofas de transición (de las moa xajas) que introducen la jarcha son (numeración de S. M. Stern, *Les chan sons mozarabes...*): *cantar* (6, 7, 10, 11, 12, 13, 17, 18, 21, 22, 24, 27 28a, 30, 32, 35, 36a, 36b, 38b —lectura de E. García Gómez, moaxaja XXIb en *Las jarchas mozárabes de la serie árabe...*—, 41, 42, 44a, 46); *decir* (1 8, 14, 16 bis, 31, 34 —según García Gómez, *ob. cit.*, moaxaja XV—, 37 38a, 41b, 43, 47); *exclamar* (3, 4, 9a, 16, 41a, 44b); *recitar* (5, 26, 28b 48, 49 50); *responder* (19, 29); *recitar cantando* (25); *gritar (s'écrier)* (9b) *suspirar* (15); *hablar* (45).

[118] Esta dificultad ya fue vista por Spitzer, quien señalaba, en defensa

2.° No se encuentran allí referencias a la primavera o las *Kalendas mayas*. Leo Spitzer sólo señalaba como vestigios de fiesta primaveral: *a)* las alusiones a la Pascua en la jarcha n.° 5 de Stern (XII, García Gómez): "Viene la Pascua..." [119]; *b)* a la madre como representación del orden normal, igual que en las cantigas portuguesas, orden normal contra el que las muchachas se rebelan en primavera, en fiestas que Leo Spitzer llama "alegre y licenciosa celebración del *omnia vincit amor*"; *c)* a las hermanas *(ermanielas)*, "el coro de muchachas, enamoradas como la protagonista" [120]. Pero estas alusiones, en mi opinión, resultan poco concluyentes. La mención de la Pascua (en una jarcha), y de las hermanas (también en una sola jarcha), no basta para establecer el lazo, ni siquiera en esos dos ejemplos, con las fiestas de primavera. La interpretación que da Spitzer a las referencias a la madre me parece aún más discutible. En las jarchas falta en absoluto la rebelión contra la madre. La madre aparece siempre como destinatario comprensivo (aunque silencioso) de las confidencias o cuitas de la muchacha [121]. En algunas jarchas aparece la

---

de su tesis, que también en muchos *refrains* franceses faltaba la referencia a la danza. "Pero tal referencia era, en verdad, superflua —argumentaba—, ya que la textura del poema entero (unos cuantos versos líricos del villancico entretejidos en unas cuantas estrofas narrativas) bastaba por sí sola para sugerir la danza. Al utilizar, del conjunto del poema original, sólo el *refráin* o villancico (que era quizá todo lo que recordaban, porque, como afirma Jeanroy de los antiguos *refrains* franceses, las partes corales repetidas debieron de grabarse más profundamente en la memoria que las improvisadas estrofas narrativas), y al ensanchar el sentido de los fragmentos hasta acomodarlos a sus composiciones enteramente diferentes (panegíricos, condolencias, etc.), los poetas judíos intelectualizaron los originales, desglosados como estaban de su ambiente natural" *(ibid.,* p. 94).

[119] La interpretación de esta jarcha ha recorrido mucho camino desde que en 1912 la intentó, sin éxito, Menéndez Pelayo. Cuando escribe Spitzer, la lectura propuesta era: "Venyd la Pasca et vien sin elu; / ¡Com' caned meu coraçon por elu". La lectura que hoy propone García Gómez es: "Bénid la Pašqaʰ, ay, aún / šin elle, / laṣrando meu qoražŭn / por elle" ("Viene la Pascua, ay, aún / sin él, / lacerando mi corazón / por él").

[120] *Ibid.,* p. 94.

[121] Véanse las jarchas (numeración de E. García Gómez, *Las jarchas mozárabes de la serie árabe en su marco):* VI, X, XIV, XV, XVII, XIX, XXI, XXX, XXXI, XXXIII, XXXIV, II, 14, 22).

demanda de ayuda o consejo a la madre: *Ke farey, yā 'ummī?* [122] (VI); *Gar ké faréyu, yā mammā?* (XXI); *Mamma, gar ké faráy?* (XXXI); *Gárē -mē, yā mammā!* (XXXIV); *Ké faré mamma^h?* (14).

3.º   Una tercera dificultad para hacer de las jarchas canciones de danza exaltadoras de la primavera podría ser la ausencia de referencias a la naturaleza. Spitzer sugiere que la referencia estaría en la parte narrativa perdida, como ocurre con el refrán de *Aaliz main se leva*, que no alude a la naturaleza, pero sí en cambio el verso *desoz l'aunoi (bajo los alisos)*, de la parte narrativa; y añade que la mención en algunas jarchas de ciudades y sus moradores, el ambiente urbano que en ellas se trasluce, se debería a que los poemas originarios habrían sido retocados por los autores de las moaxajas, todos moradores de ciudades.

4.º   Pero la dificultad principal, para mí, se encuentra en el espíritu mismo de las jarchas [123], que no es (como cuadraría en una *reverdie*) de exaltación gozosa de la primavera, ni canta al *amor liberado de trabas*. Cierto que hay jarchas de un erotismo desenfadado que se acerca al tono de la *reverdie;* esta posible semejanza se acentúa cuando aparece el *gilós* o el *raquib* [124]. Así, en las jarchas III y IV (de García Gómez):

> Oh seductor, oh seductor,
> entraos aquí
> cuando el gilós duerma.
>
> ¡Alba de mi fulgor!
> ¡Alma de mi alegría!
> No estando el espía
> esta noche quiero amor.

---

[122]   Interpretación de García Gómez, *ibid.* La numeración de esta jarcha y las que siguen, por esta obra.

[123]   En las jarchas, dado el pobre conocimiento que tenemos de su lengua, del elemento físico expresivo, resulta especialmente útil el elemento espiritual crociano: el tono. El tono popular erótico puede ser desvergonzado, como en algunas canciones de taberna del *Cancionero Musical de Palacio*, pero aun en estos casos, resalta la *inocencia popular*, la falta de artificio y refinamiento de palabra o de espíritu.

[124]   Sobre el interesantísimo *gilós* hablaremos en seguida. El *raquib* es el espía o guardador, personaje característico de la vida y la literatura eróticas árabes. El *raquib* aparece en las jarchas IV y XXXVIIIa; el *gilós*, en las jarchas III, XXVII y XXXI.

Sin embargo, el tono dominante no es éste. Lo característico es, de un lado, una serie de jarchas de un intenso erotismo a lo árabe, que nada tienen que ver con el alegre desenfado de las *reverdies* (incluso los dos ejemplos citados están más vistos desde el interior de la alcoba o del harem que desde el césped de la pradera reverdecida). Las más punzantes, además, difícilmente pueden considerarse dentro de un *tono popular*. Así, la jarcha IX (de García Gómez):

> Non t'amarēy illā lon aš - šarṭi
> an taŷmaᶜ jal jālī maᶜa qurṭi

(No te amaré sino con la condición / de que juntes mi ajorca del tobillo con mis pendientes) [125].

Pero, además, el tono dominante en las jarchas conocidas, y especialmente en aquellas que presentan mayores posibilidades de pertenecer a una corriente de tradición popular, no es ni de exaltación gozosa ni de amor liberado de trabas. Por el contrario, lo dominante es un sentimiento de tristeza y de fidelidad amorosa, manifestado en gran número de canciones de ausencia. La ausencia del amado y el abandono de la amiga es, proporcionalmente, el tema más frecuente [126]. No todas las jarchas de ausencia reflejan el mismo espíritu, pero ninguna llega a encajar dentro del espíritu de la *reverdie* [127]. Lo que encontramos, en vez de un canto al amor libre y sin trabas, es una entrega a un amor fiel, que adivinamos largo y constante, y muchas veces doloroso, no un amor ocasional cantado por la ocasión (la llegada de la primavera). Como en estos tres conocidos ejemplos:

> Báy-še méw qoraźŏn de mīb.
> ¡Yā Rabb, ši še mē tōrnarād!
> ¡Tan māl me dólēd li-l-habīb!
> Enfermo yĕd: ¿Kuánd šanarád?

---

[125] Lectura y traducción de E. García Gómez, *ibidem,* pp. 112-113.
[126] Véanse números II, XII, XV, XVIII, XX, XXI, XXIII, XXIX, XXXII, XXXIII, XXXIV, XXXV, XXXVI, XXXVIII (de la serie árabe); 2, 4, 6, 9, 12, 15, 17, 18, 20 (de la serie hebrea). Numeración de E. García Gómez *(ibidem)*.
[127] Las menos alejadas serían, tal vez, las números XX, XXIII, XXXII y XXXV (numeración de García Gómez).

Gār ké farēyo.
Ešt'al-ḥabīb ešpēro:
pōr ēl morrēyo.

¡Yā ᵓasmar, yā qurraʰ al-ᶜainain!
¿Kī pōtrád lēbār al-gaiba,
ḥabībī? [128].

La tristeza, el amor dolido, las cuitas del amor, aparecen en gran
número de jarchas, bien alejadas del gozo de las fiestas primaverales.
Que este tono es evidente se revela en las moaxajas donde la estrofa
de transición lo subraya. Puede verse en algunos ejemplos, que tomamos de la colección de Stern, respetando su versión francesa:

> "Elle (una paloma) me dit d'une voix piteuse, comme une jeune
> fille qui chante" (jarcha 1); "elle ne put pas retenir ses larmes.
> Elle s'est exclamée d'une voix amère..." (jarcha 4); "elle chante
> des chansons plaintives" (jarcha 6); "elle chanta et pleura" (jar-
> cha 7); "elle lève au ciel son visage blanc mouillé de larmes...
> elle s'exclama d'une voix amère" (jarcha 9, moaxaja de Jehudá Ha-
> Leví); "Il me rassasie d'amertume" (jarcha 9, moaxaja de Todrós
> Abulafia); "Par son chant il brise notre coeur plein de douleur"
> (jarcha 10); "la fille... gemit dans la solitude" (jarcha 12); "sou-
> pire d'une voix amère" (jarcha 15); "La separation déchire et fait
> saigner mon coeur" (jarcha 20).

No creo en la posibilidad de que los autores de las moaxajas trai-
cionasen el espíritu alegre de la canción (tumultuoso y desenfadado,
de *reverdie*) para adaptarlo al triste de sus moaxajas (lo cual sería
como acudir a un *miserere* para componer un *aleluya*). Si esas canciones eran ajenas y preexistentes, fueran populares o popularizantes
(las creadas por los mismos moaxajeros no plantean siquiera el pro-

---

[128] Son los números 9, 15 y 20 de Stern, lectura de García Gómez.
La traducción, según García Gómez, es: 1) "Mi corazón se me va de mí.
/ ¡Ay, Señor, no sé si me volverá! / ¡Me duele tanto por el amigo! /
Está enfermo: ¿Cuándo sanará?"; 2) "Dime qué he de hacer. / A este
amigo espero: / Por él moriré"; 3) "¡Ay moreno, ay consuelo de los ojos!
/ ¿Quién podrá soportar la ausencia, amigo mío?".

blema), es lógico suponer que los poetas árabes y hebreos acudirían a ellas porque el mensaje lírico que en ellas hallaban cuadraba con el que los poetas querían transmitir en sus moaxajas [129]. En el caso de que, al pasar a las moaxajas, hubieran sido tomadas del caudal popular, o, en cualquier caso, fueran conocidas y cantadas por las gentes, al mensaje poético de la letra habría que añadir el melódico de la canción, sugeridor también de un *tono*, de un estado de ánimo, una razón más que se opondría a la hipótesis de una transformación operada por el poeta sobre la canción original.

Leo Spitzer, consciente de esta dificultad, supuso que el tono triste de las jarchas, que él llama "aspecto sombrío del amor", sería un "rasgo revelador de que las *jarchas*, aun representando 'una primavera temprana de la lírica europea', no son completamente fieles al carácter primitivo de las canciones de danza"; en otras palabras, Spitzer suponía que las jarchas eran muestras líricas ya tardías o no lo suficientemente tempranas, y que ello explicaría el cambio de espíritu. Gaston Paris ya había mostrado su extrañeza al ver que en algunos *refrains* franceses "se encuentra, aunque muy raramente, la expresión del amor triste, lo que resulta singular en semejante circunstancia" [130]; y tan singular, hay que añadir, teniendo en cuenta que la circunstancia a que se refiere la canción, según Gaston Paris, es la gozosa y tumultuosa celebración de las fiestas primaverales.

Naturalmente, la pregunta que en seguida se nos ocurre es la de si no procederán estas canciones tristes —tan difíciles de encajar en el molde de la gozosa *reverdie*— de otro tipo lírico.

---

[129] Además, los poetas árabes y judíos que recogieron las cancioncillas (de ese caso estoy hablando) lo hicieron enamorados de ellas. Lo prueba: 1.º) el hecho mismo de recogerlas; 2.º) la importancia de la cancioncilla mozárabe en la estructura total del poema: la belleza de éste depende en gran parte del acierto expresivo de la cancioncilla final; 3.º) algunas alusiones que encontramos en las moaxajas; recordemos que una llama a su jarcha: "Una canción de amor, la más bella que conozco". (Es la 18 de Stern, posiblemente la más antigua de todas, la más antigua muestra de la lírica romance.)

[130] "Les origines de la poésie lyrique en France", *Journal des Savants*, julio 1892, p. 6.

2. *Unidad y diversidad de origen*

Sobre una época tan poco conocida, tan cercada de brumas y misterio como es esta en que la lírica romance está pugnando por nacer, no caben, desde luego, las afirmaciones categóricas. No olvidemos que entre estas cancioncillas mozárabes se hallan las primeras muestras de la lírica naciente y que lo que estamos tratando de hacer es imaginar su génesis y su historia, la tradición que a ellas conduce. De una cosa estamos personalmente convencidos, y es de que todas las semejanzas —unas más vagas, otras más precisas, y no cada una de ellas tomada aisladamente, sino el conjunto de ellas— existentes entre la jarcha y el *refrain*, la cantiga y el villancico, no son una coincidencia fortuita; hay entre ellas misteriosos lazos de unión que es imposible desconocer. En esa dirección apuntan toda una serie de datos que, día a día, van descubriéndose.

A las analogías de expresión (fórmulas comunes) señaladas por varios trabajos, a que ya hicimos referencia, hay que añadir misteriosos hallazgos lingüísticos en las jarchas (¡tan mozárabes e islamizadas como nos parecían!) que parecen apuntar hacia el Norte (¡Francia y Provenza!). A los presentados como casos posibles por Rafael Lapesa (*bel, fogore, ma, enfermiron...*, en su artículo "Sobre el texto y lenguaje de algunas 'jarchyas' mozárabes", en *Boletín de la Real Academia Española*, XL, 1960, pp. 53-65), hay que añadir el sorprendente *ŷelós* encontrado por Emilio García Gómez (*Las jarchas mozárabes de la serie árabe en su marco*): "No hay duda —dice el autor— que se trata del provenzal *gilos* —'el marido celoso', muchas veces señalado como equivalente del árabe *raqīb*, pero que ahora sale por escotillón en caracteres árabes y en el ámbito mismo de la España musulmana...". El *gilos* aparece en las jarchas de las moaxajas III, anónima; la XXVII, de Abū Bakr Yāḥyà ibn Baqī (muerto en 1145); y en la XXXI, del toledano Abū Bakr Muḥammad ibn Arfa'Ra'so, que hace el panegírico de Ma'mūn ibn Dī-n-Nūn, rey de Toledo desde 1037 a 1075. Recordemos que el *jilos, jalos, jaloux* es un personaje característico de la *reverdie*. Recuérdese la pieza antes aludida del *Cancionero de Saint Germain*, que nos presenta a la *regina avrillosa* danzando con sus acompañantes y ahuyentando al "jelos":

> A l'entrada del tems clar, eya,
> Per joja recomençar, eya,
> E per jelos irritar, eya,
> Vol la regina mostrar
> Qu'el 'est si amoroza
>> A la vi'a la via, jelos,
>> Laissaz nos, laissaz nos
>> Ballar entre nos, entre nos [131].

En los *refrains*, la burla del marido, el *jalos*, el *jaloux*, el *vilain*, tiene un tono convencional; es, como dice Gaston Paris, una "théorie badine qui oppose la liberté de l'amour à l'asservissement du lien conjugal". Los ejemplos son numerosos:

> Dormés, jalos, je vous en pri,
> Dormés, jalos, et je m'envoiserai
>> (JEANROY, 179).

> Pleüst a Dieu que chascune de nous
> Tenist la pel de son mari jalous
>> (RAYNAUD, *Motets*, I, 130).

¿Qué significa la aparición del *jalos* en textos, uno del siglo XI y otro del XII, en el extraño marco de la España árabe? Sea cual fuere la explicación, el hecho viene a plantearnos dramáticamente, una vez más, el problema de las relaciones, no sólo de la jarcha con el *refrain* francés, sino de todas las manifestaciones de la primitiva lírica romance entre sí [132].

Sin embargo, las semejanzas no tienen por qué oscurecernos las desemejanzas. Lo cierto es que el número de jarchas que podrían acercarse por una razón u otra a la alegre y desenfadada *reverdie* es, con

---

[131] Siguen cuatro estrofas más, concluyendo siempre con el refrán: "A la vi'a la via, jelos... etc.".

[132] Viene también a mostrarnos, una vez más, que la imagen de una Europa medieval dividida en dos mundos y dos culturas hostiles y distantes, en constante estado de guerra fría o caliente, es falsa. Las ramificaciones de los contactos espirituales entre la Cristiandad y el Islam, y sus gentes, fueron tantos y tan diversos que nos han dado ya y nos darán todavía muchas sorpresas.

todo, muy reducido. La mayor parte están tan alejadas de ella que no se dejan encajar. Intentarlo supondría violentar la realidad de la canción tal y como ha llegado hasta nosotros, suponiendo: 1) que habría perdido (por manipulación de los moaxajeros, o de algún otro modo) todos los elementos que la caracterizaban como un fragmento de canción primaveral y de baile; 2) o bien, que nunca los tuvo porque no estaban en ella sino en una parte narrativa perdida, y de la cual no tenemos tampoco en la lírica peninsular noticias ni restos documentales; y 3) que todos los elementos que aparecen en ella y que chocan violentamente con el _molde_ están allí porque se supone que la canción ha sufrido una evolución, que implica que en algún tiempo dijo, hipotéticamente, algo distinto de lo que ahora dice.

No cabe duda de que, después de la aparición de las jarchas, las viejas teorías de Jeanroy y Gaston Paris, remozadas por Frings y Spitzer, cobran nueva vitalidad en su punto central: en la importancia del _Frauenlied_ en los albores de la lírica europea. Un _Frauenlied_ es la _jarcha_, como el _refrain_, y luego, la _cantiga de amigo_ y el _villancico_. Entre estas canciones hay misteriosas afinidades, zonas de contacto, que sería erróneo desconocer. Éstos son hechos, hechos seguros, que las teorías sobre los orígenes líricos deben tener en cuenta. En cambio, la hipótesis que hace arrancar toda la lírica europea de una _ameba_ original y única, común —la canción primaveral de danza— parece resultar forzada; y errado sería sacrificar los textos —los primeros textos— a una teoría.

Porque una sería la primera canción que gargantas humanas entonaron; pero no desechemos la posibilidad de que la segunda, la que vino inmediatamente después, fuera distinta, rompiera con el género. En otras palabras: debemos suponer que, junto a las canciones de danza de primavera, existirían, desde tiempos remotísimos, otras canciones que no serían de primavera, ni gozosas, ni de danza; porque las gentes cantarían en todas las estaciones, como hoy ocurre, aunque cantaran más en mayo, y cantarían bailando y sin bailar; en sus fiestas y en sus trabajos; cantarían sus alegrías y sus penas. Ayer, como hoy, y hoy como mañana.

ANTOLOGÍAS

DECLARACIÓN DE CRITERIOS SEGUIDOS
EN EL ANÁLISIS LINGÜÍSTICO

Los criterios seguidos al analizar la lengua, tanto del villancico popular como de las canciones popularizantes, los tiene el lector en las mismas antologías, explícitamente expuestos en su uso. Allí están también las soluciones dadas en cada caso a los problemas que presentaba la aplicación uniforme de esas normas.

Hemos usado signos convencionales para designar los elementos y aspectos lingüísticos que queríamos subrayar en este análisis:

//	final de oración
/	final de grupo fónico
**	yuxtaposición
*	elisión
s	sustantivo
v	verbo
vl	verbal
aj	adjetivo calificativo
av	adverbio
vm	verbo de movimiento
vlm	verbal de movimiento
VERSALITA	nexo sintáctico. Algunos adverbios, que cumplen función de nexo sintáctico, van en VERSALITA para indicar esta función, y al mismo tiempo llevan el signo de adverbio: "MIENTRAS^{av} (13); COMO^{av} (51)", etcétera.

Unas breves indicaciones de tipo general ayudarán a comprender la pauta seguida:

REGLAS DE LA ORACIÓN

Al dividir la lengua de las canciones antologizadas en unidades u oraciones, hemos partido, en principio, de la oración como "la menor unidad del habla con sentido completo" [1].

Pero al delimitar estas oraciones no nos hemos atenido a los conceptos tradicionales de la gramática; nos hemos atenido a un criterio simplista, puramente externo o formal, no conceptual. Hemos llamado a esas unidades, *oraciones;* podríamos haberlas llamado, quizás, *tiradas,* o, simplemente, *unidades lingüísticas.* Lo importante es tener conciencia del criterio seguido y de las razones que nos han llevado a seguirlo.

Ya hemos dicho que la lengua del villancico es esencialmente una lengua de sintaxis suelta, que se construye por acumulación de unidades breves y desligadas. La relación de sentido entre estas unidades asindéticamente empalmadas es, incluso, frecuentemente imprecisa. Mi intención al fijar las oraciones ha sido, por una parte, respetar la auténtica fisonomía del lenguaje del villancico; tender a desvertebrarlo por sus articulaciones; pero, de otro lado, hacerlo conforme a un criterio formal que ofreciera una pauta objetiva, fácil de seguir uniformemente [2]. Los problemas al aplicar esta norma los hemos resuelto en cada caso tratando de seguir una línea consistente de conducta. He aquí, brevemente expuestas, las reglas de la oración:

A.   Donde hemos encontrado los elementos gramaticales mínimos de una oración *sin encontrar ningún nexo conjuntivo expreso*

---

[1]   Así la definen Amado Alonso y Pedro Henríquez Ureña, *Gramática castellana, Primer curso,* 15.ª ed., Buenos Aires, Losada, 1957.

[2]   La poesía en el villancico se levanta lingüísticamente por unidades sueltas y casi clausas, pero una unidad puede comenzar por un nexo sintáctico, que hila esa unidad con la anterior, aunque a posteriori, acumulativamente, sin romper la "soltura" del discurso. Sin embargo, conforme al criterio formal riguroso que hemos seguido, esa unidad suelta, unida a la anterior por *acumulación,* se considera incluida junto con la primera en una unidad total superior.

ue los uniera con la oración siguiente (aunque conceptualmente hu-
iera razón para apoyar tal enlace) [3], hemos considerado el conjunto
e esos elementos como una oración.

B.   Cuando hemos encontrado varias oraciones simples ligadas en
n período compuesto mediante *nexos conjuntivos expresos,* hemos
onsiderado el período entero como una oración. Esta regla se aplica
anto a la subordinación como a la coordinación. En cualquier caso,
ues, lo que ha determinado si una oración se consideraba como independiente o ligada a otra u otras formando período ha sido la pre-
encia o ausencia de un elemento de enlace oracional.

C.   Sin embargo, además de los nexos propiamente conjuntivos
conjunciones, pronombres, adverbios, adjetivos o preposiciones), hemos tomado en cuenta, en ciertos casos, algunos elementos que, por
u uso, poseían fuerza de enlace oracional. Ejemplos:

1)   Vocativo común a dos oraciones: villancico 29,
oración núm. 4 (en adelante, 29/4).
2)   Complemento circunstancial común: 199/3.
3)   Oración subordinada consecutiva común:
202/1/2; 300/1/2.

D.   Ciertos tipos de unidades merecen un comentario especial:

a)   El estribillo, por su naturaleza, aun en aquellos casos en
ue no es propiamente una oración, suele adquirir fuerza oracional.
il criterio seguido ha sido: cuando formaba parte, lógica y gramati-
almente, de la oración anterior, se ha incluido en esa oración; cuan-
lo no, aunque no contuviera los elementos requeridos en la oración,
e ha considerado, de todos modos, como una oración.

b)   Se han considerado también como unidades oracionales
lgunas expresiones de matiz exclamativo sin verbo. En algunas, el
erbo, implícito, está suplido por elementos adverbiales: 317, 355,
92, 522, 586. En otros casos, se trata, estrictamente, de exclama-
iones sin ninguna indicación verbal explícita o implícita, o de inter-
retación dudosa: 64/1; 83; 382; 516/1,3.

---

[3]   Tratamos la relación asindética de oraciones diferentes aparte, al con-
iderar la yuxtaposición.

c) Hay unos cuantos, muy pocos, casos de villancicos en los que, por pérdida del resto, ha quedado una *oración fragmentada* (o *posiblemente fragmentada*). Hemos creído mejor considerar estos fragmentos como una oración: 35/2; 96/3; 184/2.

d) Con las *interjecciones o palabras interjectivas o exclamativas* hemos procedido así: cuando parecían unirse con una oración, se han contado como incluidas en ella: 6; 17; 65/1; 113; 250; 486; 489; 511. De lo contrario, se consideraban aparte, como una oración: 182/2; 183/2; 189/2/3; 490/4.

e) Las reiteraciones han tenido un trato especial: 1.º) cuando formaban oraciones completas, con el elemento verbal expreso en cada una, se contaban como oraciones separadas: 11; 21; 46; 52; 68; 134; 151; 172; 187/2; 232; 256; 356; 376; 422; 483; 510; 583; 2.º) cuando se trataba de frases sin un elemento verbal expreso, se han unido las frases en una sola oración: 24/1; 35/1; 186/1. Pueden señalarse algunas excepciones a esta regla general, debidas a razones ya expuestas al delinear el concepto general de oración; así, en los casos 69/4; 91; 247, aunque se repite el elemento verbal, no se han contado como oraciones separadas, por la presencia de un elemento común en el cual completan su sentido ambos verbos repetidos [4].

f) En los diálogos (los que más abundan son casos de preguntas y respuestas), el parlamento de cada parte se ha tratado como una oración separada: 28, 33, 69, 74, 113, 136, 158, 163, 167, 174, 176.

g) Los parlamentos precedidos de un *verbum dicendi* se han considerado como un complemento de ese verbo, y por tanto, inclui-

---

[4] El villancico 148 es un buen ejemplo de un rasgo que se repite en un tipo de glosas; a saber: el estribillo es repetición íntegra o parcial del villancico; pero, al mismo tiempo, enlaza conceptualmente con la estrofa de la glosa a que sirve de remate. Hay, entonces, un verso en la glosa que puede enlazar, optativamente, con el verso anterior (de la glosa) o con el verso siguiente (el estribillo). La indeterminación es un efecto buscado por la canción; se trata en realidad de un *doble enlace*. Y el efecto estilístico en esa parte de la glosa es de un suave balanceo. En el villancico comentado, el verso de doble enlace es "él a ella y ella a él", que enlaza, a la par con el verso precedente: "con sus manos lavan la cara — él a ella y ella a él", y con el que le sigue: "él a ella y ella a él, — lavan la niña y el doncel".

los en la oración por él constituida. Este verbo puede ir explícito (120)
o implícito (139).

E. *Normas de trascripción del estribillo en las antologías populizantes I y II.* Cuando el villancico o cancioncilla inicial es popular, obviamente, dicho villancico no podía ser comprendido en el análisis de la lengua poética popularizante. En esos casos, se planteaba el problema del criterio a seguir con respecto al estribillo, cuando éste era repetición íntegra o parcial del villancico. Lo que hemos hecho ha sido: 1.º) cuando el estribillo no puede ser separado de la oración anterior (de la glosa) sin que ésta pierda sentido, se ha contado y considerado incluido en ella; así, el verso "se adurmió" en *Antología Popularizante II*, núm. 12, oraciones 3, 5 y 10; 2.º) cuando podía ser separado sin privar de sentido a la oración precedente, entonces, hemos acudido a un doble criterio y lo hemos seguido consistentemente: si el estribillo era *repetición inmodificada* (íntegra o parcial) del villancico, no se contaba; si existía modificación, por pequeña que fuera, se contaba en el análisis lingüístico de la antología popularizante; así, en *A. Popularizante II*, núm. 9, oración 3: la frase "y soy mozo" se ha incluido por la modificación que supone la conjunción "y" y entonces se ha tratado con arreglo a las normas generales de la oración).

REGLAS DE LA YUXTAPOSICIÓN

1. El criterio utilizado para dividir el lenguaje en oraciones o unidades, a saber, la presencia o no presencia de nexos sintácticos, ha supuesto la eliminación del concepto de oración compuesta por yuxaposición. Todo caso de yuxtaposición suponía automáticamente una nueva oración. Unas cuantas excepciones a esta regla general, sin embargo, se han producido en los casos de existencia de un elemento común que unía la oración yuxtapuesta dependiente, a la principal: 9/4; 75/4; 199/3, etc.

2. Nuestra interpretación de la yuxtaposición ha seguido un criterio restrictivo. Sólo hemos considerado que había yuxtaposición cuando resultaba evidente la existencia de una relación oracional entre las oraciones en cuestión, y echábamos de menos un nexo sintáctico que expresase esa relación. Hemos reducido al mínimo los casos de

yuxtaposición copulativa. El concepto de yuxtaposición copulativa no es un concepto perfectamente determinado, o apriorísticamente determinable; depende de muchos factores: longitud de la frase, construcción, forma de comenzar la segunda oración, etc. Por ello, al determinar los casos de yuxtaposición copulativa hemos tenido que recurrir a un criterio práctico: la propia intuición lingüística.

3. Los casos de simple repetición y repetición invertida no se consideran como casos de yuxtaposición. Pero sí, en cambio, otros casos, de repetición modificada (118/2/3; 287/1 y 2, etc.), o los que hemos llamado de repetición conceptual, no verbal (39/2/3; 67/5/6 etcétera).

4. En los saltos de estrofa, con oraciones separadas por el estribillo, no consideramos los posibles casos de yuxtaposición, sino que tratamos siempre a esas oraciones como unidades independientes.

REGLAS DE LA ELISIÓN

Nuestro entendimiento de la elipsis, a efectos del presente análisis, ha sido restrictivo y estrictamente gramatical. No hemos considerado la elipsis en su sentido amplio, lingüístico. Charles Bally la define como "el hecho de sobreentender en un lugar determinado del discurso un signo que figura en un contexto precedente o siguiente" Cito por F. Lázaro Carreter, *Diccionario de términos filológicos* 2.ª ed., Madrid, Gredos, 1962, pp. 155-6; el ejemplo que se da es: "Tengo dos hijos, uno de cuatro años y otro de tres (se sobreentiende: de tres años)". No he considerado esta clase de elipsis. Tampoco se toman en cuenta: 1.°) en los diálogos, la respuesta mediante frase elíptica (por sobreentenderse un elemento ya dado en la pregunta), v. gr., "—¿Quién os trajo a aquestos yermos?"; respuesta: "Mi ventura, el caballero, mi ventura" (sobreentendiéndose: "me trajo") (villancico 33); 2.°) las frecuentes elipsis que se producen en los estribillos cuando éstos son repetición parcial del villancico y callan algún elemento que se encontraba en éste; v. gr., villancico 16: "Niña y viña, peral y habar, — malo es de guardar"; y el estribillo (elípticamente) sólo repite: "malo es de guardar" al final de las estrofas de la glosa; 3.°) las elipsis idiomáticas propias de las frases exclamativas y también, en general, de muchas exhortativas y optativas: 84; 291; 317; 355; 486.

Las elipsis tomadas en cuenta, que el lector puede repasar en las antologías, son idiomáticas, pero significativas. Véanse en la *Antología popular*, núms. 16, 18, 45, 68, 139, 226, etc.

Finalmente, no se incluyen entre las elisiones los casos de elipsis ya considerados como casos de yuxtaposición.

El número total de elisiones contadas en las tres antologías ha sido:

ANT. POPULAR	37
ANT. PZTE. I	I
ANT. PZTE. II	I

REGLAS DE LOS NEXOS SINTÁCTICOS

Sólo aparecen subrayados como nexos sintácticos las conjunciones, pronombres, adverbios y adjetivos (preposiciones no hemos encontrado) cuando están cumpliendo efectivamente una función de enlace oracional; es decir, cuando *introducen una oración subordinada o coordinada*. (Al interpretar esta definición hay que recordar nuestra definición restringida de la oración.)

Esto quiere decir que *no se han considerado como nexos sintácticos:* 1) "qué", "quién", "cómo", "cuándo", "cuánto", etc., interrogativos, cuando no sirven para introducir una oración subordinada; 2.°) las conjunciones usadas sólo para unir dos elementos morfológicos de una oración simple; 3.°) un elemento conjuntivo que introduce una frase sin verbo conjugado (v. gr., en 34/2 "todos duermen y vos non", no se cuenta la copulativa *y* como un nexo sintáctico); 4.°) los *que* introductorios, que encabezan muchas oraciones, como casos de subordinación mental a una oración principal no expresa.

ALGUNAS INDICACIONES SOBRE LOS SIGNOS CONVENCIONALES

I. Muchas exclamaciones, cuya identidad morfológica no aparece clara, no se han marcado con signo alguno.

2. Nombres compuestos como Seo del Arzobispo, Rodrigo Martínez, San Juan, "niña dalgo", etc., se han considerado como un solo sustantivo.

3. Algunas frases adverbiales también se toman como una unidad, y entonces el símbolo va sobre la última palabra.

4. Normalmente, sin embargo, operamos siempre según un criterio morfológico y no sintáctico; es decir, los elementos de una frase se descomponen atendiendo a su carácter morfológico, aunque la frase a que pertenecen tenga de por sí una función adjetiva, adverbial, etc.

5. En los verbos con pronombre enclítico, el símbolo va al final de la palabra: "fízome^v" (13); "levantéme^v" (16); "hallábanlas^v" (22), etcétera.

6. Los tiempos compuestos con el auxiliar *haber* se consideran como una unidad (no como verbo + verbal), y el signo se coloca al final de la forma verbal completa: "dárselos he^v" (9); "habéis querido^v" (15); "matarm'han^v" (55); "robado me le hane^v" (86), etc. Lo mismo se ha hecho con las formas de pasiva: "es venido^{vm}" (128); "ido es^{vm}" (329); "es amanecido^v" (478), etc.

ANTOLOGÍA POPULAR

I. *Villancico que hizo el marqués de Santillana a tres hijas suyas* (posterior a 1445)

1

Aguardan[v] a mí;//
**nunca[av] tales guardas[s] vi[v].//

2

La ninya[s] QUE los amores[s] ha[v],/
¿cómo[av] dormirá[v] solá[aj]?//

3

Dexaldo[v] al villano[s] Y *pene[v];//
**vengar m'ha[v] Dios[s] d'ele.//

4

Sospirando[vl] va[vm] la ninya[s],/
e non[av] por mí,/
QUE yo bien[av] gelo entendí[v].//

II. *Cancionero del British Museum* (fines del siglo xv)

5

Recordad^{v},/mis ojuelos^{s} verdes^{aj},/
CA la mañana^{s} dormiredes^{v}.//

6

¡Hagádeslé^{v}
monumento^{s} de amores^{s},/eh!//

7

La bella^{aj} mal^{av} maridada^{s},/
de las más^{av} lindas^{aj} QUE yo vi^{v},/
acuérdate^{v} CUANDO^{av} amada^{vl},/
señora^{s},/fueste^{v} de mí.//

8

Romerico^{s},/tú QUE vienes^{vm}
DO^{av} la mi señora^{s} está^{v},/
las nuevas^{s} tú me las da^{v}.//

9

Aquel caballero^{s},/madre^{s},/
tres besicos^{s} le mandé^{v};//
★★creceré^{v} Y dárselos he^{v}.//

III. *Cancionero castellano del siglo XV*
(colec. por R. FOULCHÉ-DELBOSC)

10

Yo,/madre^{s},/yo,/
que la flor^{s} de la villa^{s} me só^{v}.//

11

Quita^{vm} allá^{av}, QUE no^{av} quiero^v,/
falso^{aj} enemigo^s,//
quita^{vm} allá^{av}, QUE no^{av} quiero^v
QUE huelgues^v comigo.//

12

Solíades^v venir^{vlm},/amor^s;//
★★agora^{av} no^{av} venides^{vm},/non^{av}.//

IV. *Cancionero de Herberay des Essarts* (1461 a 1464)

13

SI d'ésta escapo^v
sabré^v qué contar^{vl};//
★★non^{av} partiré^{vm} dell'aldea^s
MIENTRAS^{av} viere^v nevar^{vl}.//

Una mozuela^s de vil^{aj} semejar^s
fízome^v adama^s de comigo folgar^{vl};//
★★non^{av} partiré^{vm} dell'aldea^s
MIENTRAS^{av} viere^v nevar^{vl}.//

14

Ojos^s de la mi señora^s,/
¿y vos qué habedes^v?;//
¿por qué vos abaxades^v
CUANDO^{av} me vedes^v?//

15

Siempre^{av} m'habéis querido^v;//
★★maldita^{aj} sea^v SI os olvido^v.//

V. *Cancionero musical de la Biblioteca Colombina
de Sevilla* (siglo xv)

16

Niña[s] y viña[s],/peral[s] y habar[s],/
malo[aj] es[v] de guardar[vl].//

Levantéme[v],/oh madre[s],/
*mañanica[s] frida[aj];//
**fui[vm] a cortar[vl] la rosa[s],/
[la rosa[s]] florida[aj].//
Malo[aj] es[v] de guardar[vl].//

Levantéme[v],/oh madre[s],/
*mañanica[s] clara[aj];//
**fui[vm] cortar[vl] la rosa[s],/
la rosa[s] granada[aj].//
Malo[aj] es[v] de guardar[vl].//

*Viñadero[s] malo[aj]
prenda[s] me pedía[v];//
**dile[v] yo un cordone[s];//
**dile[v] yo mi cinta[s].//
Malo[aj] es[v] de guardar[vl].//

*Viñadero[s] malo[aj]
prenda[s] me demanda[v];//
**dile[v] yo un [cordone[s];//
**dile[v] yo una banda[s].//
Malo[aj] es[v] de guardar[vl].]//

17

Pínguele,/respinguete,/
¡qué[av] buen[aj] San Juan[s] es[v] éste!//

Fuese[vm] mi marido[s]
a Seo del Arzobispo[s];//
**dejárame[v] un fijo[s]
Y fallóme[v] cinco.//
¡Qué[av] buen[aj] San Juan[s] es[v] éste!//

Dejárame[v] un fijo[s]
Y fallóme[v] cinco;//
**dos hube[v] en el Carmen[s]
y dos en San Francisco[s].//
¡Qué[av] buen[aj] San Juan[s] es[v] éste!//

18

Que non[av] sé[v] filar[vl],
ni aspar[vl], ni devanar[vl].//

Y mercóme[v] mi marido[s]
un arroba[s] de lino[s],/
*QUE los perros[s] y los gatos[s]
en ella facían[v] nido[s].//
Que non[av] sé[v] filar[vl],
ni aspar[vl], ni devanar[vl].//

19

Pues bien[av] para ésta,/
QUE agora[av] venirán[vm]
soldados[s] de la guerra[s],/
madre[s] mía,/Y llevarm'han[vm].//

VI. *Cancionero Musical de Palacio de los siglos XV y XVI*

20

Enemiga[s] le soy[v],/madre[s],/
a aquel caballero[s] yo.//
¡Mal[aj] enemiga[s] le soy[v]!//

21

Al alba^s venid^{vm},/buen^{aj} amigo^s;//
al alba^s venid^{vm}.//

Amigo^s el QUE yo más^{av} quería^v,/
venid^{vm} al alba^s del día^s.//

Amigo^s el QUE yo más^{av} amaba^v,/
venid^{vm} a la luz^s del alba^s.//

Venid^{vm} a la luz^s del día^s;//
★★non^{av} trayáis^{vm} compañía^s.//

Venid^{vm} a la luz^s del alba^s;//
★★non^{av} traigáis^{vm} gran^{aj} compaña^s.//

22

Tres morillas^s me enamoran^v
en Jaén^s:/
Axa^s y Fátima^s y Marién^s.//

Tres morillas^s tan^{av} garridas^{aj}
iban^{vm} a coger^{vl} olivas^s;/
y hallábanlas^v cogidas^{aj}
en Jaén^s:/
Axa^s y Fátima^s y Marién^s.//

Y hallábanlas^v cogidas^{aj};/
y tornaban^{vm} desmaídas^{aj}
y las colores^s perdidas^{aj},/
en Jaén^s:/
Axa^s y Fátima^s y Marién^s.//

Tres moricas^s tan^{av} lozanas^{aj},/
tres moricas^s tan^{av} lozanas^{aj}
iban^{vm} a coger^{vl} manzanas^s
a Jaén^s:/
Axa^s y Fátima^s y Marién^s.//

23

Las mis penas[s],/madre[s],/
de amores[s] son[v].//

Salid[vm],/mi señora[s],/
de so'l naranjale[s],/
QUE sois[v] tan[av] hermosa[aj],/
quemarvos ha[v] el aire[s];//
de amores[s],/sí[av].//

24

Mano[s] a mano[s] *los dos amores[s],/
mano[s] a mano[s].//

El galán[s] y la galana[s],/
ambos vuelven[v] el agua[s] clara[aj],/
mano[s] a mano[s].//

25

Niña[s],/erguídeme[v] los ojos[s],/
QUE a mí enamorado m'han[v].//

26

Entra[vm] mayo[s] Y sale[vm] abril[s].//
¡Tan[av] garridico[aj] le vi[v] venir[vlm]!//

27

Ardé[v],/corazón[s],/ardé[v],/
QUE n'os[av] puedo[v] yo valer[vl].//

28

—¿Quién te trajo[vm],/caballero[s],/
por esta montaña[s] escura[aj]?//
—¡Ay, pastor[s],/que *mi ventura[s]!//

29

¡Quién vos había de llevar[vm]!//
¡Oxalá!//
¡Ay, Fatimá[s]!//

Fatimá[s] la tan[av] garrida[aj],/
levaros he[vm] a Sevilla[s],/
**teneros he[v] por amiga[s];//
¡Oxalá!//
¡Ay, Fatimá[s]!//

30

Que bien[av] me lo veo[v]
Y bien[av] me lo sé[v],/
QUE a tus manos[s] moriré[v].//

31

El amor[s] QUE me bien[av] quiere[v]
agora[av] viene[vm].//

El amor[s] QUE me bien[av] quería[v]
una empresa[s] me pedía[v].//
Agora[av] viene[vm].//

32

A los baños[s] del amor[s]
sola[aj] m'iré[vm],/
Y en ellos me bañaré[v].//

33

—Mi ventura[s],/el caballero[s],/
mi ventura[s].//

—Niña[s] de rubios[aj] cabellos[s],/
¿quién os trajo[vm] a aquestos yermos[s]?//

—Mi ventura^{s},/el caballero^{s},/
mi ventura^{s}.//

34

Todos duermen^{v},/corazón^{s};//
todos duermen^{v} y vos non^{av}.//

35

Dos ánades^{s},/madre^{s},/
QUE van^{vm} por aquí^{av},/
mal^{av} penan^{v} a mí.//

Dos ánades^{s},/madre^{s},/
del cam^{s}..............
....
.........................//
Al campo^{s} de flores^{s}
iban^{vm} a dormir^{vl}.//
★★Mal^{av} penan^{v} a mí.//

36

Puse^{v} mis amores^{s}
en tan^{av} buen^{aj} lugar^{s}
QUE no^{av} los puedo^{v} olvidar^{vl}.//

37

Míos fueron^{v},/mi corazón^{s},/
los vuestros ojos^{s} morenos^{aj}://
¿quién los hizo^{v} ser^{vl} ajenos^{aj}?//

38

SI lo dicen^{v},/digan^{v},/
alma^{s} mía;//
si lo dicen^{v},/digan^{v}.//

Dicen^v QUE vos quiero^v
y por vos me muero^v;//
★★dicho^s es^v verdadero^{aj},/
alma^s mía;//
SI lo dicen^v,/digan^v./

39

¿Qué me queréis^v,/caballero^s?//
Casada^{aj} soy^v;//★★marido^s tengo^v.//

40

De ser^{vl} mal^{av} casada^{aj}
no^{av} lo niego^v yo://
★★cativo^{aj} se vea^v
QUIEN me cativó^v.//

41

En Ávila^s,/mis ojos^s,/
dentro^{av} en Ávila^s.//

En Ávila^s del Río^s
mataron^v mi amigo^s,/
dentro^{av} en Ávila^s.//

42

¡Ojos^s,/mis ojos^s,/
tan^{av} garridos^{aj} ojos^s!//

43

No^{av} querades^v,/fija^s,/
marido^s tomar^{vl}/
para sospirar^{vl}.//

Fuese^{vm} mi marido^s
a la frontera^s;//

$\star\star$sola^{aj} me dejaba^{v}
en tierra^{s} ajena^{aj}//

. . . .

44

Ojos^{s} morenicos^{aj},/
irm'he^{vm} yo a querellar^{vl},/
QUE me queredes^{v} matar^{vl}.//

45

¡Ay que non^{av} era^{v},/
mas ay que non^{av} hay^{v},/
QUIEN de mi pena^{s} se duela^{v}!//

Madre^{s},/la mi madre^{s},/
el mi lindo^{aj} amigo^{s}
moricos^{s} de allende^{av}
lo llevan^{vm} cativo^{aj},/
$\star$cadenas^{s} de oro^{s},/
$\star$candado^{s} morisco^{aj}.//
¡Ay que non^{av} era^{v},/
mas ay que non^{av} hay^{v},/
QUIEN de mi pena^{s} se duela^{v}!//

46

Vencedores^{aj} son^{v} tus ojos^{s},/
mis amores^{s};//
tus ojos^{s} son^{v} vencedores^{aj}.//

47

Aquel gentilhombre^{s},/madre^{s},/
caro^{av} me cuesta^{v} el su amor^{s}.//

Yo me levantara^{v} un lunes^{s},/
un lunes^{s} antes^{av} del día^{s}.//

Viera[v] estar[vl] al ruiseñor[s]
....
.................................//

48

Aquel caballero[s],/madre[s],/
QUE de amores[s] me fabló[v],/
más[av] que a mí le quiero[v] yo.//

49

Con amores[s],/la mi madre[s],/
con amores[s] m'adormí[v].//

50

Pásame[vm] por Dios[s],/barquero[s],/
d'aquesa parte[s] del río[s];//
duélete[v] del dolor[s] mío.//

51

Aquel caballero[s],/madre[s],/
si morirá[v],/
con tanta mala[aj] vida[s] COMO[av] ha[v].//

52

No[av] puedo[v] apartarme[vlm]
de los amores[s],/madre[s];//
no[av] puedo[v] apartarme[vlm].//

53

A tierras[s] ajenas[aj],/
¿quién me trajo[vm] a ellas?//

54

Lo QUE demanda[v] el romero[s],/madre[s],/
lo QUE demanda[v] no[av] ge lo dan(e)[v].//

55

Dentro[av] en el vergel[s]
moriré[v].//
Dentro[av] en el rosal[s]
matarm'han[v].//

Yo m'iba[vm],/mi madre[s],/
las rosas[s] coger[vl];//
**hallé[v] mis amores[s]
dentro[av] en el vergel[s].//
Dentro[av] en el rosal[s]
matarm'han[v].//

56

Romerico[s],/tú QUE vienes[vm]
de DONDE[av] mi vida[s] está[v],/
las nuevas[s] della me da[v].//

57

Por vos mal[s] me viene[vm];/
niña[s],/Y atendedme[v].//

Por vos,/niña[s] virgo[aj],/
prendióme[v] el merino[s].//
Niña[s],/y atendedme[v].//

Prendióme[v] el merino[s];//
**hame mal[av] herido[v].//
Niña[s],/y atendedme[v].//

Por vos,/niña dalgo^s,/
prendióme^v el jurado^s.//
Niña^s,/y atendedme^v.//

Prendióme^v el jurado^s;//
**hame lastimado^v.//
Niña^s,/y atendedme^v.//

58

Estas noches^s atán^{av} largas^{aj}
para mí,/
no^{av} solían^v ser^{vl} ansí^{av}.//

59

Allá^{av} se me ponga^v el sol^s
DONDE^{av} tengo^v el amor^s.//

Allá^{av} se me pusiese^v
DO^{av} mis amores^s viese^v,/
antes^{av} QUE me muriese^v
con este dolor^s.//

Allá^{av} se me aballase^v
DO^{av} mi dolor^s topase^v,/
antes^{av} QUE me finase^v
con este rencor^s.//

60

Serviros ía^v Y no^{av} oso^v;//
**só^v mozo^{aj}.//

61

Garridica^{aj} soy^v en el yermo^s,/
¿y para qué,/
PUES tan^{av} mal^{av} me empleé^v?//

62

Madre[s],/¿para qué nací[v]
tan[av] garrida[aj],/
para tener[vl] esta vida[s]?//

63

No[av] quiero[v] ser[vl] monja[s],/no[av],/
QUE niña[s] namoradica[aj] só[v].//

64

Pámpano[s] verde[aj],/
racimo[s] albar[aj];//
¿quién vido[v] dueñas[s]
a tal hora[s] andar[vlm]?//

65

Rodrigo Martínez[s],/
a las ánsares[s],/¡ahé!,/
pensando[vl] QU'eran[v] vacas[s],/
silbábalas[v]:/¡he!//

Rodrigo Martínez[s],/
atán[av] garrido[aj],/
los tus ansarinos[s]
liévalos[vm] al río[s],/¡ahé!//
Pensando[vl] QU'eran[v] vacas[s],/
silbábalas[v]:/¡he!//

Rodrigo Martínez[s],/
atán[av] lozano[aj],/
los tus ansarinos[s]
liévalos[vm] al vado[s],/¡ahé!//
Pensando[vl] QU'eran[v] vacas[s],/
silbábalas[v]:/¡he!//

66

Gritos^s daban^v en aquella sierra^s; //
¡ay, madre^s!,/quiero^v m'ir^{vlm} a ella.//

En aquella sierra^s erguida^{aj}/
gritos^s daban^v a Catalina^s; //
¡ay, madre^s!,/quiero^v m'ir^{vlm} a ella.//

67

So el encina^s,/encina^s,/
so el encina^s.//

Yo me iba^{vm},/mi madre^s,/
a la romería^s; //
★★por ir^{vlm} más^{av} devota^{aj}
fui^{vm} sin compañía^s; //
so el encina^s.//

Por ir^{vlm} más^{av} devota^{aj}
fui^{vm} sin compañía^s.//
Tomé^v otro camino^s; //
★★dejé^v el QUE tenía^v; //
so el encina^s.//

Halléme^v perdida^{aj}
en una montiña^s.//
★★Echéme^v a dormir^{vl}
al pie^s del encina^s,/
so el encina^s.//

A la media noche^s
recordé^v,/mezquina^{aj}; //
★★halléme^v en los brazos^s
del QUE más^{av} quería^v,/
so el encina^s.//

Pesóme^v,/cuitada^{aj},/
de QUE amanecía^v,/

PORQUE yo gozaba^{v}
del QUE más^{av} quería^{v},/
so el encina^{s}.//

Muy^{av} biendita^{aj} sía^{v}
la tal romería^{s};//
so el encina^{s}.//

68

De Monzón^{s} venía^{vm} el mozo^{s};//
*mozo^{s} venía^{vm} de Monzón^{s}.//

La moza^{s} guardaba^{v} la viña^{s};//
**el mozo^{s} por ahí^{av} venía^{vm}.//
Mozo^{s} venía^{vm} de Monzón^{s}.//

69

—Ora^{av} baila^{v} tú.//
—Mas^{av} baila^{v} tú.//
—Mas^{av} tú.//

Ya^{av} casaba^{v} el colmenero^{s},/
casaba^{v} su fija^{s}.//
—Mas^{av} baila^{v} tú.//
—Ora^{av} baila^{v} tú.//

70

Aquí^{av} viene^{vm} la flor^{s},/señoras^{s};//
aquí^{av} viene^{vm} la flor^{s}.//

71

No^{av} pueden^{v} dormir^{vl} mis ojos^{s},//
no^{av} pueden^{v} dormir^{vl}.//

Y soñaba^{v} yo,/mi madre^{s},/
dos horas^{s} antes^{av} del día^{s},/

QUE me florecía[v] la rosa[s]
[espino[s]]so el agua[s] frida[aj].//
No[av] pueden[v] dormir[vl].//

72

A sombra[s] de mis cabellos[s]
se adurmió[v]: //
¿si le recordaré[v] yo?//

73

Ya[av] cantan[v] los gallos[s],/
buen[aj] amor[s],/y vete[vm]: //
★★cata[v] QUE amanece[v].//

74

—Desciende[vm] al valle[s],/niña[s].//
—Non[av] era[v] de día[s].//

—Niña[s] de rubios[aj] cabellos[s],/
desciende[vm] a los corderos[s],/
QUE andan[vm] por los centenos[s].//
—Non[av] era[v] de día[s].//

75

Por beber[vl],/comadre[s],/
por beber[vl].//

Por mal[s] vi[v],/comadre[s],/
tu vino[s] pardillo[aj],/
QUE allá[av] me tenías[v]
mi saya[s] y mantillo[s],/
por beber[vl].//

Que allá[av] me tenías[v]
mi saya[s] y mantillo[s].//

Relampaguéame[v] el ojo[s],/
**láteme[v] el colodrillo[s],/
por beber[vl].//

76

Buen[aj] amor[s],/no[av] me deis[v] guerra[s],/
QUE esta noche[s] es[v] la primera.//

Así[av] os vea[v],/caballero[s],/
de la frontera[s] venir[vlm],/
COMO[av] toda aquesta noche[s]
vos me la dejéis[v] dormir[vl].//

77

Aquella buena[aj] mujer[s],/
¡cómo[av] lo rastrilla[v] tan[av] bien[av]!//

78

Paséisme[vm] ahora[av] allá[av],/serrana[s],/
QUE no[av] muera[v] yo en esta montaña[s].//

Paséisme[vm] ahora[av] allende[av] el río[s];//
paséisme[vm] ahora[av] allende[av] el río[s],/
QUE estoy[v],/triste[aj],/mal[av] herido[aj],/
QUE no[av] muera[v] yo en esta montaña[s].//

79

Calabaza[s],/
no[av] sé[v],/buen[aj] amor[s],/QUÉ te faza[v].//

80

Perdí[v] la mi rueca[s]
Y el huso[s] non[av] fallo[v];//
si vistes[v] allá[av]
el tortero[s] andar[vlm].//

Perdí[v] la mi rueca[s]
llena[aj] de lino[s];//
**hallé[v] una bota[s]
llena[aj] de vino[s];//
si vistes[v] allá[av]
el tortero[s] andar[vlm].//

Perdí[v] la mi rueca[s]
llena[aj] d'estopa[s];//
**de vino[s] fallara[v]
llena[aj] una bota[s];//
si vistes[v] allá[av]
el tortero[s] andar[vlm].//

Hinqué[v] mis rodillas[s];//
**dile[v] un besillo[s];//
**bebí[v] un azumbre[s]
más[av] un cuartillo[s];//
si vistes[v] allá[av]
el tortero[s] andar[vlm].//

Hallé[v] yo una bota[s]
llena[aj] de vino[s];//
**dile[v] un tal golpe[s]
y tiróme[v] el tino[s];//
si vistes[v] allá[av]
el tortero[s] andar[vlm].//

Vino[vm] mi marido[s]
y diome[v] en la toca[s];//
¡ay de mí,/mezquina[aj],/
y cómo[av] estoy[v] loca[aj]!//
Si vistes[v] allá[av]
el tortero[s] andar[vlm].//

Caíme[v] muerta[aj];//
**ardióse[v] el estopa[s];//
**vino[vm] mi marido[s];//
**[diome[v] so la ropa[s].//

Si vistes[v] allá[av]
el tortero[s] andar[vlm].]//

81

Por las sierras[s] de Madrid[s]
tengo[v] d'ir[vlm],/
QUE mal[aj] miedo[s] he[v] de morir[vl].//
Soy[v] chequita[aj] y...//

82

Aquel pastorcico[s],/madre[s],/
QUE no[av] viene[vm],/
algo tiene[v] en el campo[s]
QUE le duele[v].//

83

La zorrilla[s] con el gallo[s],/
zangorromango.//

84

¡Al cedaz[s],/cedaz[s]!//
¡Al cedaz[s],/cedaz[s]!//

SI queréis[v] comprar[vl] cedazos[s]
de la tierra[s] de Gormaz[s],/
señora[s],/¡cedaz[s],/cedaz[s]!//

85

El abad[s] QUE a tal hora[s] anda[vm],/
¿qué demanda[v]?//

VII. *Ms. 5593 de la Biblioteca Nacional de Madrid*
(principios del siglo XVI)

86

El mi corazón^s,/madre^s,/
robado^v me le hane^v.//

87

¡Tenedme^v los ojos^s quedos^aj,/
QUE me matáis^v con ellos!//

88

No^av oso^v alzar^vl los ojos^s
a mirar^vl aquel galán^s,/
PORQUE me lo entenderán^v.//

VIII. *Cancionero general de Hernando del Castillo* (1511)

89

SI muero^v en tierras^s ajenas^aj,/
lexos^av de DONDE^av nací^v,/
¿quién habrá^v dolor^s de mí?//

90

¿Qué de vos y de mí,/señora^s,/
qué de vos y de mí dirán^v?//

91

¡Hagádesmé^v,/hagádesmé^v
monumento^s de amores^s,/eh!//

IX. Luis de Narváez, *Los seis libros del Delphín de música* (Valladolid, 1538)

92

Si tantos halcones[s]
la garza[s] combaten[v],/
por Dios[s] que la maten[v].//

93

Y la mi cinta[s] dorada[aj],/
¿por qué me la tomó[v]
QUIEN no[av] me la dio[v]?//

La mi cinta[s] de oro[s] fino[aj],/
diómela[v] mi lindo[aj] amigo[s];//
**tomómela[v] mi marido[s].//
¿Por qué me la tomó[v]
QUIEN no[av] me la dio[v]?//

La mi cinta[s] de oro[s] claro[aj],/
diómela[v] mi lindo[aj] amado[s];//
**tomómela[v] mi velado[s].//
¿Por qué me la tomó[v]
QUIEN no[av] me la dio[v]?//

X. *Tragicomedia alegórica del paraíso y del infierno* (anónima, 1539)

94

Llueve[v] menudico[av]
y hace[v] la noche[s] oscura[aj];//
**el pastorcillo[s] es[v] nuevo[aj];//
**non[av] iré[vm] segura[aj].//

XI.   ALONSO MUDARRA, *Tres libros de música en cifra para vihuela*
(Sevilla, 1546)

95

Gentil[aj] caballero[s],/
dédesme[v] hora[av] un beso[s],/
siquiera por el daño[s]
QUE me habéis hecho[v].//

Venía[vm] el caballero[s];//
★★venía[vm] de Sevilla[s];//
★★en huerta[s] de monjas[s]
limones[s] cogía[v],/
Y la prioresa[s]
prenda[s] le pedía[v]://
"Siquiera por el daño[s]
QUE me habéis hecho[v]".//

96

Isabel[s],/Isabel[s],/
perdiste[v] la tu faja[s];//
héla[v] por DÓ[av] va[vm]
nadando[vl] por el agua[s].//

¡Isabel[s],/la tan[av] garrida[aj]!...//

XII.   ENRÍQUEZ DE VALDERRÁBANO, *Libro de música de vihuela
intitulado Silva de Syrenas* (Valladolid, 1547)

97

Corten[v] espadas[s] afiladas[aj]
lenguas[s] malas[aj].//

Mañana[s] de San Francisco[s]/
levantado me han[v] un dicho[s]:/
QUE hablé[v] con la niña[s] virgo[aj].//
¡Lenguas[s] malas[aj]!//
Corten[v] espadas[s] afiladas[aj]
lenguas[s] malas[aj].//

XIII. JUAN VÁSQUEZ, *Villancicos y canciones a tres y a quatro*
(Osuna, 1551)

98

No[av] sé[v] QUÉ me bulle[v]
en el calcañar[s],/
QUE no[av] puedo[v] andar[vlm].//

Yéndome[vlm] y viniendo[vlm]
a las mis vacas[s],/
no[av] sé[v] QUÉ me bulle[v]
entre las faldas[s],/
QUE no[av] puedo[v] andar[vlm].//
No[av] sé[v] QUÉ me bulle[v]
en el calcañar[s].//

99

No[av] me habléis[v],/conde[s],/
d'amor[s] en la calle[s];//
**catá[v] QUE os dirá[v] mal[s],/
conde[s],/la mi madre[s].//

Mañana[av] iré[vm],/conde[s],/
a lavar[vl] al río[s];//
allá[av] me tenéis[v],/conde[s],/
a vuestro servicio[s].//

Catá[v] QUE os dirá[v] mal[s],/
conde[s],/la mi madre[s] . //
★★No[av] me habléis[v],/conde[s],/
de amor[s] en la calle[s].//

100

Abaja[v] los ojos[s],/casada[s];//
★★no[av] mates[v] a QUIEN te miraba[v].//

Casada[s],★/pechos[s] hermosos[aj],/
abaja[v] tus ojos[s] graciosos[aj].//
No[av] mates[v] a QUIEN te miraba[v];//
★★abaja[v] tus ojos[s],/casada[s].//

101

Perdida[aj] traigo[vm] la color[s];//
★★todos me dicen[v] QUE lo he[v] de amor[s].//

Viniendo[vlm] de romería[s]
encontré[v] a mi buen[aj] amor[s];//
★★pidiérame[v] tres besicos[s];//
★★luego[av] perdí[v] mi color[s].//
Dicen[v] a mí QUE lo he[v] de amor[s].//
Perdida[aj] traigo[vm] la color[s];//
★★todos me dicen[v] QUE lo he[v] de amor[s].//

102

Puse[v] mis amores[s]
en Fernandino[s]://
★★¡ay, que era[v] casado[aj];//
★★mal[av] me ha mentido[v]!//

Digas[v],/marinero[s]
del cuerpo[s] garrido[aj],/
en cuál de aquellas naves[s]
pasa[vm] Fernandino[s].//

¡Ay, que era[v] casado[aj];//
★★mal[av] me ha mentido[v]!//
Puse[v] mis amores[s]
en Fernandino[s].//

103

¿Por qué me besó[v] Perico[s]?//
¿Por qué me besó[v] el traidor[s]?//

104

Allá[av] me tienes[v] contigo,/
serranica[s] de Aragón[s],/
el alma[s] y el corazón[s].//

105

De los álamos[s] vengo[vm],/madre[s],/
de ver[vl] CÓMO[av] los menea[v] el aire[s].//

De los álamos[s] de Sevilla[s],/
de ver[vl] a mi linda[aj] amiga[s].//

De ver[vl] CÓMO[av] los menea[v] el aire[s],/
de los álamos[s] vengo[vm],/madre[s].//

106

Del rosal[s] sale[vm] la rosa[s].//
¡Oh qué[av] hermosa[aj]!//

XIV. DIEGO PISADOR, *Libro de música de vihuela*
(Salamanca, 1552)

107

SI la noche[s] hace[v] escura[aj],/
Y tan[av] corto[aj] es[v] el camino[s],/
¿cómo[av] no[av] venís[vm],/amigo[s]?//

108

Aquellas sierras[s],/madre[s],/
altas[aj] son[v] de subir[vlm];//
**corrían[vm] los caños[s];//
**daban[v] en un toronjil[s].//

Madre[s],/aquellas sierras[s]
llenas[aj] son[v] de flores[s];//
encima[av] dellas
tengo[v] mis amores[s].//

109

Mal[av] ferida[aj] va[vm] la garza[s];//
**sola[aj] va[vm] y gritos[s] daba[v].//

DONDE[av] la garza[s] hace[v] su nido[s],/
ribericas[s] de aquel río[s],/
sola[aj] va[vm] y gritos[s] daba[v].//

XV. *Cancionero general de obras nuevas* (Zaragoza, 1554)

110

Halagóle[v] y pellizcóle[v]
la mozuela[s] al asnejón[s];//
allególe[vm] y enamoróle[v],/
y él estábase[v] al rincón[s].//

XVI. *Libro de música para vihuela, intitulado Orphénica lyra...,*
compuesto por MIGUEL DE FUENLLANA, Sevilla, 1554

111

¿Cómo[av] queréis[v],/madre[s],/
QUE yo a Dios[s] sirva[v],/
siguiéndome[vl] el amor[s]
a la contina[av]?//

112

¡Ay, que non^{av} oso^{v}
mirar^{vl} ni hacer^{vl} del ojo^{s}!//
¡Ay, que no^{av} puedo^{v}
deciros^{vl} lo QUE quiero^{v}!//

113

—Teresica^{s} hermana^{s},/[de la fariririra,]/
hermana^{s} Teresa^{s}.//

SI a ti pluguiese^{v},/
una noche^{s} sola^{aj}
contigo durmiese^{v},/[de la faririrunfa,]/
hermana^{s} Teresa^{s},/
Teresica^{s} hermana^{s},/[de la fariririra.]//

—Una noche^{s} sola^{aj},
yo bien^{av} dormiría^{v};/
MAS tengo^{v} gran^{aj} miedo^{s}
QUE me perdería^{v},/[de la fariririra.]//
Hermana^{s} Teresa^{s},/
Teresica^{s} hermana^{s},/[de la fariririra.]//

114

Mal^{av} haya^{v} QUIEN a vos casó^{v},/
la de Pedro Borreguero^{s}.//

115

Quiero^{v} dormir^{vl} Y no^{av} puedo^{v},/
QU'el amor^{s} me quita^{v} el sueño^{s}.//

Manda^{v} pregonar^{vl} el rey^{s},/
por Granada^{s} y por Sevilla^{s},/
QUE todo hombre^{s} enamorado^{aj}
que se case^{v} con su amiga^{s}://
qu'el amor^{s} me quita^{v} el sueño^{s}.//

Que se case[v] con su amiga[s]...//
¿Qué haré[v],/triste[aj],/cuitado[aj],/
QUE era[v] casada[aj] la mía?//

Qu'el amor[s] me quita[v] el sueño[s].//
Quiero[v] dormir[vl] y no[av] puedo[v],/
QU'el amor[s] me quita[v] el sueño[s].//

116

Vos me matastes[v],/
niña[s] en cabello[s];//
vos me habéis muerto[v].//

Ribera[s] de un río[s]
vi[v] moza[s] virgo[aj].//
Niña[s] en cabello[s],/
vos me habéis muerto[v].//

Vos me matastes[v],/
niña[s] en cabello[s];//
vos me habéis muerto[v].//

117

¿Con qué la lavaré[v]
la flor[s] de la mi cara[s]?//
¿Con qué la lavaré[v],/
QUE vivo[v] mal[av] penada[aj]?//

Lávanse[v] las casadas[s]
con agua[s] de limones[s].//
★★Lávome[v] yo,/cuitada[aj],/
con penas[s] y dolores[s].//

XVII. JUAN VÁSQUEZ, *Recopilación de sonetos y villancicos
a quatro y a cinco* (Sevilla, 1560)

118

Morenica[aj] m'era[v] yo;//
★★dicen[v] que sí[av];//★★dicen[v] que no[av].//

Unos QUE bien[av] me quieren[v]
dicen[v] que sí[av];//
★★otros QUE por mí mueren[v]
dicen[v] que no[av].//
Morenica[aj] m'era[v] yo;//
★★dicen[v] que sí[av];//★★dicen[v] que no[av].//

119

¿Agora[av] QUE sé[v] d'amor[s] me metéis[v] monja[s]?//
¡Ay, Dios[s], qué[av] grave[aj] cosa[s]!//

Agora[av] QUE sé[v] d'amor[s] de caballero[s],/
agora[av] me metéis[v] monja[s] en el monesterio[s].//
¡Ay, Dios[s], qué[av] grave[aj] cosa[s]!//

120

Que yo,/mi madre[s],/yo,/
que la flor[s] de la villa[s] m'era[v] yo.//

Íbame[vm] yo,/mi madre[s],/
a vender[vl] pan[s] a la villa[s],/
y todos me decían[v]:/
"¡Qué[av] panadera[s] garrida[aj]!"//
Garrida[aj] m'era[v] yo;//
que la flor[s] de la villa[s] m'era[v] yo.//

121

¿Qué razón^s podéis^v tener^{vl}
para no^{av} me querer^{vl}?//

Un amigo^s QUE yo había^v
dexóme^v Y fuese^{vm} a Castilla^s,/
para no^{av} me querer^{vl}.//
¿Qué razón^s podéis^v tener^{vl}
para no^{av} me querer^{vl}?//

122

Caballero^s,/queráisme^v dexar^{vl},/
QUE me dirán^v mal^s.//

¡Oh, qué^{av} mañanica^s, mañana^s,/
la mañana^s de San Juan^s,/
CUANDO^{av} la niña^s y el caballero^s
ambos se iban^{vm} a bañar^{vl}!//
Que me dirán^v mal^s://
caballero^s,/queráisme^v dexar^{vl},/
QUE me dirán^v mal^s.//

123

Ojos^s morenos^{aj},/
¿cuándo^{av} nos veremos^v?//

Ojos^s morenos^{aj},/
de bonica^{aj} color^s,/
sois^v tan^{av} graciosos^{aj}
QUE matáis^v d'amor^s.//
¿Cuándo^{av} nos veremos^v,/
ojos^s morenos^{aj}?//

124

Serrana^s,/¿dónde^{av} dormistes^v?//
¡Qué^{av} mala^{aj} noche^s me distes^v!//

125

SI el pastorcico[s] es[v] nuevo[aj]
Y anda[vm] enamorado[aj],/
SI se descuida[v] Y duerme[v],/
¿quién guardará[v] el ganado[s]?//

126

Dicen[v] a mí QUE los amores[s] he[v].//
¡Con ellos me vea[v] SI lo tal pensé[v]!//

Dicen[v] a mí por la villa[s]
QUE traigo[vm] los amores[s] en la cinta[s].//
Dicen[v] a mí QUE los amores[s] he[v].//
¡Con ellos me vea[v] SI lo tal pensé[v]!//

127

Por amores[s] lo maldixo[v]
la mala[aj] madre[s] al buen[aj] hijo[s].//

"¡Sí pluguiese[v] a Dios[s] del cielo[s],/
y a su madre[s] Sancta María[s],/
QUE no[av] fueses[v] tú mi hijo[s],/
PORQUE yo fuese[v] tu amiga[s]!"//
Esto dixo[v] Y lo maldixo[v],/
la mala[aj] madre[s] al buen[aj] hijo[s].//
Por amores[s] lo maldixo[v]
la mala[aj] madre[s] al buen[aj] hijo[s].//

128

Descendid[vm] al valle[s],/la niña[s],/
QUE ya[av] es venido[vm] el día[s].//

129

Agora[av] QUE soy[v] niña[s]
quiero[v] alegrías[s],/
QUE no[av] se sirve[v] Dios[s]
de mi monjía[s].//

Agora^{av} QUE soy^v niña^s,/
niña^s en cabello^s,/
me queréis^v meter^{vl} monja^s
en el monesterio^s.//
Que no^{av} se sirve^v Dios^s
de mi monjía^s.//

Agora^{av} QUE soy^v niña^s
quiero^v alegría^s,/
QUE no^{av} se sirve^v Dios^s
de mi monjía^s.//

130

Ya^{av} florecen^v los árboles^s,/Juan^s;//
★★¡mala^{aj} seré^v de guardar^{vl}!//

Ya^{av} florecen^v los almendros^s,/
y los amores^s con ellos;//
★★¡Juan^s,/mala^{aj} seré^v de guardar^{vl}!//
Ya^{av} florecen^v los árboles^s,/Juan^s;//
★★¡mala^{aj} seré^v de guardar^{vl}!//

131

QUIEN amores^s tiene^v,/¿cómo^{av} duerme^v?//
Duerme^v cada cual COMO^{av} puede^v.//

QUIEN amores^s tiene^v de la casada^s,/
¿cómo^{av} duerme^v la noche^s ni el alba^s?//
Duerme^v cada cual COMO^{av} puede^v.//
QUIEN amores^s tiene^v,/¿cómo^{av} duerme^v?//
Duerme^v cada cual COMO^{av} puede^v.//

132

Lindos^{aj} ojos^s habéis^v,/señora^s,/
de los QUE se usaban^v agora^{av}.//

133

De las dos hermanas[s],/dose,/
válame[v] la gala[s] de la menore[aj].//

134

Salga[vm] la luna[s],/el caballero[s];//
salga[vm] la luna[s] Y vámonos[vm] luego[av].//

Caballero[s] aventurero[aj],/
salga[vm] la luna[s] por entero[av];//
salga[vm] la luna[s] Y vámonos[vm] luego[av].//
Salga[vm] la luna[s],/el caballero[s];//
salga[vm] la luna[s] Y vámonos[vm] luego[av].//

135

Soledad[s] tengo[v] de ti,/
tierra[s] mía DO[av] nací[v].//

136

—Cobarde[aj] caballero[s],/
¿de quién habedes[v] miedo[s]?//

¿De quién habedes[v] miedo[s]
durmiendo[vl] conmigo?//
—De vos,/mi señora[s],/
QUE tenéis[v] otro amigo[s].//
—¿Y d'eso habedes[v] miedo[s],/
cobarde[aj] caballero[s]?//
Cobarde[aj] caballero[s],/
¿de quién habedes[v] miedo[s]?//

137

Por mi vida[s],/madre[s],/
amores[s] no[av] m'engañen[v].//

138

Buscad^v,/buen^aj amor^s,/
con QUÉ me falaguedes^v,/
QUE mal^av enojada^aj me tenedes^v.//

Anoche^av,/amor^s,/
os estuve aguardando^v,/
*la puerta^s abierta^aj,/
candelas^s quemando^vl;/
Y vos,/buen^aj amor^s,/
con otra holgando^vl.//
Que mal^av enojada^aj me tenedes^v.//

139

Llamáisme^v villana^s;//
**yo no^av lo soy^v.//

Casóme^v mi padre^s
con un caballero^s;//
**a cada palabra^s:/
*"hija^s d'un pechero^s".//
Yo no^av lo soy^v.//
Llamáisme^v villana^s;//
**yo no^av lo soy^v.//

140

¡Si me llaman^v!;//¡a mí llaman^v!;//
¡que cuido^v QUE me llaman^v a mí!//

En aquella sierra^s erguida^aj
cuido^v QUE me llaman^v a mí.//
Llaman^v a la más^av garrida^aj;//
que cuido^v QUE me llaman^v a mí.//
¡Si me llaman^v!;//¡a mí llaman^v!;//
¡que cuido^v QUE me llaman^v a mí!//

141

No^{av} me firáis^v,/madre^s;//
**yo os lo diré^v://
mal^s d'amores^s he^v.//

Madre^s,/un caballero^s
de casa^s del rey^s,/
siendo^{vl} yo muy^{av} niña^{aj},/
pidióme^v la fe^s;//
**dísela^v yo,/madre^s;//
no^{av} lo negaré^v.//
Mal^s d'amores^s he^v.//
No^{av} me firáis^v,/madre^s;//
**yo os lo diré^v://
mal^s d'amores^s he^v.//

142

Ojos^s garzos^{aj} ha^v la niña^s,//
¡quién se los enamoraría^v!//

143

¿De dónde^{av} venís^{vm},/amores^s?//
Bien^{av} sé^v yo de dónde^{av}.//

Caballero^s de mesura^s,/
¿dó^{av} venís^{vm} la noche^s escura^{aj}?//
¿De dónde^{av} venís^{vm},/amores^s?//
Bien^{av} sé^v yo de dónde^{av}.//

144

Por una vez^s QUE mis ojos^s alcé^v,/
dicen^v QUE yo lo maté^v.//

Ansí^{av} vaya^{vm},/madre^s,/
virgo^{aj} a la vegilla^s,/

COMO^{av} al caballero^{s}
no le di^{v} herida^{s}.//
Por una vez^{s} QUE mis ojos^{s} alcé^{v},/
dicen^{v} QUE yo lo maté^{v}.//

145

No^{av} tengo^{v} cabellos^{s},/madre^{s},/
MAS tengo^{v} bonico^{aj} donaire^{s}.//

No^{av} tengo^{v} cabellos^{s},/madre^{s},/
QUE me lleguen^{v} a la cinta^{s};/
MAS tengo^{v} bonico^{aj} donaire^{s}
con QUE mato^{v} a QUIEN me mira^{v}.//
Mato^{v} a QUIEN me mira^{v},/madre^{s},/
con mi bonico^{aj} donaire^{s}.//
No^{av} tengo^{v} cabellos^{s},/madre^{s},/
MAS tengo^{v} bonico^{aj} donaire^{s}.//

146

Que no^{av} me desnudéis^{v},/
amores^{s} de mi vida^{s};//
que no^{av} me desnudéis^{v},/
QUE yo me iré^{vm} en camisa^{s}.//

Entrastes^{vm},/mi señora^{s},/
en el huerto^{s} ajeno^{aj};//
★★cogistes^{v} tres perica^{s}
del peral^{s} del medio^{s};//
★★dexaredes^{v} la prenda^{s}
d'amor^{s} verdadero^{aj}.//
Que no^{av} me desnudéis^{v},/
QUE yo me iré^{vm} en camisa^{s}.//

147

D'aquel pastor^{s} de la sierra^{s}
dar^{vl} quiero^{v} querella^{s}.//

D'aquel pastor^{s} tan^{av} garrido^{aj},/
QUE me robó^{v} mi sentido^{s},/
dar^{vl} quiero^{v} querella^{s}.//

148

En la fuente^{s} del rosel^{s}
lavan^{v} la niña^{s} y el doncel^{s}.//

En la fuente^{s} de agua^{s} clara^{aj}
con sus manos^{s} lavan^{v} la cara^{s},/
él a ella y ella a él,/
lavan^{v} la niña^{s} y el doncel^{s}.//
En la fuente^{s} del rosel^{s}
lavan^{v} la niña^{s} y el doncel^{s}.//

149

No^{av} me llaméis^{v} "sega la herba"^{s},/
sino morena^{aj}.//

Un amigo^{s} QUE yo había^{v}
"sega la herba"^{s} me decía^{v}.//
No^{av} me llaméis^{v} "sega la herba"^{s},/
sino morena^{aj}.//

150

Por vida^{s} de mis ojos^{s},/
el caballero^{s},/
por vida^{s} de mis ojos^{s},/
bien^{av} os quiero^{v}.//

Por vida^{s} de mis ojos^{s}
y de mi vida^{s},/
que por vuestros amores^{s}
ando^{vm} perdida^{aj}.//
Por vida^{s} de mis ojos^{s},/
el caballero^{s},/

por vida^s de mis ojos^s,/
bien^{av} os quiero^v.//

151

No^{av} puedo^v apartarme^{vl}
de los amores^s,/madre^s;//
no^{av} puedo^v apartarme^{vl}.//

María^s y Rodrigo^s
arman^v un castillo^s.//
No^{av} puedo^v apartarme^{vl}
de los amores^s,/madre^s;//
no^{av} puedo^v apartarme^{vl}.//

XVIII. *Silva de varios romances* (Barcelona, 1561)

152

¡Por el val^s verdico^{aj},/mozas^s,/
vamos^{vm} a coger^{vl} rosas^s!//

153

Anda^{vm},/amor^s,/anda^{vm};//
anda^{vm},/amor^s.//

La QUE bien^{av} quiero^v,/
anda^{vm},/amor^s,/
de la mano^s me la llevo^{vm};//
anda^{vm},/amor^s.//
¿Y por qué no^{av} me la beso^v?;//
anda^{vm},/amor^s;//
porque soy^v mochacho^{aj} y necio^{aj};//
y anda^{vm},/amor^s.//

154

Del amor[s] vengo[vm] yo presa[aj],/
presa[aj] del amor[s].//

155

Este pradico[s] verde[aj],/
trillémosle[v] y hollémosle[v].//

156

Aguamanos[s] pide[v] la niña[s]
para lavarse[vl];//
aguamanos[s] pide[v] la niña[s],/
y no[av] se la dane[v].//

XIX. Petrus Albertus Vila, *Odarum quas vulgo
madrigales appellamus* (Barcelona, 1561)

157

Mis penas[s] son[v] como[av] ondas[s] del mar[s],/
qu'unas se vienen[vm] y otras se van[vm];//
**de día[s] y de noche[s] guerra[s] me dan[v].//

158

—Digas[v],/morena[s] garrida[aj],/
¿cuándo[av] serás[v] mi amiga[s]?//
—Cuando[av] esté[v] florida[aj] la peña[s]
d'una flor[s] morena[aj].//

XX. ESTEBAN DE DAZA, *Libro de música en cifra para vihuela*
(Valladolid, 1576)

159

Dame[v] acogida[s] en tu hato[s]; //
★★pastorcico[s],/Dios[s] te duela[v]; //
★★cata[v] QUE en el monte[s] yela[v].//

160

Gritos[s] daba[v] la morenica[s] so el olivar[s],/
QUE las ramas[s] hace[v] temblar[vl].//

La niña[s],/cuerpo[s] garrido[aj],/
morenica[s],/cuerpo[s] garrido[aj],/
lloraba[v] su muerto[aj] amigo[s]
so el olivar[s],/
QUE las ramas[s] hace[v] temblar[vl].//

161

Zagaleja[s] la de lo verde[s],/
graciosica[aj] en el mirar[s],/
quédate[v] a Dios[s],/vida[s] mía,/
QUE me voy[vm] deste lugar[s].//

162

Mira[v],/Juan[s],/lo QUE te dixe[v]; //
no[av] se te olvide[v].//

Mira[v],/Juan[s],/lo QUE te dixe[v],
en barrio[s] ajeno[aj] : /
QUE me cortes[v] una rueca[s]
de aquel ciruelo[s].//

De aquel ciruelo[s] te dixe[v]; //
no[av] se te olvide[v].//

XXI. Salinas, *De musica libri septem* (Salamanca, 1577)

163

—Meteros^{vl} quiero^v monja^s,/
hija^s mía de mi corazón^s.//
—Que no^{av} quiero^v yo ser^{vl} monja^s,/non^{av}.//

164

Ante^{av} me beséis^v
QUE me destoquéis^v,/
QUE me tocó^v mi tía^s.//

165

¿A quién contaré^v yo mis quexas^s,/
mi lindo^{aj} amor^s;//
a quién contaré^v yo mis quexas^s,/
si a vos no^{av}?//

166

Perricos^s de mi señora^s,/
no^{av} me mordades^v agora^{av}.//

167

—¿Si jugastes^v anoche^{av},/amore^s?//
—Non^{av},/señora^s,/none^{av}.//

168

Más^{av} me querría^v un zatico^s de pan^s
que no^{av} tu saludar^s.//

169

Si le mato^v,/madre^s,/a Juan^s,/
si le mato^v;/matarme han^v.//

170

AUNQUE soy^v morenica^{aj} y prieta^{aj},/
¿a mí qué se me da^v?,/
QUE amor^s tengo^v QUE me servirá^v.//

171

Ay, amor^s,/cómo^{av} sois^v puntuoso^{aj},/
la darga dandeta.//

172

Cata^v el lobo^s DÓ^{av} va^{vm},/Juanica^s;//
cata^v el lobo^s DÓ^{av} va^{vm}.//

173

Monjica^s en religión^s
me quiero^v entrar^{vlm},/
por no^{av} mal^{av} maridar^{vl}.//

174

—¿Qué habedes^v,/qué?//
—Mal^s de amores^s he^v.//

175

Las mañanas^s de abril^s
dulces^{aj} eran^v de dormir^{vl}.//

XXII.   *Cancioneiro de Évora* (fines del siglo XVI)

176

—Pastorcico^s,/¿querésme^v bien^{av}?//
—Zagala^s,/véalo^v Dios^s.//
—Hora^{av} dime^v,/¿como^{av} a quién?//
—Ay,/señora^s,/como^{av} a vos.//

177

Enviárame[v] mi madre[s]
por agua[s] a la fonte[s] fría[aj] : //
**vengo[vm] del amor[s] ferida[aj].//

178

Solía[v] ser[vl] bien[av] querido[vl],/
qu'ahora[av] no[av] ; //
que no[av] soy[v] yo,/
que no[av],/no[av] : //
soy[v] sombra[s] del QUE murió[v].//

XXIII. *Las ensaladas de Flecha*
(impresas en la ciudad de Praga, 1581)

179

Arzobispo[s] de Toledo[s],/
óigovos[v] E non[av] vos veo[v].//

180

Viuda[s] enamorada[aj],/
gentil[aj] amigo[s] tenéis[v] : //
**por Dios[s],/no[av] le maltratéis[v].//

181

De iglesia[s] en iglesia[s]
me quiero[v] yo andar[vlm],/
por no[av] mal[av] maridar[vl].//

182

Toca[v],/toca[v],/
con el pie[s] se toca[v]
la Juana[s] matroca[aj].//

Freguelé,/freguelé,/
bueno[aj] a fe[s];/
freguelé,/freguelé.//

183

Mejor[av] le fuera[v] mal[aj] año[s]
al tacaño[s]
y a CUANTOS con él son[v].//
De la ran ran ran ron.//

XXIV.   *Cancionero musical de Barcelona*
(finales del primer tercio del siglo XVI)

184

Aquel pastorcico[s],/madre[s],/
QUE no[av] viene[vm],/
algo tenía[v] del campo[s]
QUE le duele[v].//

Segaba[v] la mañana[s]
.....................//

185

Gentil[aj] caballero[s],/
deisme[v] ahora[av] un beso[s],/
siquiera por el mal[s]
QUE me habéis fecho[v].//

Vase[vm] el caballero[s];//
vase[vm] de Sevilla[s].//

XXV. *Cancionero de Nuestra Señora* (Barcelona, 1591)

186

Ora^{av} amor^{s},/ora^{av} no^{av} más^{av};//
ora^{av} amor^{s},/QUE me matáis^{v}.//

187

Pase^{vm} la galana^{s},/pase^{vm};//
pase^{vm} la galana^{s}.//

188

Bien^{av} haya^{v} QUIEN hizo^{v}
cadenas^{s},/cadenas^{s};//
bien^{av} haya^{v} QUIEN hizo^{v}
cadenas^{s} de amor^{s}.//

189

Aserrojar^{vl} serrojuelas^{s};//
rite he,/he,/MAS el rite he;//
a la turala, turele, turula.//

190

Mi marido^{s} anda^{vm} cuitado^{aj};//
★★yo juraré^{v} QUE está^{v} castrado^{aj}.//

191

Debaxo^{av} de la peña^{s} nace^{v}
la rosa^{s} QUE no^{av} quema^{v} el aire^{s}.//

XXVI. *Los Romancerillos de Pisa* (Valencia, 1594-1598)

192

Que mis penas^s parecen^v olas^s de la mar^s,/
PORQUE unas vienen^{vm} CUANDO^{av} otras se van^{vm}.//

193

Vida^s,/vida^s,/vida^s,/vámonos^{vm} a Castilla^s;//
vita^s,/vita^s bona^{aj},/vámonos^{vm} a Chacona^s.//

194

Azotaba^v la niña^s la saya^s://
★★"Saya^s mía,/no^{av} digas^v nada".//

195

Que no^{av} me tiréis^v garrochitas^s de oro^s,/
la de Pedro de Bamba^s,/QUE no^{av} soy^v toro^s.//

196

Arribica^{av},/arribica^{av} de un verde^{aj} sauce^s,/
luchaba^v la niña^s con su adorante^s.//

197

Morenica^{aj} me llaman^v,/madre^s,/
desde el día^s en QUE nací^v,/
y al galán^s QUE me ronda^v la puerta^s
blanca^{aj} y rubia^{aj} le parecí^v.//

198

Ay, luna[s] QUE reluces[v],/
toda la noche[s] me alumbres[v].//

Ay, luna[s] QUE reluces[v],/
blanca[aj] y plateada[aj],/
toda la noche[s] me alumbres[v]
a mi linda[aj] amada[s].//
Amada[s] QUE reluces[v],/
toda la noche[s] me alumbres[v].//

199

¿Cuándo[av] saliréis[vm],/alba[s] galana[aj]?//
¿Cuándo[av] saliréis[vm],/el alba[s]?//

CUANDO[av] sale[vm] el alba[s]
resplandece[v] el día[s],/
**vienen[vm] los amores[s]
con el alegría[s],/
alegría[s] y gala[s].//
¿Cuándo[av] saliréis[vm],/el alba[s]?//

200

Trebolé[s],/¡ay, Jesús[s],/cómo[av] huele[v]!//
Trebolé[s],/¡ay, Jesús[s],/qué olor[s]!//

Trebolé[s] de la niña[s] virgo[aj],/
QUE tenía[v] amores[s] cinco,/
encelados[aj] y escondidos[aj],/
sin gozar[vl] de algún favor[s].//
Trebolé[s],/¡ay, Jesús[s],/cómo[av] huele[v]!//
Trebolé[s],/¡ay, Jesús[s],/qué olor[s]!//

201

A Salamanca[s],/el escolanillo[s],/
a Salamanca[s] irás[vm].//

202

¿Yo qué le hice^v,/
**yo qué le hago^v,/
QUE me da^v tan^{av} ruin^{aj} pago^s?//

Mas, ¿yo qué le hago^v,/
**yo qué le hice^v,/
QUE de mí tanto mal^s dice^v?//

203

No^{av} sois^v vos para en cámara^s,/Pedro^s;//
no^{av} sois^v vos para en cámara^s,/no^{av}.//

204

Que no^{av} cogeré^v yo verbena^s
la mañana^s de Sant Juan^s,/
PUES mis amores^s se van^{vm}.//

XXVII. *Cancionero de galanes* (siglo XVI)

205

No^{av} me demandes^v,/carillo^s,/
PUES QUE no^{av} te me darán^v,/
QUE no^{av} estoy^v aborrescida^{aj},/
NI mis parientes^s querrán^v.//

206

Poder^s tenéis^v vos,/señora^s,/
de matar^{vl} el amor^s en un hora^s.//

Poder^s tenéis^v vos,/señora^s,/
y del rey^s dada^{vl} licencia^s,/

de matar^{vl} el amor^s en un hora^s,/
sin espada^s y sin rodela^s;/
y sin rodela^s,/señora^s,/
de matar^{vl} el amor^s en un hora^s.//

Poder^s tenéis^v vos,/señora^s,/
y del rey^s licencia^s dada^{vl},/
de matar^{vl} el amor^s en un hora^s/
sin rodela^s y sin espada^s;/
sin espada^s,/señora^s,/
de matar^{vl} el amor^s en un hora^s.//

207

Mis ojuelos^s,/madre^s,/
valen^v una ciudade^s.//

Mis ojuelos^s,/madre^s,/
tanto son^v de claros^{aj},/
cada vez^s QUE los alzo^v
merescen^v ducados^s,/
ducados^s,/mi madre^s;//
**valen^v una ciudade^s.//

Mis ojuelos^s,/madre^s,/
tanto son^v de veros^{aj},/
cada vez^s QUE los alzo^v
merescen^v dineros^s,/
dineros^s,/mi madre^s;//
**valen^v una ciudade^s.//

208

Sɪ los pastores^s han^v amores^s,/
¿qué harán^v los gentiles hombres^s?//

Sɪ los pastores^s han^v amores^s,/
y aun dentro de aquesta villa^s,/
¿qué harán^v los gentiles hombres^s
QUE tienen^v favor^s de amiga^s,/

QUE tienen^v favor^s de amiga^s? //
¿Qué harán^v los gentiles hombres^s? //

SI los pastores^s han^v amores^s, /
y aun dentro de aquesta sala^s, /
¿qué harán^v los gentiles hombres^s
QUE tienen^v favor^s de amada^s, /
QUE tienen^v favor^s de amada^s? //
¿Qué harán^v los gentiles hombres^s? //

209

Olvidar^{vl} quiero^v mis amores^s; //
que yo quiero^v los olvidar^{vl}. //

Mis amores^s los primeros
no^{av} me salieron^v verdaderos^{aj} /
sino falsos^{aj} y lisonjeros^{aj}; //
que yo quiero^v los olvidar^{vl}. //

Mis amores^s los de antes^{av}
no^{av} me salieron^v leales^{aj}, /
sino falsos^{aj} y con maldades^s; //
que yo quiero^v los olvidar^{vl}. //

210

Dícenme^v QU'el amor^s no^{av} fiere^v, /
MAS a mí muerto^{aj} me tiene^v. //

Dícenme^v QU'el amor^s no^{av} fiere^v, /
ni con fierro^s ni con palo^s, /
MAS a mí muerto^{aj} me tiene^v
la QUE traigo^{vm} de la mano^s. //

Dícenme^v QU'el amor^s no^{av} fiere^v,
ni con palo^s ni con fierro^s, /
MAS a mí muerto^{aj} me tiene^v
la QUE traigo^{vm} deste dedo^s. //

211

Encima^{av} del puerto^{s}
vide^{v} una serrana^{s}; //
**sin duda^{s} es^{v} galana^{aj}.//

Encima^{av} del puerto^{s},/
allá^{av} cerca^{av} el río^{s},/
vide^{v} una serrana^{s}
del cuerpo^{s} garrido^{aj}; //
**sin duda^{s} es^{v} galana^{aj}.//

Encima^{av} del puerto^{s},/
allá^{av} cerca^{av} el vado^{s},/
vide^{v} una serrana^{s}
del cuerpo^{s} lozano^{aj}; //
**sin duda^{s} es^{v} galana^{aj}.//

212

AUNQUE me vedes^{v}
morenica^{aj} en el agua^{s},/
no^{av} seré^{v} yo fraila^{s}.//

Una madre^{s}
QUE a mí me crió^{v},/
mucho^{av} me quiso^{v}
Y mal^{av} me guardó^{v}; //
**a los pies^{s} de mi cama^{s}
los canes^{s} ató^{v}; //
atólos^{v} ella; //
**desatélos^{v} yo; //
**metiera^{v},/madre^{s},/
al mi lindo^{aj} amor^{s}; //
**no^{av} seré^{v} yo fraila^{s}.//

Una madre^{s}
QUE a mí me criara^{v},/
mucho^{av} me quiso^{v}
Y mal^{av} me guardara^{v}; //

**a los pies^s de mi cama^s
los canes^s atara^v;//
atólos^v ella,/
**yo los desatara^v,/
Y metiera^v,/madre^s,/
al QUE más^{av} amaba^v;//
**no^{av} seré^v yo fraila^s.//

213

Dícenme^v QUE tengo^v amiga^s,/
Y no^{av} lo sé^v;//
**por sabello^{vl} moriré^v.//

Dícenme^v QUE tengo^v amiga^s
de dentro^{av} de aquesta villa^s,/
Y aun^{av} QU'está^v en esta bailía^s;/
Y no^{av} lo sé^v;//
**por sabello^{vl} moriré^v.//

Dícenme^v QUE tengo^v amada^s
de dentro^{av} de aquesta plaza^s,/
Y QU'está^v en esta baila^s;/
Y no^{av} lo sé^v;//
**por sabello^{vl} moriré^v.//

214

La dama^s QUE no^{av} mata^v o prende^v
tírala^v dende^{av}.//

215

A mi puerta^s nace^v una fonte^s;//
¿por dó^{av} saliré^{vm} QUE no^{av} me moje^v?//

A mi puerta^s la garrida^{aj}
nasce^v una fonte^s frida^{aj},/
DONDE^{av} lavo^v la mi camisa^s
y la de aquel QUE yo más^{av} quería^v.//
¿Por dó^{av} saliré^{vm} QUE no^{av} me moje^v?//

XXVIII. *Cancionero de Sebastián de Horozco* (siglo XVI)

216

Vengo[vm] de tan[av] lexos[av],/
vida[s],/por os ver[vl];//
**hallo[v] vos casada[aj];//
**quiérome[v] volver[vlm].//

217

Libres[aj] alcé[v] yo mis ojos[s],/
señora[s],/CUANDO[av] os miré[v];//
libres[aj] alcé[v] yo mis ojos[s]
Y captivos[aj] los bajé[v].//

218

Besábale[v] Y enamorábale[v]
la doncella[s] al villanchón[s];//
besábale[v] Y enamorábale[v],/
y él metido[aj] en un rincón[s].//

219

Pídeme[v],/carillo[s],/
QUE a ti darte me han[v],/
QUE en casa[s] de mi padre[s]
mal[av] aborrecido me han[v].//

220

¡Ah,/galana[s] del rebozo[s]!,/
¿no[av] diréis[v]
a cómo[av] vendéis[v] la onza[s]
del chipirrichape[s]
QUE tenéis[v]?//

221

Señor Gómez Arias[s],/
doleos[v] de mí;//
★★soy[v] mochacha[aj] y niña[aj]
Y nunca[av] en tal me vi[v].//

222

Criéme[v] en aldea[s];//
★★híceme[v] morena[aj];//
★★SI en villa[s] me criara[v]
más[av] bonica[aj] fuera[v].//

223

—Guárdame[v] las vacas[s],/
carillo[s],/Y besarte he[v].//
—Bésame[v] tú a mí,/
QUE yo te las guardaré[v].//

224

Salteóme[v] la serrana[s]
junto[av] a par[av] de la cabaña[s].//

225

Esta cinta[s] es[v] de amor[s] toda;//
QUIEN me la dio[v],/
¿para qué me la toma[v]?//

226

En aquella peña[s],/en aquella,/
★QUE no[av] caben[v] en ella.//

227

Abúrrete[v],/zagal[s],/
PUES la zagaleja[s] es[v] tal.//

228

Si queréis^v comprar^vl romero^s
de lo granado^aj y polido^aj,/
QU'aun^av agora^av lo he cogido^v.//

229

Madrugábalo^v el aldeana^s;//
¡cómo^av lo madrugaba^v!//

230

Dícenme^v QU'era^v bueno^aj el cura^s;//
**¡tal sea^v su ventura^s!//

231

¿Cómo^av lo llamaremos^v
al amor^s nuevo^aj?//
Servidor^s de damas^s,/
buen^aj caballero^s.//

232

—Di^v,/pastor^s,/¿quiéreste^v casar^vl?//
—Más^av querría^v pan^s;//
más^av querría^v pan^s.//

233

¡Ábalas,/ábalas,/hala!//
¡Aba la frol^s y la gala^s!//

Allá^av arriba^av,/arriba^av,/
junto^av a mi logare^s,/
viera^v yo serranas^s
cantar^vl y baxlare^vl,/
y entre todas ellas
mi linda^aj zagala^s;//
¡aba la frol^s y la gala^s!//

XXIX. *Cancionero de Upsala* (1556)

234

Y decid^v,/serranicas^s,/eh,/
deste mal^s SI moriré^v.//

235

No^{av} me los amuestres^v más^{av},/
QUE me matarás^v.//

236

Besáme^v Y abrazáme^v,/
marido^s mío,/
Y daros h'^ven la mañana^s
camisón^s limpio^{aj}.//

237

Alta^{aj} estaba^v la peña^s;//
nace^v la malva^s en ella.//

Alta^{aj} estaba^v la peña^s,/
*riberas^s del río^s;//
nace^v la malva^s en ella
y el trébol^s florido^{aj}.//

238

Alza^v la niña^s los ojos^s,/
**no^{av} para todos.//

239

¡Ay luna^s QUE reluces^v,/
toda la noche^s m'alumbres^v!//

¡Ay luna^{s} tan^{av} bella^{aj},/
alúmbresme^{v} a la sierra^{s},
por DO^{av} vaya^{vm} y venga^{vm}!//
¡Ay luna^{s} QUE reluces^{v},/
toda la noche^{s} m'alumbres^{v}!//

240

Vi^{v} los barcos^{s},/madre^{s};//
vilos^{v} y no^{av} me valen^{v}.//

Madre^{s},/tres mozuelas^{s},/
non^{av} de aquesta villa^{s},/
en aguas^{s} corrientes^{aj}
lavan^{v} sus camisas^{s},/
sus camisas^{s},/madre^{s}.//
Vilos^{v} y no^{av} me valen^{v}.//

241

Soy^{v} serranica^{s},/
y vengo^{vm} d'Estremadura^{s}.//
¡Si me valerá^{v} ventura^{s}!//

242

SI te vas^{vm} a bañar^{vl},/Juanilla^{s},/
dime^{v} a cuáles baños^{s} vas^{vm}.//

SI te entiendes^{v} d'ir^{vlm} callando^{vl},/
*los gemidos^{s} QUE iré^{vm} dando^{vl},/
de mí compasión^{s} habrás^{v};//
**dime^{v} a cuáles baños^{s} vas^{vm}.//

243

Yo me soy^{v} la morenica^{s};//
yo me soy^{v} la morená^{s}.//

244

Decilde[v] al caballero[s]
QUE non[av] se quexe[v],/
QUE yo le doy[v] mi fe[s],/
QUE non[av] le dexe[v].//

Decilde[v] al caballero[s],/
*cuerpo[s] garrido[aj],/
QUE non[av] se quexe[v]
en ascondido[av];/
QUE yo le doy[v] mi fe[s],/
QUE non[av] le dexe[v].//

245

SI amores[s] me han[v] de matar[vl],/
agora[av] tienen[v] lugar[s].//

246

Llaman[v] a Teresica[s] y no[av] viene[vm].//
**¡Tan[av] mala[aj] noche[s] tiene[v]!//

Llámala[v] su madre[s] y ella calla[v];//
**juramiento[s] tiene[v] hecho[vl] de matarla[vl].//
**¡Qué[av] mala[aj] noche[s] tiene[v]!//

XXX. *Códice de los autos viejos de la Biblioteca Nacional*
de Madrid (siglo XVI)

247

De una dama[s] y de un labrador[s],/
mirá[v] qué labor[s],/
mirá[v] qué labor[s].//

248

Vengáis^{vm} norabuena^{av},/
duque^s mi señor^s,/
PUES venís^{vm} vencedor^{aj}.//

249

¡Trébol^s,/florido^{aj} trébol^s,/
trébol^s florido^{aj}!//

250

Teresilla^s hermana^s,/
de la farira rira,/
hermana^s Teresa^s.//

Periquillo^s hermano^s,/
de la fariri runfo,/
hermano^s Perico^s.//

251

En el monte^s DO^{av} no^{av} hay^v favor^s,/
pan^s y vino^s es^v lo mejor^{aj}.//

252

¡A la gala^s de la panadera^s,/
a la gala^s della!//
¡A la gala^s della
y del pan^s QUE lleva^{vm}!//

253

A la guerra^s van^{vm} mis ojos^s;//
★★quiérome^v ir^{vlm} con ellos,/
★★no^{av} vayan^{vm} solos^{aj}.//

254

¡Ábalas,/que prendadas^{aj} iban^{vm};//
ábalas,/que prendadas^{aj} van^{vm}!//

XXXI. *Tonos castellanos del siglo XVI*

255

Arrojóme^{v} las naranjicas^{s},/
con los ramos^{s} del blanco^{aj} azahar^{s};//
arrojómelas^{v} y arrojéselas^{v}
y volviómelas^{v} a arrojar^{vl}.//

256

Norabuena^{av} vengáis^{vm},/abril^{s};//
abril^{s},/abril^{s},/vengáis^{vm} norabuena^{av};//
norabuena^{av} vengáis^{vm};//vengáis^{vm} norabuena^{av}.//
¡Qué^{av} galán^{aj} venís^{vm},/abril^{s};//
qué^{av} galán^{aj} venís^{vm},/abril^{s}!//
Vengáis^{vm} norabuena^{av};//
¡qué^{av} galán^{aj} venís^{vm}!//

257

Morenica^{s},/¿por qué no^{av} me vales^{v},/
QUE me matan^{v} a tus umbrales^{s}?//

XXXII. *Cancionero de Turín* (siglo XVI)

258

No^{av} paséis^{vm},/el caballero^{s},/
tantas veces^{s} por aquí^{av};/
si no^{av},/bajaré^{v} mis ojos^{s},/
★★juraré^{v} QUE nunca^{av} os vi^{v}.//

259

Vai[s]os^{vm},/amores^s,/de aqueste lugar^s;//
¡tristes^{aj} de mis ojos^s,/y cuándo^{av} os verán^v!//

260

Puse^v mis cabellos^s
en almoneda^s;//
★★COMO^{av} no^{av} están^v peinados^{aj}
no^{av} hay QUIEN los quiera^v.//

XXXIII. *Cancionerillos de Praga* (siglo XVI)

261

Madre^s,/una mozuela^s
QUE en amores^s me habló^v,/
piérdala^v su madre^s
y hallásemela^v yo.//

262

Parióme^v mi madre^s
una noche^s escura^{aj};//
★★cubrióme^v de negro^s;//
★★faltóme^v ventura^s.//

263

Esta tarde^s hay^v almoneda^s
en tocando^{vl} el esquilón^s://
¿quién da^v más^{av} por el jubón^s?//

264

Denme[v] la sepoltura[s]
con el miserere[s],/
QUE QUIEN no[av] ha[v] ventura[s]
no[av] debe[v] nascere[vl].//

265

—Pastorcico[s] amigo[s],/
¿qué habedes[v],/qué?//
—A la fe[s],/señora[s],/
vuestros amores[s] he[v].//

266

Por mi mal[s] te vi[v]://
**el bien[s] QUE tenía[v]
en ti lo perdí[v].//

267

Llámalo[v] la doncella[s]/
Y dixo[v] el vil[s]:/
"Al ganado[s] tengo[v] de ir[vlm]".//

268

Por el montecico[s] sola[aj],/
¿cómo[av] iré[vm],/
QUE me fatigaba[v] la sed[s]?//

269

Dame[v] acogida[s] en tu hato[s];//
zagala[s],/de mí te duela[v];//
**cata[v] QUE en el monte[s] yela[v],/
QUE en el monte[s] yela[v].//

XXXIV.   *Laberinto amoroso*, JUAN DE CHEN (Barcelona, 1618)

270

Con el aire[s] de la sierra[s]
híceme[v] morena[aj].//

271

*Por la puente[s],/Juana[s],/
que no[av] por el agua[s].//

272

Échate[v],/mozo[s],/
QUE te mira[v] el toro[s].//

273

Madre[s],/la mi madre[s],/
yo me he[v] de embarcar[vl];//
**a la mar[s],/a la mar[s] me lleva[vm]
QUIEN se va[vm] al mar[s].//

274

Que SI soy[v] morena[aj],/
madre[s],/a la fe[s],/
que SI soy[v] morenita[aj],/
yo me lo pasaré[vm].//

XXXV.   *Romancero general* (1600, 1604, 1605)

275

Que se nos va[vm] la Pascua[s],/mozas[s];//
que se nos va[vm] la Pascua[s].//

276

Regálame^v una picaña^s
PORQUE la taña^v.//

277

Soy^v toquera^s Y vendo^v tocas^s,/
Y tengo^v mi cofre^s donde^{av} las otras.//

278

Parecéis^v molinero^s,/amor^s,/
Y sois^v moledor^{aj}.//

279

El mi corazón^s,/madre^s,/
que robado me le han(e)^v.//

280

Púsose^{vm} el sol^s;//
**salióme^{vm} la luna^s;//
**más^{av} me valiera^v,/madre^s,/
ver^{vl} la noche^s escura^{aj}.//

281

Por el montecillo^s sola^{aj},/
¿cómo^{av} iré^{vm}?//
Ay, Dios^s,/¿si me perderé^v?//

282

Amor^s,/QUIEN no^{av} te conoce^v,/
ése te compre^v.//

283

Aquel pajecico^s de aquel plumaje^s,/
aguilica^s sería^v QUIEN le alcanzase^v.//

Aquel pajecico[s] de los airones[s],/
QUE volando[vl] lleva[vm] los corazones[s],/
aguilica[s] sería[v] QUIEN le alcanzase[v].//

284

Zagaleja[s] del ojo[s] rasgado[aj],/
vente[vm] a mí,/QUE no[av] soy[v] toro[s] bravo[aj].//
Vente[vm] a mí,/zagaleja[s],/vente[vm],/
QUE adoro[v] las damas[s] Y mato[v] la gente[s].//

Zagaleja[s] del ojo[s] negro[aj],/
vente[vm] a mí,/QUE te adoro[v] Y quiero[v];//
**dexaré[v] QUE me toques[v] el cuerno[s],/
Y me lleves[vm] SI quieres[v] al prado[s];//
**vente[vm] a mí,/QUE no[av] soy[v] toro[s] bravo[aj].//

285

En la cumbre[s],/madre[s],/
tal aire[s] me dio[v],/
QUE el amor[s] QUE tenía[v]
aire[s] se volvió[v].//

286

A la villa[s] voy[vm];//
**de la villa[s] vengo[vm];//
que SI no[av] son[v] amores[s]
no[av] sé[v] QUÉ me tengo[v].//

287

¿Yo qué la hice[v],/**yo qué la hago[v],/
QUE me da[v] tan[av] ruin[aj] pago[s]?//
¿Yo qué la hago[v],/**yo qué la hice[v]/
QUE de mí tan[av] mal[av] dice[v]?//

288

Pensamientos^{s} me quitan^{v}
el sueño^{s},/madre^{s};//
**desvelada^{aj} me dexan^{v};//
**vuelan^{v} y vanse^{vm}.//

289

Damas^{s},/el QUE a lo galán^{s}
a vuestra puerta^{s} se allega^{vm},/
pase^{vm} la vega^{s}.//

290

Válame^{v} Dios^{s},/QUE los ánsares^{s} vuelan^{v};//
válame^{v} Dios^{s},/QUE saben^{v} volar^{vl}.//

291

Fuego^{s} de Dios^{s} en el querer^{s} bien^{av};/
amén,/amén.//

292

Tárrega^{s},/por aquí^{av} van^{vm} a Málaga^{s};//
Tárrega^{s},/por aquí^{av} van^{vm} allá^{av}.//

293

No^{av} me llame^{v} fea^{aj};//calle^{v};//
no^{av} me lo llame^{v},/
QUE la llamaré^{v} vieja^{aj},/madre^{s}.//

294

Caracoles^{s} me pide^{v} la niña^{s},/
y pídelos^{v} cada día^{s}.//

295

Dexad^v QUE me alegre^v,/madre^s,/
ANTES^av QUE me case^v.//

296

★A coger^vl el trébol^s,/damas^s,/
la mañana^s de San Juan^s;//
★a coger^vl el trébol^s,/damas^s,/
QUE después^av no^av habrá^v lugar^s.//

297

¡Cómo^av se aliña^v la niña^s;//
madre^s mía,/cómo^av se aliña^v!//

298

Al cabo^s de años^s mil,/
vuelven^vm las aguas^s por DO^av solían^v ir^vlm.//

299

Déxeme^v cerner^vl mi harina^s;//
no^av porfíe^v;//déxemé^v,/
QUE le enharinaré^v.//

300

Bullicioso^aj era^v el arroyuelo^s
Y salpicóme^v;//
★★no^av haya^v miedo^s,/mi madre^s,/
QUE por él torne^vm.//

XXXVI. Sebastián de Covarrubias, *Tesoro de la lengua castellana*
o *española* (Madrid, 1611)

301

A la hembra[s] desamorada[aj]
a la delfa[s] le sepa[v] el agua[s].//

302

Orillicas[s] del río[s],/mis amoresé[s],/
y debaxo[av] de los álamos[s] me atendé[v].//

303

¿Cuándo[av],/mas cuándo[av],/
llevará[v] cerecicas[s] el cardo[s]?//

304

Chapirón[s] de la reina[s],/
chapirón[s] del rey[s].//

Mozas[s] de Toledo[s],/
ya[av] se parte[vm] el rey[s];//
**quedaréis[v] preñadas[aj];//
**no[av] sabréis[v] de quién.//
Chapirón[s] de la reina[s],/
chapirón[s] del rey[s].//

305

Lindos[aj] ojos[s] ha[v] la garza[s],/
y no[av] los alza[v].//

306

Que no[av] me desnudéis[v],/
la guarda[s] de la viña[s],/
y si me desnudáis[v]
dexáme[v] la camisa[s].//

XXXVII. ARIAS PÉREZ, *Primavera y flor de romances* (1622)

307

A la sombra^s de mis cabellos^s
mi querido^s se adurmió^v; //
¿si le recordaré^v o no^{av}? //

XXXVIII. G. CORREAS, *Arte grande de la lengua castellana* (1626)

308

—¿Qué te parece^v? //
—Que será^v bonita^{aj} SI crece^v. //

309

En andar^{vlm} menudito^{av},/
galán^s polido^{aj},/
en andar^{vlm} menudito^{av}
os han conocido^v. //

310

Envíame^v mi madre^s
por agua^s sola^{aj}; //
¡mirad^v a qué hora^s! //

311

¡Qué tomillejo^s,/
qué tomillar^s,/
qué tomillejo^s
tan^{av} malo^{aj} de arrancar^{vl}! //

312

Pajarillo^{s} QUE vas^{vm} a la fuente^{s},/
bebe^{v} Y vente^{vm}.//

313

Que SI tiene^{v} sarna^{s}
la Leonor^{s},/
que SI tiene^{v} sarna^{s},/
yo *sarampión^{s}.//

314

¡Ay, virge María^{s},/
deisme^{v} la mano^{s},/
QUE me voy^{vm} a lo hondo^{s}!;//
**¡voime^{vm} ahogando^{vl}!//

315

Estoime^{v} a la sombra^{s}
Y estoy sudando^{v}://
**¿qué harán^{v} mis amores^{s},/
QUE andan^{vm} segando^{vl}?//

316

Pónteme^{v} de cara^{s}
QUE te vea^{v} yo,/
Y siquiera me hables^{v},/
siquiera no^{av}.//

317

¡Arribita^{av},/arribita^{av},/
pesia mis males^{s},/
el de la saltambarca^{s}
con alamares^{s}!//

318

Toda va^{vm} de verde^s
la mi galera^s;//
toda va^{vm} de verde^s
de dentro^{av} a fuera^{av}.//

319

Por una morenita^s
corren^{vm} un toro^s,/
*las garrochas^s de plata^s,/
*los clavos^s de oro^s.//

320

Aires^s de mi tierra^s,/
vení^{vm} y llevadme^{vm};/
QUE estoy^v en tierra^s ajena^{aj};//
**no^{av} tengo^v a nadie.//

321

¡Mal^{av} haya^v la falda^s
del mi sombrero^s,/
QUE me quita^v la vista^s
de QUIEN bien^{av} quiero^v!//

322

Andá^{vm} noramala^{av},/agudo^s,/
agudo^s mío;//
andá^{vm} noramala^{av},/agudo^s,/
QUE andáis^{vm} dormido^{aj}.//

323

Seguidillas^s me piden^v
estas mozuelas^s;//
**¡malas^{aj} seguidillas^s
vengan^{vm} sobre ellas!//

324

A coger[vl] amapolas[s],/
madre[s],/me perdí[v]://
★★caras[aj] amapolas[s]
fueron[v] para mí.//

325

AUNQUE soy[v] morena[aj],/
yo blanca[aj] nací[v];//
★★a guardar[vl] ganado[s]
mi color[s] perdí[v].//

326

AUNQUE soy[v] morenita[aj] un poco[av]
no[av] se me da[v] nada,/
QUE con agua[s] del alcanfor[s]
me lavo[v] la cara[s].//

327

—¿Cúyas son[v] las galeras[s]
QUE andan[vm] por la mar[s]?//
—Del rey don Felipe[s];//
★★rígelas[v] don Juan[s].//

328

Madre[s],/la mi madre[s],/
guardas[s] me ponéis[v];//
★★que SI yo no[av] me guardo[v],/
mal[av] me guardaréis[v].//

329

Mi carillo[s] Minguillo[s]
ido es[vm] al lugare[s];//
★★no[av] venirá[vm] esta noche[av]
ni mañana[av] a almorzare[vl].//

330

Vase^{vm} todo el mundo^s
tras el liberal^s,/
QUE el bocado^s ajeno^{aj}
siempre^{av} sabe^v más^{av}.//

331

Vanse^{vm} mis amores^s;//
★★quiérenme^v dejar^{vl};//
★★AUNQUE soy^v morena^{aj}
no^{av} soy^v de olvidar^{vl}.//

332

—Tú la tienes^v,/Pedro^s,/
la borrica^s preñada^{aj}.//
—Juro^v a mí no^{av} tengo^v,/
QUE vengo^{vm} del arada^s.//

333

Niña^s de la saya^s blanca^{aj}
y encima^{av} la verde-escura^{aj},/
a los pies^s de la tu cama^s
me hagan^v la sepultura^s.//

334

Que por vos,/la mi señora^s,/
la cara^s de plata^s,/
correré^{vm} yo mi caballo^s
a la trápala-trapa^{av}.//

335

El tu amor^s,/Juanilla^s,/
no^{av} le verás^v más^{av};//
★★molinero^s le dejo^v
en los molinos^s de Orgaz^s.//

336

Que no^{av} me los ame^{v} nadie
a los mis amorésé^{s}; //
que no^{av} me los ame^{v} nadie,/
QUE yo me los amaré^{v}.//

337

Molinero^{s} sois^{v},/amor^{s},/
Y sois^{v} moledor^{aj}.//

338

Marido^{s},/busca^{v} otra renta^{s},/
QUE vale^{v} cara^{aj} la cornamenta^{s}.//

339

Niña^{s} de color^{s} quebrado^{aj},/
o tienes^{v} amor^{s} o comes^{v} barro^{s}.//

340

Niña^{s} del sayo^{s} vaquero^{aj},/
¿qué tenéis^{v} QUE tomás^{v} el acero^{s}?//

341

Caracoles^{s} habéis comido^{v},/
Y mal^{s} os han hecho^{v};//
**menester^{s} os habéis^{v} de sangrar^{vl}
de la vena^{s} del pecho^{s}.//

342

Estos mis cabellicos^{s},/madre^{s},/
dos a dos me los lleva^{vm} el aire^{s}.//

343

Si no^{av} fuere^{vm} en esta barqueta^s,/
iré^{vm} en es'otra QUE se fleta^v.//

344

Virgo^{aj} la llevas^{vm} y con leche^s;//
**¡plega^v a Dios^s QUE te aproveche^v!//

345

Esa caperucita^s del fraile^s,/
póntela^v tú QUE a mí no^{av} me cabe^v.//

346

—Agujita^s,/¿qué sabes^v hacer^{vl}?//
—Apulazar^{vl} y sobrecoser^{vl}.//

347

Póntela^v tú la gorra^s del fraile^s.//
Póntela^v tú,/QUE a mí no^{av} me cabe^v.//

348

Arremanguéme^v y hice^v colada^s;//
**no^{av} hay^v tal andar^s como^{av} andar^{vlm} remangada^{aj}.//

XXXIX. G. CORREAS, *Vocabulario de refranes
y frases proverbiales* (primer tercio del siglo XVII)

349

¡Que se nos va^{vm} la Pascua^s,/mozas^s!//
**¡Ya^{av} viene^{vm} otra!//

350

Quítese[vm] allá[av],/señor[s] don Miguel[s];//
apártese[vm] allá[av],/QUE le enharinaré[v].//

351

¿Cuándo[av],/mas cuándo[av],/
llevará[v] cerezas[s] el cardo[s]?//

352

¡Ay que tenéis[v],/amor[s],/
mal[s] de corazón[s]!//
★★¿Quién os lo causó[v]?//

353

¡Ay, que me acuesto[v]!//
¡Ay, qué sola[aj] duermo[v]!//

354

Para mí son[v] penas[s],/madre[s],/
que no[av] para el aire[s].//

355

Airecillo[s] en los mis cabellos[s],/
y aire[s] en ellos.//

356

Tómale[v] allá[av] tu verde[aj] olivico[s];//
tómale[v] allá[av] tu verde[aj] olivar[s].//

357

★Mañana[s] de San Juan[s],/mozas[s],/
vámonos[vm] a coger[vl] rosas[s].//

358

¡Ay, horas[s] tristes[aj],/
cuán[av] diferentes[aj] sois[v] de lo QUE fuistes[v]!//

359

Ahora[av] QUE soy[v] moza[aj]
quiérome[v] holgar[vl],/
QUE CUANDO[av] sea[v] vieja[aj]
todo es[v] tosejar[vl].//

360

AUNQUE ando[vm] Y rodeo[vm],/
nunca[av] falta[v] a la puerta[s] un perro[s].//

361

SI tantos monteros[s] la garza[s] combaten[v],/
¡a fe[s] que la maten[v]!//

362

AUNQUE más[av] me digáis[v],/madre[s],/
QUIEN bien[av] quiere[v] olvida[v] tarde[av].//

363

AUNQUE más[av] me diga[v] diga[v],/
QUIEN bien[av] ama[v] tarde[av] olvida[v].//

364

Aires[s],/que me llevan[vm] los frailes[s].//

365

Las tres Maricas[s] de allende[av],/
cómo[av] lavan[v] Y cómo[av] tuercen[v],/
Y tienden[v] tan[av] bonitamente[av].//

366

SI te vas^{vm} Y me dejas^v,/
¿a quién contaré^v mis quejas^s?//

367

Perdí^v la mi rueca^s Y el huso^s no^{av} hallo^v;//
tres días^s ha^v QUE ando^{vm} a buscallo^{vl}.//

368

SI vistes^v allá^{av} el tortero^s andando^{vlm},/
QUE perdí^v la mi rueca^s Y el huso^s no^{av} hallo^v.//

369

Perdí^v la mi rueca^s Y el huso^s no^{av} hallo^v;//
tres días^s ha^v QUE le ando^{vm} en el rastro^s.//

370

Cerotico^s de pez^s,/
no^{av} me engañaréis^v otra vez^s.//

371

Gil González Dávila^s llama^v;//
★★no^{av} sé^v si,/mi madre^s,/SI me le abra^v.//

372

SI te echasen^v de casa^s,/la Catalina^s,/
SI te echasen^v de casa^s,/vente^{vm} a la mía.//

373

Zagaleja^s,/hola,/dime^v DÓNDE^{av} vas^{vm};//
a ti digo^v,/hola,/QUE te perderás^v.//

374

Guay de la molinera[s],/
QUE al molinero[s] el agua[s] le lleva[vm].//

375

Besóme[v] el colmenero[s],/
Y a la miel[s] me supo[v] el beso[s].//

376

Voz[s] tiene[v] el águila[s],/niña[s];//
voz[s] tiene[v] el aguililla[s].//

377

Voces[s] daba[v] la pava[s],/
Y en aquel monte[s]
el pavón[s] era[v] nuevo[aj]
Y no[av] la responde[v].//

378

Boca[s] besada[aj]
no[av] pierde[v] ventura[s];/
ANTES[av] se renueva[v]
como[av] la luna[s].//

379

Bien[av] sabe[v] la rosa[s]
en qué mano[s] posa[v].//

380

Buena[aj] va[vm] la danza[s],/
señora Maripérez[s],/
con cascabeles[s].//

381

Bravo^{aj} estáis^v,/torico^s,//
★★dícenlo^v tus uñas^s://
★★escarbas^v con ellas,/
AUNQUE no^{av} rasguñas^v.//

382

Campanitas^s de la mar^s,/
din dan,/din dan.//

383

Campanitas^s de Sardón^s,/
QUIEN las tañe^v suyas son^v.//

384

Campanillas^s de Toledo^s,/
óigoos^v Y no^{av} os veo^v.//

385

Las tres ánades^s,/madre^s,/
solas^{aj} van^{vm} por aquí^{av};//
mal^{av} penan^v a mí.//

386

Cata^v la luna^s;//
cata^v el sol^s;//
cata^v los amores^s del pastor^s.//

387

¡Qué^{av} lindas^{aj} damas^s hay^v en Tudela^s!//
¡Sí fuera^v villa^s COMO^{av} es^v aldea^s!//

388

Que no[av] hay[v] tal andar[s]
como[av] buscar[vl] a Cristo[s]; //
que no[av] hay[v] tal andar[s]
como[av] a Cristo[s] buscar[vl]. //

389

¿Qué queréis[v] QUE os traiga[vm],/
niña[s] delicada[aj]?; //
¿qué queréis[v] QUE os traiga[vm]? //

390

QUIEN vio[v] los tiempos[s] pasados[aj]
Y ve[v] los QUE son[v] agora[av],/
¿cuál es[v] el corazón[s] QUE no[av] llora[v]? //

391

—Colorada[aj] estáis[v],/nuestra ama[s]. //
—Vengo[vm] del horno[s] Y diome[v] la llama[s]. //

392

Con albayalde[s],/
*la del alcalde[s]. //

393

Con los ojos[s] me dices[v]
lo QUE me quieres[v]; //
**dímelo[v] con la boca[s]
CUANDO[av] quisieres[v]. //

394

Con copete[s] y sin copete[s],/
señora[s],/vos sois[v] hermosa[aj],/
MAS el copete[s] es[v] gran[aj] cosa[s]. //

395

*Cogombros^s y agua^s de la noria^s,/
¿de qué te quejas^v,/mujer^s señora^s?//

396

Cuitada^aj de la mora^s,/
en el su moral^s tan^av sola^aj.//

397

PUES QUE nos ponen^v en tan^av mala^aj fama^s,/
toma^v el hatillo^s Y vámonos^vm,/Juana^s.//

398

PUES QUE me sacan^v a desposar^vl,/
quiérome^v peinar^vl.//

399

PUES QUE me tienes^v,/
Miguel^s,/por esposa^s,/
mírame^v,/Miguel^s,/
cómo^av estoy^v tan^av hermosa^aj.//

400

PUES tú te lo quieres^v,/
Y yo te lo mando^v,/
¡ándate^vm,/Periquito^s,/holgando^vl!//

401

Prometió^v mi madre^s
de no^av me dar^vl marido^s
hasta QUE el perejil^s
estuviere^v crecido^aj.//

402

Tañen^v a misa^s;//
**repican^v a dos;//
**murióse^v una vieja^s;//
perdónela^v Dios^s.//

403

Tordico^s nuevo^{aj},/
de chicas^{aj} plumas^s y ralas^{aj},/
espera^v QUE te crezcan^v las alas^s.//

404

¡Ay el mi pandero^s!,/
¿quién os tañerá^v SI yo me muero^v?//

405

Pase^{vm} adelante^{av},/
señora^s la de Escalante^s.//

406

Pastorcico^s era^v yo antes^{av},/
Y agora^{av} soy^v señor^s de guantes^s.//

407

Pastorcilla^s mía,/
PUES de mí te vas^{vm},/
dime^v CUÁNDO^{av} volverás^v.//

408

Pajarico^s QUE escucha^v el reclamo^s,/
escucha^v de su daño^s.//

409

Pónteme[v] de cara[s]
QUE te vea[v] yo,/
SIQUIERA me mires[v],/
siquiera no[av].//

410

PUES QUE no[av] me lo pide[v],/
NI me lo quiere[v] nadie,/
démelo[v] el aire[s].//

411

Todas cantan[v] en la boda[s],/
Y la novia[s] llora[v].//

412

Perantón[s],/dame[v] de las uvas[s];//
Perantón[s],/que no[av] están[v] maduras[aj].//

413

Por amor[s] del caballero[s]
besa[v] la dama[s] al escudero[s].//

414

Por un cordoncillo[s] verde[aj]
no[av] quiero[v] yo perderme[vl].//

415

Por dormir[vl] con una serrana[s],/
caro[av] me costaba[v] la madrugada[s].//

416

Todo lo tiene[v] bueno[aj]
la del Corregidor[s]; //
todo lo tiene[v] bueno[aj]
SI no[av] es[v] la color[s]. //

417

Toma[v] fruta[s],/mi señora[s],/
fresca[aj] y cogida[aj] de ahora[s]. //

418

Tú te estás[v],/Y yo me estó[v]; //
★★NI tú me lo pides[v],/
NI yo te lo dó[v]. //

419

Turbias[aj] van[vm] las aguas[s],/madre[s]; //
★★ellas se aclararane[v]. //

420

Tuve[v] hermosura[s],/
mas no[av] ventura[s]. //

421

Tres camisas[s] tengo[v] agora[av]; //
★★no[av] me llamarán[v] mangajona[aj]. //

Una tengo[v] en el linar[s],/
Y otra tengo[v] en el telar[s],/
y otra QUE hilo[v] agora[av]. //
★★No[av] me llamarán[v] mangajona[aj]. //

422

Válate^v la mona^s,/
Antona^s;//
válate^v la mona^s.//

423

Marigüela^s,/sɪ fueses^v buena^{aj},/
*tuya la estrena^s.//

424

—Mariquita^s,/¿y en sábado^s ciernes^v?//
—¡Ay, señor^s!,/pensé^v QUE era^v viernes^s.//

425

Mariquita^s,/daca^v mi manto^s,/
QUE no^{av} puedo^v estar^{vl} encerrada^{aj} tanto^{av}.//

426

—Mariquita^s,/¡cómo^{av} te tocas^v!//
—A la fe^s,/como^{av} las otras.//

427

—Mariquita^s,/haz^v como^{av} buena^{aj}.//
—Haré^v como^{av} tu madre^s y agüela^s.//

428

Mal^{av} habiendo^{vl}
y triste^{aj} esperando^{vl},/
morirme he^v triste^{aj},/
Y no^{av} sé^v cuándo^{av}.//

429

Mal^{av} hubiere^{v} la falda^{s}
de mi sombrero^{s},/
QUE me quita^{v} la vista^{s}
de QUIEN bien^{av} quiero^{v}.//

430

Madrugábalo^{v} la aldeana^{s}.//
¡Y cómo^{av} lo madrugaba^{v}!//

431

Hilandera^{s} de rueca^{s},/
ábreme^{v} la puerta^{s}.//

432

—Casadita^{s},/de vos dicen^{v} mal^{s}.//
—Digan^{v},/digan^{v},/QUE ellos cansarán^{v}.//

433

Vine^{vm} de lejos^{av},/
niña^{s},/por verte^{vl};//
★★hállote^{v} casada^{aj};//
★★quiero^{v} volverme^{vl}.//

434

Mi marido^{s} va^{vm} a la mar^{s};//
★★chirlos mirlos^{s} va^{vm} a buscar^{vl}.//

435

—Mi reina^{s},/¿qué tanto^{av} ha^{v} QUE no^{av} se peina^{v}?//
—Mi galán^{s},/desde San Juan^{s}.//

436

Mírame^v,/Miguel^s,/
CÓMO^{av} estoy^v bonitica^{aj}:/
*saya^s de buriel^s,/
camisa^s de estopica^s.//

437

Vieja^s soy^v Y moza^s fui^v;//
**nunca^{av} en tales angarillones^s me vi^v.//

438

Lloraba^v la casada^s por su velado^s,/
Y agora^{av} la pesa^v PORQUE es llegado^{vm}.//

439

Rividijábalas^v el pastor^s,/
con el rividijón^s.//

440

Ábrame^v,/hilandera^s de torno^s;//
**mirá^v QUE me torno^{vm}.//

441

Aquel caballero^s,/madre^s,/
QUE aquí^{av} vino^{vm},/QUE aquí^{av} está^v,/
QUE aquí^{av} tiene^v la voluntad^s.//

442

Aquel caballero^s,/madre^s,/
QUE aquí^{av} vino^{vm},/
QUE aquí^{av} está^v,/
QUE conmigo dormirá^v.//

443

¡Oh, qué[av] linda[aj] es[v] la alameda[s]!//
¡Quién tuviera[v] la siesta[s] en ella!//

444

Levantóse[v] un viento[s]
de la mar[s] salada[aj],/
Y dióme[v] en la cara[s].//

Levantóse[v] un viento[s]
QUE de la mar[s] salía[vm],/
Y alzóme[v] la falda[s]
de mi camisa[s].//

445

Los mis amoritos[s],/
QUE a galeras[s] van[vm],/
SI ellos me quieren[v]
acá[av] volverán[vm].//

446

Que SI verde[aj] era[v] la verbena[s],/
séalo[v] en horabuena[av].//

447

Mañana[s] de San Juan[s],/mozas[s];/
★¡a mi casa[s] todas!//

448

¿Para qué quiere[v] el pastor[s]
sombrerito[s] para el sol[s]?//

449

Heridas^s tenéis^v,/amigo^s,/
Y duélennos^v;//
**tuviéralas^v yo y no^{av} vos.//

450

Lanzadas^s tenéis^v,/amor^s,/
Y duélennos^v;//
**tuviéralas^v yo y no^{av} vos.//

451

Cantó^v al alba^s la perdiz^s.//
**¡Más^{av} le valiera^v dormir^{vl}!//

452

Cantó^v el gallo^s;//
**no^{av} supo^v cómo^{av} ni cuándo^{av}.//

453

Vámonos^{vm} de aquí^{av},/galanes^s,/
QUE aquí^{av} no^{av} ganamos^v nada;//
**otro llevará^{vm} la moza^s,/
nosotros la noche^s mala^{aj}.//

454

Canta^v Antón^s
por desesperación^s.//

455

Prometió^v mi madre^s
de no^{av} me dar^{vl} marido^s
hasta QUE el perejil^s
estuviese^v nacido^{aj}.//

456

QUIEN tuviere[v] hijas[s] fea[aj]
cómprela[v] un majuelo[s],/
QUE ansí[av] hizo[v] mi padre[s]
Y casóme[v] luego[av].//

457

Socorrer[vl] el cuero[s]
con albayalde[s],/
QUE seiscientos meses[s]
no se van[vm] de balde[av].//

458

Díceme[v] mi madre[s] QUE olvide[v] el amor[s];//
★★acábelo[v] ella con el corazón[s].//

459

Díceme[v] mi madre[s] QUE soy[v] bonitilla[aj];//
★★sábelo[v] Dios[s] y la salserilla[s].//

460

¿Qué dirán[v] de la freila[s]?;//
¿qué dirán[v] della,/
SI abraza[v] los roble[s]
pensando[vl] QUE eran[v] hombres[s]?//

461

Querer[vl] a QUIEN no[av] me quiere[v],/
mal[av] haya[v] QUIEN tal hiciere[v].//

462

Por no[av] decir[vl] de no[av],/
mirá[v] CUÁL[av] estó[v].//

463

Mal^{av} airados^{aj} vienen^{vm}
mis amoresé^s.//
★★No^{av} sé^v por qué.//

464

Hínchase^v mi seno^s,/
siquiera de heno^s.//

465

Hadas^s malas^{aj}
me hicieron^v negra^{aj},/
QUE yo blanca^{aj} era^v.//

466

El amor^s primero jamás^{av} se olvida^v;//
★★pepita^s le queda^v por toda la vida^s.//

467

SI me lo has^v de dar^{vl}
no^{av} me lo hagas^v desear^{vl}.//

468

Sospira^v Gilete^s,/
Y ella duerme^v.//

469

Guerra^s,/caza^s/y amores^s,/
★por un placer^s mil dolores^s.//

470

Gran^{aj} hechizo^s es^v el amor^s;//
★★no^{av} le hay^v mayor^{aj}.//

471

Amor[s] y fortuna[s]
no[av] tiene[v] defensa[s] alguna.//

472

A la mal[av] casada[s]
déla[v] Dios[s] placer[s],/
QUE la bien[av] casada[s]
no[av] lo ha[v] menester[s].//

473

Cásate[v] Y verás[v];//
**perderás[v] sueño[s];//
**nunca[av] dormirás[v].//

474

Cásate[v],/Marica[s];//
cásate[v] *verás[v];//
**el sueño[s] del alba[s]
no[av] lo dormirás[v].//

475

—Cásate[v],/mancebo[s].//
—No[av] quiero[v] casarme[vl];//
**más[av] quiero[v] ser[vl] libre[aj]
QUE no[av] cautivarme[vl].//

476

Que no[av] quiero[v] ser[vl] casada[aj],/
sino libre[aj] y enamorada[aj].//

477

SI yo dijera[v] no[av] quiero[v],/no[av] quiero[v],/
no[av] fuera[v] yo amiga[s] del crego[s].//

478

Días[s] de Mayo[s],/★días[s] de desventura[s];//
★★aún[av] no[av] es amanecido[v] Y ya[av] es[v] noche[s] escura[aj].//

479

Días[s] de Mayo[s],/tan[av] largos[aj] QUE sodes[v];//
★★morro[v] de fame[s],/de frío[s]/y de amores[s].//

480

Que SI linda[aj] era[v] la madrina[s],/
por mi fe[s] que la novia[s] es[v] linda[aj].//

481

No[av] quiero[v] más panadera[s];//
★★escarmentóme[v] la primera.//

482

—A nadar[vl],/anadinos[s],/
patos[s]/y patinos[s].//
—Entrad[vm] vos,/patón[s];//
★★nadaréis[v] mejor[av].//

483

Solivia[v] el pan[s],/panadera[s];//
solivia[v] el pan[s],/QUE se quema[v].//

484

—Dime[v],/pajarito[s] QUE estás[v] en el nido[s],/
¿la dama[s] besada[aj] pierde[v] marido[s]?//
—No[av],/la mi señora[s],/SI fue[v] en escondido[av].//

485

Vestíme^{v} de verde^{s},/
QUE es^{v} buena^{aj} color^{s},/
como^{av} el papagayo^{s}
del rey^{s} mi señor^{s}.//

Vestíme^{v} de verde^{s}
por hermosura^{s},/
COMO^{av} hace^{v} la pera^{s}
cuando^{av} madura^{v}.//

486

Aires^{s},/tararira,/
no^{av} tiene^{v} el rey^{s} tal vida^{s}.//

487

AUNQUE me veis^{v} QUE descalza^{aj} vengo^{vm},/
tres pares^{s} de zapatos^{s} tengo^{v}.//

Unos tengo^{v} en el corral^{s},/
otros en el muladar^{s}/
y otros en casa^{s} del zapatero^{s}.//
Tres pares^{s} de zapatos^{s} tengo^{v}.//

488

Arenicas^{s} de Villanueva^{s},/
QUIEN las pisa^{v} nunca^{av} las niega^{v}.//

489

Troque,/troque,/troque,/
*los cencerros^{s} míos
y los bueyes^{s} de otre.//

490

Hilanderas^{s},/¿qué hicisteis^{v} o hilasteis^{v},/
SI en marzo^{s} no^{av} curasteis^{v}?//

Fui^{vm} al mar^{s};//**vine^{vm} del mar^{s};//
**hice^{v} casa^{s} sin hogar^{s},/
sin azada^{s} ni azadón^{s},/
y sin ayuda^{s} de varón^{s};//
¡chirrichizchiz!//

491

*Arcaduces^{s} de ñoria^{s},/
el QUE lleno^{aj} va^{vm} vacío^{aj} torna^{vm}.//

492

Arca^{s},/arquita^{s},/
de Dios^{s} bendita^{aj},/
cierra^{v} bien^{av} y abre^{v};//
**no^{av} te engañe^{v} nadie.//

493

Don Abad^{s},/por aquí^{av} saldredes^{vm},/
cargadito^{aj} de támaras^{s} verdes^{aj}.//

XL.   *Romancero de la Biblioteca Brancacciana*

(comienzos del siglo XVII)

494

Eres^{v} niña^{s} y has^{v} amor^{s};//
¿qué harás^{v} cuando^{av} mayor^{aj}?//

495

Por un pajecillo^{s}
del corregidor^{s},/
peiné^{v} yo,/mi madre^{s},/
mis cabellos^{s} hoy^{av}.//

Por un pajecillo[s]
de los QUE más[av] quiero[v],/
me puse[v] camisa[s]
labrada[aj] de negro[s],/
Y peiné[v],/mi madre[s],/
mis cabellos[s] hoy[av],/
por un pajecillo[s]
del corregidor[s].//

496

No[av] me aprovecharon[v],/
madre[s],/las hierbas[s];//
no[av] me aprovecharon[v],/
Y derramélas[v].//

497

Púsoseme[vm] el sol[s];//
★★salióme[vm] la luna[s];//
★★más[av] valiera[v],/madre[s],/
ver[vl] la noche[s] oscura[aj].//

498

Alarga[v],/morenica[s],/el paso[s],/
QUE me canso[v].//

XLI. *Comedia de Eufrosina* (Madrid, 1631)

499

Aquel caballero[s]
QUE de amor[s] me habla[v],/
quiérole[v] en el alma[s].//

XLII.   *Comedia llamada Florinea* (Medina del Campo, 1554)

500

Que yo bien^{av} me lo sé^v,/
QUE a tus manos^s moriré^v.//

XLIII.   J. PINTO DE MORALES, *Maravillas del Parnaso* (Lisboa, 1637)

501

Ya^{av} no^{av} más^{av},/queditito^{av},/amor^s,/
QUE me matarás^v;//
no^{av} más^{av}.//

XLIV.   *Chansonniers Musicaux Espagnols du XVIIe siècle*

502

Corazón^s,/¿dónde^{av} estuvistes^v
QUE tan^{av} mala^{aj} noche^s me distes^v?//

503

Que no^{av} hay^v tal andar^s
por el verde^{aj} olivico^s;//
que no^{av} hay^v tal andar^s
por el verde^{aj} olivar^s.//

XLV.   *Cancionero de Claudio de la Sablonara* (siglo XVII)

504

Tañen[v] a la queda[s]; //
**mi amor[s] no[av] viene[vm]; //
**algo tiene[v] en el campo[s]
QUE le detiene[v].//

XLVI.   COTARELO Y MORI (EMILIO), *Colección de entremeses,
loas, bailes, jácaras y mojigangas desde fines del siglo XVI
a mediados del XVIII*

505

Picar[vl],/picar[vl],/
que cerquita[av] está[v] el lugar[s].//

506

Esta Maya[s] se lleva[vm] la flor[s],/
que las otras no[av].//

507

Entra[vm] mayo[s] y sale[vm] abril[s];//
¡cuán[av] garridico[aj] le vi[v] venir[vlm]!//

508

Den[v] para la Maya[s],/
QUE es[v] bonita[aj] y galana[aj];//

echad^{v} mano^{s} a la bolsa^{s},/
cara^{s} de rosa^{s};//
echad^{v} mano^{s} al esquero^{s},/
el caballero^{s}.//

509

Pase^{vm},/pase^{vm} el pelado^{s},/
QUE no^{av} lleva^{vm} blanca^{s} ni cornado^{s}.//

510

¡Oxte,/morenica^{s};//oxte,/morena^{s}!//

511

¡Ucho ho,/ucho ho,/ucho ho,/
torillo^{s} hosquillo^{aj},/
toro^{s} hosco^{aj},/vente^{vm} a mí;//
vente^{vm} a mí,/QUE aquí^{av} te espero^{v}!//

512

¡Ay, don Alonso^{s},/
mi noble^{aj} señor^{s},/
caro^{av} os ha costado^{v}
el tenerme^{vl} amor^{s}!//

513

Yo me maravillo^{v}
de la mozuela^{s},/
CÓMO^{av} no^{av} es muerta^{v}.//

514

Falsa^{aj} me es^{v} la segaderuela^{s};//
falsa^{aj} me es^{v} y llena^{aj} de mal^{s}.//

XLVII. *Comedia de la Zarzuela y elección del Maestre de Santiago*

515

Pensóse^{v} el villano^{s}
QUE me adormecía^{v}; //
**tomó^{v} espada^{s} en mano^{s}; //
**fuese^{vm} a andar^{vlm} por villa^{s}. //

Pensóse^{v} el villano^{s}
QUE me adormilaba^{v}; //
**tomó^{v} espada^{s} en mano^{s}; //
**fuese^{vm} a andar^{vlm} por plaza^{s}. //

Fuérame^{vm} tras ele
por ver^{vl} DÓNDE^{av} iba^{vm}; //
**viérale^{v} yo entrare^{vlm}
en cas^{s} de su amiga^{s}. //

Fuérame^{vm} tras ele
por ver^{vl} DÓNDE^{av} entraba^{vm}; //
**viérale^{v} yo entrare^{vlm}
en cas^{s} de su dama^{s}. //

XLVIII. E. MARTÍNEZ TORNER, *Índice de analogías*

516

Rey^{s} don Alonso^{s}, /
rey^{s} mi señor^{s}, /
rey^{s} de los reyes^{s}, /
el emperador^{s}. //

Cuatro monteros[s]
del rey[s] don Alonso[s],/
cuatro monteros[s]
mataron[v] un oso[s].//
Rey[s] don Alonso[s],/
rey[s] mi señor[s],/
rey[s] de los reyes[s],/
el emperador[s].//

XLIX. *Cartapacios literarios salmantinos* (siglo XVI)

517

Aquel pastorcico[s],/madre[s],/
QUE no[av] viene[vm],/
algo tiene[v] en el campo[s]
QUE le pene[v].//

L. *Anales salmantinos*, vol. II, Salamanca, 1929

518

Pisá[v],/amigo[s],/el polvillo[s],/
tan[av] menudillo[av];//
pisá[v],/amigo[s],/el polvó[s],/
tan[av] menudó[av].//

Madre[s] mía,/el galán[s],/
y no[av] de aquesta villa[s],/
paseaba[vm] en la plaza[s]
por la branca[aj] niña[s],/
¡tan[av] menudó[av]!//

519

QUIEN bien[av] hila[v],/
bien[av] se le paresce[v].//

QUIEN bien[av] hila[v]
y devana[v] aprisa[av],/
bien[av] se le paresce[v]
en la su camisa[s];//
¡bien[av] se le paresce[v]!//

LI. F. GONZÁLEZ DE ESLAVA, *Ensalada de la Flota*

520

Las ondas[s] de la mar[s],/
¡cuán[av] menudicas[aj] van[vm]!//

LII. *Coplas hechas por Diego García* (pliego suelto, s. a.)

521

Perdíme[v] por conoceros[vl],/
ojos[s] morenos[aj];//
perdíme[v] por conoceros[vl].//

LIII. *De un "romance-ensalada" de Góngora*

522

Ya[av] no[av] más[av],/quedítico[av],/hermanas[s];//
ya[av] no[av] más[av].//

LIV. *Ms. 3913 de la Biblioteca Nacional de Madrid*

523

Mala^{aj} noche^{s} me diste^{v},/casada^{s}; //
★★¡Dios^{s} te la dé^{v} mala^{aj}! //

Dixiste^{v} QUE al gallo^{s} primo
viniese^{vm} a folgar^{vl} contigo,/
y abrazada^{aj} al tu marido^{s}
dormiste^{v},/y yo a la helada^{s}; //
★★¡Dios^{s} te la dé^{v} mala^{aj}! //

524

Llena^{aj} va^{vm} de flores^{s}
la blanca^{aj} niña^{s}; //
llena^{aj} va^{vm} de flores^{s}; //
¡Dios^{s} la bendiga^{v}! //

525

Nunca^{av} vivas^{v} con rencilla^{s},/
casadilla^{s},/casadilla^{s}. //

526

Quiero^{v} dormir^{vl} y no^{av} puedo^{v},/
QUE me quita^{v} el amor^{s} el sueño^{s}. //

527

Caminad^{vm},/señora^{s},/
SI queréis^{v} caminar^{vlm},/
QUE los gallos^{s} cantan^{v}; //
★★cerca^{av} está^{v} el lugar^{s}. //

528

Más^{av} mal^s hay^v en el aldegüela^s
QUE se suena^v.//

529

Cervatica^s,/que no^{av} me la vuelvas^v,/
QUE yo me la volveré^v.//

Cervatica^s tan^{av} garrida^{aj},/
no^{av} enturbies^v el agua^s fría^{aj},/
QUE he^v de lavar^{vl} la camisa^s
de aquel a QUIEN di^v mi fe^s.//

Cervatica^s,/que no^{av} me la vuelvas^v,/
QUE yo me la volveré^v.//

Cervatica^s tan^{av} galana^{aj},/
no^{av} enturbies^v el agua^s clara^{aj},/
QUE he^v de lavar^{vl} la delgada^s
para QUIEN yo me lavé^v.//
Cervatica^s,/que no^{av} me la vuelvas^v,/
QUE yo me la volveré^v.//

530

Peinadita^{aj} trayo^{vm} mi greña^s;//
peinadita^{aj} la trayo^{vm} y buena^{aj}.//

531

Quiero^v Y no^{av} saben^v QUE quiero^v,/
Y yo me muero^v.//

532

Yo me soy^v el Rey Palomo^s;//
yo me lo guiso^v;//yo me lo como^v.//

LV.   *Ms. 3915 de la Biblioteca Nacional de Madrid*

533

¡Que se nos va^{vm} la Pascua^s,/mozas^s;//
mozas^s,/que se nos va^{vm} la Pascua^s!//

534

Que no^{av} me llevéis^{vm},/marido^s,/a la boda^s;//
que no^{av} me llevéis^{vm},/QUE me brincaré^v toda.//

535

Pastorcito^s nuevo^{aj},/
de color^s de azor^s,/
que no^{av} sois^v,/mi vida^s,/
para labrador^s.//

536

Mi marido^s es^v cucharetero^s;//
★★diómele^v Dios^s,/Y así^{av} me le quiero^v.//

537

Mire^v QUE le digo^v;//
no^{av} le digo^v nada;//
quíteseme^v allá^{av};//
★★mire^v QUE me enfada^v.//

538

Corrido^{aj} va^{vm} el abad^s
por el cañaveral^s.//

539

Delicada^{aj},/soy^v delicada^{aj};//
tanto^{av} lo soy^v QUE me pica^v la saya^s.//

540

Déxame^v,/deseo^s,/
QUE me bamboleo^v.//

541

Casadilla^s,/PUES tanto^{av} me cuestas^v,/
tómame^v a cuestas^s.//

542

Quiero^v me ir^{vlm},/mi vida^s;//
quiero^v me ir^{vlm} con él,/
una temporadita^s,/
con el mercader^s.//

543

AUNQUE soy^v morenita^{aj} un poco
no^{av} me doy^v nada;//
**con el agua^s del almendruco^s
me lavo^v la cara^s.//

544

¿Qué se le da^v a mi madre^s
de mis cabellos^s,/
QUE para mal^{aj} villano^s
sobran^v de buenos^{aj}?//

545

CUANTO me mandareis^v,/
todo lo haré^v;//
**casa^s de dos puertas^s
no^{av} la guardaré^v.//

546

Padre^s reverendo^{aj},/
deteneos^v un poco^{av} allá^{av},/
QUE tengo^v la madre^s brava^{aj};//
★★SI lo siente^v matarme ha^v.//

547

Triste^{aj} de mí,/cuitada^{aj},/
mi gallina^s se me perdió^v,/
con cinco pollitos^s echada^{aj};//
★★cuitada^{aj},/¿cómo^{av} no^{av} me ahorco^v yo?//

548

Cómo^{av} lo tuerce^v y lava^v
la monjita^s el su cabello^s;//
cómo^{av} lo tuerce^v y lava^v;//
luego^{av} lo tiende^v al hielo^s.//

549

Dame^v una saboyana^s,/
marido^s,/ansí^{av} os guarde^v Dios^s;//
dadme^v una saboyana^s,/
PUES las otras tienen^v dos.//

550

—Decidle^v a la muerte^s,/madre^s,/
QUE no^{av} me lleve^{vm}.//
—Harto^{av} le digo^v,/hija^s,/
Y ella no^{av} quiere^v.//

551

Mirad^v,/marido^s,/SI quieres^v algo,/
QUE me voy^{vm} a levantar^{vl};//
★★la camisa^s tengo^v puesta^{aj};//
★★tornarla he^v a quitar^{vl}.//

552

SI queréis^v QUE os enrame^v la puerta^s,/
vida^s mía de mi corazón^s,/
SI queréis^v QUE os enrame^v la puerta^s,/
vuestros amores^s míos son^v.//

553

Vístete^v de verde^s,/
QU'es^v linda^{aj} color^s,/
como^{av} el papagaíto^s
del rey^s mi señor^s.//

554

Yendo^{vlm} a la plaza^s,/
encontré^v a Inés^s,/
QUE la hablan^v,/peliscan^v,/besan^v,/
dos estudiantés^s.//

555

A puertas^s de Menga Gil^s
está^v Pelaíto^s Y llora^v,/
Y dícele^v Menga Gil^s:/
¿qué quieres^v,/Pelaíto^s,/agora^{av}?//

556

Por un pajesito^s
del corregidor^s
colgara^v yo,/madre^s,/
los cabellos^s al sol^s.//

557

Por la mar^s abajo^{av}
van^{vm} los mis ojos^s;//

★★quiéromeᵛ irᵛˡᵐ con ellos,/
★★noᵃᵛ vayanᵛᵐ solosᵃʲ.//

558

Dejaᵛ,/la morenicaˢ,/
lo QUE noᵃᵛ esᵛ tuyo;//
dejaᵛ los estudiantesˢ
irᵛˡᵐ al estudioˢ.//

559

Vidaˢ de mi vidaˢ,/
noᵃᵛ me maltratéisᵛ;//
que muyᵃᵛ claroᵃᵛ veoᵛ
QUE otro amorˢ tenéisᵛ.//

560

Arrojómelasᵛ,/★arrojéselasᵛ,/
encimaᵃᵛ del manzanalˢ;//
arrojómelasᵛ Y arrojéselasᵛ,/
Y tornómelasᵛ a arrojarᵛˡ.//

561

Cantaᵛ la gallinaˢ;//
★★respondeᵛ el capónˢ://
★★malᵃᵛ hayaᵛ la casaˢ
DONDE noᵃᵛ hayᵛ varónˢ.//

562

Aᴜɴqᴜᴇ soyᵛ morenaᵃʲ
noᵃᵛ soyᵛ de olvidarᵛˡ,/
QUE la tierraˢ negraᵃʲ
panˢ blancoᵃʲ sueleᵛ darᵛˡ.//

LVI. *Ms. 3919 de la Biblioteca Nacional de Madrid*

563

Anda^{vm},/niño^s,/anda^{vm},/
QUE Dios^s te lo manda^v.//

564

Yo,/QUE no^{av} duermo^v,/
Y a todos les quito^v el sueño^s.//

565

Dilín,/dilón,/
que pasa^{vm} la procesión^s.//

566

Vida^s bona^{aj},/
vámonos^{vm} a Chacona^s.//

LVII. *Ms. 3924 de la Biblioteca Nacional de Madrid*

567

Dios^s me lo guarde^v
a mi Diego Moreno^s,/
QUE nunca^{av} me dixo^v
malo^s ni bueno^s.//

568

SI no^{av} me casan^v hogaño^{av},/
yo me iré^{vm} con un fraire^s otro año^s.//

569

La QUE tiene^v el marido^s pastor^s,/
grave^{aj} es^v su dolor^s.//

570

Miraba^v la mar^s
la mal^{av} casada^s;//
que miraba^v la mar^s
CÓMO^{av} es^v ancha^{aj} y larga^{aj}.//

571

Oxte,/morenica^s,/oxte;//
oxte,/morena^s.//

572

Por encima^{av} de la oliva^s,/
mírame^v,/el amor^s,/mira^v.//

573

Señora^s,/la de Galgueros^s,/
salga^{vm} y baile^v;//
que por vida^s de Galguericos^s,/
que tal^{av} no^{av} baile^v.//

LVIII. *Ms. 4051 de la Biblioteca Nacional de Madrid*

574

—Molinico^s,/¿por qué no^{av} mueles^v?//
—Porque me beben^v el agua^s los bueyes^s.//

LIX. *Ms. 3700 de la Biblioteca Nacional de Madrid*

575

Para mí son[v] las penas[s],/madre[s],/
para mí,/que no[av] para nadie.//

576

Vaisos[vm],/amores[s],/
de aqueste lugar[s];//
¡tristes[aj] de los míos
Y cuándo[av] os verán[v]!//

Yo me era[v] niña[s]
de bonico[aj] aseo[s],/
Y pusiera[v] en vos
mi amor[s] el primero;/
Y agora[av] QUE os quiero[v]
queréis[v] me dexar[vl].//

¡Tristes[aj] de los míos
Y cuándo[av] os verán[v]!//

577

Taño[v] en vos,/el mi pandero[s];//
taño[v] en vos Y cuido[v] en ál.//

PUES no cogerá[v] otra mano[s]
la fruta[s] de mi peral[s],/
taño[v] en vos Y cuido[v] en ál.//

578

No[av] suele[v] ser[vl] verdadero[aj]
lo QUE se canta[v] al pandero[s].//

579

Pelota^s,/pelotica^s de pez^s,/
que no^{av} me engañaréis^v otra vez^s.//

580

Pensamiento^s,/¿dónde^{av} has estado^v
QUE tan^{av} mala^{aj} noche^s me has dado^v?//

581

¿Qué haré^v yo,/señor^s teniente^s,/
sin mujer^s QUE me contente^v?//

582

Venturas^s y dichas^s son^v,/
QUE los unos las han^v y los otros no^{av}.//

LX.   *Ms. 3721 de la Biblioteca Nacional de Madrid*

583

¿Qué queréis^v QUE os traiga^{vm},/galana^s;//
qué queréis^v QUE os traiga^{vm}?//

584

Amores^s me matan^v,/madre^s;//
¿qué será^v,/triste^{aj} de mí,/
QUE nunca^{av} tan^{av} mal^{av} me vi^v?//

LXI. *Ms. 3725 de la Biblioteca Nacional de Madrid*

585

Morenica^s,/no^{av} seas^v boba^{aj},/
**no^{av} se te acabe^v el pan^s de la boda^s.//

586

*¡Fuego^s de Dios^s en el bien^{av} querer^s!//
*¡Fuego^s de Dios^s en el querer^s bien^{av}!//

587

Lo QUE me quise^v,/me quise^v,/me tengo^v;//
lo QUE me quise^v me tengo^v yo.//

588

La niña^s se duerme^v;//
**¿si lo hace^v adrede^{av}?//

LXII. *Ms. 3763 de la Biblioteca Nacional de Madrid*

589

Ayer^{av} vino^{vm} un caballero^s,/
mi madre^s,/a me namorar^{vl};//
**no^{av} lo puedo^v yo olvidar^{vl}.//

1

En muy[av] esquivas[aj] montañas[s],/
aprés[av] de una alta[aj] floresta[s],/
oí[v] voces[s] muy[av] estrañas[aj]
en figura[s] de recuesta[s];//
decían[v] dos ruiseñores[s]:/
"Los leales[aj] amadores[s],
esforzad[v],/**perdet[v] pavores[s],/
PUES amor[s] vos amonesta[v]".//

Oí[v] cantar[vl] de otra parte[s]
un gallo[s] QUE se enfengía[v]:/
"Amor[s],/QUIEN de ti se parte[vm]
faz[v] vileza[s] e cobardía[s]:/
PERO en CUANTO omne[s] vive[v]
de amar[vl] non[av] se esquive[v];/
**guarde[v] QUE non[av] se cative[v]
DO perezca[v] por folía[s]".//

"La Pascua[s] viene[vm] muy[av] cedo[av]",/
el un ruiseñor[s] decía[v];//
el otro,/orgulloso[aj] e ledo[aj],/
con placer[s] le respondía[v],/
diciéndole[vl]:/"Amigo[s],/hermano[s],/
en invierno[s] e en verano[s]
siempre[av] ame[v] andar[vlm] lozano[aj]
QUIEN ama[v] sin villanía[s]".//

DESQUE vi^v QUE así^{av} loaban^v
los ruiseñores^s e el gallo^s
a los QUE fermoso^{av} amaban^v,/
hobe^v placer^s e desmayo^s:/
placer^s por mi lealtanza^s,/
desmayo^s por la tardanza^s,/
PUES toda mi esperanza^s
es^v dubdosa^{aj} fasta mayo^s.//

Razonando^{vl} en tal figura^s
las aves^s fueron^{vm} volando^{vl};//
yo aprés^{av} de una verdura^s
me fallé^v triste^{aj},/cuidando^{vl},/
E luego^{av} en aquella hora^s
me membró^v gentil^{aj} señora^s;/
a QUIEN noche^s e día^s adora^v
mi corazón^s sospirando^{vl}.//

2

QUIEN de linda^s se enamora^v,/
atender^{vl} debe^v perdón^s
en caso^{av} QUE sea^v mora^s.//

El amor^s e la ventura^s
me ficieron^v ir^{vlm} mirar^{vl}
muy^{av} graciosa^{aj} criatura^s
de linaje^s de Aguar^s;//
**QUIEN fablare^v verdat^s pura^{aj}
bien^{av} puede^v decir^{vl} QUE non^{av}
tiene^v talle^s de pastora^s.//

Linda^{aj} rosa^s muy^{av} suave^{aj}
vi^v plantada^{aj} en un vergel^s,/
puesta^{aj} so secreta^{aj} llave^s
de la linia^s de Ysmael^s;//
**MAGUER sea^v cosa^s grave^{aj},/
con todo mi corazón^s
la rescibo^v por señora^s.//

Mahomad^s el atrevido^{aj}
ordenó^v QUE fuese^v tal^{av},/
de aseo^s noble^{aj},/complido^{aj},/
albos^{aj} pechos^s de cristal^s;//
★★de alabasto^s muy^{av} broñido^{aj}
debié^v ser^{vl} con grant^{aj} razón^s
lo QUE cubre^v su alcandora^s.//

Diole^v tanta fermosura^s
QUE lo non^{av} puedo^v decir^{vl};//
★★CUANTOS miran^v su figura^s
todos la aman^v servir^{vl}.//
Con lindeza^s e apostura^s
vence^v a todas CUANTAS son^v
de alcuña^s,/DONDE^{av} mora^v.//

Non^{av} sé^v ombre^s tan^{av} guardado^{aj},/
QUE viese^v su resplandor^s,/
QUE non^{av} fuese^v conquistado^{vl}
en un punto^s de su amor^s.//
Por haber^{vl} tal gasajado^s
yo pornía^v en condición^s
la mi alma^s pecadora^{aj}.//

3

Moza^s tan^{av} fermosa^{aj}
non^{av} vi^v en la frontera^s,/
como^{av} una vaquera^s
de la Finojosa^s.//

Faciendo^{vl} la vía^s
del Calatraveño^s
a Sancta María^s,/
vencido^{aj} del sueño^s,/
por tierra^s fragosa^{aj},/
perdí^v la carrera^s
DO^{av} vi^v la vaquera^s
de la Finojosa^s.//

En un verde[aj] prado[s]
de rosas[s] e flores[s],/
guardando[vl] ganado[s]
con otros pastores[s],/
la vi[v] tan[av] graciosa[aj]
QUE apenas[av] creyera[v]
QUE fuese[v] vaquera[s]
de la Finojosa[s].//

Non[av] creo[v] las rosas[s]
de la primavera[s]
sean[v] tan[av] fermosas[aj]
nin de tal manera[s]/
(fablando[vl] sin glosa[s]),/
SI antes[av] sopiera[v]
daquella vaquera[s]
de la Finojosa[s].//

Non[av] tanto[av] mirara[v]
su mucha beldat[s],/
PORQUE me dexara[v]
en mi libertat[s];/
MAS dixe[v]:/ "Donosa[s],"/
(por saber[vl] QUIÉN era[v])/
"¿dónde[av] es[v] la vaquera[s]
de la Finojosa[s]?"//

Bien[av] como[av] riendo[vl],/
dixo[v]:/"Bien[av] vengades[vm];/
QUE ya[av] bien[av] entiendo[v]
lo QUE demandades[v]:/
**non[av] es[v] deseosa[aj]
de amar[vl],/NIN lo espera[v],/
aquesa vaquera[s]
de la Finojosa[s]".//

4

Mozuela[s] de Bores[s],/
allá[av] do[av] la Lama[s]
púsome[v] en amores[s].//

Cuidé[v] QUE olvidado[aj]
amor[s] me tenía[v]/
como[av] QUIEN s'había[v]
grand[aj] tiempo[s] dexado[v]
de tales dolores[s],/
QUE más[av] que la llama[s]
queman[v] amadores[s];/

mas vi[v] la fermosa[s]
de buen[aj] continente[s],/
la cara[s] placiente[aj],/
fresca[aj] como[av] rosa[s],/
de tales colores[s]
CUAL[av] nunca[av] vi[v] dama[s]
nin otra,/señores[s].//

Por lo cual:/"Señora[s]"/
—le dixe[v]/—"en verdat[s]
la vuestra beldat[s]
saldrá[v] desd'agora[av]
dentre estos alcores[s],/
PUES meresce[v] fama[s]
de grandes[aj] loores[s]".//

Dixo[v]:/"Caballero[s],/
tiratvos[vm] afuera[av]:/
**dexat[v] la vaquera[s]
pasar[vlm] al otero[s];/
CA dos labradores[s]
me piden[v] de Frama[s],/
entrambos pastores[s]".//

—"Señora[s],/pastor[s]
seré[v] SI queredes[v];//

**mandarme^{vl} podedes^v
como^{av} a servidor^s; //
mayores^{aj} dulzores^s
será^v a mí la brama^s
que oír^{vl} ruiseñores^s". //

Así^{av} concluimos^v
el nuestro proceso^s
sin facer^{vl} exceso^s,/
E nos avenimos^v;/
E fueron^v las flores^s
de cabe^{av} Espinama^s
los encobridores^s. //

5

Por una gentil^{aj} floresta^s
de lindas^{aj} flores^s e rosas^s,/
vide^v tres damas^s fermosas^{aj}
QUE de amores^s han^v recuesta^s. //
Yo,/con voluntad^s muy^{av} presta^{aj},/
me llegué^{vm} a conoscellas^{vl}; //
comenzó^v la una dellas
esta canción^s tan^{av} honesta^{aj}: //
("Aguardan a mí.
Nunca tales guardas vi".)

Por mirar^{vl} su fermosura^s
destas tres gentiles^{aj} damas^s,/
yo cobríme^v con las ramas^s,/
metíme^v so la verdura^s. //
La otra,/con grand^{aj} tristura^s,/
comenzó^v de sospirar^{vl}
e decir^{vl} este cantar^s,/
con muy^{av} honesta^{aj} mesura^s: //
("La niña que amores ha,
sola ¿cómo dormirá?")

Por non[av] les facer[vl] turbanza[s]
non[av] quise[v] ir[vlm] más[av] adelante[av],/
a las QUE con ordenanza[s]
cantaban[v] tan[av] consonante[av].//
La otra,/con buen[aj] semblante[s],/
dixo[v]: /"Señoras[s] de estado[s],/
PUES las dos habéis cantado[v],/
a mí conviene[v] QUE cante[v]": //
("Dejatlo al villano pene:
véngueme Dios delle".)

DESQUE ya[av] hobieron cantado[v]
estas señoras[s] QUE digo[v],/
yo salí[vm] desconsolado[aj],/
como[av] ome[s] sin abrigo[s].//
Ellas dixeron[v]: /"Amigo[s],/
non[av] sois[v] vos el QUE buscamos[v],/
MAS cantat[v],/PUES QUE cantamos[v]": //
("Sospirando iba la niña
e non por mí,
que yo bien se lo entendí".)

6

Saliendo[vlm] de un olivar[s],/
más[av] fermosa[aj] que arreada[aj],/
vi[v] serrana[s] QUE tornar[vlm]
me fizo[v] de mi jornada[s].//

Tornéme[vm] en su compañía[s]
por faldas[s] de una montaña[s],/
suplicando[vt] sɪl placía[v]
de mostrarme[vl] su cabaña[s];//
**dixo[v]: "Non[av] podéis[v] librar[vl],/
señor[s],/aquesta vegada[s],/
QUE superfluo[aj] es[v] demandar[vl]
a QUIEN non[av] suele[v] dar[vl] nada".//

SI lealtat^s non^{av} me acordara^v
de la más^{av} linda^{aj} figura^s,/
del todo^{av} me enamorara^v :/
TANTA vi^v su fermosura^s ;//
dixe^v :/"¿Qué queréis^v mandar^{vl},/
señora^s,/PUES sois^v casada^{aj}?,/
QUE vos non^{av} quiero^v enojar^{vl},/
ni ofender^{vl} mi enamorada^s".//

Replicó^v :/"Id^{vm} en buen^{aj} hora^s,/
**non^{av} curés^v de amar^{vl} villana^s :/
**PUES servís^v a tal señora^s,/
non^{av} troqués^v seda^s por lana^s ;/
NIN queráis^v de mí burlar^{vl},/
PUES sabéis^v QUE só^v enajenada^{aj}".//
Vi^v serrana^s QUE tornar^{vlm}
me fizo^v de mi jornada^s.//

7

Desnuda^{aj} en una queza^s,/
lavando^{vl} a la fontana^s,/
estaba^v la niña^s lozana^{aj},/
las manos^s sobre la treza^s.//

Sin zarcillos^s nin sartal^s,/
en una corta^{aj} camisa^s,/
*fermosura^s natural^{aj},/
la boca^s llena^{aj} de risa^s,/
descubierta^{aj} la cabeza^s
como^{av} ninfa^s de Diana^s,/
miraba^v la niña^s lozana^{aj},/
las manos^s sobre la treza^s.//

8

La niña^s gritillos^s dar^{vl}
no^{av} es^v de maravillar^{vl}.//

Mucho[av] grita[v] la cuitada[s]
con la voz[s] desmesurada[aj]
por se ver[vl] asalteada[vl]: //
**non[av] es[v] de maravillar[vl].//

Amor[s] puro[aj] la venció[v]
QUE a muchas engañó[v]: //
**SI por él se descibió[v]
no[av] es[v] de maravillar[vl].//

Temprano[av] quiso[v] saber[vl]
el trabajo[s] e placer[s]
QU'el amor[s] nos faz[v] haber[vl]: //
**non[av] es[v] de maravillar[vl].//

A los diez años[s] complidos[aj]
fueron[v] d'ella conocidos[vl]
todos sus cinco sentidos[s]: //
**non[av] es[v] de maravillar[vl].//

A los quince,/¿qué fará[v]? //
Esto notar[vl] se debrá[v]
por QUIEN la praticará[v].//
Non[av] es[v] de maravillar[vl].//

9

(Aquel caballero, madre,
tres besicos le mandé:
creceré y dárselos he.)

PORQUE fueron[v] los primeros
en mi niña[aj] juventud[s],/
prometílos[v] por vertud[s],/
amores[s] tan[av] verdaderos[aj]: //
**AUNQUE envíe[v] mensajeros[s],/
otra cosa[s] non[av] diré[v]: //
(creceré y dárselos he.)

. . . .

Señora^{s},/ SI a vos placía^{v}
QUE mi deuda^{s} se pagase^{v},/
PORQUE luego^{av} rematase^{v}
el daño^{s} QUE padecía^{v},/
Y SI en esto consentía^{v},/
gran^{aj} placer^{s} recebiré^{v}://
(creceré y dárselos he.)

Los ojos^{s} con QUE le vi^{v}
han seído^{v} causadores^{aj}
QUE sean^{v} mantenedores^{aj}
los votos^{s} QUE prometí^{v};//
★★la promesa^{s} QUE le di^{v}
yo muy^{av} bien^{av} la guardaré^{v}://
(creceré y dárselos he.)

10

Dulces^{aj} árboles^{s} sombrosos^{aj},/
humillaos^{v} CUANDO^{av} veáis^{v}
aquellos ojos^{s} graciosos^{aj}
del QUE tanto^{av} deseáis^{v}.//

Estrellas^{s} QUE relumbráis^{v},/
norte^{s} e lucero^{s} del día^{s},/
¿por qué no^{av} le despertáis^{v},/
SI duerme^{v} mi alegría^{s}?//

11

Papagayos^{s},/ruiseñores^{s},/
QUE cantáis^{v} al alborada^{s},/
llevad^{vm} nueva^{s} a mis amores^{s}
CÓMO^{av} espero^{v} aquí^{av} asentada^{aj}.//

La media noche^{s} es pasada^{vm},/
Y no^{av} viene^{vm}.//
Sabedme^{v} SI hay^{v} otra amada^{s}
QUE lo detiene^{v}.//

12

Leonoreta^{s},/   fin^{aj} roseta^{s},/
blanca^{aj} sobre toda flor^{s},/
fin^{aj} roseta^{s},/   ¡no^{av} me meta^{v}
en tal cuita^{s} vuestro amor^{s}!//

Sin ventura^{s} yo en locura^{s}
me metí^{v};//
★★en vos amar^{vl} es locura^{s},/
QUE me dura^{v},/
sin me poder^{vl} apartar^{vlm}.//
¡Oh hermosura^{s} sin par^{s},/
QUE me da^{v} pena^{s} e dulzor^{s}!,/
fin^{aj} roseta^{s},/   ¡no^{av} me meta^{v}
en tal cuita^{s} vuestro amor^{s}!//

De todas las QUE yo veo^{v},/
no^{av} deseo^{v}
servir^{vl} otra sino a vos;//
★★bien^{av} veo^{v} QUE mi deseo^{s}
es devaneo^{s},/
DO^{av} no^{av} me puedo^{v} partir^{vlm}.//
PUES QUE no^{av} puedo^{v} huir^{vl}
de ser^{vl} vuestro servidor^{s},/
¡no^{av} me meta^{v},/   fin^{aj} roseta^{s},/
en tal cuita^{s} vuestro amor^{s}!//

13

(Ojos garzos ha la niña:
¿quién ge los namoraría?)

Son^{v} tan^{av} bellos^{aj} y tan^{av} vivos^{aj}
QUE a todos tienen^{v} cativos^{aj};/
MAS muéstralos^{v} tan^{av} esquivos^{aj}
QUE roban^{v} ell alegría^{s}.//

Roban^v el placer^s y gloria^s,/
los sentidos^s y memoria^s: //
**de todos llevan^{vm} vitoria^s
con su gentil^{aj} galanía^s.//

Con su gentil^{aj} gentileza^s
ponen^v fe^s con más firmeza^s; //
**hacen^v vivir^{vl} en tristeza^s
al QUE alegre^{aj} ser^{vl} solía^v.//

No^{av} hay^v ninguno QUE los vea^v
QUE su cativo^s no^{av} sea^v: //
**todo el mundo^s los desea^v
contemplar^{vl} de noche^s y día^s.//

14

—Pedro^s,/y bien^{av} te quiero^v,/
maguera vaquero^s.//

Has tan^{av} bien^{av} bailado^v,
corrido^{vm} y luchado^v,/
QUE m'has enamorado^v
Y d'amores^s muero^v.//

—A la fe^s,/nostrama^s,/
ya^{av} suena^v mi fama^s,/
Y aún^{av} pues en la cama^s
soy^v muy^{av} más^{av} artero^{aj}.//

—No^{av} sé^v QUÉ te diga^v,/
**tu amor^s me fatiga^v;//
**tenme^v por amiga^s;//
**sey^v mi compañero^s.//

—Soy^v en todo presto^{aj},
mañoso^{aj} y dispuesto^{aj},/
Y en ver^{vl} vuestro gesto^s
mucho^{av} más^{av} me esmero^v.//

—Quiero^v QUE me quieras^v;//
**PUES por mí te esmeras^v,/
tengamos^v de veras^{av}
amor^s verdadero^{aj}.//

—Nostrama^s,/señora^s,/
yo nascí^v en buen^{aj} hora^s;//
**ya^{av} soy^v desde agora^{av}
vuestro por entero^{av}.//

15

¡Ay, ojuelos^s verdes^{aj};/
ay, los mis ojuelos^s!/
¡Ay, hagan^v los cielos^s
QUE de mí te acuerdes^v!//

El último día^s
quedastes^v muy tristes^{aj},/
Y os humedecistes^v
en ver^{vl} QUE partía^{vm}/
con el agonía^s
de tantos pesares^s.//
CUANDO^{av} te acostares^v
Y CUANDO^{av} recuerdes^v,/
¡ay,/hagan^v los cielos^s
QUE de mí te acuerdes^v!//

Tengo^v confianza^s
de mis verdes^{aj} ojos^s,/
QUE de mis enojos^s
parte^s les alcanza^v.//
Ojos^s de esperanza^s
y de buen^{aj} agüero^s,/
por QUIEN amo^v Y quiero^v
los colores^s verdes^{aj}:/
¡ay,/hagan^v los cielos^s
QUE de mí te acuerdes^v!//

¡Ay,/Dios^s!,/quién supiese^v
a qué parte^s miras^v,/
Y CUANDO^{av} sospiras^v
la causa^s entendiese^v;/
Y SI te sintiese^v
un cierto dolor^s
de QUE un servidor^s
verdadero^{aj} pierdes^v,/
¡ay,/hagan^v los cielos^s
QUE de mí te acuerdes^v!//

Un solo^{aj} momento^s
jamás^{av} vivir^{vl} supe^v
sin QUE en ti se ocupe^v
todo el pensamiento^s.//
Mis ojos^s,/SI miento^v,/
Dios^s me dé^v el castigo^s,/
Y SI verdad^s digo^v,/
mis ojuelos^s verdes^{aj},/
¡ay,/hagan^v los cielos^s
QUE de mí te acuerdes^v!//

16

(Si la noche hace escura
y tan corto es el camino,
¿cómo no venís, amigo?)

La media noche^s es pasada^{vm}/
Y el QUE me pena^v no^{av} viene^{vm}://
**mi desdicha^s lo detiene^v,/
¡QUE nascí^v tan^{av} desdichada^{aj}!//
Háceme^v vivir^{vl} penada^{aj}
Y muéstraseme^v enemigo^s://
(¿cómo no venís, amigo?)

17

(Si la noche hace escura
y tan corto es el camino,
¿cómo no venís, amigo?)

La media noche[s] es pasada[vm]/
Y el QUE me pena[v] no[av] viene[vm]://
**mi ventura[s] lo detiene[v],/
PORQUE soy[v] muy[av] desdichada[aj].//
Véome[v] desamparada[aj]://
**gran[aj] pasión[s] tengo[v] conmigo.//
(¿Cómo no venís, amigo?)

18

Aquel caballero[s],/madre[s],/
como[av] a mí le quiero[v] yo,/
Y remedio[s] no[av] le dó[v].//

Él me quiere[v] más[av] que a sí;//
**yo le mato[v] de cruel[aj];/
MAS en serlo[vl] contra él
también[av] lo soy[v] contra mí.//
De verle[vl] penar[vl] así[av]
muy[av] penada[aj] vivo[v] yo,/
Y remedio[s] no[av] le dó[v].//

19

(Guárdame las vacas,
carillejo, y besarte he;
si no, bésame tú a mí,
que yo te las guardaré.)

En el troque[s] QUE te pido[v],/
Gil[s],/no[av] recibes[v] engaño[s];//
**no[av] te muestres[v] tan[av] extraño[aj]
por ser[vl] de mí requerido[vl].//

Tan^{av} ventajoso^{aj} partido^s
no^{av} sé^v yo QUIÉN te lo dé^v;/
si no^{av}, bésame^v tú a mí,/
QUE yo te las guardaré^v.//

Por un poco de cuidado^s/
ganarás^v de parte^s mía
lo QUE a ninguno daría^v
sino por don^s señalado^{aj}.//
No^{av} vale^v tanto^{av} el ganado^s
como^{av} lo QUE te daré^v;/
si no^{av}, dámelo^v tú a mí,/
QUE yo te las guardaré^v.//

No^{av} tengo^v necesidad^s
de hacerte^{vl} este favor^s,/
sino sola^{aj} la QUE amor^s
ha puesto^v en mi voluntad^s.//
Y negarte^{vl} la verdad^s
no^{av} lo consiente^v mi fe^s;/
si no^{av}, quiéreme^v tú a mí,/
QUE yo te las guardaré^v.//

Oh, cuántos me pidirían^v
lo QUE yo te pido^v a ti,/
Y en alcanzarlo^{vl} de mí
por dichosos^{aj} se tendrían^v.//
Toma^v lo QUE ellos querrían^v;//
**haz^v lo QUE te mandaré^v;/
si no^{av}, mándame^v tú a mí,/
QUE yo te las guardaré^v.//

Mas SI tú,/Gil^s,/por ventura^s,/
quieres^v ser^{vl} tan^{av} perezoso^{aj},/
QUE precies^v más^{av} tu reposo^s
que gozar^{vl} d'esta dolzura^s,/
yo por darte^{vl} a ti holgura^s
el cuidado^s tomaré^v

QUE tú me beses^v a mí,/
QUE yo te las guardaré^v.//

Yo seré^v más^{av} diligente^{aj}
que tú,/sin darme^{vl} pasión^s,/
PORQUE con el galardón^s
el trabajo^s no^{av} se siente^v;/
Y haré^v QUE se contente^v
mi pena^s con el porqué^s/
QUE tú me beses^v a mí,/
QUE yo te las guardaré^v.//

20

Veo^v las ovejas^s
orillas^s del mar^s;//
**no^{av} veo^v el pastor^s
QUE me hace^v penar^{vl}.//

Las ovejas^s veo^v
orillas^s del río^s;//
**no^{av} ve^v mi deseo^s
el dulce^{aj} amor^s mío.//
Miro^v en derredor^{av}
del fresco^{aj} pinar^s;//
**no^{av} veo^v el pastor^s
QUE me hace^v penar^{vl}.//

Los perros^s y el manso^s
veo^v,/y su bardina^s;//
**mi gloria^s y descanso^s
no^{av} veo^v,/mezquina^{aj}.//
Por bien^{av} qu'el amor^s
me esfuerza^v a mirar^{vl},/
no^{av} veo^v el pastor^s
QUE me hace^v penar^{vl}.//

Veo^v muy^{av} esenta^{aj}
su choza^s sombría^{aj},/

sin ver^{vl} QUIEN sustenta^{v}
aquesta alma^{s} mía.//
Veo^{v} mi dolor^{s}
crescer^{vl} y menguar^{vl};//
**no^{av} veo^{v} el pastor^{s}
QUE me hace^{v} penar^{vl}.//

21

(Despertad, ojuelos verdes,
que a la mañanita lo dormiredes.)

SI el mundo^{s} no^{av} os da^{v} cuidados^{s}
y en él no^{av} estáis^{v} divertidos^{aj},/
despertad^{v},/soles^{s} dormidos^{aj};//
no^{av} parezcáis^{v} eclipsados^{aj}.//
A vuestros enamorados^{s}
haced^{v},/señoras^{s},/mercedes^{s};//
(que a la mañanita lo dormiredes.)

Gustad^{v} del mundo^{s} esta vez^{s},/
almas^{s},/QUE es^{v} grande^{aj} inocencia^{s}
hacer^{vl} tanta penitencia^{s}
en una tierna^{aj} niñez^{s}.//
Remitidla^{v} a la vejez^{s};//
**gozad^{v} vuestros años^{s} verdes^{aj};//
(que a la mañanita lo dormiredes.)

22

Por aquí^{av} daréis^{v} la vuelta^{s},/
el caballero^{s};//
por aquí^{av} daréis^{v} la vuelta^{s}:/
si no^{av},/me muero^{v}.//

AUNQUE os pese^{v} volveréis^{vm},/
PORQUE libre^{aj} y preso^{aj} vais^{vm},/
PUES en mis redes^{s} estáis^{v}.//
CUANDO^{av} más^{av} volar^{vl} penséis^{v},/

volveréis[vm] Y moriréis[v]
del mal[s] QUE muero[v].//
Por aquí[av] daréis[v] la vuelta[s],/
el caballero[s];//
por aquí[av] daréis[v] la vuelta[s]:/
si no[av],/me muero[v].//

23

Blanca[aj] me era[v] yo
CUANDO[av] entré[vm] en la siega[s];//
★★dióme[v] el sol[s],/Y ya[av] soy[v] morena[aj].//

Blanca[aj] solía[v] yo ser[vl]
antes[av] QUE a segar[vl] viniese[vm],/
MAS no[av] quiso[v] el sol[s] QUE fuese[v]
blanco[aj] el fuego[s] en mi poder[s].//
Mi edad[s],/al amanecer[s],/
era[v] lustrosa[aj] azucena[s];//
★★diome[v] el sol[s],/Y ya[av] soy[v] morena[aj].//

24

—Velador[s] QUE el castillo[s] velas[v],/
véllale[v] bien[av] Y mira[v] por ti,/
QUE velando[vl] en él me perdí[v].//

—Mira[v] las campañas[s] llenas[aj]
de tanto enemigo[s] armado[aj].//
—Ya[av] estoy[v],/amor[s],/desvelado[aj]
de velar[vl] en las almenas[s].//
YA QUE las campanas[s] suenas[v],/
toma[v] ejemplo[s] Y mira[v] en mí,/
QUE velando[vl] en él me perdí[v].//

25

(Por el montecico sola,
¿cómo iré?
¡Ay Dios, si me perderé!)

¿Cómo[av] iré[vm],/triste[aj],/cuitada[aj],/
de aquel ingrato[s] dejada[vl]?//
Sola[aj],/triste[aj],/enamorada[aj],/
¿dónde[av] iré[vm]?//
(¡Ay Dios, si me perderé!)

26

Sɪ os partiéredes[vm] al alba[s],/
quedito[av],/pasito[av],/amor[s],/
no[av] espantéis[v] al ruiseñor[s].//

Sɪ os levantáis[v] de mañana[s]
de los brazos[s] QUE os desean[v],/
PORQUE en los brazos[s] no[av] os vean[v]
de alguna envidia[s] liviana[aj],/
pisad[v] con planta[s] de lana[s],/
quedito[av],/pasito[av],/amor[s],/
no[av] espantéis[v] al ruiseñor[s].//

27

(Salteóme la serrana
junto al pie de la cabaña.)

La serrana[s] de la Vera[s],/
ojigarza[aj],/rubia[aj] y branca[aj],/
QUE un robre[s] a brazos[s] arranca[v],/
tan[av] hermosa[aj] como[av] fiera[aj],/
viniendo[vlm] de Talavera[s]
me salteó[v] en la montaña[s],//
(junto al pie de la cabaña.)

Yendo[vlm] desapercibido[aj],/
me dijo[v] desde un otero[s]:/
"Dios[s] os guarde[v],/caballero[s]".//
Yo dije[v]:/"Bien[av] seáis[v] venido[vlm]".//
Luchando[vl] a brazo[s] partido[aj],/
rendíme[v] a su fuerza[s] extraña[aj],//
(junto al pie de la cabaña.)

28

Sale^{vm} el mayo^{s} hermoso^{aj}
con los frescos^{aj} vientos^{s}
QUE le ha dado^{v} marzo^{s}
de céfiros^{s} bellos^{aj}.//

Las lluvias^{s} de abril^{s}
flores^{s} le trujeron^{vm}://
★★púsose^{v} guirnaldas^{s}
en rojos^{aj} cabellos^{s}.//

Los QUE eran^{v} amantes^{s}
amaron^{v} de nuevo^{av},/
Y los QUE no^{av} amaban^{v}
a buscarlos^{vl} fueron^{vm};/

y luego^{av} QUE vieron^{v}
mañanas^{s} de mayo^{s},/
cantan^{v} los ruiseñores^{s},/
★★retumba^{v} el campo^{s}.//

29

A los verdes^{aj} prados^{s}
baja^{vm} la niña^{s};//
★★ríense^{v} las fuentes^{s};//
★★las aves^{s} silban^{v}.//

A los prados^{s} verdes^{aj}
la niña^{s} baja^{vm};//
★★las fuentes^{s} se ríen^{v};//
★★las aves^{s} cantan^{v}.//

Con el alto^{aj} pino^{s}
calle^{v} la oliva^{s},/
Y a la gala^{s} de Fabio^{s}
todas se rindan^{v}.//

Con las azucenas^{s}
callen^{v} las rosas^{s},/

Y a la gala[s] de Fabio[s]
se rindan[v] todas.//

30

Mañanicas[s] floridas[aj]
del mes[s] de mayo[s],/
recordad[v] a mi niña[s],/
no[av] duerma[v] tanto[av].//

31

Álamos[s] del soto[s],/
¿dónde[av] está[v] mi amor[s]?//
Si se fue[vm] con otro
moriréme[v] yo.//

32

Linda[aj] molinera[s],/
moler[vl] os vi[v] yo,/
Y era[v] la harina[s]
carbón[s] junto a[av] vos.//

33

No[av] corráis[vm],/vientecillos[s],/
con tanta prisa[s],/
PORQUE al son[s] de las aguas[s]
duerme[v] la niña[s].//

1

PUES mi pena^s veis^v,/
miratme^v sin saña^s,/
o no^{av} me miréis^v.//

A mí QUE soy^v vuestro
contino^{aj} amador^s,/
penado^{aj} d'amor^s
más^{av} QUE no^{av} demuestro^v,/
quiero^v QU'os mostrés^v
alegre^{aj} sin saña^s,/
o no^{av} me mirés^v.//

2

(Niña, erguídeme los ojos,
que a mí enamorado m'han.)

No^{av} los alces^v desdeñosos^{aj},/
sino ledos^{aj} y amorosos^{aj},/
QUE mis tormentos^s penosos^{aj}
en verlos^{vl} descansarán^v.//

De los muertos^s haces^v vivos^s,/
y de los libres^s cativos^s://
**no^{av} me los alces^v esquivos^{aj},/
QU'en vellos^{vl} me matarán^v.//

3

(Entra mayo y sale abril.
¡Tan garridico le vi venir!)

Entra[vm] mayo[s] con sus flores[s],/
sale[vm] abril[s] con sus amores[s],/
Y los dulces[aj] amadores[s]
comienzan[v] a bien[av] servir[vl].//

4

(Todos duermen, corazón;
todos duermen y vos non.)

El dolor[s] QUE habéis cobrado[v]
siempre[av] os terná[v] desvelado[aj],/
QU'el corazón[s] lastimado[aj]
recuérdale[v] la pasión[s].//

5

(¿Qué me queréis, caballero?
Casada soy, marido tengo.)

Casada[aj] soy[v],/y a mi grado[s],/
con un caballero[s] honrado[aj],/
bien[av] dispuesto[aj] y bien[av] criado[aj],/
QUE más[av] que a mí yo lo quiero[v].//
(Casada soy, marido tengo.)

Casada[aj] soy[v] por ventura[s],/
mas no[av] ajena[aj] de tristura[s];//
**PUES hice[v] yo tal locura[s],/
de mí misma yo me vengo[v].//
(Casada soy, marido tengo.)

6

Vuestros ojos[s] morenillos[aj],/
QUE por mi desdicha[s] vi[v],/
me hacen[v] vevir[vl] sin mí.//

Unos ojos[s] muy[av] extraños[aj],/
QUE por mis males[s] miré[v],/
sí[av] acrecientas[v] en mis daños[s],/
MAS no[av] menguas[v] en mi fe[s].//
Miraron[v] y vilos[v] yo,/
de tal suerte[s] QUE me vi[v]
siempre[av] muerte[s] para mí.//

7

(No puedo apartarme
de los amores, madre;
no puedo apartarme.)

Amor[s] tiene[v] aquesto
con su lindo[aj] gesto[s],/
QUE prende[v] muy[av] presto[av]
y suelta[v] muy[av] tarde[av]://
(no puedo apartarme.)

8

(Estas noches atán largas
para mí,
no solían ser así.)

Solía[v] QUE reposaba[v]
las noches[s] con alegría[s],/
y el rato[s] QUE no[av] dormía[v]
en sospiros[s] lo pasaba[v]:/
MAS peor[av] estó[v] QUE estaba[v];//
(para mí
no solían ser así.)

9

(Serviros ía y no oso.
Só mozo.)

Señora[s] de mi vida[s],/
¿por qué sois[v] desconocida[aj]?//
(Só mozo.)

Mi vida[s] tenéis[v] perdida[aj],/
y dello no[av] sois[v] servida[aj].//
(Só mozo.)

Y aborriste[v] de vencida[av],/
y mi muerte[s] ya[av] es venida[vm];/
y soy[v] mozo[aj].//

¿Qué ganáis[v],/desgradecida[s],/
SI mi alma[s] va[vm] perdida[aj],/
y soy[v] mozo[aj]?//

Señora[s],/la mi señora[s],/
que mi fe[s] siempre[av] os adora[v].//
(Soy mozo.)

Y no[av] viéndoos[vl] cada hora[s]
mi vida[s] se empeora[v].//
(Soy mozo.)

Y la tristeza[s] en mí mora[v],/
PORQUE sois[v] peor[aj] que mora[s].//
(Só mozo.)

10

(No quiero ser monja, no,
que niña namoradica só.)

Dejadme[v] con mi placer[s],/
con mi placer[s] y alegría[s],/
dejadme[v] con mi porfía[s],/
QUE niña[s] malpenadica[aj] só[v].//

11

Serrana[s] del bel[aj] mirar[s],/
Dominguilla[s],/vi[v] lozana[aj];//
enamoróme[v] su cantar[s].//

Yéndome[vlm] por la majada[s]/
DO[av] mi ganado[s] tenía[v],/
vi[v] estar[vl] una serrana[s]
cantando[vl] con gran[aj] porfía[s],/
muy[av] apuesta[aj] y muy[av] galana[aj],/
QU'a mí muy[av] bien[av] parecía[v].//
Así[av] la viera[v] estar[vl],/
mirando[vl] por su ganado[s],/
y diciendo[vl] este cantar[s]://

("Garridica soy en el yermo,
y ¿para qué,
pues que tan mal me empleé?)

Que en el yermo[s] DO[av] me veo[v]/
mi tiempo[s] muy[av] mal[av] empleo[v].//
SI me veo[v] Y me deseo[v]
es[v] PORQUÉ
mi vida[s] tan[av] mal[av] empleé[v]".//

DESQUE vi[v] QUE se quejaba[v],/
fuérame[v] llegando[vlm] a ella;//
**CUANDO más[av] cerca[av] llegaba[vm],/
relumbraba[v] como[av] estrella[s];/
QUE no[av] vi[v] en esta montaña[s]
otra serrana[s] tan[av] bella[aj],/
QUE tanto[av] fuese[v] de amar[vl],/
mirando[vl] por su ganado[s]
y diciendo[vl] este cantar[s]://

("Madre, ¿para qué nací
tan garrida,
para tener esta vida?)

De vevir^{vl} muy^{av} descontenta^{aj}
mi tristeza^s se acrecienta^v: //
★★ell alma^s siempre^{av} lamenta^v
dolorida^{aj},/
por tener^{vl} tan^{av} triste^{aj} vida^s."//

12

(A sombra de mis cabellos
se adurmió:
¿si le recordaré yo?)

Adurmióse^v el caballero^s
en mi regazo^s acostado^{aj}; //
★★en verse^{vl} mi prisionero^s
muy^{av} dichoso^{aj} se ha hallado^v; //
★★de verse^{vl} muy^{av} trasportado^{aj}
se adurmió^v: //
(¿si le recordaré yo?)

Amor^s hizo^v ser^{vl} vencidos^{vl}
sus ojos^s CUANDO^{av} me vieron^v,/
Y QUE fuesen^v adormidos^{vl}
con la gloria^s QUE sintieron^v.//
CUANDO más^{av} mirar^{vl} quisieron^v
se adurmió^v: //
(¿si le recordaré yo?)

Estando^{vl} así^{av} dudando^{vl},/
por ver^{vl} SI recordaría^v,/
dijo^v: /"Ya^{av} estoy descansando^v,/
dejadme^v,/señora^s mía".//
Bien^{av} velaba^v AUNQUE dormía^v,/
PUES me oyó^v: //
(¿si le recordaré yo?)

Peleó^v con el Amor^s,/
de su gran^{aj} fuego^s inflamado^{aj}; //

**por su siervo^s se le ha dado^v
para siempre^{av} en su favor^s.//
**Querellando^{vl} su dolor^s
se adurmió^v://
(¿si le recordaré yo?)

13

(El mi corazón, madre,
robado me le hane.)

Dos ojos^s vinieron^{vm}
Y en mi alma^s llamaron^v;//
los míos los abrieron^v
Y allá^{av} los entraron^{vm};//
**señores^s se alzaron^v
del corazón^s,/madre^s;//
(robado me le hane.)

Nadie QUE los viera^v
dexara^v de abrir^{vl},/
por cierto^{aj} QUE fuera^v
QUE había^v de morir^{vl}.//
Muerte^s hay^v QUE es^v fiera^{aj},/
Y ésta fuera^v,/madre^s.//
(Robado me le hane.)

El alma^s QUE vio^v
preso^{aj} el corazón^s,/
luego^{av} se rendió^v,/
y con gran^{aj} razón^s;/
PORQUE tal prisión^s
libertad^s es^v,/madre^s;/
que robado^v me le hane^v.//

14

(Enemiga le soy, madre,
a aquel caballero yo;
mal enemiga le só.)

En quererme^{vl} es^{v} él de sí
tan^{av} enemigo^{s} cruel^{aj},/
como^{av} yo enemiga^{s} dél
por ser^{vl} amiga^{s} de mí.//
Nunca^{av} en cosa^{s} pidió^{v} "sí"^{av}
QUE no^{av} le dijese^{v} "no"^{av}.//
(Mal enemiga le só.)

15

(No oso alzar los ojos
a mirar aquel galán,
porque me lo entenderán.)

SI a dicha^{s} le salgo^{vm} a ver^{vl}
CUANDO^{av} por mi puerta^{s} pasa^{vm},/
luego^{av} me riñen^{v} en casa^{s}
QUE se me quieren^{v} comer^{vl}.//
Mándanmele^{v} no^{av} querer^{vl};//
**yo no^{av} puedo^{v} NI podrán^{v},/
AUNQUE más^{av} me lo entenderán^{v}.//

16

Adurmióseme^{v} mi lindo^{aj} amor^{s},/
siendo^{vl} del sueño^{s} vencido^{vl},/
Y quedóseme^{v} adormescido^{aj}
debajo^{av} de un cardo^{s} corredor^{aj}.//

Adormióse^{v} PORQUE pudiese^{v}
descansar^{vl} su gran^{aj} dolor^{s},/
O PORQU'el amor^{s} le diese^{v}
en sueño^{s} algún favor^{s},/
QUE despierto^{aj} clamador^{s}
no^{av} piensa^{v} ser^{vl} socorrido^{vl} : /
Y quedóseme^{v} adormescido^{aj}
debajo^{av} de un cardo^{s} corredor^{aj}.//

Él durmiendo^{vl},/velo^{v} yo,/
abrasándome^{vl} su fuego^{s};//

deste velar[s] me quedo[v]
vida[s] con poco sosiego[s].//
Su dolor[s] es[v] mi dolor[s],/
su gemir[s] es[v] mi gemido[s]:/
Y quedóseme[v] adormescido[aj]
debajo[av] de un cardo[s] corredor[aj].//

17

(—Dame acogida en tu hato;
zagala, de mí te duela;
cata qu'en el monte hiela,
qu'en el monte hiela.)

—Esta noche[s] en tu majada[s]
acoge[v] al triste[s] perdido[aj]/
QUE viene[vm] de amor[s] vencido[aj]
de aquella su linda[aj] amada[s];//
acógele[v] en tu cabaña[s];//
pastora[s],/de mí te duela[v];//
(cata qu'en el monte hiela,
qu'en el monte hiela.)

—Mi choza[s] no[av] quiero[v] abrir[vl]
esta noche[s],/QUE hace[v] oscuro[aj],/
NI de tus razones[s] curo[v],/
AUNQUE te viese[v] morir[vl].//
En el suelo[s] es[v] mi dormir[s],/
sin colchón[s], manta[s] ni tela[s].//
(Cata qu'en el monte hiela,
qu'en el monte hiela.)

—Yo no[av] curo[v] de tu cama[s],/
SI es[v] de paja[s] o canto[s] o heno[s],/
MAS mira[v] tú CUÁNTO[av] peno[v]
por amores[s] en tu llama[s].//
Oh, mi Dios[s],/mi gentil[aj] dama[s];/
pastora[s],/de mí te duela[v];//

(cata qu'en el monte hiela,
qu'en el monte hiela.)

18

Corazón[s],/sigue[v] tu vía[s],/
QUE yo seguiré[v] la mía.//

Corazón[s],/yo te despido[v]
de CUANTO bien[av] te he querido[v];//
**pésame[v] el QUE te he servido[v],/
Y más[av] del QUE serviría[v].//
Corazón[s],/sigue[v] tu vía[s],/
QUE yo seguiré[v] la mía.//

Corazón[s] malo[aj] y sin arte[s],/
piensa[v] con qué remediarte[vl],/
QUE en mí no[av] ternás[v] más[av] parte[s]
que el moro[s] en Santa María[s].//
Corazón[s],/sigue[v] tu vía[s],/
QUE yo seguiré[v] la mía.//

Corazón[s] desmesurado[aj],/
contra mí te has rebelado[v];//
**anda[vm],/ve[vm] desatinado[aj],/
busca[v] otra compañía[s].//
Corazón[s],/sigue[v] tu vía[s],/
QUE yo seguiré[v] la mía.//

Corazón[s],/nunca[av] creyera[v]
QUE quieras[v] sin QUE yo quiera[v],/
Y QUE mueras[v] sin QUE muera[v];//
**anda[vm],/ve[vm] a la burlería[s].//
Corazón[s],/sigue[v] tu vía[s],/
QUE yo seguiré[v] la mía.//

19

Decid[v],/gentil[aj] aldeana[s],/
¿quién os hizo[v] tan[av] galana[aj]?//

Es^v tanta vuestra beldad^s
QUE me espantáis^v de verdad^s,/
Y en tanta graciosidad^s
no^{av} demostráis^v ser^{vl} villana^s.//
¿Quién os hizo^v tan^{av} galana^{aj}?//

De mujeres^s sois^v la flor^s,/
de los amores^s l'amor^s,/
de los primores^s primor^s,/
QUE todos dolores^s sana^v.//
¿Quién os hizo^v tan^{av} galana^{aj}?//

Sois^v vos la mesma hermosura^s
y el mesmo placer^s y holgura^s,/
QUE en ver^{vl} yo vuestra figura^s
todo mi dolor^s se sana^v.//
¿Quién os hizo^v tan^{av} galana^{aj}?//

20

(Enviárame mi madre
por agua a la fuente fría:
vengo del amor herida.)

Fui^{vm} por agua^s a tal sazón^s
QUE corrió^v mi triste^{aj} hado^s;//
**traigo^{vm} el cántaro^s quebrado^{aj}
y partido^{aj} el corazón^s.//
De dolor^s y gran^{aj} pasión^s
vengo^{vm} toda espavorida^{aj},/
Y vengo^{vm} del amor^s herida^{aj}.//

Dexo^v el cántaro^s quebrado^{aj},/
vengo^{vm} sin agua^s corrida^{aj},/
mi libertad^s es^v perdida^{aj}
y el corazón^s cativado^{aj};//
¡ay, qué^{av} caro^{av} me ha costado^v
del agua^s de la fuente^s fría^{aj},/
PUES de amores^s vengo^{vm} herida^{aj}!//

21

(¿Por qué me besó Perico?
¿Por qué me besó el traidor?)

Dijo^v QU'en Francia^s se usaba^v,/
Y por eso me besaba^v,/
Y también^{av} PORQUE sanaba^v
con el beso^s su dolor^s.//
(¿Por qué me besó Perico?
Por qué me besó el traidor?)

22

(Allá me tienes contigo,
serranica de Aragón,
el alma y el corazón.)

Tuyo soy^v,/no^{av} te lo niego^v;//
**haz^v lo QUE por bien^s tuvieres^v,/
Y SI el cuerpo^s no^{av} quisieres^v
mandarás^v ponelle^{vl} fuego^s.//
No^{av} sigas^v al amor^s ciego^{aj};//
**guíate^v por la razón^s,/
PUES tienes^v mi corazón^s.//
(Allá me tienes contigo,
serranica de Aragón,
el alma y el corazón.)

23

(Del rosal sale la rosa.
¡Oh qué hermosa!)

¡Qué color^s saca^v tan^{av} fino^{aj}!//
AUNQUE nace^v del espino^s
nace^v entera^{aj} y olorosa^{aj}.//
Nace^v de nuevo^{aj} primor^s
esta flor^s.//
Huele^v tanto^{av} desde el suelo^s,/

QUE penetra^v hasta el cielo^s
su fuerza^s maravillosa^{aj}.//

24

(Lindos ojos habéis, señora,
de los que se usaban agora.)

Vos tenéis^v los ojos^s bellos^{aj},/
Y tenéis^v lindos^{aj} cabellos^s,/
QUE matáis^v en sólo^{av} vellos^{vl}
a QUIEN de vos se namora^v.//
(Lindos ojos habéis, señora,
de los que se usaban agora.)

25

(Soledad tengo de ti,
tierra mía do nací.)

SI muriese^v sin ventura^s,/
sepúltenme^v en alta^{aj} sierra^s,/
PORQUE no^{av} extrañe^v la tierra^s
mi cuerpo^s en la sepultura^s;/
y en sierra^s de grande^{aj} altura^s,/
por ver^{vl} SI veré^v de allí^{av}
las tierras^s a DO^{av} nací^v.//
Soledad^s tengo^v de ti,/
oh tierra^s DONDE^{av} nací^v.//

26

—Deja^v ya^{av} tu soledad^s,/
pastor^s chapado^{aj},/
pastor^s garrido^{aj}.//

—¿Cómo^{av} lo podré^v dejar^{vl},/
QUE estoy^v llagado^{aj},/
QUE estoy^v herido^{aj}?//
—Deja^v ya^{av} tu soledad^s,/

QUE vives[v] desesperado[aj].//
—Antes[av] vivo[v] descansado[aj]
Y en ella quejo[v] mi queja[s].//
—Pues deja[v] tanto[av] llorar[vl],/
no[av] pierdas[v] tu buen[aj] sentido[s].//
—¿Cómo[av] lo podré[v] dejar[vl],/
QUE estoy[v] llagado[aj],/
QUE estoy[v] herido[aj]?//

27

(Y decid, serranicas, ¡eh!,
deste mal si moriré.)

Porqu'el remedio[s] y mi mal[s]
nascen[v] de una causa[s] tal
QUE me hacen[v] inmortal[aj],/
por DO[av] morir[vl] no[av] podré[v].//
(Deste mal si moriré.)

Que de ver[vl] la serranica[s]
tan[av] graciosa[aj] y tan[av] bonica[aj],/
mi dolor[s] me certifica[v]
QUE jamás[av] no[av] sanaré[v].//
(Deste mal si moriré.)

28

(Alza la niña los ojos,
no para todos.)

Álzalos[v] por jubileo[s],/
por matarnos[vl] de deseos[s],/
QUE la fiesta[s] SEGÚN veo[v]
no[av] es[v] para todos.//

29

(Yo me soy la morenica;
yo me soy la morená.)

Lo moreno[s],/bien[av] mirado[vl],/
fue[v] la culpa[s] del pecado[s],/
QUE en mí nunca[av] fue hallado[v]
NI jamás[av] se hallará[v].//

Soy[v] la sin espina[s] rosa[s]
QUE Salomón[s] canta[v] y glosa[v],/
nigra[aj] *sum*[v] *sed formosa*[aj],/
Y por mí se cantará[v].//

Yo soy[v] la mata[s] inflamada[aj]
ardiendo[vl] sin ser quemada[vl],/
ni de aquel fuego[s] tocada[vl]
QUE a los otros tocará[v].//

30

(Si amores me han de matar,
agora tienen lugar.)

Agora[av] QUE estoy[v] penado[aj]
en lugar[s] bien[av] empleado[aj],/
SI pluguiese[v] a mi cuidado[s]
QUE me pudiese[v] acabar[vl],/
agora[av] tienen[v] lugar[s].//

31

Al revuelo[s] de una garza[s]
se abatió[v] el ñeblí[s] del cielo[s],/
y por cogella[vl] de vuelo[s]
quedó[v] preso[aj] en una zarza[s].//

Por las más[av] altas[aj] montañas[s],/
el neblí[s] Dios[s] descendía[vm]
a encerrarse[vl] en las entrañas[s]
de la sagrada[aj] María[s].//
Tan[av] alto[av] gritó[v] la garza[s]
QUE "ecce[av] ancilla[s]" llegó[v] al cielo[s]/

Y el neblí^s bajó^{vm} al señuelo^s
Y se prendió^v en una zarza^s.//

Eran^v largas^{aj} las pihuelas^s
por DO^{av} el neblí^s se prendió^v,/
sacadas^{aj} de aquellas telas^s
QUE Adán^s y Eva^s tramó^v,/
MAS la zahareña^{aj} garza^s
tan^{av} humilde^{av} hizo^v el vuelo^s,/
QUE al descender^{vlm} Dios^s del cielo^s
quedó^v preso^{aj} en una zarza^s.//

32

(Para mí, para mí son penas,
para mí que vivo en ellas.)

Estoy^v tan^{av} acostumbrado^{aj}
a vivir^{vl} siempre^{av} penado^{aj},/
QUE las penas^s me han mostrado^v
a saber^{vl} vivir^{vl} con ellas.//
(Para mí, para mí son penas.)

Nunca^{av} nadie ha padescido^v
las penas^s QUE yo he sufrido^v,/
MAS por ser^{vl} por QUIEN han sido^v
yo he^v por bien^s de padecellas^{vl}.//
(Para mí, para mí son penas.)

AUNQUE viese^v a mediodía^s
y a las cosas^s de alegría^s,/
ninguna conocería^v
PORQUE no^{av} trato^v con ellas.//
(Para mí, para mí son penas.)

33

(¿Qué de vos y de mí, señora,
qué de vos y de mí dirán?)

De vos dirán[v],/mi señora[s],/
la merced[s] QUE me hacéis[v],/
Y QUE cosa[s] justa[aj] es[v]
querer[vl] a QUIEN os adora[v];/
Y QUE siempre[av] como[av] agora[av]
muy[av] firme[aj] y fuerte[aj] os verán[v].//
(¿Qué de vos y de mí, señora,
qué de vos y de mí dirán?)

De mí dirán[v] QUE por vos
todo lo puse[v] en olvido[s],/
Y SI así[av] no[av] hubiera sido[v]
QUE me castigara[v] Dios[s].//
¡Mi bien[s]!/¡De entrambos a dos,/
oh cuánta envidia[s] tendrán[v]!//
(¿Qué de vos y de mí, señora,
qué de vos y de mí dirán?)

De vos dirán[v] cien mil cosas[s],/
SI las saben[v] entender[vl];/
QUE son[v] otras tan[av] hermosas[aj],/
mas no[av] de tal parecer[s].//
De la más[av] gentil[aj] mujer[s]/
todos sus votos[s] os dan[v].//
(¿Qué de vos y de mí, señora,
qué de vos y de mí dirán?)

De mí dirán[v] QUE he salido[v]
con ser[vl] bienaventurado[aj],/
Y QUE bien[av] pagado[vl] he sido[v],/
AUNQUE poco[av] he trabajado[v];/
MAS QUE de tan[av] alto[aj] estado[s]
malas[aj] caídas[s] se dan[v].//
(¿Qué de vos y de mí, señora,
qué de vos y de mí dirán?)

34

Vamos^{vm} a coger^{vl} verbena^s,/
poleo^s con hierba-buena^s.//

Vamos^{vm} juntos COMO^{av} estamos^v
a coger^{vl} mirtos^s y ramos^s,/
Y de las damas^s hagamos^v
una amorosa^{aj} cadena^s.//
Vamos^{vm} a coger^{vl} verbena^s,/
poleo^s con hierba-buena^s.//

Vamos^{vm} a coger^{vl} las flores^s,/
QUE es^v insignia^s de amadores^s,/
PORQUE SI saben^v de amores^s
las resciban^v por estrena^s.//
Vamos^{vm} a coger^{vl} verbena^s,/
poleo^s con hierba-buena^s.//

35

(No paséis, el caballero,
tantas veces por aquí;
si no, bajaré mis ojos,
juraré que nunca os vi.)

Tengo^v el marido^s celoso^{aj},/
suegra^s y cuñados^s conmigo;//
★★sabe^v Dios^s,/Y es^v buen^{aj} testigo^s,/
QUE aun^{av} pensar^{vl} en vos no^{av} oso^v.//
Sed^v vos con esto medroso^{aj},/
SI bien^{av} me queréis^v a mí;/
si no^{av},/con bajar^{vl} mis ojos^s
juraré^v QUE nunca^{av} os vi^v.//

¿Qué aprovecha^v pasear^{vlm}
tantas veces^s cada día^s,/
PUES no^{av} sirve^v esa porfía^s
más^{av} de para me dañar^{vl}?;/

que yo no[av] os puedo[v] hablar[vl]; //
★★vos hacéis[v] hablar[vl] de mí; //
★★con tener[vl] los ojos[s] bajos[aj]
juraré[v] QUE nunca[av] os vi[v].//

No[av] penséis[v] QUE está[v] el querer[s]
en muchas demostraciones[s],/
QUE encubiertos[aj] corazones[s]
se saben[v] mejor[av] valer[vl].//
Sabeldo[v] vos entender[vl],/
Y en esto fiaos[v] de mí; //
si no[av],/con bajar[vl] mis ojos[s]
juraré[v] QUE nunca[av] os vi[v].//

36

(¡Ora amor, ora no más;
ora amor, que me matáis!)

Alegrad[v],/hijo[s] precioso[aj],/
vuestro gesto[s] glorioso[aj],/
PORQUE en veros[vl] congojoso[aj]
mis entrañas[s] traspasáis[v].//

Veos[v],/hijo[s],/sin pañales[s],/
en pesebre[s] de animales[s],/
y en estos pobres[aj] portales[s]
CUÁN[av] sin mantillas[s] estáis[v].//

Hijo[s],/mi Dios[s] verdadero[aj],/
rescién[av] nascido[aj] cordero[s],/
por el pecado[s] primero
grandes[aj] dolores[s] pasáis[v].//

(¡Ora, amor, ora no más;
ora, amor, que me matáis!)

37

(Debajo de la peña nace
la rosa que no quema el aire.)

Debajo^{av} de un pobre^{aj} portal^{s}
está^{v} un divino^{aj} rosal^{s},/
una reina^{s} angelical^{aj}
de muy^{av} gracioso^{aj} donaire^{s}.//

Esta reina^{s} tan^{av} hermosa^{aj}
ha producido^{v} una rosa^{s},/
tan^{av} colorada^{aj},/olorosa^{aj},/
CUAL^{av} nunca^{av} la vido^{v} nadie,/
rosa^{s} blanca^{aj} y colorada^{aj},/
rosa^{s} bendita^{aj},/sagrada^{aj},/
rosa^{s} para ser quitada^{vl}
la culpa^{s} del primer padre^{s}.//

Es^{v} el rosal^{s} QUE decía^{v},/
la Virgen^{s} Santa María^{s};//
la rosa^{s} QUE producía^{v},/
es^{v} su Hijo^{s},/Esposo^{s} y Padre^{s},/
lirio^{s} fresco^{aj} entre azucena^{s},/
nacido^{aj} en noche^{s} serena^{aj},/
de doncella^{s} fresca^{aj} y buena^{aj},/
sin partera^{s} ni comadre^{s}.//

De la raíz^{s} de Jesé^{s}
este lindo^{aj} rosal^{s} fue^{v};//
la rosa^{s} QUE produció^{v}
no^{av} hay^{v} segundo QUE la cuadré^{v}.//

Es^{v} rosal^{s} por salvación^{s},/
para nuestra redención^{s},/
para sacar^{vl} de prisión^{s}
a nuestra primera madre^{s}.//
(Bajo de la peña nace
la rosa que no quema el aire.)

38

(¡Ay Dios, quién hincase un dardo
en aquel venadico pardo!)

El amor^s de la doncella^s
QUE fuere^v discreta^{aj} y bella^{aj},/
para el QUE gozare^v della
será^v gustoso^{aj} aunque tardo^{aj}://
(¡ay Dios, quién hincase un dardo
en aquel venadico pardo!)

El amor^s de la casada^s
me satisface^v y agrada^v,/
PORQUE COMO^{av} está^v encerrada^{aj}
NI la celo^v NI la guardo^v;//
(¡ay, Dios, quién hincase un dardo
en aquel venadico pardo!)

El amor^s de la vïuda^s
por mi casa^s y puerta^s acuda^v,/
QUE no^{av} hay^v peligro^s ni duda^s,/
SI la pica^v sólo^{av} un cardo^s://
(¡ay Dios, quién hincase un dardo
en aquel venadico pardo!)

El amor^s de la beata^s
es^v apacible^{aj} Y no^{av} mata^v,/
QUE no^{av} pide^v oro^s ni plata^s,/
mas secreto^s y paño^s pardo^{aj}://
(¡ay Dios, quién hincase un dardo
en aquel venadico pardo!)

El amor^s de cualquier monja^s,/
QUE me chupa^v como^{av} esponja^s,/
Y todo es^v una lisonja^s,/
Y muero^v,/padezco^v Y ardo^v://
(¡ay Dios, quién hincase un dardo
en aquel venadico pardo!)

El amor^{s} de la soltera^{s}
lo trocaré^{v} por cualquiera,/
AUNQUE vuestro dolor^{s} fuera^{v}
más que Narciso^{s} gallardo^{aj}: //
(¡ay Dios, quién hincase un dardo
en aquel venadico pardo!)

39

Ventecico^{s} murmurador^{aj},/
QUE lo gozas^{v} y andas^{vm} todo,/
hazme^{v} el son^{s} con las hojas^{s} del olmo^{s},/
MIENTRAS^{av} duerme^{v} mi lindo^{aj} amor^{s}.//

Hoy^{av},/ventecico^{s} süave^{aj},/
has^{v} de dar^{vl} reposo^{s} a QUIEN
sabe^{v} desvelar^{vl} mi bien^{s},/
y dormir^{vl} mi bien^{s} no^{av} sabe^{v}.//
Procura^{v} tú mi favor^{s},/
PUES lo gozas^{v} y andas^{vm} todo;//
hazme^{v} el son^{s} con las hojas^{s} del olmo^{s},/
MIENTRAS^{av} duerme^{v} mi lindo^{aj} amor^{s}.//

Tú,/QUE entre las verdes^{aj} hojas^{s}
andas^{vm} alegre^{aj} y murmuras^{v},/
de mis pasadas^{aj} venturas^{s},/
de mis presentes^{aj} congojas^{s},/
fresco^{aj},/manso^{aj}/y bullidor^{aj},/
QUE lo gozas^{v} y andas^{vm} todo,/
hazme^{v} el son^{s} con las hojas^{s} del olmo^{s},/
MIENTRAS^{av} duerme^{v} mi lindo^{aj} amor^{s}.//

40

Hacen^{v} en el puerto^{s}
son^{s} apacible^{aj}
aires^{s} de la mar^{s}
serenos^{aj} y humildes^{aj}.//

Parten[vm] las galeras[s]
con alegría[s]; //
**CUANDO[av] viene[vm] el día[s]
tremolan[v] banderas[s],/
Y entre las riberas[s]
un son[s] se fragua[v],/
Y hacen[v] en el agua[s]
son[s] apacible[aj]
aires[s] de la mar[s]
serenos[aj] y humildes[aj].//

Guían[v] los remeros[s]
DO[av] el norte[s] endereza[v]; //
**van[vm] con ligereza[s]
los marineros[s].//
**Muestran[v] los aceros[s]
de su confianza[s],/
Y hacen[v] con bonanza[s]
son[s] apacible[aj]
aires[s] de la mar[s]
serenos[aj] y humildes[aj].//

41

AUNQUE el campo[s] se ve[v] florido[aj]
con la blanca[aj] y la roja[aj] flor[s],/
más[av] florido[aj] se ve[v] QUIEN ama[v]
con las flores[s] del amor[s].//

AUNQUE dulces[aj] ruiseñores[s]
le den[v] al campo[s] placer[s],/
Y en sí contemple[v] correr[vlm]
los cristales[s] bullidores[aj]; /
AUNQUE las flores[s] mejores[aj]
le den[v] la gloria[s] mayor[aj],/
más[av] florido[aj] se ve[v] QUIEN ama[v]
con las flores[s] del amor[s].//

42

En la cumbre^s,/madre^s,/
canta^v el ruiseñor^s;//
SI él de amores^s canta^v,/
yo lloro^v de amor^s.//

43

(A la sombra de mis cabellos
mi querido se adurmió;
¿si le recordaré o no?)

Peinaba^v yo mis cabellos^s
con cuidado^s cada día^s,/
Y el viento^s los esparcía^v
robándome^{vl} los más^{av} bellos^{aj};/
Y a su soplo^s y sombra^s dellos
mi querido^s se adurmió^v;//
(¿si le recordaré o no?)

Díceme^v QUE le da^v pena^s
el ser^{vl} en extremo^{av} ingrata^{aj};/
QUE le da^v vida^s y le mata^v
esta mi color^s morena^{aj};/
Y llamándome^{vl} sirena^s,/
él junto^{av} a mí se adurmió^v;//
(¿si le recordaré o no?)

NOTAS A LAS ANTOLOGÍAS

Muchos de los villancicos de la Antología alcanzaron extensa popularidad en el siglo XVI. Se trata ahora, en el caso de los villancicos viejos, de una nueva popularidad: cancioneros, pliegos sueltos, el teatro, difunden estos villancicos entre el público ciudadano; la boga, por las muestras que se nos conservan, debió extenderse en algunos casos a lo largo de varias generaciones.

No vamos a recargar la Antología con notas bibliográficas para mostrar esta popularidad. Las notas habrían de ser muchas, y, no obstante, resultarían incompletas. A lo largo del libro, en casos sueltos, hemos aludido a este fenómeno, y presentado algunos ejemplos característicos. En algunos libros, antologías, ediciones de cancioneros y diversos artículos publicados sobre la poesía lírica popular de los siglos de oro [1], existe ya un cuerpo considerable de citas sobre el aprovechamiento de muchos de nuestros villancicos, en obras líricas y dramáticas, o de referencias a ellos en toda clase de obras, de verso y de prosa. Quedan aún muchas referencias por recoger; nuestra literatura del Siglo de Oro está llena de recuerdos de villancicos. Falta, sobre todo, una antología de la lírica popular con aspiraciones a edición crítica donde se recojan todas las referencias ya publicadas, y muchas más después recogidas y que todavía pueden recogerse. Ha sido Margit Frenk Alatorre quien con más amor y dedicación se ha entregado en los últimos años a la gran tarea de reunir la abundante

---

[1] F. A. Barbieri, J. Cejador, P. Henríquez Ureña, R. Menéndez Pidal, D. Alonso, M. Frenk Alatorre, J. M. Blecua, etc.

documentación que requerirá una edición de esta importancia, edición que hoy sólo ella podrá darnos, y en la cual, por fortuna, se encuentra ya trabajando [2].

---

[2] En la selección de buena parte de los textos antologizados, así como en la lectura de algunos pasajes oscuros, he tenido en cuenta los trabajos antológicos y críticos ya publicados. Me han sido especialmente valiosos los viejos volúmenes de *La verdadera poesía castellana* de don Julio Cejador, la *Antología* (tantas veces citada) de Dámaso Alonso y José Manuel Blecua, y los distintos trabajos de Margit Frenk Alatorre sobre nuestro tema. La ortografía de las canciones antologizadas va modernizada y unificada conforme a los criterios usuales en estos casos.

NOTAS A LA ANTOLOGÍA POPULAR

I. Es la versión del *Cancionero de Palacio* (ed. de Francisca Vendrell, Barcelona, C. S. I. C., 1945, p. 181), allí atribuida a Suero de Ribera. La versión del *Espejo de enamorados* varía así: "La niña que los amores ha, — sola ¿cómo dormirá?"; "Dexaldo al villano, pene; — vengue me Dios dele"; "Sospirando yua la niña — y non por mí, — que yo bien se lo conoscí".

II. Ed. de Hugo Albert Rennert, "Der Spanische Cancionero des Brit. Mus. (ms. Add. 10431)", *Romanische Forschungen*, X (1895), pp. 1-176. Cito por tirada aparte, Erlangen, Junge, 1895, núms. 68, 167, 230, 350 y 119.

III. Ordenado por R. Foulché-Delbosc, Nueva Biblioteca de Autores Españoles, vols. XIX y XXII. Aparecen, respectivamente, en vols. II, número 925 (p. 560); I, n.º 115 (p. 253) y I, n.º 119 (p. 257). La canción 10 aparece aludida en "un juego trobado que hizo (Pinar) a la reyna doña Isabel, con el qual se puede jugar como con dados o naypes..." (cf. otra versión, en *Antología*, n.º 120). Las canciones 11 y 12 las utiliza Juan Álvarez Gato: "El cantar que dizen 'Quita allá, que no quiero, falso enemigo, quita allá que no quiero que huelgues comigo'. Endereçado a lo espiritual, y al daño que del mundo viene"; y "Para los que por tibieza de sus obras an perdido las consolaciones del Espíritu Santo, sobre aquel cantar que dize: 'Solíades venir, amor, agora non venides, non'".

IV. Ed. de Charles V. Aubrun, Bordeaux, 1951; números X, XVI y XIX.

V. Se encuentra en la Biblioteca Colombina de Sevilla (ms. 7-1-28), y no ha sido aún editado. Figuran las canciones en los folios 72 v.º, 86, 100 v.º. La 19 aparece también en *CMP*, fol. 258, ed. Barbieri, núm. 450. Los versos finales de las dos últimas estrofas de la canción 16 resultan ilegibles en el códice; he seguido la interpretación de D. Alonso y J. M. Blecua, en *Antología*, n.º 22, aunque difiere en algunos puntos de lo que yo creo leer. Así, en la última estrofa, versos 3.º y 4.º, el códice parece decir: "Yo dile una m(?) da — m(?...)". Esto escribí yo en mis notas cuando consulté el cancionero en Sevilla. Margit Frenk Alatorre (*Lírica hispánica de tipo popular*, México, 1966, n.º 73) ha interpretado, y se acerca más al texto que D. Alonso y J. M. Blecua: "yo dile una [cinta], — mi [cordón le daba]". También ha invertido el orden de las estrofas, que transcribe: 1, 3, 2, 4. Sin embargo, en mis notas yo encuentro el mismo orden de D. Alonso y J. M. Blecua. En la estrofa 1.ª, verso 3.º, dice el códice: "fuy cortar la rosa" (sin la preposición "a"), como trascribe bien M. F. A. Sobre la frase "para ésta" que emplea el villancico n.º 19, dice Correas (*Vocabulario*, ed. 1924, p. 382): "...'para ésta', señalando sobre la nariz o haciendo una cruz por la cara. Es amenaza, como decir 'para mi santiguada'; o 'por mi santiguada'". Trae varias frases con este sentido: "Para ésta, que me habéis de pagar"; "Para ésta, que me lo habéis de pagar el año, para desapolillarla en poco rato"; "Para ésta, que yo te digo a la ballesta, que comiste el pan de la cesta y lo que sobró, comímelo yo".

VI. Transcrito y anotado por Francisco Asenjo Barbieri, Madrid, 1890. Edición reimpresa posteriormente por la Editorial Schapire, Buenos Aires, 1945. Hay nueva ed. de Higinio Anglés, *El Cancionero Musical de Palacio*, Barcelona, 1947 y 1951. En ambas ediciones encontrará el lector valiosos comentarios, a los que me remito. Los villancicos pertenecen a los números 4, 6, 17, 48, 53, 58, 61, 77, 82, 85, 92, 98, 101, 103, 113, 115, 116, 120, 127, 131, 132, 143, 144, 162, 171, 175, 183, 207, 209, 215, 217, 227, 234, 235, 236, 237, 240, 245, 258, 259, 263, 346, 398, 399, 400, 401, 402, 403, 386, 405, 408, 410, 413, 416, 423, 424, 426, 427, 433,434, 438, 442, 453 y 454 de la edición Barbieri. (Cito siempre por ed. Schapire). El villancico 27 (*CMP*, fol. 61) lo tomo completo de Luis de Narváez, *Los seys libros del Delphín de música...*, Valladolid, 1538, reed. de E. Pujol, Barcelona, 1945, núm. 48. En el *CMP* sólo aparece el comienzo, en la forma "y arded coraçón...", faltando el resto de la letra. El villancico 71 resulta enigmático; el ms. parece decir (fol. 69): "ell pino"; yo me pregunto si no debiera decir *esspino*, y leerse *rosa espino* (tal y como me atrevo a interpretar yo) por *rosa d'espino* o *rosa 'espino*, como un caso de aposición o de pérdida de la *d* intervocálica. La tradicional significación amorosa de la rosa del espino parece apoyar esta solución. En las cantigas encontramos "la frol do pinho" y "flores do verde pino", pero no, por supuesto, rosas de pino (esas flores deben de ser el brote nuevo de la primavera, y corresponder al "pino florido" que encontramos en alguna canción castellana; ejemplo moderno: "Aquel pino que está en el pinar, — florido y hermoso, — a cortarlo quisieron entrar — cuatro buenos mozos..."; ejemplo antiguo, el que cita Arias Montano: "Ay pino, pino, pino florido...", recordado por Eugenio Asensio en *Poética y realidad...*, p. 40).

VII.   Folios 72, 73 v.º y 76.

VIII.   Los villancicos están tomados del *Suplemento al Cancionero General de Hernando del Castillo* (*Valencia, 1511*) *Que contiene todas las poesías que no figuran en la primera edición y fueron añadidas desde 1514 hasta 1557*, publicado por A. Rodríguez-Moñino, Valencia, Castalia, 1959. Corresponden a los núms. 313, 300 y 88 de esta edición. Los dos primeros fueron añadidos en 1557 y el tercero en 1514. El primero ("Si muero en tierras ajenas...") aparece calificado de "villancico viejo".

IX.   Reedición de E. Pujol, Barcelona, 1945, núms. 37-39 y 40-45.

X.   También en la *Comedia Vidriana* y en la *Comedia intitulada Tesorina*, de Jaime de Huete. V. Henríquez Ureña, *ob. cit.*, p. 113, nota 1; y D. Alonso y J. M. Blecua, *ob. cit.*, núm. 205. Aparecía ya en el *CMP*, que nos ha conservado el primer verso.

XI.   Reedición de E. Pujol, Barcelona, 1949, núms. 72 y 73.

XII.   Trascribimos la canción por el *Cancionero Musical de la Casa de Medinaceli*, ed. de Miguel Querol, Barcelona, t. I, 1949, p. 52.

XIII.   Copiamos por B. J. Gallardo, *Ensayo de una biblioteca española de libros raros y curiosos*, 4 vols., Madrid, 1863-1889; en vol. IV, cols. 922-927; hay edición facsímil de Gredos, Madrid, 1968.

XIV.   Fols. 9, 13 y 14.

XV.   Ed. por Morel-Fatio en *L'Espagne au XVIᵉ et au XVIIᵉ siècle*, Paris, 1878, p. 531.

XVI.   Folios 132, 134, 141, 137, 133 y 138.

XVII.   Edición de Higinio Anglés, Barcelona, C. S. I. C., 1946. Allí encontrará el lector abundantes referencias. Véanse los villancicos en las páginas 29 a 47.

XVIII.   Reimpreso por A. Rodríguez-Moñino, Valencia, 1953, folios 189-190.

XIX.   Tomados de Felipe Pedrell, *Catàlech de la Biblioteca Musical de la Diputació de Barcelona*, Barcelona, Palau de la Diputació, 1908, p. 172.

XX.   Fols. 96, 102-103, 104 y 109.

XXI.   Las canciones corresponden a las páginas 302, 321, 326, 356, 422, 320, 306, 325-326, 321, 344, 300, 305 y 363 (y 398), respectivamente. Véanse los comentarios de P. Henríquez Ureña, *La versificación irregular...*, páginas 304-307.

XXII.   Sigo la trascripción de José Pedro Machado, en separata del Boletín "A cidade de Évora", núms. 23-26 (1951). Los villancicos pertenecen a los números 21, 50 y 84 del cancionero. Hay edición moderna completa por A. L. Askins, *The Cancioneiro de Evora*, Berkeley and Los Angeles, University of California Press, 1965.

XXIII. En Felipe Pedrell, *ob. cit.*, p. 181. Este Flecha es "el viejo" y las ensaladas fueron coleccionadas por Mateo Flecha, el joven (su sobrino), e impresas en Praga por Jorge Negrino. El cantarcillo 179 es parodia del 384 (del *Vocabulario* de Correas): "Campanillas de Toledo, — óigoos y no os veo".

XXIV. Así lo ha bautizado Romeu Figueras ("El cosante..."). Es el Ms. 454 de la Sección de Música de la Biblioteca Central de Barcelona. Descrito por Pedrell (*Catàlech...*, pp. 156-158) como volumen de partituras manuscritas de 300 × 220 mm. Copiamos por Pedrell, pp. 156 y 158. El cálculo de la fecha, por Romeu.

XXV. Reeditado por A. Pérez Gómez, Valencia, Castalia, 1952, páginas 7, 20, 25, 58, 68 y 75.

XXVI. Reimpresos por Foulché-Delbosc en *Revue Hispanique*, LXV, páginas 160 y ss. Las canciones copiadas se encuentran en los números 8, 16, 51, 52, 71 y 89.

XXVII. Se trata de un pliego suelto ("Cantares de diversas sonadas con sus deshechas muy graciosas ansí para bailar como para tañer", s. a.); publicado en *Cancionero de Galanes...*, ed. A. Rodríguez-Moñino y M. Frenk Alatorre, Valencia, Castalia, 1952. Véanse las canciones en las páginas 31, 61, 62, 63, 63, 64, 64, 66, 67, 73 y 74.

XXVIII. Ed. de la Sociedad de Bibliófilos Andaluces, Sevilla, 1874, páginas 27, 64, 65, 65, 67, 68, 108, 109, 132, 132, 133, 134, 135, 135, 137, 138, 139 y 167.

XXIX. El cancionero llamado de Upsala, por conservarse en esa ciudad, fue publicado en Venecia, en 1556 ("Villancicos de diversos autores a dos y a tres y a quatro y a cinco bozes, agora nuevamente corregidos"). Copiamos por la edición de Rafael Mitjana, Upsala, 1909, núms. II, V, XVIII, XIX, XXI, XXVII, XXVIII, XXX, XXXI, XLIV, XLIX, LI y XXXVI. Existe nueva edición de J. Bal y Gay, México, 1944.

XXX. Ed. Léo Rouanet, *Colección de autos, farsas y coloquios del siglo XVI*, 4 vols., Biblioteca Hispánica, Madrid, 1901. Se hallan los villancicos, respectivamente, en "Farsa del Sacramento del Amor Divino" (tomo I, página 120): "El Sacrificio de Jete" (I, p. 422); "La resurrección de Christo" (II, p. 516); "Farsa del Sacramento" (III, p. 200); "Premática del Pan" (III, p. 251); íd., p. 256; III, p. 257; "Farsa sacramental llamada Desafío del hombre" (III, p. 540).

XXXI. Ha sido trascrito y publicado por Miguel Querol, *Cancionero musical de la Casa de Medinaceli*, en dos volúmenes, Barcelona, 1949-50. Ya Gayangos, J. B. Trend y Paz Meliá habían dedicado atención al códice.

XXXII.   Véase en G. M. Bertini, *Poesie spagnole del seicento*, Torino, 1946, pp. 38, 45 y 49.

XXXIII.   Es una colección de pliegos sueltos conservados en la Universidad de Praga y editados por Foulché-Delbosc, en *Revue Hispanique*, LXI (1924), pp. 303-586. Las canciones corresponden a los números 1, 6, 82 y 143. Hoy, nuevamente editados: *Pliegos sueltos españoles en la Universidad de Praga*, 2 vols., Madrid, 1960.

XXXIV.   *Laberinto amoroso de los mejores y más nueuos romances...*, ed. de Karl Vollmöller, en *Romanische Forschungen*, VI (1891), núms. 67, 9, 12, 45 y 73. Existe nueva edición de J. M. Blecua, Valencia, 1953.

XXXV.   Ed. de Ángel González Palencia, 2 vols., Madrid, C. S. I. C., 1947, núms. 90, 91, 143, 150, 270, 409, 486, 670, 670, 790, 894, 900, 901, 907, 921, 925, 942, 976, 977, 997, 1011, 1026, 1144, 1287, y 1306.

XXXVI.   Ed. de Martín de Riquer, Barcelona, 1943, pp. 42, 163, 409, 432, 674 y 278. El "cantarcillo de aldea" que recoge Covarrubias (en pág. 163, ed. M. Riquer) debe leerse:

> Orillicas del río, mis amoresé,
> y debaxo de los álamos me atendé.

La expresión *mis amoresé* ha solido leerse mal, interpretándose la *e* final como verbo (*he*) o exclamación (*he* o *eh*). Ya la ed. de 1673 del *Tesoro* cometía el error de intercalar una *h*, no existente en la ed. de 1611, y escribir en forma que quizás refleje cierta vacilación: *mis amore s he*. Martín de Riquer lee *amores e*. Margit Frenk Alatorre hace la corrección en su antología *Lírica hispánica de tipo popular* (n.º 83), escribiendo bien *mis amoresé*. Ésta es sin duda la lectura correcta en la intención de Covarrubias, como puede verse más adelante en la voz *E* (p. 490 en ed. M. Riquer). Dice allí Covarrubias, cantándole, sin duda, en la memoria, el cantarcillo de aldea: "En el lenguage antiguo castellano terminavan algunas dicciones, assi nombres como verbos, añadiéndoles la letra e, como: *el mi lindo amore*, y en número plural *los mis amorese*; al verbo infinitivo: *non deviades olvidare*, etcétera." (Corrijo la puntuación para hacer claro el verdadero sentido, y añado los subrayados.)

El maestro Correas creía también en la existencia de esta forma paragógica plural *amorese* y nos da testimonio de ella en dos canciones, una recogida en su *Arte de la lengua* (ed. E. Alarcos García, Anejo LVI de la R. F. E., Madrid, 1954, p. 455), y otra reproducida en el *Vocabulario d refranes* (ed. 1906, p. 443; ed. 1924, p. 286; ed. Bordeaux, 1967, p. 528) Dicen las canciones, respectivamente:

Que no me los ame nadie
a los mis amoresé;
que no me los ame nadie,
que yo me los amaré.

Mal airados vienen
mis amoresé.
No sé por qué.

He corregido la ortografía y la puntuación para dar el sentido exacto, equivocado en las ediciones citadas y en otras trascripciones de estas canciones. Que Correas entendía *amoresé* lo muestra él mismo en otro lugar de su *Arte de la lengua* (en la pág. 389 de la ed. de E. Alarcos García, donde trascribe bien el editor); allí al tratar de la *paragoghe* dice que "es atraiuiento, o pegadura, quando al fin de dizion se añade letra, o sulaba, como *ansin, ansina*, por *ansi; xavalin* por *xavali; fee* por *fe; corazone* a lo antiguo por *corazon; amoresé* por *amores*".

Es discutible si Covarrubias o Correas estaban en lo cierto al ver aquí una paragoge o epítesis. Lo cierto es que la graciosa rima se repite en varias canciones. En algunas (*Antología*, núms. 6 y 91) cabe la interpretación paragógica o la exclamativa; en otras (*Antología*, núm. 174) podemos leer *amores he*, del verbo *haber*, pero cabría también la lectura paragógica. No hay que olvidar, sin embargo: 1) que la forma *amores he*, de *haber*, aparece sin dejar lugar a dudas en otros casos (*Antología*, núms. 126 y 141); 2) que la exclamación (*eh, he*) aparece sin ir unida a la voz *amores* y sin que quepa posibilidad de paragoge (*Antología*, núm. 234). Queda, pues, siempre la duda de si ese plural paragógico *amoresé* existió realmente en la canción popular, o si, contra lo que entendieron Covarrubias y Correas, lo que hubo originariamente fue simplemente un plural *amores* no paragógico seguido de la interjección *é* (*eh, he*). De lo que no cabe dudar es de que Covarrubias y Correas (los lingüistas) apreciaron, en los tres casos citados, tres casos de paragoge. (Los casos dudosos arriba citados, núms. 6, 91 y 174, proceden, respectivamente, del *Cancionero del British Museum*, del *Cancionero General de Hernando del Castillo*, y del libro de Francisco Salinas, *De Musica libri septem*. No he podido comprobar el ms. del primer cancionero; Rennert lee *amores é!* (como exclamación y sin *h*). El *Cancionero General* trascribe: "*Hagades me hagades me / monumento de amores he*". En *De Musica* se lee: "*Que auedes que ⌣ mal de amores he*".)

XXXVII. Publicado en Madrid, 1622; fol. 58 v.º. Es, claramente, recuerdo del villancico núm. 72 de esta antología (del *CMP*).

XXXVIII. Ed. del Conde de la Viñaza, Madrid, 1903. Las cancioncillas copiadas aparecen en las páginas 271, 274, 275, 276, 277, 280, 281, 282, 283, 284, 287, 288, 291.

XXXIX. Por la ed. Madrid, 1924, corresponden a pp. 418, 431, 139, 76, 76, 383, 19, 484, 291, 76, 18, 71, 461, 72, 72, 19, 264, 462, 390, 462, 390, 112, 223, 461, 518, 226, 82, 510, 509, 86, 84, 90, 87, 103, 103, 103, 105, 110, 417, 417, 418, 431, 115, 122, 126, 123, 115, 144, 412, 412, 412, 412, 411, 473, 485, 380, 386, 387, 387, 378, 398, 412, 480, 390, 399, 408, 400, 482, 484, 492, 492, 492, 488, 498, 292, 292, 292, 292, 292, 287, 287, 285, 243, 108, 506, 314, 315, 315, 505, 282, 437, 489, 5, 59, 59, 371, 266, 276, 418, 291, 384, 238, 260, 105, 105, 499, 105, 411, 430, 463, 155, 155, 415, 418, 404, 286, 243, 232, 46, 455, 466, 227, 224, 46, 21, 109, 109, 109, 417, 463, 154, 154, 418, 359, 47, 464, 157, 504, 19, 72, 65, 490, 243, 64, 64 y 163.

XL. Publicado por Foulché-Delbosc, en *Revue Hispanique*, LXV (1925), páginas 345 y ss. Las canciones corresponden a los núms. 14, 25, 45, 53, y 56.

XLI. En M. Menéndez y Pelayo, *Orígenes de la novela*, NBAE (14), Madrid, Bailly-Baillière, 1910, vol. III, p. 122.

XLII. *Ibid.*, p. 138. Cf. núm. 30 de esta antología (*CMP*, núm. 92).

XLIII. En la Colección Cisneros, Madrid, 1943, p. 71.

XLIV. Ed. de C. V. Aubrun, *Bulletin Hispanique*, LI (1949), pp. 289 y 369.

XLV. Ed. de Jesús Aroca, Madrid, 1916, núm. IX.

XLVI. Nueva Biblioteca de Autores Españoles, vols. 17 y 18, Madrid, 1911. Los villancicos se encuentran en el vol. 18 y pertenecen a "Baile de la Colmeneruela", p. 483; "Baile de la Maya", pp. 484-5; "El baile de los locos de Toledo", p. 485; "Baile famoso del Caballero de Olmedo", p. 486.

XLVII. Ms. 4117 de la Biblioteca Nacional de Madrid, fol. 156 v.º La tomo de D. Alonso y J. M. Blecua, *Antología*, núm. 208. Recuerdan estos autores que el villancico lo cita ya Salinas en *De Musica*, p. 306 "Pensó el villano — que yo que dormía; — tomó espada en mano, — fuese andar por villa". Recuérdese el conocido romance, todavía cantado como corro infantil: "Me casó mi madre, chiquita y bonita...".

XLVIII. "Índice de analogías entre la lírica española antigua y la moderna", *Symposium*, vols. I a IV (1946-1950), núm. 154.

XLIX. Publicado por R. Menéndez Pidal, *Boletín de la Real Academia Española*, I, 1914. Véase p. 304.

L. Ms. publicado por el P. Fray Luis Alonso Getino en "Nueva contribución al estudio de la lírica salmantina del siglo XVI", *Anales salmantinos*, II (1929); véase pp. 352 y 353.

LI. Véase Fernán González de Eslava, *Coloquios espirituales y sacramentales y poesías sagradas* (1610), ed. J. García Icazbalceta, México, 1877, 269 a.

LII. En Gallardo, *Ensayo...*, III, col. 14.

LIII. Véase Luis de Góngora, *Obras completas*, ed. de J. e I. Millé y Giménez, pp. 238-9. El romance comienza "A la fuente va del olmo...", y además del villancico transcrito contiene otro muy famoso: "Turbias van las aguas, madre, — turbias van; — mas ellas se aclararán", que encontramos con interesante variante en el *Vocabulario* de Correas, y que incluimos en nuestra antología con el núm. 419. El villancico trascrito guarda una analogía evidente con el núm. 501 de nuestra antología.

LIV-LXII. Se encuentran todos estos textos en la Sección de manuscritos de la Biblioteca Nacional de Madrid.

NOTAS A LA ANTOLOGÍA POPULARIZANTE I

1. De Alfonso Álvarez de Villasandino, en *Cancionero de Baena*, ed. Rivadeneyra, Madrid, 1851, p. 48, n.º 42.

2. De Villasandino, por *Cancionero castellano del siglo XV*, ed. R. Foulché-Delbosc, NBAE, Madrid, 1915, vol. XXII, p. 329 (n.º 629).

3. Serranilla del Marqués de Santillana, en *Obras*, ed. J. Amador de los Ríos, Madrid, 1852, pp. 472-4.

4. Serranilla del Marqués de Santillana, en *Obras*, ed. cit., pp. 475-7.

5. En el famoso villancico atribuido a Santillana y a Suero de Ribera; por ed. cit. de las *Obras* de Santillana, pp. 461-3.

6. De Carvajal o Carvajales, en *Cancionero de Lope de Stúñiga*, Madrid, Rivadeneyra, 1872, pp. 312-3. (También, en *Cancionero castellano del siglo XV*, NBAE, vol. XXII, p. 603, n.º 990. Es el intitulado "villançete".)

7. De Carvajal o Carvajales; por *Cancionero castellano del siglo XV*, NBAE, vol. XXII, p. 619 (n.º 1031).

8. Anónimo. En *Cancionero de Herberay*, ed. Charles V. Aubrun, Burdeos, 1951, p. 57 (n.º XXXVII).

9. Anónimo. En *Cancionero del British Museum*, ed. H. A. Rennert, "Der Spanische Cancionero des British Museum (ms. Add. 10431)", *Romanische Forschungen*, X (1895), p. 53.

10. Fernando de Rojas, *La Celestina*, acto XIX.

11. *Id.*

12. Del *Amadís de Gaula*, ed. P. Gayangos, en Biblioteca de Autores Españoles, XL, Madrid, 1874, p. 174. Se halla en el Libro II, cap. XI.

13. De Juan del Encina. Villancico final de la *Égloga de Amor*, representada en 1497 con ocasión del matrimonio del príncipe don Juan con Margarita de Austria. Puede verse en *Cancionero de Juan del Encina*, ed. de la Real Academia (facsímil de la ed. de 1496), Madrid, 1928, fol. XCV v.º.

14. De Juan del Encina, en su *Cancionero*, ob. cit., fol. XCIX. Pero el texto que reproducimos está tomado del *Cancionero Musical de Palacio*, ed. Barbieri, n.º 371.

15. Anónima. Del *Cancionero general de Hernando del Castillo*, ed. Bibliófilos Españoles, Madrid, 1882, apéndice, núm. 317. (Esta canción no puede ser popular; fíjese el lector en la rima: consonante y en ABBA).

16. *Cancionero de Upsala*, ed. J. Bal y Gay, México, 1944, núm. 14.

17. Del *Libro de música de vihuela*, de Diego Pisador (Salamanca, 1552), folio 9.

18. Cristóbal de Castillejo, *Obras*, ed. J. Domínguez Bordona, 4 vols., Clásicos Castellanos, Madrid, 1926-28, tomo 2, p. 150.

19. Castillejo, *Obras*, ed. cit., tomo 2, p. 141.

20. De Juan de Timoneda, del *Sarao de amor*, Valencia, 1561, fol. 22.

21. Lope de Vega, en *La adúltera perdonada; Obras*, ed. Real Academia Española, Madrid, Sucesores de Rivadeneyra, 1890-1913 (15 vols.), vol. III, página 24.

22. Lope, en *El conde Fernán González; Obras*, VII, pp. 430-31.

23. Lope, en *El Gran Duque de Moscovia; Obras*, VI, p. 622.

24. Lope, en *Las almenas de Toro; Obras*, VIII, p. 97.

25. Glosa de Lope, en *El villano en su rincón; Obras*, XV, p. 290.

26. Lope, en *El ruiseñor de Sevilla; Obras*, XV, p. 83.

27. Glosa de Lope, en *La serrana de la Vera; Obras*, XII, p. 36.

28. Lope, en *El robo de Dina; Obras*, III, p. 214. Dice Roncaglia respecto a esta canción, citando un previo artículo suyo en *Cultura neolatina* I (1951), 20-21: "Che di più schietto e popolare, quanto a tono? Eppure la fonte dei vv. 9-12 è ovvia, e appartiene alla cultura latina del poeta: egli ha semplicemente ripreso e adattato il noto ritornello del *Pervigilium Veneris: Cras amet qui nunquam amavit, quique amavit cras amet!*". Espero que tras las páginas dedicadas a analizar el estilo del villancico popular, resulte suficientemente evidente para todos que el estilo de esta canción de Lope está en las antípodas de lo popular. Es imposible imaginar a la tradición oral popular reteniendo (salvo, claro, después de cambiarlos de raíz) unos versos como esos: "Sale el mayo hermoso — con los frescos vientos — que le ha dado marzo — de céfiros bellos..." (!).

29. Lope, en *Con su pan se lo coma*, Parte XVII, 1621; *Poesías líricas*, ed. J. F. Montesinos, Madrid, 1941, tomo I, p. 73.

30-33. Son todos cantarcillos y seguidillas de Lope. La 31 se encuentra en *Santiago el Verde* (Parte XIII, Madrid, 1620; *Poesías líricas*, ed. Montesinos, I, p. 80); la 32 es de *El aldegüela (Obras*, ed. R. Academia, vol. XII, página 235); la 33 se halla en *El mármol de Felisardo* (Parte VI; *Poesías líricas*, ed. Montesinos, I, p. 79).

NOTAS A LA ANTOLOGÍA POPULARIZANTE II

1. Del *Cancionero de Herberay*, ed. C. V. Aubrun, Bordeaux, 1951, página 39.

2-12. Del *Cancionero Musical de Palacio*, ed. Barbieri, núms. 58, 61, 113, 131, 157, 234, 258, 263, 398, 408, 416.

13-16. Del ms. 5593 de la Biblioteca Nacional de Madrid, fols. 72, 74, 76 y 98.

17. "Un 'villancico' retrouvé", publicado por R. Foulché-Delbosc en *Revue Hispanique*, 1905, p. 281.

18-19. Del *Cancionero llamado Flor de enamorados* de Juan de Linares (Barcelona, 1562, reeditado por A. Rodríguez-Moñino y D. Devoto, Valencia, 1954, fols. 6 y 98).

20. Del *Cancioneiro d'Evora*, ed. Victor E. Hardung, Lisboa, 1875, página 50.

21-23. De Juan Vásquez, *Villancicos y canciones a tres y a quatro*, Osuna, 1551, extractado en Gallardo, *Ensayo...*, IV, cols. 922-26.

24-26. De Juan Vásquez, *Recopilación de sonetos y villancicos a quatro y a cinco*, Sevilla, 1560; reedición de H. Anglés, Barcelona, 1946, núms. 16, 20 y 21.

27-30. Del *Cancionero de Upsala* (Venecia, 1556), ed. J. Bal y Gay, México, 1944.

31. Del libro de Luis Venegas, *Libro de cifra nueva para tecla, harpa y vihuela*, Alcalá, 1557, fol. 73.

32. Ms. 373 (fondo español) de la Biblioteca Nacional de París, folio 38 v.º.

33. Del *Cancionero general de Hernando del Castillo*, ed. Bibliófilos Españoles, vol. II, apéndice, núm. 279.

34. Del *Cancionero llamado Danza de galanes...*, recopilado por Diego de Vera (Barcelona, 1625), reeditado por A. Rodríguez-Moñino, Valencia, 1949, fol. C9 v.º.

35. Del ms. 506 de la Biblioteca Provincial de Toledo, fol. 390. Véase también en el *Cancionero de Turín,* en G. M. Bertini, *Poesie spagnole del seicento,* Torino, 1946, p. 38.

36-37. Del *Cancionero de Nuestra Señora,* Barcelona, 1591; reeditado por A. Pérez Gómez, Valencia, 1952, pp. 7 y 75.

38. Lo tomo de la *Antología* de D. Alonso y J. M. Blecua, n.º 210.

39-40. Del *Romancero general,* edición de A. González Palencia, 2 vols., Madrid, 1947, núms. 577 y 994.

41. De la *Colección de entremeses, loas, bailes, jácaras y mojigangas,* publicada por E. Cotarelo y Mori, en NBAE, vols. 17 y 18, Madrid, 1911. Véase en vol. 18, p. 477.

42. En "Chansonniers Musicaux Espagnols du XVIIᵉ siècle", ed. por C. V. Aubrun, en *Bulletin Hispanique,* LI (1949), p. 278.

43. Del libro de Arias Pérez, *Primavera y flor de romances,* Madrid, 1622, folio 58 v.º.

BIBLIOGRAFÍA

Alonso (Amado), "Sobre métodos: construcciones con verbos de movimiento en español", *Revista de Filología Hispánica*, I, 1939; recogido posteriormente en *Estudios lingüísticos. Temas españoles*, Madrid, Gredos, 1951.

Alonso (Amado) y P. Henríquez Ureña, *Gramática castellana*, 2.º curso, 14.ª edición, Buenos Aires, 1955.

Alonso (Dámaso), "Cancioncillas 'de amigo' mozárabes (Primavera temprana de la lírica europea)", *Revista de Filología Española*, XXXIII (1949); recogido en *Primavera temprana de la literatura europea*, Madrid, Guadarrama, 1961.

— *Ensayos sobre poesía española*, Madrid, Revista de Occidente, 1944.

— *Poesía de la Edad Media y poesía de tipo tradicional*, Madrid, Signo, 1935; reed. en Buenos Aires, Losada, 1942.

— *Poesía española. Ensayo de métodos y límites estilísticos*, Madrid, Gredos, 1952.

Alonso (Dámaso) y J. M. Blecua, *Antología de la poesía española. Poesía de tipo tradicional*, Madrid, Gredos, 1956. 2.ª edición corregida, 1964: *Antología de la poesía española. Lírica de tipo tradicional*.

Alonso Getino (P. Fray Luis), "Nueva contribución al estudio de la lírica salmantina del siglo XVI", *Anales salmantinos*, II (1929).

Álvarez Gato (Juan), *Obras completas*, ed. J. Artiles Rodríguez, Madrid, 1928.

Asensio (Eugenio), "Los cantares paralelísticos castellanos. Tradición y originalidad", *Revista de Filología Española*, 1953; recogido en *Poética y realidad en el cancionero peninsular de la Edad Media*, Madrid, Gredos, 1957.

Aubrun (Charles V.), "Chansonniers Musicaux Espagnols du XVIIe siècle", *Bulletin Hispanique*, LI (1949), pp. 269-90; y LII (1950), pp. 313-74.

Badía Margarit (Antonio M.), "Dos tipos de lengua cara a cara", *Homenaje a Dámaso Alonso*, Madrid, Gredos, 1960, tomo I.

Baena (Juan Alfonso de), *Cancionero de Baena,* Madrid, Rivadeneyra, 1851; reimpreso en Buenos Aires, Anaconda, s. a.; nueva edición de J. M. Azáceta, 3 vols., Madrid, C. S. I. C., 1966.

Baer (I.), "Ha massab ha-polití sel yehudé Sefard..." (La posición política de los judíos españoles en tiempo de Yehudá ha-Leví), *Zion,* I, 1936.

Baldi (Sergio), *Studi sulla poesia popolare d'Inghilterra e di Scozia,* Roma, 1949.

— "Sul concetto di poesia popolare", *Leonardo,* núm. 5, abril 1946.

Bédier (Joseph), "Les plus anciennes danses françaises", *Revue des Deux Mondes,* 1906.

Biblioteca Nacional de Madrid: Manuscritos 3700, 3721, 3725, 3763, 3913, 3915, 3919, 3924, 4051.

Bowra (C. M.), *Primitive Song,* New York, Mentor Book, 1963.

Briceño (Luis de), *Método mui facilíssimo para aprender a tañer la guitarra a lo español,* París, 1626.

Cancioneiro da Biblioteca Nacional (Lisboa): ed. diplomática de E. Molteni, Halle, 1880; ed. crítica de E. Paxeco y J. P. Machado (publicado en la *Revista de Portugal*).

Cancioneiro da Biblioteca Vaticana, ed. crítica de T. Braga, Lisboa, 1878.

Cancioneiro de Évora: trasc. J. P. Machado, en *Boletín "A cidade de Évora",* 23-26 (1951); ed. A. L. Askins, *The Cancioneiro de Evora,* University of California Press, Berkeley and Los Angeles, 1965.

Cancioneiro Geral de Resende (Cancioneiro Geral, Almeyrim-Lisboa, Campos, 1516), reproducción facsímil por Huntington, New York, 1904; ed. de Gonçalves Guimaraes, 5 vols., Coimbra, Imprensa da Universidade, 1910-1917.

Cancionerillos de Praga: Ed. R. Foulché-Delbosc, *Revue Hispanique,* LXI (1924).

Cancionero castellano del siglo XV, ordenado por R. Foulché-Delbosc, NBAE, volúmenes XIX y XXII, Madrid, 1912-1915.

Cancionero de la Biblioteca Colombina: Cantinelas vulgares puestas en música por varios españoles, Biblioteca Colombina (Sevilla), ms. 7-1-28.

Cancionero de galanes, ed. A. Rodríguez-Moñino y M. Frenk Alatorre, Valencia, Castalia, 1952.

Cancionero de Herberay: Le chansonnier espagnol d'Herberay des Essarts (XVᵉ siècle), ed. Charles V. Aubrun, Bordeaux, 1951.

Cancionero de Juan Fernández de Ixar, ed. J. M. Azáceta, 2 vols., Madrid, C. S. I. C., 1956.

Cancionero del British Museum: Ed. de Hugo Albert Rennert, "Der Spanische Cancionero des Brit. Mus. (ms. Add. 10431)", *Romanische Forschungen*, X (1895), pp. 1-176. Hay tirada aparte: Erlangen, Junge, 1895.

Cancionero de Lope de Stúñiga, Madrid, Rivadeneyra, 1872.

Cancionero de Nuestra Señora (Barcelona, 1591), ed. de A. Pérez Gómez, Valencia, 1952.

Cancionero de Palacio: El cancionero de Palacio, ed. Francisca Vendrell de Millás, Barcelona, 1945.

Cancionero de Sablonara: Cancionero musical y poético del siglo XVII recogido por C. de la Sablonara. Trascrito en notación moderna por J. Aroca, Madrid, 1916.

Cancionero de Turín: véase *Poesie spagnole del seicento,* a cura di G. M. Bertini, Torino, Chiantore, 1946.

Cancionero de Upsala (Villancicos de diversos autores a dos y a tres y a quatro y a cinco bozes, agora nuevamente corregidos, Venecia, 1556): ed. Rafael Mitjana, Upsala, 1909; nueva ed. de J. Bal y Gay, México, 1944.

Cancionero general de Hernando del Castillo: Madrid, Sociedad de Bibliófilos Españoles, 1882, 2 vols.

Cancionero llamado Danza de galanes, recopilado por Diego de Vera, Barcelona, 1625. Reedición de A. Rodríguez-Moñino, Valencia, 1949. (Ed. facsímil de A. M. Huntington, De Vinne Press, 1903.)

Cancionero musical de Barcelona (Ms. 454 de la Sección de Música de la Biblioteca Central de Barcelona). Descrito por F. Pedrell, en *Catàlech de la Biblioteca Musical de la Diputació de Barcelona,* Barcelona, 1908-1909, 2 volúmenes.

Cancionero musical de la Casa de Medinaceli (siglo XVI). I: *Polifonía profana.* Trascripción y estudio por M. Querol Gavaldá, Barcelona, C. S. I. C., 1949-50, 2 vols.

Cancionero Musical de Palacio: Cancionero musical de los siglos XV y XVI, ed. F. Asenjo Barbieri, Madrid, 1890; reimpresión de Editorial Schapire, Buenos Aires, 1945; hay nueva edición de Higinio Anglés, *El Cancionero Musical de Palacio,* 2 vols., Barcelona, 1947 y 1951.

Cantera (Francisco), *La canción mozárabe,* Santander, 1957.

Cantigas de Santa María, ed. Valmar, Real Academia Española, Madrid, 1889, 2 vols.; 3.er vol.: J. Ribera, *La música de las Cantigas,* Madrid, 1922.

Carvallo (Luis Alfonso de), *Cisne de Apolo, de las excelencias y dignidad y todo lo que al arte poética y versificatoria pertenece,* Medina del Campo, 1602.

Castillejo (Cristóbal de), *Obras*, ed. J. Domínguez Bordona, Madrid, Clásicos Castellanos, 1926-28, 4 vols.

Catalán (Diego), "El 'motivo' y la 'variación' en la trasmisión tradicional del Romancero", *Bulletin Hispanique*, LXI (abril-septiembre, 1959), páginas 149-182.

— "Un romance histórico de Alfonso XI", *Estudios dedicados a Menéndez Pidal*, Madrid, C. S. I. C., 1950-1962, tomo VI, pp. 259-285.

Cejador y Frauca (Julio), *La verdadera poesía castellana. Floresta de la antigua lírica popular, recogida y estudiada por...*, Madrid, Revista de Archivos, 1921-24, 5 vols.

Coelho (A.), "O paralelismo na poesia popular", *Revista Lusitana*, XV (1912).

Correas (Gonzalo), *Arte grande de la lengua castellana*, ed. Conde de la Viñaza, Madrid, 1903; ed. E. Alarcos García, Madrid, C. S. I. C., 1954.

— *Vocabulario de refranes y frases proverbiales*, ed. Real Acad. Española, Madrid, 1906; 2.ª ed. Real Acad. Española, Madrid, 1924. Una 3.ª ed. de Louis Combet, Bordeaux, Institut d'Études Ibériques et Ibéro-Américaines, 1967, supera a las anteriores y tiene el enorme interés de haber sido hecho sobre el ms. original, perdido desde el siglo pasado y ahora encontrado. Presenta correcciones de lectura con respecto a las ed. anteriores que no hemos podido incorporar a nuestros textos por tener ya concluido el estudio lingüístico al aparecer esta nueva edición.

Cossío (J. M. de) y T. Maza Solano, *Romancero popular de la Montaña*, Santander, 1933.

Costa Pimpão (A. J. da), *Historia da Literatura Portuguesa. Idade Media*, 2.ª ed., Coimbra, 1959.

Cotarelo y Mori (Emilio), *Colección de entremeses, loas, bailes, jácaras y mojigangas*, Madrid, 1911, 2 vols. (Nueva Biblioteca de Autores Españoles, XVII y XVIII).

Covarrubias (Sebastián de), *Tesoro de la lengua castellana o española* (Madrid, 1611); ed. de Martín de Riquer, Barcelona, 1943.

Croce (Benedetto), *Estetica come scienza dell'espressione e linguistica generale*, 4.ª ed., Bari, 1912.

— *La Poesía, Introducción a la crítica e historia de la poesía y de la literatura*, Buenos Aires, 1954.

— *Poesia popolare e poesia d'arte*, Bari, 1933.

Curtius (E. R.), *Literatura europea y Edad Media latina*, México, Fondo de Cultura Económica, 1955, 2 vols.

Daza (Esteban de), *Libro de música en cifra para vihuela, intitulado el Parnaso*, Valladolid, 1576.

De Lollis (Cesare), "Dalle cantigas de amor a quelle de amigo", en *Homenaje a Menéndez Pidal*, Madrid, 1925, vol. I. Reproducido en *Cervantes reazionario e altri scritti d'ispanistica*, Florencia, 1947.

Devoto (Daniel), *Cancionero llamado Flor de la rosa*, Buenos Aires, 1950.

Durán (Agustín), *Romancero general...*, 2 vols., Madrid, 1849-51 (Biblioteca de Autores Españoles, vols. X y XVI).

Einstein (A.), *The Italian Madrigal*, Princeton, 1949.

Encina (Juan del), *Cancionero* (1496), ed. facsímil de la Real Academia Española, Madrid, 1928.

Espejo de enamorados, ed. A. Rodríguez-Moñino, Valencia, Castalia, 1951.

Fernández de Heredia (Juan), *Obras* (1562), ed. F. Martí Grajales, Valencia, 1913.

Filgueira Valverde (Joaquín), "Lírica medieval gallega y portuguesa", capítulo en *Historia general de las literaturas hispánicas*, dirigida por G. Díaz-Plaja, Barcelona, 1949, vol. I.

Flecha (Mateo), *Las ensaladas de Flecha, Maestro de capilla que fue de las Sereníssimas Infantas de Castilla*, Praga, 1581; ed. H. Anglés, Barcelona, 1955.

Foulché-Delbosc (R.), "Séguedilles anciennes", *Revue Hispanique*, VIII (1901).

— "Un 'villancico' retrouvé", *Revue Hispanique*, XII (1905).

Frenk Alatorre (Margit), "De la seguidilla antigua a la moderna", en *Collected Studies in honour of Américo Castro's Eightieth Year*, Oxford, 1965, páginas 97-107.

— "Dignificación de la lírica popular en el Siglo de Oro", *Anuario de Letras*, México, año II (1962).

— "El nacimiento de la lírica española a la luz de los nuevos descubrimientos", *Cuadernos Americanos*, LXVII, 1953, pp. 159-74.

— "Glosas de tipo popular en la antigua lírica", *Nueva Revista de Filología Hispánica*, XII (1958), pp. 301-334.

— "Jarŷas mozárabes y estribillos franceses", *NRFH*, VI (1952), pp. 281-4.

— *La lírica popular en los Siglos de Oro*, México, 1946.

— *Lírica hispánica de tipo popular*, México, Universidad Nacional Autónoma de México, 1966.

— "Refranes cantados y cantares proverbializados", *NRFH*, año XV, números 1-2 (Homenaje a Alfonso Reyes, tomo I).

— "Sobre los textos poéticos en Juan Vásquez, Mudarra y Narváez", *NRFH*, VI (1952).

— "Supervivencias de la antigua lírica popular", *Homenaje a Dámaso Alonso*, Madrid, Gredos, 1960, vol. I.

Frings (Theodor), "Altspanische Mädchenlieder aus des Minnesangs Frühling", *Beiträge zur Geschichte der deutschen Sprache und Literatur*, LXXIII (1951), pp. 176-196.

— "Minnensinger und Troubadours", *Deutsche Akademie der Wissenschaften, Vorträge und Schriften*, Berlin, 1949.

Fuenllana (Miguel de), *Libro de música para vihuela, intitulado Orphénica lyra*, Sevilla, 1554.

Gallardo (Bartolomé José), *Ensayo de una biblioteca española de libros raros y curiosos*, 4 vols., Madrid, 1863-1889. Edición facsímil, Madrid, Gredos, 1968.

García Gómez (Emilio), "Dos nuevas jarŷas romances (XXV y XXVI) en muwaššaḥas árabes (ms. G. S. Colin)", *Al-Andalus*, XIX, 1954.

— *Las jarchas romances de la serie árabe en su marco*, Madrid, Sociedad de Estudios y Publicaciones, 1965.

— "La lírica hispano-árabe y la invención de la lírica románica", *Al-Andalus*, XXI, 1956.

— "Veinticuatro jarchas romances en muwassahas árabes", *Al-Andalus*, XVII, 1952.

Gili y Gaya (Samuel), *Curso superior de sintaxis española*, Barcelona, 1955.

— "Fonología del periodo asindético", en *Estudios dedicados a Menéndez Pidal*, C. S. I. C., 1950, tomo I, pp. 55-67.

González de Eslava (Fernán), *Coloquios espirituales y sacramentales y poesías sagradas* (1610), ed. J. García Icazbalceta, México, 1877.

González Palencia (Ángel) y Eugenio Mele, *La Maya. Notas para su estudio en España*, Madrid, C. S. I. C., 1944.

Guerrero (Francisco), *Opera omnia*, vol. I, *Canciones y villanescas espirituales* (Venecia, 1589), transcr. por Vicente García, intr. y estudio por Miguel Querol Gavaldá, Barcelona, 1955.

Henríquez Ureña (Pedro), *La versificación irregular en la poesía castellana*, Madrid, 1920 (Publicaciones de la Revista de Filología Española).

Horozco (Sebastián de), *Cancionero*, Sevilla, Sociedad de Bibliófilos Andaluces, 1874.

Huete (Jaime de), *Comedia Vidriana*, en U. Cronan, *Teatro español del siglo XVI*, Madrid, Sociedad de Bibliófilos Madrileños, 1913.

Jeanroy (Alfred), *Les origines de la poésie lyrique en France au Moyen Âge*, Poitiers, 1889.

Keniston (H.), *The Syntax of Castilian Prose: The Sixteenth Century*, Chicago, The University of Chicago Press, 1937.

Laberinto amoroso de los mejores y más nueuos romances..., recopilado por Juan de Chen (Barcelona, 1618), ed. de Karl Vollmöller, *Romanische Forschungen* (VI), 1891; ed. J. M. Blecua, Valencia, Castalia, 1953.

Lang (H. R.), "Las formas estróficas y términos métricos del *Cancionero de Baena*", en *Estudios eruditos in memoriam de Adolfo Bonilla y San Martín*, Madrid, 1927, I, pp. 485-523.

Lapesa (Rafael), *Historia de la lengua española*, Madrid, 1955.

— "La lengua desde hace cuarenta años", *Revista de Occidente*, nov.-dic. 1963.

— *La obra literaria del Marqués de Santillana*, Madrid, Ínsula, 1957.

— *La trayectoria poética de Garcilaso*, Madrid, Revista de Occidente, 1948.

— "Sobre el texto y lenguaje de algunas 'jarchyas' mozárabes", *Boletín de la Real Academia Española*, XL (1960), pp. 53-65.

Larrea Palacín (Arcadio de), *Canciones rituales hispano-judías*, Madrid, 1954.

Le Gentil (Pierre), *La poésie lyrique espagnole et portugaise à la fin du Moyen Âge*, Rennes, 1949-53.

— *Le virelai et le villancico. Le problème des origines arabes*, Paris, 1954.

Levy (Isaac J.), *Sephardic Ballads and Songs in the United States: New Variants and Additions*. Master Thesis, University of Iowa, 1959.

Linares (Juan de), *Cancionero llamado Flor de enamorados* (Barcelona, 1562), ed. A. Rodríguez-Moñino y D. Devoto, Valencia, Castalia, 1954.

López de Mendoza (Íñigo), Marqués de Santillana, *Obras*, ed. J. Amador de los Ríos, Madrid, 1852.

Mal Lara (Juan de), *La Philosophia vulgar. Primera parte que contiene mil refranes glosados*, Sevilla, Díaz, 1568; ed. con prólogo y notas de Antonio Vilanova, Barcelona, Selecciones Bibliográficas, 1958, 4 vols.

Martínez Kleiser (Luis), *Refranero general ideológico español*, Madrid, Real Academia Española, 1953.

Martínez Torner (Eduardo), *Cancionero musical de la lírica popular asturiana*, Madrid, 1920.

— "Índice de analogías entre la lírica española antigua y la moderna", *Symposium*, núms. 1-4 (1946-50).

— *Lírica hispánica. Relaciones entre lo popular y lo culto*, Madrid, Castalia, 1966.

Mejía de la Cerda (Reyes), *Comedia de la Zarzuela y elección del Maestre de Santiago*, Ms. 4117 de la Biblioteca Nacional de Madrid.

Mele (Eugenio), "Un villancico della *Celestina* popolare in Italia nel Cinquecento", *Giornale Storico della Letteratura Italiana*, 106 (1935).

Méndez Plancarte (V. A.), *Poetas novo-hispanos*, México, 1942.

Mendoza (Fray Íñigo de), *Vita Christi fecha por coplas...*, Xamora, Centenera, 1482.

Menéndez Pidal (Ramón), "Cantos románicos andalusíes. Continuadores de una lírica latina vulgar", *Boletín de la Real Academia Española*, XXXI (1951), pp. 187-270.

— "Cartapacios literarios salmantinos del siglo XVI", *Boletín de la Real Academia Española*, I (1914).

— *El Romancero. Teorías e investigaciones*, Madrid, Páez, 1928.

— *España, eslabón entre la Cristiandad y el Islam*, Madrid, Austral, 1956.

— *España y su historia*, Madrid, 1957. (Contiene "Poesía popular y poesía tradicional").

— *Estudios literarios*, Madrid, 1920. (Contiene "La primitiva poesía lírica española". Reedición en la Colección Austral.)

— *Manual de gramática histórica española*, Madrid, 1958.

— "Poesía árabe y poesía europea", *Bulletin Hispanique*, XL (1938), páginas 337-423. Publicado con reformas en *Poesía árabe y poesía europea con otros estudios de literatura medieval*, Madrid, Austral, 1941.

— "Poesía popular y Romancero", *Revista de Filología Española*, I, 1914, páginas 357-77; II, 1915, pp. 1-20, 105-36, 329-38; III, 1916, pp. 233-89.

— *Romancero hispánico (hispano-portugués, americano y sefardí). Teoría e historia...*, Madrid, Espasa-Calpe, 1953, 2 vols.

Menéndez Pidal (Ramón), Diego Catalán y Álvaro Galmés, *Cómo vive un romance (Dos ensayos sobre tradicionalidad)*, Anejo LX de la R. F. E., Madrid, 1954.

Michaëlis de Vasconcellos (Carolina), "Nótulas sobre cantares e vilhancicos peninsulares e a respeito de Juan del Encina", *Revista de Filología Española*, V (1918), pp. 337-66.

Milán (Luis de), *Libro intitulado El Cortesano...* (Valencia, 1561); Madrid, 1872 ("Colección de libros españoles raros y curiosos", vol. VII).

— *Libro de música de vihuela de mano intitulado El Maestro...*, Valencia, 1535.

Millás Vallicrosa (J. M.), "Sobre los más antiguos versos en lengua castellana", *Sefarad*, VI (1946), pp. 362-71.

Molina (Juan de), *Cancionero* (1527); ed. Eugenio Asensio, Valencia, Castalia, 1952.

Montesino (Fray Ambrosio), *Cancionero de diversas obras de nueuo trobadas* (Toledo, 1508); ed. en *Romancero y cancionero sagrados*, Madrid, 1872, páginas 401-66 (BAE, tomo XXXV).

Moore (J. R.), "Omission of the Central Action in English Ballads", *The Modern Language Review*, XI, 1916.

Morel-Fatio (Alfred), *L'Espagne au XVIe et au XVIIe siècle*, Paris, 1878.

Mudarra (Alonso), *Tres libros de música en cifra para vihuela* (Sevilla, 1546); ed. E. Pujol, Barcelona, 1949.

Mussafia (Adolf), "Per la bibliografia dei 'cancioneros' spagnoli", *Denkschriften der kaiserlichen Akademie der Wissenschaften in Wien*, Viena, XLVII (1902).

Narváez (Luis de), *Los seys libros del Delphín de música de cifra para tañer vihuela* (Valladolid, 1538); ed. E. Pujol, Barcelona, 1945.

Navarro Tomás (Tomás), *Manual de entonación española*, New York, Hispanic Institute in the United States, 1948.

— *Métrica española*, Syracuse, New York, 1955.

Novati (Francesco), "Contributo alla storia della lirica musicale italiana popolare e popolareggiante dei secoli XV, XVI, XVII", en *Scritti varii di erudizione e di critica in onore di Rodolfo Renier*, Torino, 1912.

Nunes (José Joaquín), *Cantigas d'amigo dos trovadores galego-portugueses*, 3 vols., Coimbra, 1926-28.

Núñez (Hernán), *Refranes, o Proverbios en romance, que nuevamente colligió y glossó el Comendador H. N. Van puestos por la orden del Abc...*, Salamanca, Canoua, 1555.

Nykl (A. R.), *Hispano-Arabic Poetry and its Relations with the old Provençal Troubadours*, Baltimore, 1946.

Paris (Gaston), "Les origines de la poésie lyrique en France au Moyen Âge", *Journal des Savants*, 1891 (noviembre y diciembre) y 1892 (marzo y julio).

Pasquali (G.), "Congresso e crisi del folklore", *Pegaso*, I, 1924.

Pedrell (Felipe), *Catàlech de la Biblioteca Musical de la Diputació de Barcelona*, Barcelona, 1908-1909, 2 vols.

Pellegrini (Silvio), "La lirica medievale di Spagna e Portogallo", *Il Tesaur*, I (1949).

— *Studi su trove e trovatori della prima lirica ispano-portoghese*, Torino, 1937; 2.ª ed., Bari, 1959.

Pérez (Arias), *Primavera y flor de romances*, Madrid, 1622.

Piguet, *L'évolution de la pastourelle*, Bâle, 1927.

Pinto de Morales (J.), *Maravillas del Parnaso y flor de los mejores romances... Recopilado de graues autores por J. Pinto de Morales*, Lisboa, Crasbec, 1637. Reprod. facs. por Huntington, New York, 1902; ed. de J. del Río, Madrid, Atlas, 1943 (Col. Cisneros).

Pisador (Diego), *Libro de música de vihuela...*, Salamanca, 1552.

Pliegos poéticos españoles en la Universidad de Praga, 2 vols., Madrid, 1960.

Rengifo (Juan Díaz), *Arte poética española*, Salamanca, 1592.

Ribera (Julián), *El cancionero de Abencuzmán*, Madrid, 1912; reeditado en sus *Disertaciones y opúsculos*, Madrid, 1928, I.

Rodrigues Lapa (Manuel), *Das origens da poesia lírica em Portugal na Idade Média*, Lisboa, 1929.

— *Lições de Literatura Portuguesa, Época Medieval*, Lisboa, 1934; 3.ª ed., Coimbra, 1952.

Rodríguez Marín (Francisco), *Cantos populares españoles*, Sevilla, F. Álvarez y Cía., 1882-83, 5 vols.

Rodríguez-Moñino (A.), *Las series valencianas del Romancero nuevo y los Cancionerillos de Munich (1589-1602)*, Valencia, 1963.

Romancerillos de Pisa: R. Foulché-Delbosc, "Les romancerillos de Pise", *Revue Hispanique*, LXV (1925), pp. 153-263.

"Romancero de la Biblioteca Brancacciana", publ. por R. Foulché-Delbosc, en *Revue Hispanique*, LXV (1925), pp. 345-396.

Romancero general (1600, 1604, 1605), ed. A. González Palencia, 2 vols., Madrid, C. S. I. C., 1947.

Romeu Figueras (José), "El cantar paralelístico en Cataluña", *Anuario Musical*, IX (1954).

— "El cosante en la lírica de los cancioneros musicales españoles de los siglos XV y XVI", *Anuario Musical*, V (1950).

— "La poesía popular en los cancioneros musicales españoles", *Anuario Musical*, IV (1949).

Roncaglia (Aurelio), "Di una tradizione lirica pretrovatoresca in lingua volgare", *Cultura Neolatina*, II (1951).

— *Poesie d'amore spagnole d'ispirazione melica popolaresca. (Dalle 'Karge' mozarabiche a Lope de Vega)*, Modena, 1953.

Ross (Werner), "Sind die ḫarǧas Reste einer frühen romanischen Lyrik?", *Archiv für das Studium der neueren Sprachen und Literaturen*, CXCIII (1957).

Rouanet (Léo), *Colección de autos, farsas y coloquios del siglo XVI*, Biblioteca Hispánica, Madrid, 1901, 4 vols.

Rueda (Lope de), *Obras*, ed. Real Academia Española, Madrid, 1908.

St. Amour (Sister Mary Paulina), *A Study of the Villancico up to Lope de Vega*, Washington D. C., The Catholic University Press, 1940.

Salinas (Francisco), *De Musica libri septem*, Salamanca, 1577.

Salinas (Pedro), *Jorge Manrique o Tradición y originalidad*, Buenos Aires, 1952.

Santoli (V.), "Problemi di poesia popolare", *Annali della Scuola Normale di Pisa* (Let. e Fil.), serie II, vol. IV, 1935.

Schindler (Kurt), *Folk Music and Poetry of Spain and Portugal*, New York, 1941.

Schmidt (W.), "Die Entwicklung der englisch-scottischen Volksballaden" *Anglia*, LVII, 1933.

Silva de varios romances (Barcelona, 1561), ed. A. Rodríguez-Moñino, Valencia, Castalia, 1953.

Spitzer (Leo), "The mozarabic lyric and Theodor Frings' Theories", *Comparative Literature*, IV, 1952; publ. después en *Lingüística e Historia literaria*, Madrid, Gredos, 1955.

— "Notas sintáctico-estilísticas a propósito del español *que*", en *Revista de Filología Hispánica*, Buenos Aires, IV, 1942.

Stern (Samuel M.), *Les chansons mozarabes (Les vers finaux (kharjas) en espagnol dans les 'muwashshahs' arabes et hébreux)*, Palermo, Universitá, 1953.

— "Studies on Ibn Quzman", *Al-Andalus*, 1951.

— "Les vers finaux en espagnol dans les muwassahs hispano-hébraïques. Une contribution à l'histoire du muwassah et à l'étude du vieux dialecte espagnol 'mozárabe' ", *Al-Andalus*, XIII, 1948, pp. 299-346.

Tesnière (Lucien), *Éléments de Syntaxe structurale*, Paris, 1959.

Timoneda (Juan de), *Obras*, ed. E. Juliá Martínez, Madrid, Sociedad de Bibliófilos Españoles, 1947, 3 vols.

— *Sarao de Amor. Segunda parte del Cancionero llamado Sarao de Amor*, Valencia, Navarro, 1561.

Toschi (Paolo), *Fenomenologia del canto popolare*, Roma, 1947.

— *La poesia popolare religiosa in Italia*, Florencia, 1935.

Valdés (Juan de), *Diálogo de la lengua*, ed. J. F. Montesinos, Madrid, Clásicos Castellanos, 1964.

Valdivielso (Josef de), *Doze actos sacramentales y dos comedias divinas*, Toledo, Ruyz, 1622.

— *Primera parte del Romancero Espiritual, en gracia de los esclauos del santíssimo Sacramento; para cantar cuando se muestra descubierto*, Toledo, Viuda de P. Rodríguez, 1612.

— *Romancero espiritual*, ed. M. Mir, Madrid, Colección de Escritores Castellanos, 1880.

Vasco (Eusebio), *Treinta mil cantares populares*, Valdepeñas, 1929.

Vásquez (Juan), *Recopilación de sonetos y villancicos a quatro y a cinco* (Sevilla, 1560); ed. H. Anglés, Barcelona, 1946.

— *Villancicos y canciones a tres y a quatro*, Osuna, 1551; extractado en Gallardo, *Ensayo...*, tomo IV, cols. 921-926.

Vega (Lope de), *Obras*, Madrid, ed. Real Academia Española, por M. Me néndez y Pelayo, 1890-1913, 15 vols.; nueva ed. por E. Cotarelo y Mori Madrid, 1916-1930, 13 vols.

— *Poesías líricas*, ed. José F. Montesinos, Madrid, Clásicos Castellanos, 1926 27, 2 vols.

Vicente (Gil), *Copilaçam de todalas obras...*, Lisboa, Alvares, 1562; *Obra completas*, ed. Mendes dos Remedios, Coimbra, 1907-14, 3 vols.

Vidossi (G.), "Nuovi orientamenti nello studio delle tradizioni popolari", *Att del II Congresso internazionale dei linguisti*, Firenze, Ariani, 1935.

Vila (Pedro Alberto), *Odarum quas vulgo madrigales appellamus...*, Barce lona, 1561.

Villegas (Antonio de), *Inventario*, Medina del Campo, 1565.

Viscardi (Antonio), *Preistoria e storia degli studi romanzi*, Milano, Cisalpi no, 1955.

Wartburg (Walther von), *Problemas y métodos de la lingüística*, trad. de L Alonso y E. Lorenzo, con notas de D. Alonso para el público de habl española, Madrid, Publicaciones de la Revista de Filología Española, 1951

Zingarelli (N.), *Scritti di varia letteratura*, Milano, 1935.

ÍNDICE DE PRIMEROS VERSOS

ANTOLOGÍA POPULAR

Núms.

Núms.

ANTOLOGÍA POPULARIZANTE I

ÍNDICE DE CITAS A LAS CANCIONES ANTOLOGIZADAS

ANTOLOGÍA POPULAR

ANTOLOGÍA POPULARIZANTE I

ANTOLOGÍA POPULARIZANTE II

ÍNDICE DE FUENTES DE LA ANTOLOGÍA POPULAR

ÍNDICE GENERAL

C. Las penas de amor   66
    1. El insomnio, 66. — 2. La ausencia, 68.
    3. El olvido y la infidelidad; y la imposibili-
    dad de olvidar el amor, 69. — 4. Las penas de
    amor. Las penas de amor y el mar, 71. — 5. La
    malcasada, 72.

D. Desenfado y protesta   74
    1. La niña precoz, 74. — 2. *Collige, virgo,
    rosas,* 75. — 3. La guarda, 75. — 4. La niña
    que no quiere ser monja, 77.

E. Las fiestas del amor   78
    1. Las fiestas de San Juan, 78. — 2. Las
    fiestas de mayo, 82.

V. *Popularidad y fortuna del villancico en el siglo XVI.*   84

Capítulo II: EL VILLANCICO ANTE EL PROBLEMA DE LA POESÍA
POPULAR   90
    A. *Teorías en torno al problema de la poesía
        popular*   91
        1. Los románticos. El pueblo poeta, 91. —
        2. Los antirrománticos. *Le peuple ne crée pas,*
        92. — 3. Benedetto Croce: *Poesía popolare e
        poesía d'arte,* 93. — 4. La crítica individualista
        italiana, 95. — 5. Ramón Menéndez Pidal. La
        teoría tradicionalista, 96. — 6. W. Schmidt. Pro-
        ceso de estilización, 99. — 7. Sergio Baldi. Con-
        cepto de escuela popular, 99.

    B. *El villancico ante el problema de la poesía
        popular*   101
        a. Exposición del problema y afirmaciones
            preliminares   101
            1. Los hombres siempre han cantado, 103.
            2. Existen canciones de creación popular, 106.
            3. Importancia de lo colectivo y de la tradi-
            ción, 110. — 4. Ascenso y descenso en poesía,
            111.

E. Reacción de la crítica fuera de España ... 353
    1. Rodrigues Lapa, 354. — 2. Costa Pim-
    pão, 356. — 3. Silvio Pellegrini, 357. — 4. Au-
    relio Roncaglia, 362.

III. El *"frauenlied"* y el origen de la lírica europea ... 364
    A. La tesis de Jeanroy 365
    B. La tesis de Gaston Paris 369
    C. Leo Spitzer: La jarcha mozárabe y el *re-
        frain* francés 371
        1. Las jarchas, como restos de canciones
        primaverales de danza femeninas, 371. — 2. Uni-
        dad y diversidad de origen, 378.

ANTOLOGÍAS 381

    Declaración de criterios seguidos en el análisis lingüístico ... 383
    Reglas de la oración 384
    Reglas de la yuxtaposición 387
    Reglas de la elisión 388
    Reglas de los nexos sintácticos 389
    Algunas indicaciones sobre los signos convencionales ... 389

    Antología popular 391
    Antología popularizante I 508
    Antología popularizante II 530

NOTAS A LAS ANTOLOGÍAS 554

    Notas a la Antología popular 556
    Notas a la Antología popularizante I 563
    Notas a la Antología popularizante II 565

BIBLIOGRAFÍA 567

ÍNDICES:

    Índice de primeros versos 579
    Antología popular 579
    Antología popularizante I 595
    Antología popularizante II 596

BIBLIOTECA ROMÁNICA HISPÁNICA

Director: DÁMASO ALONSO

I. TRATADOS Y MONOGRAFÍAS

1. Walther von Wartburg: *La fragmentación lingüística de la Romania*. Segunda edición, en prensa.
2. René Wellek y Austin Warren: *Teoría literaria*. Con un prólogo de Dámaso Alonso. Cuarta edición. 432 págs.
3. Wolfgang Kayser: *Interpretación y análisis de la obra literaria*. Cuarta edición revisada. 1.ª reimpresión. 594 págs.
4. E. Allison Peers: *Historia del movimiento romántico español*. Segunda edición. 2 vols.
5. Amado Alonso: *De la pronunciación medieval a la moderna en español*.
   Vol. I: Segunda edición. 382 págs.
   Vol. II: 262 págs.
6. Helmut Hatzfeld: *Bibliografía crítica de la nueva estilística aplicada a las literaturas románicas*. Segunda edición, en prensa.
7. Fredrick H. Jungemann: *La teoría del sustrato y los dialectos hispano-romances y gascones*. Agotada.
8. Stanley T. Williams: *La huella española en la literatura norteamericana*. 2 vols.
9. René Wellek: *Historia de la crítica moderna (1750-1950)*.
   Vol. I: *La segunda mitad del siglo XVIII*. 396 págs.
   Vol II: *El Romanticismo*. 498 págs.
   Vol. III: En prensa.
   Vol IV: En prensa.
10. Kurt Baldinger: *La formación de los dominios lingüísticos en la Península Ibérica*. 398 págs. 15 mapas. 2 láminas.
11. S. Griswold Morley y Courtney Bruerton: *Cronología de las comedias de Lope de Vega (Con un examen de las atribuciones dudosas, basado todo ello en un estudio de su versificación estrófica)*. 694 págs.

II. ESTUDIOS Y ENSAYOS

1. Dámaso Alonso: *Poesía española (Ensayo de métodos y límites estilísticos)*. Quinta edición. 672 páginas. 2 láminas.
2. Amado Alonso: *Estudios lingüísticos (Temas españoles)*. Tercera edición. 286 págs.
3. Dámaso Alonso y Carlos Bousoño: *Seis calas en la expresión literaria española (Prosa-poesía-teatro)*. Cuarta edición, en prensa.

27. Carlos Bousoño: *La poesía de Vicente Aleixandre*. Segunda edición corregida y aumentada. 486 págs.

28. Gonzalo Sobejano: *El epíteto en la lírica española*. Agotada.

29. Dámaso Alonso: *Menéndez Pelayo, crítico literario. Las palinodias de Don Marcelino*. Agotada.

30. Raúl Silva Castro: *Rubén Darío a los veinte años*. Agotada.

31. Graciela Palau de Nemes: *Vida y obra de Juan Ramón Jiménez*. Segunda edición, en prensa.

32. José F. Montesinos: *Valera o la ficción libre (Ensayo de interpretación de una anomalía literaria)*. Agotada.

33. Luis Alberto Sánchez: *Escritores representativos de América*. Primera serie. La segunda edición ha sido incluida en la sección VII, *Campo Abierto*, con el número 11.

34. Eugenio Asensio: *Poética y realidad en el cancionero peninsular de la Edad Media*. Agotada.

35. Daniel Poyán Díaz: *Enrique Gaspar (Medio siglo de teatro español)*. 2 vols. 10 láminas.

36. José Luis Varela: *Poesía y restauración cultural de Galicia en el siglo XIX*, 304 págs.

37. Dámaso Alonso: *De los siglos oscuros al de Oro*. La segunda edición ha sido incluida en la sección VII, *Campo Abierto*, con el número 14.

39. José Pedro Díaz: *Gustavo Adolfo Bécquer (Vida y poesía)*. Segunda edición corregida y aumentada. 486 págs.

40. Emilio Carilla: *El Romanticismo en la América hispánica*. Segunda edición revisada y ampliada. 2 vols.

41. Eugenio G. de Nora: *La novela española contemporánea (1898-1960)*. Premio de la Crítica.
Tomo I: (1898-1927). Segunda edición. 622 págs.
Tomo II: (1927-1939). Segunda edición corregida. 538 págs.
Tomo III: (1939-1960). Segunda edición, en prensa.

42. Christoph Eich: *Federico García Lorca, poeta de la intensidad*. Segunda edición, en prensa.

43. Oreste Macrí: *Fernando de Herrera*. Agotada.

44. Marcial José Bayo: *Virgilio y la pastoral española del Renacimiento*. Agotada.

45. Dámaso Alonso: *Dos españoles del Siglo de Oro (Un poeta madrileñista, latinista y francesista en la mitad del siglo XVI. El Fabio de la "Epístola moral": su cara y cruz en Méjico y en España)*. 258 págs.

46. Manuel Criado de Val: *Teoría de Castilla la Nueva (La dualidad castellana en la lengua, la literatura y la historia)*. Segunda edición. 400 págs.

47. Ivan A. Schulman: *Símbolo y color en la obra de José Martí*. Agotada.

EL VILLANCICO. — 40*

V. DICCIONARIOS

1. Joan Corominas: *Diccionario crítico etimológico de la lengua castellana.* Agotada.
2. Joan Corominas: *Breve diccionario etimológico de la lengua castellana.* Segunda edición revisada. 628 págs.
3. *Diccionario de autoridades.* Edición facsímil. 3 vols.
4. Ricardo J. Alfaro: *Diccionario de anglicismos.* Recomendado por el "Primer Congreso de Academias de la Lengua Española". 480 págs.
5. María Moliner: *Diccionario de uso del español.* 2 vols.

VI. ANTOLOGÍA HISPÁNICA

1. Carmen Laforet: *Mis páginas mejores.* 258 págs.
2. Julio Camba: *Mis páginas mejores.* Primera reimpresión. 254 págs.
3. Dámaso Alonso y José M. Blecua: *Antología de la poesía española.* Vol. I: *Lírica de tipo tradicional.* Segunda edición corregida. LXXXVI + 266 págs.
4. Camilo José Cela: *Mis páginas preferidas.* 414 págs.
5. Wenceslao Fernández Flórez: *Mis páginas mejores.* 276 págs.
6. Vicente Aleixandre: *Mis poemas mejores.* Tercera edición aumentada. 322 págs.
7. Ramón Menéndez Pidal: *Mis páginas preferidas (Temas literarios).* 372 págs.
8. Ramón Menéndez Pidal: *Mis páginas preferidas (Temas lingüísticos e históricos).* 328 págs.
9. José M. Blecua: *Floresta de lírica española.* Segunda edición corregida y aumentada. 1.ª reimpresión. 2 vols.
10. Ramón Gómez de la Serna: *Mis mejores páginas literarias.* 246 páginas. 4 láminas.
11. Pedro Laín Entralgo: *Mis páginas preferidas.* 338 págs.
12. José Luis Cano: *Antología de la nueva poesía española.* Tercera edición. 438 págs.
13. Juan Ramón Jiménez: *Pájinas escojidas (Prosa).* 262 págs.
14. Juan Ramón Jiménez: *Pájinas escojidas (Verso).* 1.ª reimpresión. 238 págs.
15. Juan Antonio de Zunzunegui: *Mis páginas preferidas.* 354 págs.
16. Francisco García Pavón: *Antología de cuentistas españoles contemporáneos.* Segunda edición renovada. 454 págs.
17. Dámaso Alonso: *Góngora y el "Polifemo".* Quinta edición muy aumentada. 3 vols.